LA DIVINA COMEDIA

DANTE ALIGHIERI

LA DIVINA
COMEDIA

Prólogo de
TOMÁS CARLYLE

BERBERA EDITORES S.A DE C.V.

Delibes No. 96 Col. Guadalupe Victoria C.P. 07790
México, D.F. Tel: 5 356 4405, Fax: 5 356 6599
Página Web: www.berbera.com.mx
Correo electrónico: editores@berbera.com.mx

ISBN: 968-5566-77-1

Impreso en México
Printed in Mexico.

PRÓLOGO

Se han escrito muchos volúmenes a manera de comentario acerca del Dante y de su Libro; y la verdad es, hablando en general, que con escaso resultado. Su Biografía, puede decirse, se ha perdido irrecuperablemente para nosotros. De este hombre de vida modesta, errante, agobiado de tristezas, nadie se tomó mucho trabajo en registrar los hechos mientras vivía, y la mayor parte de ello se ha perdido en el largo espacio de tiempo que desde entonces ha transcurrido. Hace ya cinco siglos que cesó de escribir y de vivir en este mundo. Después de tanto comentario, es su Libro lo más importante que conocemos acerca de él. Su libro — y, podríamos añadir, el retrato generalmente atribuido al Giotto, el cual basta mirarlo, para inclinarse a creerlo auténtico, sea quien fuere el pintor. Para mí es aquel rostro en extremo emocionante; acaso de todos los rostros que conozco, el más emocionante. Solo allí, como pintado en el vacío, con el laurel que le ciñe; la tristeza inmortal y el dolor, y con ellos la consciente victoria que es también inmortal —; he aquí el resumen de toda la historia del Dante. Yo pienso que es aquel el rostro más patético que jamás se pintó del natural; un rostro completamente trágico, emocionante. En él, sin embargo, se observa, cosa fundamental en su personalidad, la dulzura, la ternura, el cariñoso afecto, como de niño; pero todo esto como congelado por aguda contradicción, en abnegación, aislamiento, altivo dolor sin esperanza. ¡Un alma suave y etérea, pero que os mira con tan austera, implacable, mordaz severidad, como si saliese de una prisión de endurecido hielo! Y con esto. un dolor silencioso, silencioso y sarcástico; el labio se ondula en una especie de olímpico desdén hacia lo que le está devorando el corazón — como si, a pesar de todo, fuese cosa despreciable, insignificante; como si él se sintiera mucho más

grande que aquello que tiene el poder de torturarle y estrangularle. El rostro de un hombre todo él protesta, durante toda
su vida en guerra sin rendición contra el mundo. Afecto convertido todo en indignación: implacable indignación; ¡serena, invariable, como la de un dios! Los ojos también observan con una especie de *sorpresa,* como si preguntasen:
¿Por qué el mundo es así? Tal es el Dante; así se nos revela
aquella «voz que nos llega a través del silencio de diez siglos»
y nos canta «su místico, insondable canto».

Lo poco que sabemos de la vida del Dante concuerda
suficientemente con este retrato y con este Libro. Nació en
Florencia, de la clase más alta de la sociedad, el año de 1265.
La educación fué la mejor que entonces se daba; mucha teología escolástica, lógica aristotélica, algo de clásicos latinos
— conocimiento más que suficiente en otras esferas del saber —; el Dante, con su fervorosa naturaleza, no hay que dudarlo, aprendió mejor que otro alguno cuanto había que aprender. Poseía una inteligencia clara, cultivada y de notable sutileza; éste fué el mejor fruto que logró conseguir de sus maestros escolásticos. Conoce bien cuanto le rodea; pero sin los
libros impresos y el trato humano, no hubiera podido comprender lo que había más allá: la clara lucecita, brillantísima
para lo que tiene cerca, se quiebra en singular claroscuro, que
deja traslucir lo que está lejos. Esto fué lo que aprendió el
Dante en las escuelas. En la vida pasó por las vicisitudes corrientes: dos veces combatió como soldado del Estado florentino, tuvo cargos diplomáticos; a los treinta y cinco años había llegado a ser uno de los magistrados principales de Florencia. En su juventud se había encontrado con cierta Beatriz Portinari, hermosa niña de su edad y clase, y desde entonces fué
creciendo su predilección hacia ella, aunque su trato con ella
fué bastante distanciado. Todos sus lectores conocen bien su
graciosa y afectuosa narración de aquel amor (1), y de cómo
se separaron y ella se casó con otro, y de cómo, poco después,
murió. Beatriz tiene un papel importantísimo en el Poema
del Dante; parece haberlo tenido también en su vida. Parece
como si, de todos los seres que él conoció, Beatriz, apartada
de él, muy apartada finalmente en la profunda Eternidad, fuese la única a quien amó con toda la fuerza de su pasión.
Murió ella; el Dante llegó a casarse; pero no parece que
fuera feliz en su matrimonio, ni mucho menos. Yo imagino

(1) Se refiere a su libro *La Vita Nuova.* — *(N. del T.)*

que aquel hombre exigente y severo, con su aguda sensibilidad, no era nada susceptible de ser feliz.

No nos compadezcamos demasiado de las penas del Dante: si todo hubiese ocurrido para él como él lo había deseado, hubiera llegado a ser Prior, Podestá, o como quiera llamársele, de Florencia, bien acogido por sus paisanos, y el mundo se hubiera quedado sin una de las palabras más insignes que jamás hablaron o cantaron. Florencia podría haber contado con un decoroso alcalde más; ¡y estos diez mudos siglos hubieran continuado sin voz, y los diez siglos siguientes (porque hubieran sido diez y acaso algunos más) no hubieran podido escuchar el canto de una *Divina Comedia!* No le compadezcamos por ningún motivo. Un destino más noble estaba ordenado para nuestro Dante; y él, luchando como un hombre impelido contra la muerte y la crucifixión, no podía menos de cumplirlo. ¡Concededle que podía elegir la felicidad que le correspondía! Él no sabía, como no sabemos nosotros, qué es en realidad ser feliz, qué es en realidad ser desgraciado.

Durante la vida pública del Dante, los disturbios entre Güelfos y Gibelinos, entre los Bianchi-Neri, y algunos otros desórdenes parecidos, llegaron a tal punto, que el Dante, cuyo partido había parecido ser el más fuerte, fué condenado inesperadamente al destierro con sus amigos; sentenciado en adelante a llevar una vida errante y llena de penalidades. Todas sus propiedades fueron confiscadas y perdidas; pero él también sentía la altiva convicción de que aquello era una solemne injusticia, abominable a los ojos de Dios y de los hombres. Hizo cuanto pudo para ser reivindicado, llegó a intentarlo por sorpresa bélica y con las armas en la mano: pero hubiera sido mejor no hacerlo; no logró sino empeorar su situación. Creo que todavía existe en los Archivos de Florencia un documento en que se condena al Dante, donde se le prenda, a ser quemado vivo. Quemado vivo; así consta, según se dice; curioso documento cívico, en verdad. Otro documento curioso, de muchos años más tarde, es una carta del Dante a los magistrados florentinos, escrita en respuesta a una propuesta más benigna que le hicieron, de que volviera, con la condición de disculparse y pagar una multa. Él les contestó con altivez firme y severa: «Si yo puedo volver sin tener que reconocerme culpable, no volveré nunca más, *nunquam revertar.*»

Ya no había, pues, hogar para el Dante en este mundo.

Anduvo errabundo de patrón en patrón, de un lado a otro; demostrando la verdad de sus propias palabras: «Qué duro es el camino, *Come è duro calle.*» Los desgraciados no son de alegre compañía. El Dante, pobre y desterrado, con su altiva y ferviente naturaleza, con su irritable humor, no era hombre para atraerse a los demás hombres. El Petrarca refiere que hallándose en la corte de Can della Scala, como fuese reprendido una vez por su melancolía y su taciturnidad, contestó de manera nada cortesana. Della Scala se hallaba rodeado de sus cortesanos, divirtiéndose con mimos y bufones (*nebulones ac histriones*) que le ponían contento muy de veras; cuando, volviéndose hacia el Dante, le dijo: «¿No es cosa rara, decid, que este pobre loco pueda hacerse tan divertido, mientras vos, hombre de juicio, os estáis ahí sentado, un día y otro día, y no hacéis nada en absoluto para divertirnos?» Dante contestó cáusticamente: «No, no es cosa rara; recuerde, si no, Vuestra Alteza, el proverbio: *Tal para cual;* ¡dado el que divierte, se da también el divertido!» Un hombre así, con sus maneras altivas y taciturnas, con sus sarcasmos y tristezas, no era para prosperar en las cortes. Poco a poco se convenció él mismo de que ya no hallaría lugar de reposo, ni podía esperar situación provechosa en este mundo. El mundo terrenal le había arrojado de sí, a vagar, a vagar siempre; tampoco había ya corazón viviente que le amase; para sus amargas desgracias ya no había consuelo en la tierra.

Por esto era natural que penetrara en él más profundamente aún el Mundo de lo Eterno; temerosa realidad sobre la cual, al fin y al cabo, sólo podía agitarse superficialmente, como sombra irreal, este Mundo del Tiempo, con sus Florencias y sus destierros. Florencia, ya no la verás nunca otra vez, ¡pero el Infierno y el Purgatorio sí que los verás, con toda certeza! ¿Qué son Florencia, Can della Scala, el mundo y la tierra juntos? ETERNIDAD: ¡allí, ciertamente, y no a otra parte alguna, estáis sujetos, tú y todas las cosas! El gran espíritu del Dante, sin hogar en el mundo, buscó amparo, cada vez más, en aquel otro mundo imponente. Era natural que sus pensamientos se refugiaran en él, consideraran esto como lo más importante que hacer podía. Representado corporalmente, o de cualquier otro modo, aquel mundo es lo único que importa para todos los hombres; pero para el Dante, y en aquella época, se ofrecía configurado, con firme certidumbre, de forma científica; ni siquiera dudaba ya de la realidad de aquel Pozo de *Malebolge*, de que existía con

sus tenebrosos círculos, con sus *alti guai*, ni de que él mismo
podría verlo; como nosotros no podemos dudar de que ve-
ríamos Constantinopla si fuéramos a verla. El corazón del
Dante, llenándose largo tiempo de estas cosas, refugiándose
en ellas en mudo pensamiento y temor, rompió al fin en «místico, insondable canto»; y el resultado de este canto fué su
Divina Comedia, el Libro más notable de todos los libros
modernos.

Debió de ser un gran consuelo para el Dante, y fué para
él, a menudo, como podemos comprobarlo, altiva aquella
obra; que no había Florencia, ni hombre ni hombres, que
pudieran impedir que la crease, ni siquiera ayudarle a crearla.
Tenía conciencia, en parte a lo menos, de ser grande su
obra; la más grande que un hombre podía realizar. «Si sigues
tu estrella, *Se tu segui tua stella*», así podía decirse aquel
Héroe en medio de su abandono y extrema necesidad: «¡Sigue tu estrella, y no te faltará un glorioso puerto!» El trabajo de escribirlo, suponemos, y podemos comprobarlo, fué
grande y penoso para él; él dice: «Este Libro que me ha tenido encorvado tantos años.» ¡Ah, sí! Todo lo que realizó
en él fué ganado a costa de dolor y dura tarea — no con
juego, sino con austera seriedad —. Su Libro, como la mayoría
de los buenos libros, ha sido escrito, y esto en muchos sentidos, con la sangre de su corazón. Este Libro es toda su historia. Murió poco después de terminarlo; y no muy viejo, pues
tenía cincuenta y seis años — de enfermedad cardíaca, según dicen —. Está enterrado en la ciudad donde murió, Ravena: *Hic claudor Dantes, patriis exiorris ab oris.* Los florentinos
suplicaron que les fuera devuelto su cuerpo un siglo después; el pueblo de Ravena no quiso devolverlo. «Aquí yazgo,
yo, el Dante, arrojado de sus patrias riberas.»

He dicho que el poema del Dante fué un canto; fué
Tieck quien dijo lo de «místico, insondable canto»; tal es,
literalmente, su carácter. Coleridge observa, con mucha razón,
que donde halléis un pensamiento expresado musicalmente,
con verdadero ritmo y melodía en las palabras, allí tendréis
también algo profundo y bueno en su significado. Porque
alma y cuerpo, idea y palabra, van singularmente unidos en
él y en todo lo demás. Canto: ¡hemos dicho antes que el
Canto es lo Heroico de la Palabra! Todos los *antiguos* Poemas, los de Homero, como todos los demás, son auténticamente Cantos. Y yo diría que, en sentido estricto, todos los
verdaderos poemas lo son; que todo lo que no sea cantado

no es propiamente Poema, sino un trozo de Prosa embutido en aleluyas — ¡para mayor injuria de la gramática, para mayor ofensa del lector, en la mayoría de los casos! —. Lo que puede importarnos de ello será el *pensamiento* que se le ocurrió a un hombre, si es que se le ocurrió alguno; ¿qué necesidad tenía de retorcerlo en aleluyas, cuando *podía* haberlo expresado llanamente? Sólo cuando su corazón se siente arrebatado por la verdadera pasión de la melodía, y sus verdaderos acentos, de conformidad con la observación de Coleridge, se tornan musicales por la grandeza, la profundidad y la música de sus pensamientos, es cuando podemos concederle el Derecho de rimar y cantar; cuando podemos llamarle Poeta, y escucharle como Heroico entre los Que Hablan, cuya palabra es Canto. Aspirantes a esto hay muchos; ¡y para un lector apasionado me temo mucho que, con la mayor frecuencia, sea una desgracia, por no decir un trabajo insoportable, leer versos! El verso que no tenga la íntima necesidad de ser versificado, mejor sería que nos dijese llanamente, sin aleluya, lo que se proponía decir. Yo aconsejaría a todos los que *puedan* expresar su pensamiento, que no lo canten; comprendan que en una época seria, entre hombres serios, no tienen vocación para cantarlo. Precisamente por lo que amamos el verdadero canto, y nos encantamos con él como con cosa divina, odiamos el canto falso, y le tenemos por puro ruido de madera, por cosa vacía, superflua, cosa en absoluto insincera y ofensiva.

He dedicado al Dante mi mayor alabanza, cuando he dicho que su *Divina Comedia* es, en todos sentidos, auténticamente, un Canto. En cuanto a su propio sonido, es un *canto fermo*: va avanzando como una salmodia. Su lenguaje, su sencilla *terza rima* contribuyen a ello. Vamos leyéndolo con facilidad y una especie de *regocijo*. Pero añado que no podía suceder de otro modo; porque la esencia y la materia de la obra son también rítmicas. Su profundidad y su arrebatada y sincera pasión las hacen musicales; penetrad a profundidad suficiente y hallaréis música por todas partes. En la *Divina Comedia* reina una verdadera simetría interior, lo que llamamos armonía arquitectónica, que da proporción a toda la obra: arquitectónica; cosa que también participa del carácter de la música. Los tres reinos, *Infierno, Purgatorio, Paradiso*, se corresponden como los compartimientos de un gran edificio; una gran catedral del Universo, sobrenatural, edificada por modo severo, solemne, imponente; ¡el Mundo de

las almas del Dante! Es, en realidad, el *más sincero* de todos
los Poemas; también aquí hallamos ser la sinceridad medida
de su valor. Va de lo profundo del corazón de su autor a los
corazones de los hombres; y penetra en los corazones nuestros a través de largas generaciones. El pueblo de Verona,
cuando veía por las calles al poeta, acostumbraba decir: «*Ec-
covi l'uomo ch'è stato all' Inferno!*» (¡He aquí al hombre
que ha estado en el Infierno!) Ah, sí, él ha estado en el
Infierno; y era verdad, en el Infierno de duraderas penas
y luchas; como todos los que han sufrido como él pueden
decir que han estado. Las Comedias que alcanzan a ser *divinas* no se realizan de otra manera. El Pensamiento, toda labor
sincera, sea cual fuere, ¿no es hijo del Dolor? Como nacido
del negro torbellino; verdadero *esfuerzo,* ciertamente, como
lucha de prisionero para libertarse: tal es el Pensamiento. En
toda ocasión nos vemos obligados a «ser perfectos por medio
del sufrir». Pero, como decía, no conozco obra tan traba-
jada cual ésta del Dante. Ha sido como fundida en el horno
más ardiente de su alma. Le ha obligado a «encorvarse» durante muchos años. Y no sólo el conjunto de la obra; cada
compartimiento suyo está trabajado, con intensa aplicación,
en verdad, en clara visualidad. Todo se corresponde en ella;
todo está firme en su lugar, como bloque de mármol cuidadosamente cortado y pulimentado. Es el alma del Dante, y en
ella el alma de la Edad Media, hecha para siempre rítmica-
mente invisible. Y esto no es labor fácil, sino labor intensa:
trabajo *acabado.*

Tal vez podría decirse que la *intensidad,* con lo mucho
que depende de ella, es el carácter que predomina en el genio
del Dante. El Dante no se nos ofrece como un espíritu ampliamente católico, sino más bien como espíritu estrechamente católico y aun sectariamente; esto es, en parte, fruto
de su edad y situación, pero también, en buena parte, de su
propia naturaleza. Su misma grandeza, en todos sentidos, ha
sido causa de que se reconcentrara en sí mismo con vigoroso
relieve y profundidad. Su grandeza es universal, no en el sentido de latitud, sino de profundidad. Él penetra en todas las
cosas como si entrase en el corazón del Ser. Nada conozco tan
intenso como el Dante. Considerad, por ejemplo, para comen-
zar por las manifestaciones exteriores del desarrollo de su
intensidad, considerad cómo pinta. Posee un poder extraordinario de visión; capta el verdadero tipo de cada cosa; y
esto nos presenta y nada más. Recordaréis el primer aspecto

que nos da de la región de Dite; *rojos* pináculos, conos de
hierro al rojo vivo irradiando en la profunda inmensidad de
las tinieblas — ¡todo tan vívido, tan claramente distinto, visible a primera vista y para siempre! — Aquí tenemos un
símbolo de todo el genio del Dante. Su expresión es rápida,
hecha de brusca precisión; Tácito mismo no es ni tan sobrio
ni más concentrado; y, por otra parte, en el Dante se trata
de una concentración que parece natural, espontánea, de su
personalidad. Una palabra que os deja estupefactos; y después, silencio, ni una palabra más. Su silencio es aún más elocuente que sus palabras. Es sorprendente con qué incisiva,
decisiva gracia se apodera de la verdadera semblanza de una
cosa; corta en su materia como con pluma de fuego. Pluto, el
jactancioso gigante, se hunde ante la represión de Virgilio; hace «como las velas que se abaten cuando el mástil
se ha roto súbitamente». O aquel pobre Brunetto Latini, con
su *cotto aspetto*, «su rostro *cocido*», tostado y macilento, y la
«nieve implacable», que allí le cae encima, ¡una «nieve implacable, sin viento», pausada, intencionada, eterna! O las
tapas de aquellas tumbas: sarcófagos cuadrados, en aquel
recinto silencioso profundamente ardiente, cada uno con su
alma en tortura; aquellas tapas abiertas, entonces; y que
habrán de cerrarse el Día del Juicio, para una Eternidad.
Y cómo Farnata se pone en pie; y cómo cae aquel Cavalcante — al oír de la desgracia de su Hijo, ¡y aquel pretérito
«*fué*»! — Los mismos movimientos de la expresión del Dante
tienen mucho de rápido; prontos, decisivos, casi militares.
Esta manera de pintar está en la más íntima esencia de su
genio. La ardiente, vivaz naturaleza italiana de aquel hombre,
tan silencioso, apasionado, con sus ágiles, bruscos movimientos, sus silenciosas, «pálidas iras», dan la explicación de todo
esto.

Porque, con todo y ser esto de pintar una de las manifestaciones más exteriores en un hombre, procede, como todas
las demás, del talento que sea esencial en él; es revelación
fisionómica de toda su personalidad. Cuando halléis un hombre que pueda pintarse una semblanza, estad seguros de que
habéis dado con un hombre que vale para algo; considerad
su manera de hacerlo como auténticamente característica suya.
En primer lugar, porque no hubiese discernido el objeto en modo
alguno, o advertido su tipo vital, a menos de haber
simpatizado con él, si no hubiera en él simpatía sobrante
para concederla a los objetos. Por otra parte, es necesario que

haya puesto *sinceridad* en ello; sinceridad y simpatía; un
hombre sin mérito alguno no puede daros la semblanza de
ningún objeto; permanece en vaga superficialidad, falacia y
vulgar habladuría para con todos los objetos. Y, efectivamente, ¿no podemos asegurar que la inteligencia entera se expresa en este poder de discernir lo que es un objeto? Todo talento que el espíritu de un hombre pueda contener vendrá a
parar en esto. ¿Se trata de esclarecer un asunto, de algo que
hay que resolver? El hombre bien dotado será el que *vea* el
punto esencial, y deje aparte todo lo demás, como superfluo;
es también este talento, el talento del hombre de negocios, el
que discierne la verdadera semblanza, no la falsa y superficial,
del asunto en que ha de trabajar. ¿Y qué especie de *moralidad*
no hay en la manera como discernimos en alguna materia?;
«¡porque el ojo ve en todas las cosas precisamente lo que
él tiene facultad de ver!» Para el ojo vulgar todo es trivial,
tan cierto como para el atacado de icterioa todo es amarillo.
Rafael, nos dicen los pintores, es, además, el mejor de todos
los pintores de Retratos. Ni el ojo más bien dotado puede
agotar el significado de cualquier objeto. En el rostro humano más común hay mucho más de lo que un Rafael puede
sacar de él para reproducirlo.

La pintura del Dante no es sólo gráfica, concisa, verdadera y de una viveza como de fuego en obscura noche; con-
siderada en grado más subido, es, en todo, noble y consecuencia de un alma grande. Francesca y su Amante, ¡qué admirables cualidades no se muestran en su pintura! Parece
cosa bordada con rayos de arco iris sobre fondo de negrura
eterna. Una delicada voz de flauta con lamento infinito se
expresa allí, y penetra en el mismo corazón de nuestros corazones. Una fina pincelada, también, de femineidad; *della
bella persona, che mi fu tolta;* ¡y de qué modo, en aquel
Foso de dolor, resulta ser un consuelo que *él* jamás se apar-
tará de ella! Tristísima tragedia en estos *antiguai.* ¡Y los
torturadores vientos, en aquel *aer bruno,* que vuelve a arreba-
tarlos, en su torbellino, para que giman eternamente! Sorprende pensarlo: Dante era amigo del padre de aquella pobre
Francesca; Francesca misma pudo haberse sentado en las rodillas del Poeta, como alegre criaturita. Lástima infinita, como
también infinito rigor de la ley; así es la Natutaleza; así
como Dante comprendió que era. ¡Mezquina idea esa de que
la *Divina Comedia* no fué sino un libelo rencoroso, impotente, terrero; que colocaba en los Infiernos a los personajes

de que no podía vengarse en la tierra! Yo me pregunto si
hubo jamás en corazón de hombre compasión tierna, cual de
una madre, como la que el Dante sentía. Pero es que el hombre que no conoce el rigor no puede comprender tampoco
la compasión. Su misma compasión será cobarde, egoísta
— sentimentalismo o poco más —. Yo no conozco en el mundo
afecto igual a este del Dante. Es todo ternura, amor trémulo,
vehemente, lleno de compasión; como lamento de arpas eóli-
cas, suave, suave; como el tierno corazón de un niño — ¡y esto,
esto, por otra parte, en un corazón tan austero, tan lleno de
amargura! —. Aquellos anhelos suyos hacia su Beatriz; su encuentro en el *Paradiso;* aquel su contemplar en los puros,
transfigurados ojos de ella; de ella que había sido purificada
tan largo tiempo por la muerte, separada de él tan lejos;
hay que compararlo al canto de los ángeles; tenemos aquí
una de las expresiones más puras de afecto, acaso la más
pura, que jamás brotaron de alma alguna.

Porque el *intenso* Dante es intenso en todo; ha penetrado en la esencia de todo. Su talento intelectual como pintor y, cuando es necesario, como razonador, no es sino resultado de todas las otras especies de intensidad que en él se
hallan. Moralmente grande, sobre todo, debemos llamarle;
esto es el principio de todo lo demás. Su sarcasmo, su dolor,
son tan trascendentales como su amor — porque, en realidad,
¿qué son sino lo *inverso* o el *reverso* de su amor? «*A Dio
spiacenti e a' nemici suoi*» (Desagradable a Dios y a sus enemigos) —. Altísimo sarcasmo, implacable, silenciosa condena-
ción y aversión; «*Non ragionam di lor*». «No hablemos de *ellos,*
sino mira y pasa.» Y ahora pensad bien esto: «No tienen
esperanza de muerte, *No hay speranza di morte.*» Un día,
se había alzado austeramente benigno en el dolorido corazón
del Dante el pensamiento de que él, tan desgraciado, siempre
intranquilo, agobiado como se hallaba, con toda seguridad
había de *morir;* «porque ni el mismo Destino podía conde-
narle a no morir». Tales palabras son propias de este hombre.
Porque en severidad, en fervor y profundidad, no tiene igual
en el mundo moderno; para buscarle alguien a quien compa-
rarle, hemos de acudir a la Biblia hebrea y vivir en ella con
los antiguos Profetas.

No estoy de acuerdo con buena parte de la crítica moderna, que prefiere con mucho el *Infierno* a las dos partes siguientes de la *Divina Comedia.* Esta preferencia es debida,
imagino, al bytonismo general de nuestro gusto y parece ser

un sentimiento que pasará. El *Purgatorio* y el *Paraíso*, especialmente el primero, nos atreveríamos a decir que le son aún superiores. Noble realización el *Purgatorio*. «Montaña de Purificación»; símbolo de la más noble idealidad de aquella época. Si el Pecado es tan fatal y el Infierno es y debe ser tan riguroso, terrible, con todo, también el hombre puede purificarse por el arrepentimiento; el arrepentimiento es la obra más alta del Cristianismo. Es bellísima la manera como nos lo representa el Dante. El *tremolar delle onde*, aquel «temblar» de las olas del océano, bajo el primero y puro destello de la mañana, alboreando a lo lejos para los dos viandantes, es como la señal de un cambio de tono. Alborea ya la esperanza; la inmortal Esperanza, aunque venga acompañada todavía de agobiosa pesadumbre. La tenebrosa mansión de los demonios y los réprobos está bajo sus plantas; un hálito suave de penitencia sube, se eleva cada vez más hasta el trono mismo de la Gracia. «Rogad por mí», claman hacia él todos los habitantes de aquella Montaña del Dolor. «Decid a mi Giovanna que ruegue por mí», a mi hija Giovanna, «¡pues creo que su madre ya no me ama!» Y suben penosamente por aquella abrupta cuesta — doblados como cariátides de un edificio», algunos de ellos —, todos juntos y abrumados de aquel modo «por el pecado del orgullo»; pero con la esperanza que en años, o en siglos o eras, habrán de alcanzar la cima, que es la puerta del Cielo, y ser admitidos en él por la Gracia. Y luego, la alegría de todos cuando uno de ellos ha triunfado; ¡toda la Montaña se estremece de alegría, y se levanta un salmo de alabanza, cuando un alma ha cumplido su arrepentimiento y ha dejado tras sí su pecado y su desgracia! Para mí todo esto es una noble representación de un pensamiento verdaderamente noble.

Pero lo cierto es que los tres compartimientos se sostienen mutuamente, son indispensables los unos para los otros. El *Paradiso*, que me parece una especie de música inarticulada, es la parte redentora del *Infierno;* el *Infierno* sin él resultaría falso. Los tres constituyen el verdadero Mundo Invisible, como lo figuraba el Cristianismo de la Edad Media; cosa eternamente memorable, eternamente verdadera en su esencia, para todos los hombres. Acaso jamás se había configurado en alma humana con la profunda verdad que en el alma de Dante; hombre *enviado* para cantarla, para hacerla digna de inextinguible memoria. Es muy notable la rápida sencillez con que pasa de la realidad cotidiana a la realidad

Invisible; y cómo, a la segunda o tercera estrofa, nos sentimos
transportados al Mundo de los Espíritus; ¡y allá habitamos,
como entre cosas palpables, indudables! Para el Dante *eran*
en realidad así; el llamado mundo real, y sus hechos, no
era para él sino el vestíbulo de un Mundo Real infinitamente
más alto. En el fondo, tan *preternatural* era para él un mundo como otro. ¿No posee todo hombre un alma? No sólo
será cada hombre un espíritu, sino que ya lo es. Para el fervoroso Dante, todo ello es ya una Realidad visible; cree en
ella, la ve; es su Poeta, en virtud de esto. La sinceridad,
vuelvo a decirlo, es el mérito que salva, ahora y siempre.

El Infierno, el Purgatorio, el Paraíso del Dante, son, además, símbolo, representación emblemática de su Creencia acerca de este Universo; algún crítico de mañana como los críticos escandinavos de que hablábamos el otro día, podrá pensar que todo esto es una «Alegoría», y aun, quizá, ¡una
vana Alegoría! Cuando es, en realidad, una representación
sublime, acaso la más sublime, del alma del Cristianismo.
Expresa en grandiosos emblemas arquitectónicos, vastos como
el mundo, de qué modo el cristiano Dante comprendió a
Dios y al Diablo como los dos elementos polares de la Creación, alrededor de los cuales todo gira; que ambos difieren no
por *correspondencia* del uno con el otro, sino por incompati-
bilidad absoluta e infinita; ¡que el uno es excelente y alto
como la luz y el Cielo, y el otro feo, negro como la Ge-
henna y el Pozo del Infierno! Sempiterna Justicia, pero
con Penitencia, con sempiterna Piedad; todo el Cristianismo, como el Dante y la Edad Media lo comprendieron, se
halla simbolizado en su obra. Simbolizado; pero, como ex-
puse el otro día, ¡con qué plena verdad de propósito; con
qué inadvertencia de estar realizando un símbolo! Infierno,
Purgatorio, Paraíso: estas cosas no se nos muestran en el
Poema configuradas como símbolos; ¿en nuestro moderno
espíritu europeo ha habido alguien que haya pensado en
modo alguno que son símbolos? ¿Acaso no eran realidades
indudables, terribles; todo el corazón del hombre aceptán-
dolas como auténticamente verdaderas, confirmándolas la Naturaleza entera? Así sucede siempre con estas cosas. Los hombres no creen en una Alegoría. ¡El Crítico futuro, sea cual
fuere su pensamiento, que considere que el del Dante fué
expresado únicamente como una Alegoría, cometerá un error
lamentable! Reconocíamos en el Paganismo la veraz expresión del sentimiento, fervoroso y lleno de veneración, del

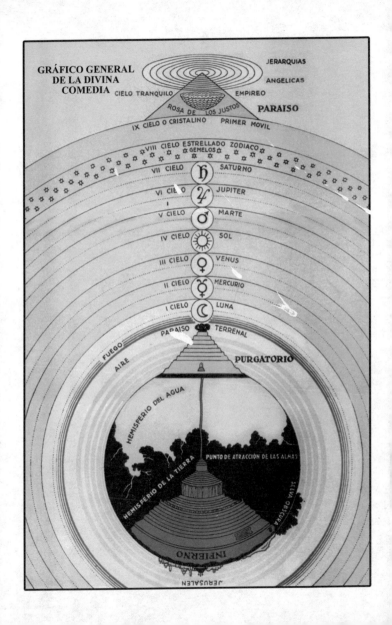

hombre hacia el *Universo;* veraz, verdadero entonces y hoy todavía no carente de valor para nosotros. Pero observad aquí la diferencia entre Paganismo y Cristianismo; una gran diferencia. El Paganismo simboliza principalmente las Obras de la Naturaleza; los destinos, los esfuerzos, las combinaciones, las vicisitudes de las cosas y de los hombres en este mundo; el Cristianismo simbolizaba la Ley del Deber Humano, la Ley Moral del Hombre. La una era para la Naturaleza sensitiva: ruda, desamparada expresión del *primer* pensamiento de los hombres; la principal virtud como tal reconocida. El valor, la Superioridad sobre el Miedo. La otra no era para la Naturaleza sensitiva, sino para la moral. ¡Aunque sólo fuese en este respecto, qué progreso se nos muestra aquí!

Y de este modo, como hemos dicho, pudieron diez siglos silenciosos, y por manera harto singular, hallar en el Dante su voz. La *Divina Comedia* está escrita por el Dante; pero en realidad pertenece a diez siglos Cristianos, y sólo su acabamiento es obra del Dante. Siempre ocurre así. Este artífice, este forjador, con ese metal suyo, con sus instrumentos, con esos métodos llenos de habilidad, ¡cuán poco de lo que realiza es propiamente *su* obra! Todos los hombres de inventiva del pasado trabajan con él; como trabajan efectivamente con nosotros, en todo lo que hacemos. El Dante es el hombre que habla en nombre de la Edad Media; el pensamiento con que tantos hombres vivieron, aquí lo tenemos hecho eterna música. Esas sublimes ideas suyas, terribles y bellas, son fruto de la Meditación Cristiana de todos los hombres buenos que habían venido al mundo antes que él. Gran valor tienen ellos; pero, ¿es que él no tiene también gran valor? Muchas cosas, si él no hubiese hablado, hubieran permanecido mudas; no muertas, pero viviendo sin voz.

En conjunto, ¿no es este Canto Místico, expresión a la vez de una de las más grandes almas humanas, y de la empresa más alta que Europa había realizado hasta entonces por sí misma? ¡El Cristianismo, como lo canta el Dante, es otro que el Paganismo en la ruda mente escandinava; otro que el «Cristianismo Bastardo» semiarticulado, que habló en el Desierto árabe setecientos años más tarde! La más *noble idea* hecha *real* hasta entonces entre los hombres, es cantada y reducida a símbolo perdurable por uno de los hombres más nobles. En uno y otro sentido, ¿no tenemos razón si nos ale-

gramos de poseerla? Según yo calculo, durará por largos millares de años. Porque todo lo que se expresa brotando de
las regiones más íntimas del alma de un hombre, difiere completamente de lo que se expresa desde lo exterior de ella. Lo
exterior pertenece a la actualidad en rápidos cambios ince-
santes; lo más íntimo queda igual ayer, como hoy, como
siempre. Las almas sinceras, en todas las generaciones del
mundo, que dirijan su mirada a nuestro Dante, sentirán fra-
ternidad con él; la profunda sinceridad de sus pensamientos,
sus quejas y esperanzas hablarán del mismo modo a su sinceridad; comprenderán que también el Dante era su hermano. Napoleón, en Santa Elena, se admira de la genial veraci-
dad de Homero. El más antiguo Profeta hebreo, bajo vestidura
tan diferente de la nuestra, porque habla desde lo profundo
del corazón humano, habla también a todos los corazones de
los hombres. Este es el único secreto de perdurar memorable-
mente. El Dante, desde lo profundo de su sinceridad, se parece también a un antiguo Profeta; sus palabras, como las
de ellos, proceden de su propio corazón. No hay que admirarse, pues, si predecimos que su Poema será la cosa más
duradera que ha hecho Europa hasta hoy; porque nada dura
tanto como una palabra dicha sinceramente. Todas las cate-
drales, pontificados, bronces y piedras, y ordenaciones, tan
poco duraderos, son cosas pasajeras en comparación con un
insondable canto del corazón, como éste: tenemos la convicción de que sobrevivirá y seguirá teniendo vivo interés para
los hombres, cuando todas aquellas cosas se hayan refundido
de modo irreconocible en nuevas combinaciones, y hayan cesado de ser individualmente. Mucho ha realizado Europa;
grandes ciudades, grandes imperios, enciclopedias, creencias,
sumas de ideas y de acción, pero pocas cosas ha realizado de
la cualidad del Pensamiento del Dante. Homero *está* en realidad todavía presente, cara a cara. ante toda alma nuestra bien
dispuesta; pero Grecia, ¿dónde *está*? Devastada durante millares de años; ida ya, desvanecida; aturdidor montón de piedras y escombros, su vida y su realidad, todo ha pasado. Como
un sueño; ¡como el polvo del Rey Agamemnón! Grecia fué;
Grecia, excepto en las *palabras* que dijo, ya no es.

    ¿Utilidad de nuestro Dante? No hablaremos mucho de
su «utilidad». Alma humana que desde un principio penetró
en el primordial elemento del *Canto* y ha podido cantar algo
desde aquellas profundidades, ha actuado al mismo tiempo
en las *profundidades* de nuestra existencia; ha podido ali-

mentar durante largos siglos las *raíces* vitales de todas, abso-
lutamente todas las cosas humanas — de tal modo, que las
«utilidades» no podrán jamás ser bien calculadas —. No apre-
ciaremos el Sol por la cantidad de luz de gas que nos ahorra;
o el Dante es inapreciable o no vale nada. Una observación
puedo hacer aquí: el contraste, a este respecto, entre el Hé-
roe-Poeta y el Héroe-Profeta. En cien años, Mahoma, como ya
vimos, extendió a sus Árabes desde Granada a Delhi; en
cambio, los Italianos del Dante no parecen sino continuar
todavía donde estaban entonces. ¿Diremos por esto que la
acción del Dante sobre el mundo fué escasa, en comparación
con la de Mahoma? No es eso: su campo de acción es mucho más restringido; pero es también mucho más noble, más
claro — y acaso no menos, sino más importante —. Mahoma
dirigió su palabra a grandes masas de gente, en el vasto dialecto que a su misión correspondía; dialecto lleno de incon-
sistencia, crudezas, desatinos; sólo podía actuar sobre grandes masas, y ello mezclando extrañamente lo bueno con lo
malo. Dante habla a los nobles, a los puros y grandes, en
todos los tiempos y lugares. Dante arde como pura estrella,
fija allá en el firmamento, para que se iluminen con ella los
grandes y los altos de todos los siglos; es un tesoro para todos los escogidos de este mundo, para tiempo incalculable.
Contamos con que Dante podrá sobrevivir largamente a Mahoma. Mirándolo así, la balanza entre ambos se equilibra.

Pero, de todos modos, no es por lo que llamamos su efecto
sobre este mundo por lo que *nosotros* podemos juzgar de los
efectos que produjeron uno y otro, ni por lo que un hombre
y su obra deben ser medidos. ¿Efectos? ¿Influencia? ¿Utilidad? Dejad que un hombre *realice* su obra; su fruto depende de Otro. Ya irá creciendo su propio fruto; y tomará
cuerpo en Tronos de Califas y Conquistas árabes, de tal
modo que «llene todos los Diarios de la Mañana y de la Noche» y todas las historias, que son una especie de periódi-
cos destilados; o no tomará cuerpo; pero ¿qué importa?
El Califa árabe sólo fué algo en la medida en que hizo algo.
Si la Gran Causa del Hombre, y la Obra del Hombre en la
Tierra de Dios, no hallaron ayuda en el Califa árabe, ya no
nos importa cuántas cimitarras mandó ni cuántas piastras se
metió en el bolsillo; ni qué alboroto o estruendo pudo hacer
en este mundo — *él*, en realidad, ni siquiera *existió* —. ¡Hon-
remos una vez más el grande imperio del Silencio! ¡El tesoro ilimitado que no podremos hacer retiñir en nuestros bol-

sillos, ni contar, ni lucir ante los hombres! Acaso, de todas las cosas que podemos hacer en nuestros tiempos tan vulgares, ésta es la más útil.

Tomás Carlyle
(Del «Tratado de los
Héroes»)

RESUMEN GENERAL DEL POEMA
«LA DIVINA COMEDIA»

ESTE gráfico muestra la figura del Universo, tal como aparece descrito en la *Divina Comedia*. El orden de los planetas es el mismo de Tolomeo, en razón del cual la Tierra aparece inmóvil en el centro del Universo. Los nueve cielos son concéntricos, corpóreos y móviles en torno de la Tierra, y son tanto más veloces sus respectivos cursos, cuanto más alejados están de ésta. Los planetas giran en el epiciclo del propio cielo; pero el Sol gira en derredor de la Tierra. El Empíreo, que es el cielo de la luz purísima, incorpóreo e inmóvil, *che solo amore e luce ha per confine,* «cuyos límites son el amor y la luz» (*Paraíso, C.* XXVIII), comprende los otros nueve cielos, y en este Empíreo se halla la Divinidad, la cual *in tutte parti impera e quivi regge,* «impera por doquier y todo lo rige» (*Infierno,* C. I), y en el cual se halla la morada de los justos. La Tierra, habitada en uno de sus hemisferios por los hombres, tiene por centro a Jerusalén; el otro hemisferio, deshabitado desde la caída de Lucifer, que fué precipitado desde el Empíreo, se halla cubierto por las aguas, por lo cual la Tierra, en tal punto *per paura di lui, fe' del mar velo,* «por temor al cielo, hizo del mar un velo» (*Infierno,* C. XXXIV), y se muestra por el otro lado. Lucifer permanece fijo en el centro, *al qual si traggon da ogni parte y pesi,* «hacia el cual son atraídas, desde todas partes, las almas» (*Infierno,* Canto XXXIV), y que, transponiéndolo, muéstrase a la inversa de Dios. Esta caída abrió el abismo infernal, si bien la Tierra *per fuggir lui lasciò il luogo vuoto,* «huyendo su paso, le dejó libre lugar» (*Infierno,* C. XXXIV), y se apresuró a formar la isla y la montaña del Purgatorio, no obstante que Jerusalén y esta montaña tengan un solo horizonte y diversos hemisferios, si bien antipódicos. (*Purgatorio,* C. IV.) El Purgatorio se yergue en forma de montículos o cornisas, que van siguiendo la montaña y terminan en la cumbre, en la que se halla la divina selva del Paraíso terrenal. En el plácido cielo del Empíreo es donde tienen su morada los elegidos, morada que reviste la forma de una gran rosa de cándidas hojas, y donde gozan la beatífica visión de Dios, el cual se les muestra acompañado de nueve órdenes de ángeles de las tres jerarquías angélicas.

EL INFIERNO

CANTO I

Extraviado el Poeta vaga durante una noche entera en una selva, intrincada y obscura, y sólo al despuntar el día empieza a salir de ella remontando una pendiente. En su camino se atraviesan entonces una pantera, un león y una loba, que simbolizan la Lujuria, la Soberbia y la Avaricia, que pretenden lanzarle de nuevo hacia la selva de donde acaba de salir. Se le aparece entonces Virgilio, que le anima a continuar y se le ofrece para acompañarlo haciéndole pasar a través del Infierno y del Purgatorio hasta el Paraíso, donde ha de encontrar a Beatriz (1).

A la mitad del viaje de nuestra vida (2), me encontré en una selva obscura (3), por haberme apartado del camino recto.

¡Ah! Cuán duro me resulta referir lo salvaje, áspera y espesa que era esta selva, cuyo recuerdo renueva mi temor; temor tan triste, que apenas si el de la muerte le supera. Pero antes de hablar del bien que allí encontré (4), revelaré las demás cosas que se ofrecieron a mi vista.

(1) Dante tituló *Comedia* este poema, en el que puso lo terrible al lado de lo ridículo, enlazando la vida real con la sobrenatural, y pintando la lucha entre la nada y la inmortalidad. En la dedicatoria a Can della Scala, quiso que el título de su obra fuese: *Incipit Comœdia Dantis Alligheri, florentini natione, non moribus*. Y añade: «Llamo a mi obra *Comedia*, porque está escrita en estilo humilde y porque he empleado en ella el lenguaje vulgar en que se comunican sus ideas hasta las mujeres de la ínfima clase». Los admiradores de Dante dieron a su obra el epíteto de *Divina*.

(2) Dante, según sus comentadores, bajó al Infierno a la edad de 35 años, término medio de la vida humana, el día de Viernes Santo, del año 1300; recorrió todos los círculos en 24 horas. Sin embargo, de un pasaje, al final del Canto XX, se infiere que debió ser a la edad de 34 años, en el de 1299.

(3) Símbolo de las pasiones. Según algunos comentadores de este poema, representaba, además, la confusión que reinaba en Italia a causa de sus divisiones intestinas.

(4) Se refiere a la utilidad que le reportó la ayuda y el consejo de Virgilio.

No sabré decir fijamente cómo entré en ella, tan adormecido estaba (5) cuando abandoné el verdadero camino (6).
Pero al llegar al pie de una pendiente (7), donde terminaba
el valle (8) que me había llenado de miedo el corazón, miré
hacia arriba y vi su cima revestida ya de los rayos del planeta (9) que nos guía por todos los senderos. Entonces aquie-
tóse el temor que había permanecido en el lago de mi corazón (10) durante la noche que pasé con tanta angustia;
y del mismo modo que aquel que, saliendo anhelante fuera
del piélago, al llegar a la playa, se vuelve hacia las ondas
peligrosas y las contempla, así mi espíritu, fugitivo aún, se
volvió hacia atrás para mirar el duro paso (11) del que no
salió nunca nadie vivo.

Después de haber dado algún reposo a mi fatigado cuerpo, continué subiendo por la solitaria pendiente (12), procurando afirmar siempre el pie que quedaba más bajo (13).

Al principio de la cuesta, aparecióseme una pantera (14)
ágil, de rápidos movimientos y cubierta de manchada piel.
No se apartaba un punto de mi vista, antes embarazaba mi
camino de tal modo, que me volví muchas veces para retroceder. Era a tiempo que apuntaba el día, y el Sol subía rodeado
de aquellas estrellas que estaban con él cuando el Amor divino imprimió el primer movimiento a todas las bellas cosas
de la creación (15). Hora y estación tan dulces que daban
motivo para augurar bien de la pintada piel de aquella fiera (16). Pero no tanto que no me infundiera terror el aspecto de un león que a su vez se me apareció (17): figuróseme

(5)   Como aquel cuya alma ha abandonado y olvidado a Dios.
(6)   El camino recto, a que se refiere anteriormente.
(7)   La colina está aquí en sentido opuesto al de la selva, pues así
como ésta indica el desorden, los vicios y la anarquía, la otra significa el orden, las virtudes y la libertad.
(8)   El valle es la misma selva.
(9)   La cima revestida por los rayos del planeta (*vestite già de raggi
del pianeta*), alude al Sol; pero este envuelve una alegoría que se
refiere a la luz que disipa las tinieblas de las pasiones, que, al mostrar el recto camino, reanima a la vez el deseo y la esperanza.
(10) El corazón, lleno siempre de sangre, la cual, a impulsos de
un sobresalto repentino, queda casi privada de circulación.
(11) Este duro paso es el pecado mortal.
(12) El camino que conduce a la virtud.
(13) Quiere decir el poeta que caminaba sobre un plano inclinado.
(14) La pantera es aquí, según unos, la mayoría, el símbolo de la
incontinencia.
(15) El Sol estaba en Aries, época de la primavera, en que se
presume fué creado el mundo.
(16) Es decir que los brillantes colores de aquella piel eran para
él de buen augurio.
(17) Símbolo del orgullo y de la ambición. Según otros, con la

que venía contra mí, con la cabeza alta, y con un hambre
tan rabiosa, que hasta el aire parecía temerle.

Siguió a éste una loba (18) que, en medio de su demacración, parecía cargada de todos los deseos, y que había
obligado ya a vivir en la miseria a mucha gente. El fuego
que despedían sus ojos me causó tal turbación que perdí la
esperanza de llegar a la cima. Y así como el que se deleita
en atesorar, llegado el tiempo en que sufre una pérdida, se
entristece y la llora en todos sus pensamientos, así me sucedió con aquella inquieta fiera, que, viniendo a mi encuentro,
poco a poco me iba empujando hacia donde el Sol perdía
su luz (19).

Mientras yo retrocedía hacia el valle, se presentó a mi
vista uno (20), que por su prolongado silencio parecía mudo. Cuando le vi en aquel gran desierto: —Ten piedad de
mí, le dije, quienquiera que seas, sombra u hombre verdadero. — Y respondióme él: —No soy ya hombre, pero lo he
sido; mis padres fueron lombardos y ambos tuvieron a Mantua por patria. Nací *sub Julio,* aunque algo tarde (21), y vi
a Roma bajo el mando del buen Augusto, en tiempo de los
Dioses falsos y engañosos. Poeta fuí, y canté a aquel justo
hijo de Anquises (22), que volvió de Troya, después del
incendio de la soberbia Ilión (23). Pero, ¿por qué vuelves
a la tristeza y al llanto? ¿Por qué no asciendes al delicioso
monte, que es causa y principio de todo goce?

—¡Oh! ¿Eres tú aquel Virgilio, aquella fuente que derrama tan ancho caudal de elocuencia? — le respondí rubo-
roso —. ¡Ah! ¡honor y antorcha de los demás poetas! Vál-

imagen del león quiere el poeta representar el poder de Francia, o
de Carlos de Valois, que entró en Italia al frente de un numeroso
ejército, y después atacó a los gibelinos.

(18) Símbolo de la avaricia, o del poder temporal de Roma, según otros.

(19) Al fondo obscuro del valle.

(20) Este personaje es Virgilio, que representa aquí el símbolo de
la poesía. Dante da a entender que el poeta le ha dirigido primeramente algunas palabras con fatigada voz. Los comentadores Landino,
Daniello y Lombardi opinan que la voz de Virgilio tenía algo de insó-
lito, porque desde la invasión de los bárbaros no hubo ningún otro
poeta que emitiese más nobles acentos que los del Cisne de Mantua.

(21) A primera vista parece que esta frase quiera significar que
nació en los últimos años del reinado de Julio César; pero no
debe ser así, si se considera que Virgilio nació 28 años después que
César y 20 antes de su reinado; por esta razón debe interpretarse
mejor así: nací en los tiempos gloriosos de Julio César, por más que
fuese tarde con respecto a los más gloriosos de la virtud romana.

(22) Eneas. Se refiere Virgilio a su célebre poema *La Eneida.*

(23) *Poichè il superbo Ilion fu combusto.* Aquí el poeta emplea el
género masculino.

ganme para contigo el prolongado estudio y el grande amor
con que he leído y meditado tu obra. Tú eres mi maestro y
mi autor predilecto; tú sólo eres aquel de quien he imitado
el bello estilo que me ha dado tanto honor. Mira esa fiera
que me obliga a retroceder; líbrame de ella, sabio famoso,
porque a su aspecto se estremecen mis venas y late con preci-
pitación mi pulso.

—Te conviene seguir otra ruta, respondióme al verme
llorar, si quieres huir de este sitio salvaje; porque esa fiera
ante la cual te espantas, no deja pasar a nadie por su camino,
antes se opone hasta dar muerte al que se atreve a hacerlo.
Su instinto es tan malvado y cruel que nunca ve satisfechos
sus ambiciosos deseos, y después de comer tiene más hambre que antes. Muchos son los animales a quienes se une, y
serán aún muchos más hasta que venga el Lebrel (24) a
quien toca hacerla morir entre torturas. Éste no se alimentará
de tierra ni de peltre (25), sino de sabiduría, de amor y de
virtud, y su patria estará entre Feltro y Feltro (26). Será la
salvación de esta triste Italia, por quien la virgen Camila,
Eurialo y Turno y Niso dieron la vida (27). Perseguirá a la
loba de ciudad en ciudad hasta que la haya arrojado en el
infierno, de donde en otro tiempo la hizo salir la Envidia (28). Ahora, por tu bien, pienso y veo claramente que
debes seguirme: yo seré tu guía, y te sacaré de aquí para
llevarte a un lugar eterno, donde oirás aullidos desesperados;
verás los espíritus dolientes de los antiguos condenados, que
invocan a voces a la segunda muerte (29). Verás también
a los que están contentos entre las llamas (30), porque esperan, cuando llegue la ocasión, tener un puesto entre los
bienaventurados. Si quieres, en seguida, subir hasta ellos, te

(24) El lebrel, según algunos eruditos, hace alusión a Can della
Scala, señor de Verona, que un día dará asilo a Dante. Otros autores
pretenden que se refiere a Uguccione della Faggiola, célebre jefe de
los gibelinos, aliado de Gemma, esposa de Dante. (Véase *Histoire de
Dante Alighieri*, pág. 195.)
(25) Esto es: no se alimentará de poderío ni de dinero.
(26) Hay mil dudas respecto a la interpretación de estas palabras
fra Feltro e Feltro. Unos opinan que deben aludir a que el susodicho
Lebrel naciera entre pobres, paños; otros que significa entre cielo y
cielo, bajo favorable constelación, etc.
(27) Camila, joven guerrera, hija de Metabo, rey de los Volscos.
Eurialo y Niso, jóvenes troyanos. Turno, hijo de Dauno, rey de los
Rutulos.
(28) La Envidia aquí es el Diablo, envidioso de la felicidad de
los hombres.
(29) *Desiderabunt mori, et mors fugiet ob eis.* (*Apoc.*, cap. ix, v. 6.)
(30) Las almas del Purgatorio.

acompañará en este viaje un alma más digna que yo (31),
y te dejaré con ella cuando yo parta; pues el Emperador
que reina en las alturas, no quiere que por mi mediación
se entre en su ciudad, porque fuí rebelde a su ley. Él impera en todas partes, y reina arriba; arriba está su ciudad (32) y su alto solio. ¡Oh! ¡feliz aquel a quien elige
para habitar su reino!

Y yo le contesté: —Poeta, te requiero por ese Dios a
quien no has conocido, que me apartes de este mal y de
otro peor (33); condúceme adonde has dicho, para que yo
vea la puerta de San Pedro y a los que, según dices, están
tan desolados.

Entonces se puso en marcha, y yo seguí tras él (34).

(31) Beatriz, que en el canto XXX del Purgatorio se aparece a
Dante para servirle de guía en el Paraíso.
(32) Quiere decir el Cielo.
(33) Los males a que alude son la selva, espesa y salvaje, por la
cual se ha extraviado, y que simboliza los vicios y las pasiones. «Otro
mal peor». *Acchioch'io fugga questo male e peggio*, se refiere a los
castigos eternos.
(34) Acerca de este primer canto del poema dice Rivarol que se
respira en él cierta sombría vaporosidad, efecto de las misteriosas
alusiones de que está sembrado. Se trata del reflejo del espíritu de la
época, a la cual conviene trasladarse para poder juzgar mejor al poeta.
Véase a continuación un pasaje de la *Histoire d'Italie*, de M. Ginguené (T. I, págs. 51-52), referente a este primer canto.
    «De cualquier manera que se entienda la alegoría de este canto,
está fuera de duda que dicha alegoría existe, y no se necesita acudir a explicaciones demasiado refinadas para comprender que el poeta,
al llegar a la mitad del curso de su vida, tras de haberse extraviado
en los senderos de la ambición y de las pasiones humanas, quiere,
al fin, elevarse a las regiones en que mora la virtud. El amor a los
placeres se opone, en un principio, a su designio; seguidamente viene
el orgullo, o amor hacia las distinciones; después la avaricia, o amor
desmedido por las riquezas, el más temible de todos. Mas el hombre
prudente que acude en su ayuda le dice que no es posible vencer inmediatamente todos los obstáculos; que no por el solo hecho de
abandonar el sendero del vicio se llega inmediatamente al de la virtud, sino que para llegar a él es preciso hacerse digno, meditando las
enseñanzas de la prudencia. Ahora bien, en aquellos tiempos, dichas enseñanzas consistían en la contemplación de los destinos del hombre después de su muerte, y en el conocimiento, que se creía posible
adquirir, del Infierno, del Purgatorio y del Paraíso. Este es, sin duda,
el sentido y el objeto de esta visión. Nada tiene de singular, si se
tiene en cuenta el espíritu reinante en aquel siglo; pero lo que más
sorprende es que el autor haya podido sacar de tal fondo un número
tan considerable de bellezas.»

CANTO II

Invocación a las Musas. — Dante se sobrecoge de terror al pensar en el viaje al Infierno. — Tranquilizado por Virgilio, que le dice haber sido enviado por Beatriz, se decide a seguir a su guía y Maestro.

EL día terminaba; el aire de la noche invitaba a descansar de sus fatigas a todos los seres animados que existen sobre la tierra, y yo solo me preparaba a sostener los combates del camino y de las cosas dignas de compasión que mi memoria trazara sin equivocarse.

¡Oh, Musas! ¡oh, alto ingenio! Venid en mi ayuda; ¡oh, mente, donde quedó impreso lo que vi! Muestra ahora la nobleza de tu sino.

Yo comencé: —Poeta, que me guías, mira si mi virtud es bastante fuerte, antes de aventurarme en empresa tan dura. Tú dices (35) que el padre Silvio (36), aun corruptible, pasó al siglo inmortal, y pasó sensiblemente (37). Pero quizá el enemigo de todo mal (38) le fué benévolo, pensando en los grandes efectos que de él debían sobrevenir, y el objeto y las cualidades (39). Nada, el que sabe ver las cosas, encuentra extraño en ello (40); pues que en el Empíreo fué elegido para ser el padre de la fecunda Roma y de su Imperio: el uno y la otra, a decir verdad (41), fueron establecidos en favor del sitio santo en donde reside el sucesor

(35) En tu poema, en la *Eneida*.
(36) Eneas.
(37) Es decir, con su cuerpo.
(38) Esto es, Dios.
(39) Alude a los romanos, descendientes de Eneas, y a sus virtudes.
(40) El hombre de talento comprende que no hay nada que no sea digno de la Sabiduría Suprema.
(41) Estas palabras indican el objeto final de las mercedes otorgadas a Eneas y de cuantas empresas éste llevó a cabo, a saber: el establecimiento futuro de la Sede Apostólica.

del gran Pedro. Durante este viaje, por el que le elogias (42),
oyó cosas que presagieron, con su victoria, el honor del manto papal. Después el Vaso de elección (43) fué transportado
hasta el cielo para dar más firmeza a la fe, que es el principio del camino de la salvación. Pero yo ¿por qué he de ir?
¿quién me autoriza a ello? Yo no soy Eneas, ni San Pablo;
ante nadie, ni ante mí mismo, me creo digno de tal honor.
Porque si me lanzo a tal empresa, temo que el resultado venga aún en daño mío. Tú eres sabio y comprenderás mis razones mejor de lo que yo las explico.

Y como aquel que no quiere ya lo que quería, y asaltado
de una nueva idea cambia de parecer, de suerte que abandona todo lo que había comenzado, así me sucedía en aquella
obscura pendiente; porque, a fuerza de pensar, abandoné la
empresa que había empezado con tanto ardor.

—Sí, he comprendido bien tus palabras, respondió la
sombra magnánima del vate; tu alma está traspasada de aquel
espanto que se apodera frecuentemente del hombre y le hace,
incluso, retroceder ante una empresa honrosa, como una vana
sombra hace a veces retroceder a una fiera que se ha internado en la obscuridad. Para librarte de ese temor, te diré
por qué he venido, y lo que vi en el primer momento en
que me moviste a compasión. Yo estaba entre los que se
hallan en suspenso (44), y me llamó una dama tan santa y
tan bella, que me sometí al punto a su voluntad. Brillaban
sus ojos más que la Estrella (45), y empezó a decirme con
voz angelical, en su lengua: —¡Oh, alma cortés Mantuana,
cuya fama dura aún en el mundo, y durará mientras su movimiento se prolongue! Mi amigo, que no lo es de la ventura, se ve tan embarazado en la desierta playa, que en medio del camino le ha hecho retroceder; y temo (por
lo que he oído de él en el Cielo) que se haya extraviado ya,
y que sea tarde para que yo acuda en su socorro. Ve, pues, y
con tus elocuentes palabras, y con lo que se necesita para
sacarle de su apuro, auxíliale tan bien que yo quede conso-

(42) Alude al descenso de Eneas al Infierno, de que trata Virgilio
en su *Eneida*.
(43) San Pablo, que fué transportado al Paraíso. *Quoniam vas elec-
tione est mihi iste.* (Act., IX.)
(44) *Io era tra color che son sospesi.* La palabra *sospesi*, según
Venturi, significa las almas que no están ni en la Gloria ni en el
Infierno. Lombardi opina que el poeta alude aquí a la siguiente frase
de San Pedro (Epíst. II, cap. 3): «*Novos cœlos et novam terram, se-
cundum promissa expectamus*». Bagioli cree que este pasaje debe ex-
plicarse así: Aquellos que no están ni salvados ni condenados.
(45) Más que el Sol.

lada (46). Yo soy Beatriz, la que te hace marchar adelante;
vengo de un sitio adonde deseo volver: Amor me impele, y
es el que me hace hablar (47). Cuando vuelva a estar delante
de mi Señor, le hablaré a menudo de ti y en alabanzas. —
Calló entonces, y yo repuse:

—¡Oh, mujer de virtud única, por quien la especie humana excede en dignidad a todos los seres contenidos bajo
aquel cielo que tiene los círculos más pequeños! (48). Tanto me place tu orden, que si ya te hubiera obedecido, creería
haber tardado; no tienes necesidad de expresarme más tus
deseos. Mas dime: ¿por qué causa no temes descender al
fondo de este centro desde lo alto de esos inmensos lugares,
adonde ardes en deseos de volver?

—Puesto que tanto quieres saber, te diré brevemente,
respondióme, por qué no temo venir a este abismo. Sólo deben temerse las cosas que puedan redundar en perjuicio de
otros; pero no aquellas que no inspiran temor. Por la merced de Dios, estoy hecha de tal suerte, que no me alcanzan
vuestras miserias ni puede prender en mí la llama de este
incendio (49). Hay en el Cielo una dama gentil (50), que
se conduele del obstáculo opuesto al que te envío, y me

(46) Beatriz representa aquí el símbolo de la Teología, según los
más antiguos comentadores. Bagioli dice, por su parte, que Beatriz
es el símbolo de la Filosofía. En su *Vita Nuova*, Dante se expresa
así al hablar de Beatriz: «Espero poder decir de esta mujer bendita
lo que jamás se ha dicho de nadie; cuando plazca al Señor que mi
alma pueda volar a ver la gloria de su amiga, es decir, de esta bendita Beatriz que contempla gloriosamente a Aquel que es bendecido
por todos los siglos» (*Histoire de Dante*, pág. 69). Dante comienza a
cumplir su palabra en la *Divina Comedia*.

(47) Dante conoció a Beatriz a los *nueve* años (teniendo ella *ocho*);
la volvió a ver a los 18, a la hora *nona*; soñó con ella en la primera
de las *nueve* horas de la noche; la cantó a los *dieciocho* años; la
perdió a los *veintisiete*, el *noveno* mes del año judaico, y esta repe-
tición de las potencias del número más augusto le indicaba alguna
cosa divina, llegando a decir que *Bice* (Beatriz) es un 9: esto es, un
prodigio que tiene por raíz la Santísima Trinidad. Por esto la divinizó,
como símbolo de la luz interpuesta entre el entendimiento y la
verdad.

Combinando lo real con lo ideal, lo sensible con lo simbólico,
Dante hace que en su obra resulten los dos mundos reflejados el uno
en el otro; siendo Beatriz, al mismo tiempo, la mujer amada y la
ciencia de Dios. Todo en este poema está sujeto a cálculo, siguiendo
el simbolismo de los números, que se observa en la arquitectura religiosa de la Edad Media. Es *uno* y *trino*; se compone de *tres* veces
treinta cantos, y cada uno de ellos de casi igual número de *tercetos*.
Las distribuciones numéricas, que principian en el primer verso, van
siempre coordinadas de *nueve* en *nueve* hasta el fin.

(48) El cielo de la Luna, que, según el sistema de Tolomeo, es
el más central, y por lo mismo son más pequeños sus círculos.

(49) Las llamas del Infierno, a la entrada del cual están situados
los Limbos, en que habita Virgilio.

(50) La clemencia divina.

mitiga el duro juicio de la justicia divina. Ella se ha dirigido a Lucía (51) con sus ruegos, y le ha dicho: «Tu fiel amigo tiene necesidad de ti; en tus manos lo encomiendo.» Lucía, enemiga de impiedades, se ha conmovido e ido al lugar donde yo me encontraba, sentada al lado de la antigua Raquel (52). Y me ha dicho: «Beatriz, verdadera alabanza de Dios, ¿no socorres a aquel que te amó tanto y abandonó por ti la baja esfera? ¿No oyes su queja conmovedora? ¿No ves la muerte contra quien combate en esta riada, más terrible que el mismo mar?» En el mundo no ha habido jamás una persona más pronta en correr hacia un beneficio ni en huir de un peligro que yo en cuanto oí tales palabras. Descendí desde mi dichoso puesto, fiándome en tu palabra honesta, que te honra a ti y honra a cuantos la han oído.

Después de haberme hablado de este modo, volvió llorando hacia mí sus ojos brillantes, con lo que me hizo partir más presuroso. Y me he dirigido a ti según ella quería, y te he preservado de la fiera que te cerraba el camino más corto de la hermosa montaña. Pero, ¿qué tienes? ¿por qué te suspendes? ¿por qué abrigas tanta cobardía en tu corazón? ¿por qué no tienes atrevimiento ni valor, cuando tres mujeres benditas (53) cuidan de ti en la corte celestial, y mis palabras te prometen tanto bien?

Y así como las florecillas, inclinadas y cerradas por la escarcha, se abren erguidas en cuanto el Sol las ilumina, así se recobró mi abatido ánimo; e inundó tal aliento mi corazón, que exclamé ya sin ningún temor (54):

—¡Oh! ¡Cuán piadosa es la que me ha socorrido! ¡Y tú, alma bienhechora, que has obedecido con tal prontitud las palabras de verdad que ella te ha dicho! Con las tuyas has preparado mi corazón de tal suerte, y le has comunicado tanto deseo de emprender el gran viaje, que otra vez vuelvo a arder en el deseo de antes. Ve, pues; que una sola voluntad nos dirija: tú eres mi Guía, mi Señor, mi Maestro.

Así le dije, y en cuanto echó a andar, entré por el camino profundo y salvaje.

(51) Santa Lucía, virgen y mártir, que se halla en el Cielo sentada frente a Adán. (*Paraíso*, XXXII, terc. 46.) Parece ser el símbolo de la Gracia divina.
(52) Raquel, hija de Labán y esposa de Jacob, símbolo de la vida contemplativa.
(53) Las tres mujeres benditas son Beatriz, la divina Clemencia y Lucía.
(54) Inútil resulta hacer resaltar la gracia, la elegancia y la frescura de esta comparación. Dante no siempre será terrible.

CANTO III

Los dos Poetas llegan a la puerta del Infierno. — Inscripción. — El Infierno, según Dante, tiene la forma de un embudo o de un cono invertido. — Además de un vestíbulo, se compone de nueve círculos, en donde los suplicios van aumentando en intensidad, a medida que aquéllos se estrechan. — En el vestíbulo, los Poetas encuentran las almas de aquellos que vivieron sin virtudes ni vicios, y a quienes sin cesar aguijonean insectos. — El Aqueronte. — El barquero Carón, que se negaba a recibir a un vivo en su barca, cede ante las órdenes de Dios. — Dante se ve dominado por un profundo sueño.

POR mí se va a la ciudad del llanto; por mí se va al eterno dolor; por mí se va al lugar en donde moran los que no tienen salvación; la justicia animó a mi sublime arquitecto; me hizo la Divina Potestad, la Suprema Sabiduría, y el primer Amor (55). Antes que yo no hubo nada creado, a excepción de lo inmortal (56), y yo duro eter-

---

(55) Dante, queriendo hacer mención de una definición de la Trinidad, no tenía más remedio que decir lo que dice. La Trinidad se compone de Poder, Prudencia y Amor. Ginguené ha opinado que Dante no ha querido hacer mención del Espíritu Santo. Si Dante hubiese olvidado esta intervención, ¿cuántas acusaciones de herejía hubieran sido lanzadas contra el poeta? Y entre los acusadores, a buen seguro que se hallarían los espíritus meticulosos, los cuales seguramente no se anunciarían más que como críticos indiferentes al dogma. De esta suerte, Dante obró conforme a las reglas de la Fe y a las de la lógica.

(56) Era doctrina de Aristóteles que las cosas creadas, unas son eternas, otras imperfectas y transitorias. Entre las primeras debían comprenderse las que Dios había creado directamente, como la materia primitiva, los cielos, los ángeles, y después el alma humana; entre las segundas, las producidas por la acción o influencia de los mismos cielos o de las causas secundarias. Quiere, pues, decir el poeta que el Infierno no fué creado para el hombre, que todavía no existía, sino para los ángeles rebeldes.

namente. ¡Oh, vosotros los que entráis, abandonad toda esperanza!» (57).

Estas palabras llenas de obscuridad vi yo escritas en el dintel de una puerta, por lo cual exclamé: —¡Maestro, duro me es su sentido!

Y él, como hombre lleno de prudencia, me contestó: — Conviene abandonar aquí todo temor; conviene que aquí termine toda cobardía. Hemos llegado al lugar donde te he dicho que verías a la triste gente que ha perdido el bien de la inteligencia (58).

Y después de haber puesto su mano sobre la mía, con rostro alegre, que me reanimó, me introdujo en medio de las cosas secretas.

Allí, bajo un cielo sin estrellas, resonaban suspiros, quejas y profundos gemidos, de suerte que, apenas hube dado un paso, sentí asomarse las lágrimas a mis ojos. Diversas lenguas (59), horribles blasfemias, palabras de dolor, acentos de ira, voces altas y roncas, y chocar de manos entre ellas (60), producían un tumulto que iba girando siempre por aquel espacio eternamente obscuro, como la arena impelida por un torbellino.

Y yo. llena el alma de horror, le dije: — Maestro. ¿qué es lo que oigo? ¿qué gente es ésa, que parece anegada en el dolor?

—Aquí sufren, contestóme él, las tristes almas de aquellos que vivieron sin merecer alabanza ni vituperio (61), y a quienes está reservada esta triste suerte. Están confundidas entre el perverso coro de los ángeles que no fueron rebeldes ni fieles a Dios, sino que sólo vivieron para sí (62). El cielo

(57) Véase qué bello fragmento poético, tan admirablemente graduado y tan exacto en Teología. Milton, en el libro primero del *Paraíso Perdido*, ha imitado a Dante, diciendo: «La Esperanza nunca llega, aunque existe por doquier».

(58) Entiéndase: que han perdido a Dios, que es la suma y única verdad en donde puede descansar la inteligencia humana.

(59) Se refiere a la diversidad de lenguas que se hablaban, porque había allí gente de todas las naciones. Este pasaje ha sido imitado por el autor de la *Jerusalén Libertada*. Hay en estas dos estrofas de Dante una poesía y un *crescendo* de tumulto que hiela de terror.

(60) Las manos, que chocaban de rabia unas con otras.

(61) *Senza fama e senza lodo*, sin fama y sin alabanza, dicen otros textos; pero en este caso queda destruida la antítesis de la frase.

(62) He aquí un pasaje de Ginguené, a este respecto: «Mucho se ha discutido acerca de esta tercera clase de ángeles que Dante parece crear aquí bajo su propia autoridad; pero, ¿no puede decirse que, habituado a las agitaciones de una república en la que los partidos se combatían recíprocamente sin cesar, haya Dante querido designar

los lanzó de su seno por no perder hermosura; y hasta el profundo Infierno se niega a recibirlos, por la gloria que con ello podrían reportar los demás culpables.

Y yo repuse: —Maestro, ¿qué cruel dolor les hace lamentarse con tales voces? —. A lo que me contestó: —Te lo diré brevemente. Éstos no tienen esperanza de morir, y su vida es tan ciega y miserable, que se muestran envidiosos de cualquier otra suerte. El mundo no conserva ningún recuerdo suyo; la misericordia y la justicia los desdeñan; pero no hablemos más de ellos, sino míralos y pasa adelante.

Y yo, mirando otra vez, vi una bandera que avanzaba ondeando con gran furia, ahuyentando del ánimo toda idea de reposo; y arrastraba tras sí tan grande muchedumbre, que nunca hubiera creído que la muerte destruyera tan gran número. Después de haber reconocido a algunos, miré más fijamente, y vi la sombra de aquel que por cobardía hizo la gran renuncia (63). Comprendí inmediatamente y adquirí la certeza de que aquella turba era la de los ruines que se hicieron desagradables a los ojos de Dios y a los de sus enemigos. Aquellos desgraciados, que no vivieron nunca (64), estaban desnudos y eran aguijoneados sin tregua por moscas y avispas que allí había, las cuales hacían correr por su rostro la sangre, que, mezclada con sus lágrimas, era recogida a sus pies por asquerosos gusanos.

Dirigí entonces mis miradas a otra parte y vi nuevas al-

y cubrir con el oprobio que merecen a esos hombres que, cuando se trata de los intereses de la patria, observan una neutralidad culpable, apartándose siempre de los sacrificios que dicha patria impone, que reclama, y de los peligros a que tiene derecho que por ella se expongan, hombres siempre dispuestos, suceda lo que suceda, a pasarse al bando del vencedor? (*Hist. Litt. d'Italie*, I, 36.)

(63) Según algunos comentadores, éste debe ser Esaú, que renunció a su derecho de primogenitura; según otros, Diocleciano, que abdicó el Imperio; según Venturini, el papa Celestino V; según Lombardi, un jefe de los Blancos o Gibelinos, Torregiano de Cerchi, etc. He aquí la nota de Grangier: «Pone entre los hombres de la nada y de dudoso valor al papa Celestino V, que fué, sin embargo, un varón santo y contado entre el número de las almas bienaventuradas. Este buen hombre fué don Pedro de Morone, de Sulmerre, ciudad del reino de Nápoles, y había sido durante largo tiempo ermitaño; pero elegido por los cardenales, sucedió en el pontificado a Nicolás IV. Entonces el cardenal Benito de Anania, creado Papa con el nombre de Bonifacio VIII, por dimisión de Celestino V, persuadió tan bien a este varón justo a que se retirara a su ermita y abandonara la dignidad papal, que le creyó.» Celestino fué inducido con engaños a renunciar el pontificado; y lo hizo por humildad, no por cobardía. Murió en una prisión, donde le encerró su sucesor. — Otros creen que el que hizo la gran renuncia es Pilatos.

(64) Esto es: cuya vida pasó inadvertida, sin haber sido útiles para sí ni para sus semejantes.

mas a la orilla de un gran río, por lo cual dije: —Maestro, dígnate manifestarme por qué ley parecen esos tan prontos a atravesar el río, según puedo ver a favor de tan débil claridad—. Y él me respondió: —Te lo diré cuando pongamos nuestros pies sobre la triste orilla del Aqueronte (65).

Entonces, avergonzado y con los ojos bajos, temiendo que le disgustasen mis preguntas, me abstuve de hablar hasta que llegamos al río. En aquel momento vimos un anciano cubierto de canas, que se dirigía hacia nosotros en una barquichuela, gritando: —¡Ay de vosotros, almas perversas; no esperéis ver nunca el Cielo! Vengo para conduciros a la otra orilla, donde reinan eternas tinieblas, en medio del calor y del frío. Y tú, alma viva, que te presentas así, aléjate de entre esas que están muertas—. Pero cuando vió que yo no me movía, dijo: —Llegarás a la playa por otra orilla, por otro puerto, mas no por aquí: para llevarte se necesita una barca más ligera.

Y mi guía le dijo: —Carón, no te irrites. Así se ha dispuesto allí donde se puede todo lo que se quiere; y no preguntes más—. Entonces se aquietaron las velludas mejillas del barquero de las lívidas lagunas, que tenía círculos de llamas alrededor de sus ojos. Pero aquellas almas, que estaban desnudas y fatigadas, no bien oyeron tan terribles palabras, cambiaron de color, rechinando los dientes, blasfemando de Dios, de sus padres, de la especie humana, del sitio y del día de su nacimiento, de la prole de su prole y de su descendencia; después se retiraron todas juntas, llorando fuertemente, hacia la orilla maldita en donde se espera a todo aquel que no teme a Dios. El demonio Carón, con ojos de ascuas, haciendo una señal, las fué reuniendo, golpeando con su remo a las que se rezagaban; y así como en otoño van cayendo las hojas una tras otra, hasta que las ramas han devuelto a la tierra todos sus despojos, del mismo modo la malvada raza de Adán (66) se lanzaban una a una desde la orilla, a aquella señal, como pájaro que acude al reclamo. De esta suerte se fueron alejando por las negras ondas; pero antes de que hubieran saltado en la orilla opuesta, otra gran multitud estaba ya en esta parte reunida.

(65) Palabra griega, que significa *río del dolor*, por el cual creían los gentiles que pasaban las almas para ir al Infierno. Dante hizo uso de los mitos paganos porque tal era el gusto de su tiempo, y acaso para significar el doble sentido de su poema.
(66) Quiere decir: los malos; las almas condenadas; y en este sentido, usa en seguida el plural: *se lanzaban*.

—Hijo mío, me dijo, amablemente el Maestro (67), los que mueren en la cólera de Dios acuden aquí de todos los países, y se apresuran a atravesar el río, espoleados de tal suerte por la Justicia Divina, que su temor se convierte en deseo. Por aquí no pasa nunca un alma pura; por lo cual, si Carón te ofende, ya conoces ahora el motivo de sus gritos y sus amenazas.

Apenas hubo terminado, tembló tan fuertemente la sombría campiña, que el recuerdo del espanto que sentí, todavía me inunda la frente de sudor. De aquella tierra de lágrimas brotó un viento que produjo rojizos relámpagos, haciéndome perder el sentido y caer como un hombre vencido por el sueño.

(67) Contestando, según le prometió, a la última pregunta que le hizo Dante.

CANTO IV

Habiendo atravesado el río de los muertos, Dante se despierta
y desciende al primer círculo del Infierno, que es donde está
el Limbo. — Allí encuentra las almas virtuosas e inocentes
de los que no pudieron recibir el bautismo. — Vense más
allá verdes praderas habitadas por guerreros ilustres, poetas
y sabios.

UN fragoroso trueno interrumpió mi sueño, y me sobresalté, como hombre despertado con violencia; levantéme, y dirigiendo una mirada en derredor mío, fijé
la vista para reconocer el lugar donde me hallaba. Vime junto
al borde del triste valle, abismo de dolor (68), en que, como
un continuo tronar, resuenan ayes infinitos. El abismo era
tan profundo, obscuro y nebuloso, que en vano fijaba mis
ojos en su fondo, pues no distinguía cosa alguna.

—Ahora descendamos allá abajo, al tenebroso mundo (69), me dijo el poeta abatido y perdido el color (70);
yo iré el primero; tú el segundo—. Y yo, que había ya advertido la extrema palidez de su rostro, le respondí: —¿Cómo he de ir yo, si tú, que sueles desvanecer mis incertidum-
bres, te atemorizas? —Y él repuso: —No es temor lo que
refleja mi rostro, sino piedad por los desgraciados que gimen
aquí. Vamos, pues, que la longitud del camino exige que nos
apresuremos —. Y sin decir más, penetró y me hizo entrar
con él en el primer círculo que rodea el abismo.

Allí, según pude advertir, no se oían quejas, sino sólo

(68) Había sido ya transportado a la parte opuesta, por virtud
divina.
(69) Al Infierno.
(70) La palidez en el semblante de Virgilio, que hace notar el
poeta, indica aquí, según algunos, la confusión que debía experimentar, pues la razón humana no concibe por qué incurren en pena los
que no han pecado.

suspiros, que hacían temblar la eterna bóveda, y que procedían de la pena sin tormento (71) de una inmensa multitud de hombres, mujeres y niños. El buen Maestro me dijo: —¿No me preguntas qué espíritus son los que estamos viendo? Quiero, pues, que sepas, antes de seguir adelante, que éstos no pecaron; y si contrajeron en su vida algunos méritos, no eran suficientes, pues no recibieron el agua del bautismo, que es la puerta de la Fe (72) que forma tu creencia. Y si vivieron antes del cristianismo, no adoraron a Dios como debían: yo también soy uno de ellos. Por tal falta, y no por otra culpa, estamos condenados, consistiendo nuestra pena en vivir con el deseo (73) sin esperanza.

Un gran dolor afligió mi corazón cuando oí esto, porque suspendidos en el Limbo reconocí a personas de alto valor. —Dime, Maestro y señor mío, le pregunté para afirmarme más en esta Fe que triunfa de todo error: ¿algunas de estas almas han podido, bien por sus méritos o por los de otros, salir del Limbo y alcanzar la bienaventuranza? — Y él, que comprendió mis palabras encubiertas y obscuras (74), repuso: —Yo era recién llegado a este sitio cuando vi venir a un Ser poderoso, coronado con la señal de la victoria (75). Hizo salir de aquí el alma del primer Padre, y la de Abel su hijo, y la de Noé; la del legislador Moisés, la del obediente patriarca Abraham, la del rey David; a Israel, con su padre y con sus hijos, y a Raquel, por quien aquél hizo tanto (76), y a otros muchos, a quienes se otorgó la bienaventuranza; pues debes saber que, antes de ellos, no se salvaban las almas humanas.

Mientras así hablaba, no dejábamos de andar; pero seguíamos atravesando siempre en la misma espesa selva, formada por la muchedumbre compacta de los espíritus. Todavía no estábamos muy lejos de la entrada del abismo, cuando vi un resplandor que triunfaba del hemisferio de las tinieblas (77); nos encontrábamos todavía a bastante distancia,

(71) Porque no padecían tormento externo.
(72) La puerta por donde se entra a la fe católica. Esta es la metáfora.
(73) De ver a Dios.
(74) Llama obscuras a sus palabras, porque no expresa claramente que interroga a Virgilio acerca del descenso de Jesucristo al Limbo.
(75) Jesucristo.
(76) Se refiere a Jacob o Israel, que por casarse con Raquel sirvió a su padre catorce años. (*Génesis*, XXXII, v. 28.)
(77) Hemisferio, por el círculo en que se hallaban o porque el valle del Infierno se asemejaba a una esfera partida por la mitad.

pero no a tanta que no pudiera yo distinguir que aquel sitio estaba ocupado por personas dignas.

—Oh, tú, que honras toda ciencia y todo arte, ¿quiénes son ésos, cuyos méritos deben ser tales que merecen vivir aparte de los demás? — Y me contestó él: —La hermosa fama que aún se conserva de ellos en el mundo que habitas les hace acreedores a esta gracia del Cielo, que de tal suerte los distingue —. Entonces oí una voz que decía: «¡Honrad al sublime poeta (78); he aquí su alma, que se había separado de nosotros!» Cuando calló la voz, vi venir a nuestro encuentro cuatro grandes sombras, cuyo rostro no manifestaba tristeza ni alegría. El buen Maestro empezó a decirme: —Mira aquel, que tiene una espada (79) en la mano y viene a la cabeza de los tres como su señor. Ése es Homero, poeta soberano; el otro es el satírico Horacio, Ovidio es el tercero, y el último, Lucano. Cada cual merece, como yo, el nombre que antes pronunciaron unánimes (80); me honran y hacen bien —. De este modo vi reunida la hermosa escuela de aquel príncipe del sublime cántico, que vuela como el águila sobre todos los demás.

Después de haber estado conversando entre sí un rato, se volvieron hacia mí, dirigiéndome un amistoso saludo, que hizo sonreír a mi Maestro, y concediéndome después la honra de admitirme en su compañía, de suerte que fuí el sexto entre aquellos grandes genios. Así fuimos andando hasta donde aparecía la luz (81), hablando de cosas que es bueno callar, como bueno era hablar en el sitio en que nos encontrábamos. Llegamos al pie de un noble castillo, rodeado siete veces de altas murallas y defendido alrededor por un bello riachuelo (82). Pasamos sobre éste como sobre tierra firme; y atravesando siete puertas con aquella noble compañía, llegamos a un prado de fresca verdura. Había allí hombres de mirar tardo y grave, cuyo semblante revelaba gran autoridad; hablaban poco y en voz baja.

Nos retiramos luego hacia un extremo de la pradera, a un sitio despejado, alto y luminoso, desde donde podían ver-

(78) Virgilio.
(79) Símbolo de las guerras cantadas por Homero.
(80) El de poeta. Y hacen bien honrándome; porque así honran la poesía, y no muestran envidia.
(81) Hacia el resplandor que antes había divisado.
(82) Este castillo representa la fama inmortal que adquieren los poetas, por sus obras. Las siete murallas significan las siete virtudes: Justicia, Fortaleza, Templanza, Prudencia, Inteligencia, Sabiduría y Ciencia. El riachuelo significa la Elocuencia.

se todas las almas que moraban en aquel lugar. Allí, en pie sobre el verde esmalte, me fueron señalados los grandes espíritus, cuya contemplación me hizo estremecer de alegría. Allí vi a Electra (83) con muchos de sus compañeros, entre los que conocí a Héctor y a Eneas; después a César, armado, con sus ojos de ave de presa. Vi en otra parte a Camila (84), y a Pentesilea (85), y vi al rey Latino, que estaba sentado al lado de su hija Lavinia; vi a aquel Bruto, que arrojó a Tarquino de Roma; a Lucrecia también, a Julia (86), Marcia (87) y a Cornelia (88), y a Saladino (89), que estaba solo y separado de los demás. Habiendo levantado después la vista, vi al Maestro de los sabios (90), sentado entre sus discípulos, y a quien admiraban y honraban todos. Vi, además, a Sócrates y Platón (91), que estaban más próximos a aquél que los demás; a Demócrito, que sostiene que el mundo es obra del azar; a Diógenes, a Anaxágoras y a Tales, a Empédocles, a Heráclito y a Zenón (92). Vi al buen observador de la cualidad (93), es decir, a Dioscórides, y vi a Orfeo, a Tulio y a Livio (94) y al moralista Séneca; al geómetra Euclides, a Tolomeo (95), Hipócrates, Avicena (96) y Galeno, y a Averroes, que hizo el gran comentario (97).

No me es posible acordarme de todos, porque me arrastra el largo tema que he de seguir, y muchas veces las pala-

---

(83) Casi todos los comentadores de Dante opinan que se refiere a Electra, hija de Atlas, madre de Dárdano, fundador de Troya, de quien desciende Eneas, fundador del Imperio romano. Sólo Volpi cree que se trata de Electra, la hija de Agamenón y Clitemnestra.

(84) Hija de Metabo, rey de los Volscos, de quien queda hecha mención.

(85) Reina de las Amazonas, muerta por Aquiles en el sitio de Troya.

(86) Hija de César y mujer de Pompeyo.

(87) Esposa de Catón de Útica.

(88) Hija de Escipión *el Africano* y madre de los Gracos.

(89) Soldán de Babilonia.

(90) Aristóteles.

(91) Sócrates fué maestro de Platón y éste de Aristóteles, cuya filosofía gozó de tanta fama en aquella época.

(92) Diógenes de Sínope, filósofo cínico; Anaxágoras, de Clazomene, dogmático; Tales, de Mileto, uno de los siete sabios de Grecia; Empédocles, de Agrigento, que escribió *De la naturaleza de las cosas*; Heráclito, de Éfeso, que trató también del mismo asunto; Zenón, de Cícico, célebre jefe de los estoicos.

(93) De las cualidades y virtudes de las hierbas y plantas, escribió, en efecto, un célebre tratado Dioscórides: sólo teniendo noticias de él puede venirse en conocimiento de la obscura alusión de Dante.

(94) Se refiere a Cicerón y a Tito Livio.

(95) Astrónomo y geógrafo, conocido por el sistema del mundo que lleva su nombre.

(96) Médico árabe que floreció hacia mediados del siglo IX.

(97) Se refiere al comentario que hizo de Aristóteles.

bras son breves para el asunto (98). Bien pronto la compañía de seis queda reducida a dos: mi sabio guía me conduce fuera de aquella inmovilidad, hacia una aura temblorosa, y llego a un punto privado totalmente de luz.

(98) Es decir, que muchas veces las palabras son poco en comparación de la magnitud del asunto.

CANTO V

Segundo círculo, donde están los lujuriosos. — Van sin cesar erran-
tes, impelidos por el viento. — Minos juzga las almas. — Dan-
te encuentra a Francisca de Rímini y a Pablo, su amante. —
Ante la conmovedora narración de su desgracia, el Poeta cae
desvanecido.

A sí descendí del primer círculo al segundo, que contiene menos espacio, pero mucho más dolor, y dolor
punzante, que origina desgarradores gritos. Allí estaba el horrible Minos (99), que rechinando los dientes
examina las culpas de los que entran; juzga y, según lo
que oye, dicta su sentencia. El alma pecadora se presenta ante
él y le confiesa todas sus culpas, y aquel gran conocedor de
los pecados ve qué lugar del Infierno debe ocupar, y se lo
designa, ciñéndose al cuerpo la cola tantas veces cuantos es
el número del círculo a que debe ser enviada (100).

Ante él vense siempre gran número de almas, que acuden por turno a esperar su sentencia; hablan y escuchan, y
después son arrojadas al abismo.

—¡Oh, tú, que vienes a la mansión del dolor!, me gritó
Minos, cuando me vió, suspendiendo sus funciones; mira
cómo entras y de quién te fías: no te engañe lo espacioso de
la entrada (101) —. Entonces mi guía le preguntó: —¿Por

(99) «Minos es un juez del antiguo Infierno y un demonio del
moderno», dice M. Ginguené (*Hist. Litt. d'Italie*, T. II, pág. 53).
(100) Nec vero hæ sine sorte datæ, sine judice sedes.
      Quæsitor Minos urnam movet : ille silentum
      Conciliumque vocat, vitaque et crimina discīt.
                        (*Eneida*, lib. VI.)
(101)   Facilis descensus Averni :
      Noctes atque dies patet atri janua Ditis ;
      Sed revocare gradum, superasque evadere ad Auras,
      Hos opus, hic labor est.
                        (*Eneida*, lib. VI.)
      Lata porta et spatiosa via est quæ ducit ad perditionem.
            (S. Math., VII.)

qué gritas? (102). No te opongas a su viaje, ordenado por el destino; así lo han dispuesto allí donde se puede lo que se quiere; y no preguntes más.

Luego empezaron a dejarse sentir voces plañideras; y llegué a un sitio donde hirieron mis oídos grandes lamentos. Entrábamos en un lugar que carecía de luz (103), y que rugía como un mar tempestuoso combatido por vientos contrarios. La tromba infernal, que no se detiene nunca, envuelve en su torbellino a los espíritus; les hace dar vueltas continuamente, y les agita y arrebata, hasta que se encuentran ante la ruinosa valla que los encierra (104); y allí los gritos y los lamentos y las blasfemias contra la virtud divina alcanzan su furia mayor.

Supe que estaban condenados a semejante tormento los pobres pecadores carnales que sometieron la razón a sus lascivos apetitos; y así como los estorninos vuelan en grandes y compactas bandadas en la estación de los fríos, así aquel torbellino arrastra a los espíritus malvados llevándolos de acá para allá, de arriba abajo, sin que abriguen nunca la esperanza de tener un momento de reposo ni de que su pena se minore. Y del mismo modo que las grullas van lanzando sus tristes acentos, formando todas una prolongada hilera en el aire, así también vi venir, exhalando gemidos, a las sombras arrastradas por aquella tromba. Por lo cual pregunté:

—Maestro, ¿qué almas son esas tan cruelmente castigadas por el aire negro? —La primera de· esas, de quienes deseas noticias, me dijo entonces, fué emperatriz de una multitud de pueblos (105), donde se hablaban diferentes lenguas, y tan dada al vicio de la lujuria, que permitió en sus leyes todo lo que excitaba el placer, para ocultar de este modo la abyección en que vivía. Es Semíramis, de quien se lee que sucedió a Nino (106) y fué su esposa y reinó en la tierra de que hoy

(102) Como al llegar a la laguna infernal le había gritado Carón.

(103) *Mudo de toda luz (I venni in loco d'ogni luce muto)*, metáfora bellísima, pero harto atrevida para trasladarla a la humilde prosa.

(104) Según algunos comentadores, hay una variante en este verso, que debiera decir: «*Quando giungon* de'venti *alla ruina*», en cuyo caso desaparecerían las dificultades que ha habido para explicar esta frase, pues querría decir: «cuando llegan al punto en que chocan con los vientos».

(105) *Di molte favelle*, de muchas lenguas, por la diversidad de naciones que las hablaban.

(106) *Che sugger dette a Nino, e fu sua sposa*. Acerca de este verso existe una gran controversia. Artaud de Montor, en sus notas a la edición francesa de la *Divina Comedia*, página 16, expone lo siguiente, que trasladamos íntegramente: «Es preciso leer así el verso italiano;

es dueño el Sultán (107). La otra es la que se dió muerte por amor y quebrantó la fe prometida a las cenizas de Siqueo (108). Después sigue la lasciva Cleopatra.

Vi también a Elena, que fué ocasión de tantos y tan grandes males (109); y vi al gran Aquiles, a quien el amor obli-

Che sugger dette a Nino, e fu sua sposa. Antaño, en lugar de *sugger dette* se leía *succedette*. Se creyó que Dante había dicho que sucedió a Nino y fué su esposa. Pero esto carece de todo sentido; es esto tan sencillo, y envuelve de tan leve manera el pensamiento de un reproche, que en dicho verso no se reconocería a Dante. El poeta no malgasta ocho palabras para no decir nada. Al leer *sugger dette*, se halla el gran castigo dantesco. Semíramis fué, según una de las cincuenta narraciones de Conon (véase *Biog. Uni.*, XLI, 522), madre de Nino; de esta suerte lo amamantó o pudo amamantarlo; seguidamente, inflamada en un amor incestuoso, fué su esposa. He aquí a Dante, he aquí su juicio terrible. Lombardi cree que Dante ha dicho *succedette*, y que ha hecho una sínquisis (A) para armonizar la rima, es decir, una sencilla transposición de palabras, que trastorna el orden de la frase. Monseñor el obispo de Mindo, hermano de Canova, me ha dado a conocer una muy importante variante, adoptada hoy casi generalmente en toda Italia. Esta nueva explicación ha sido facilitada por una carta del abate Fortunato Federici, vicebibliotecario de la Universidad de Padua, en un in 8.° Milán, 1836. Ha tenido la amabilidad de remitirme un ejemplar y me siento muy orgulloso de poder dar a conocer el fruto de las investigaciones de uno de los hombres más sabios de la península itálica. Por otra parte, Daunou responde que Conon se equivocó y que confundió Semíramis con Atosa, hija de Beloco. Esto es posible, pero Dante ha podido leer una traducción latina del griego de Conon, y esto, como ha sucedido en otras ocasiones, ha sido suficiente para inducir al poeta a error.»

(A) La sínquisis (del griego ὀυγχύω, yo confundo) es una figura retórica consistente en una transposición de palabras, que altera el orden y regla del período. En Medicina, esta misma palabra significa la desorganización del globo ocular. *Nota del Editor.*

Sobre este mismo tema reproduciremos también una nota de don Eugenio de Hartzenbusch, que dice así: *Che sugger dette a Nino;* otros textos dicen: *che succedette a Nino,* que sucedió a Nino, y los editores y comentaristas, al preferir una u otra lección, se empeñan en prolijas discusiones para justificar cada cual la suya. Nosotros nos creemos obligados a reproducir fielmente la que hemos adoptado por original; en primer lugar, porque carecemos de autoridad para proceder arbitrariamente (el comentarista adopta la lección: «que dió de mamar a Nino»); en segundo, porque vemos defendida con razones, a nuestro juicio incontestables, la versión de que Semíramis fué madre y esposa de Nino. El concepto resulta así más atrevido, la conjunción *e* más oportuna y necesaria, la frase *di cui si legge* más propia, porque nada tiene de extraño que se lea lo que es un hecho histórico innegable, y, por último, más natural el horror con que encarece Dante, por una parte el crimen, y por otra, el tormento de la infame reina, pues el suceder a su esposo en el trono nada tendría de extraordinario. Además, en un Códice del año 1370, que se conserva en la Biblioteca Laurenciana, señalado con el número 2, se escribe ya encima de *succedette* la variante *sugger dette,* y esta misma consta en otro Códice del Museo Británico, correspondiente al siglo XVI; de suerte que ni esta suprema razón pueden alegar los idólatras de los monumentos de época tan remota.

(107) Egipto y Siria.
(108) Dido, que se suicidó por amor a Eneas.
(109) La guerra y ruina de Troya.

gó al fin a combatir (110). Vi a París, a Tristán y a muchas
otras sombras que me fué enseñando y designando con el
dedo, y a quienes Amor había hecho salir de esta vida. Cuando oí a mi sabio rector nombrar las antiguas damas y los caballeros, me sentí dominado por la piedad y quedé como aturdido. Empecé a decir: —Poeta, quisiera hablar a aquellas
dos almas que, juntas y más ligeras, al parecer, que las otras
van impelidas por el viento —. Y él me contestó: —Espera
que estén más cerca de nosotros y entonces ruégales por el
amor que las conduce que se dirijan hacia ti —. Tan pronto
como el viento las impulsó hacia nosotros, alcé la voz diciendo: —¡Oh, almas atormentadas!, venid a hablarnos, si no
hay nadie que se oponga a ello —. Así como dos palomas,
excitadas por sus deseos, se dirigen con las alas abiertas y
firmes hacia el dulce nido, llevadas en el aire por una misma
voluntad, así salieron aquellas dos almas de entre la multitud
donde estaba Dido, dirigiéndose hacia nosotros a través del
aire malsano, atraídas por mi eficaz y afectuoso llamamiento.
—¡Oh! ser amable y bueno, que viene a visitar en medio de este aire negruzco (111) a los que hemos teñido el
mundo de sangre: si fuéramos amados por el Rey del Universo, le rogaríamos por ti, ya que te compadeces de nuestro
acerbo dolor. Todo lo que te agrade oír y decir, te lo diremos
y escucharemos con gusto, mientras que siga el viento tan
tranquilo como ahora. La tierra donde nací está situada en la
costa donde desemboca el Po (112) con todos sus afluentes
para hallar reposo en el mar. Amor, que se apodera pronto
de un corazón, hizo que éste se prendara de aquel hermoso cuerpo que me fué arrebatado de un modo que aun hoy
me atormenta. Amor, que no dispensa de amar al que es amado, hizo que me entregara tan vivamente al placer que embriagaba a mi amigo, que, como ves, ya nunca me abandona.

---

(110) Por amor hacia Patroclo, cuya muerte en manos de los troyanos le obligó a tomar las armas contra éstos.

(111) *Perso* no es precisamente color negro, sino negro y púrpura,
aunque predomina el negro.

(112) La ciudad de Ravena, situada ahora a tres millas del mar.
Francisca era hija de Guido de Polenta, señor de Ravena. Amada por
el joven Pablo Malatesta, a quien ella correspondía, se casó sin embargo con su hermano mayor, Lanciotto, príncipe cojo y deforme. Los
dos amantes no pudieron olvidar su primera inclinación, y un día
que estaban leyendo juntos las aventuras de Lancelote del Lago, arre-
batados por la pasión, cayeron uno en brazos del otro. Entonces el
marido, que estaba espiándoles, les atravesó a ambos de una misma
estocada.

Amor nos condujo a la misma muerte. Caín (113) espera al
que nos arrancó la vida —. Tales fueron las palabras de las
dos sombras.

Al oír a aquellas almas heridas, bajé la cabeza y la tuve
inclinada tanto tiempo, que el Poeta me dijo: —¿En qué
piensas? —¡Ah!, exclamé al contestarle, ¡cuán dulces pensamientos, cuántos deseos les conduo al doloroso paso! —
Después me dirigí hacia ellos, diciéndoles: —Francisca, tus
desgracias me hacen derramar tristes y compasivas lágrimas.
Pero, dime: en tiempo de los dulces suspiros, ¿cómo os permitió Amor conocer vuestros secretos deseos? —. Y ella me
dijo: —No hay mayor dolor que acordarse del tiempo feliz
en la miseria; y eso lo sabe bien tu Maestro (114). Pero si
tienes tantos deseos de conocer cuál fué el principal origen
de nuestro amor, te lo diré, mezclando el llanto a las palabras. Leíamos un día, por pasatiempo, las aventuras de Lancelote, y de qué modo cayó en las redes del Amor; estábamos solos y sin abrigar sospecha alguna. Aquella lectura hizo
que nuestros ojos se buscaran muchas veces y que palideciera
nuetro semblante; mas un solo pasaje fué el que decidió de
nosotros. Cuando leímos que la deseada sonrisa de la amada
fué interrumpida por el beso del amante, éste, que jamás se
ha de separar de mí, me besó tembloroso en la boca: el libro
y quien lo escribió fué para nosotros otro Galehaut (115);
aquel día ya no leímos más.

Mientras que un alma decía esto (116), la otra lloraba

(113) Caín, es decir, el círculo de Caín, lugar donde son castigados los fratricidas.

(114) Se ha creído ver que Dante alude aquí a Virgilio, y así
Paolo Costa, comentador de Dante, cita los siguientes versos, del gran
vate mantuano:

«Sed si tantus amor casus cognoscere nostros
Quamquam animus meminisse horret, luctuque refugit,
Incipiam.»

(*Eneida*, lib. vi.)

Mas Artaud de Montor dice que Dante se refiere a Boecio, en cuyo
libro *De Consolatione*, prosa VI, dice: «In omni adversitate fortunæ
infelicissimus genus infortunii est fuisse felicem». En toda adversi-
dad de fortuna, haber sido feliz es un gran infortunio.

(115) Galehaut o Galeoto fué un confidente que favoreció los amores de Lancelote o Lanzarote y la reina Ginebra. (Véase *Biblioth. des
romans*, vol. I, pág. 65 y sigs. 1775.)

(116) He aquí las reflexiones de Fóscolo acerca de este episodio:
«Toda la historia del amor de una mujer está vivamente retratada y
contenida en estas breves líneas. Lo mismo sucede con Julieta, en la
tragedia de Shakespeare. Francisca atribuye la pasión que Pablo siente
por ella, no a un sentimiento de depravación, sino a su propia belleza
y a cierta nobleza de alma que cree existente en el joven. Con efu-

de tal modo, que, vencido por la piedad, me sentí desfa-
llecer y caí como cae un cuerpo muerto.

sión de amarga angustia y de compasiva ingenuidad, dice Francisca
que ella era bella y que ha sido herida por una muerte indigna ; confiesa que amaba porque era amada y este dulce pensamiento había
triunfado de ella. También declara Francisca con gran energía que el
placer no la ha abandonado ni aun en el propio Infierno. Esto aparece explicado de tal manera, que Dante une la claridad a la conci-
sión y la más ingenua sencillez al más profundo conocimiento del
corazón humano. La llama culpable de Francisca sobrevive al castigo
que el Cielo le inflige, pero sobrevive sin la menor sombra de impiedad. El juez es inflexible y, por otra parte, estamos más allá de la
puerta a cuyo dintel se «abandona toda esperanza». No obstante, Francisca, con generosa delicadeza, se dedica a disculpar a Pablo de toda
imputación de haberla seducido.» (*Historia de Dante*, págs. 227 y siguientes.)

CANTO VI

Hállase el Poeta, cuando vuelve en sí, en el tercer círculo, donde se castiga a los glotones, cuya pena consiste en estar metidos en el fango, atormentados al mismo tiempo por una fortísima lluvia mezclada de granizo, y guardados por el Cancerbero, que ladrando con sus tres fauces, los irrita y aflige continuamente. Entre dichos glotones, encuentra a Ciacco, con el que habla de las discordias de Florencia. Finalmente, baja al cuarto círculo.

A L recobrar los sentidos, que perdí por la tristeza y la compasión que me causó la suerte de los dos cuñados, nuevos sufrimientos, nuevas almas atormentadas veo a mi alrededor, adondequiera que vaya, adondequiera que me vuelva o fije mi mirada. Me encuentro en el tercer círculo; en el de la lluvia eterna, maldita, fría y densa, que cae siempre igualmente copiosa y con la misma fuerza. Espesos granizos, agua negrusca y nieve descienden en turbión a través de las tinieblas; la tierra, al recibirlos, exhala un olor pestífero. Cerbero, fiera cruel y monstruosa (117), ladra con sus tres fauces de perro contra los seres que están allí sumergidos (118). Tiene los ojos rojos, los pelos negros y cerdosos, el vientre ancho y las patas provistas de uñas, que clava en los espíritus y los desgarra y despedaza. La lluvia les hace aullar como perros; los miserables condenados (119) se revuelven sin cesar, y forman un muro que se extiende de un extremo al otro.

Cuando nos descubrió Cerbero, el gran gusano (120)

(117) El texto dice *diversa. Cerbero, fiera crudele e diversa*, porque era animal diferente de todos los demás.
(118) Hic ferus umbras territat stygius canis, etc.

(Séneca.)

(119) Pecadores.
(120) *Cerbero il gran vermo*. Llama gusano al Cerbero quizá por la semejanza que existe entre un gusano y una serpiente. Sabido es

abrió sus bocas, mostrándonos los dientes; y agitábase en todos sus miembros. Entonces mi guía extendió las manos, cogió la tierra, y la arrojó a puñados en las fauces ávidas de la fiera. Y del mismo modo que un perro se deshace ladrando, y se apacigua cuando muerde su presa, ocupado tan sólo en devorarla, así también el demonio Cerbero cerró sus impuras bocas, cuyos ladridos aturdían de tal modo a las almas, que quisieran ser sordas.

Pasamos por encima de las sombras derribadas por la incesante lluvia, poniendo nuestros pies sobre su nada en apariencia de hombres. Todos yacían por el suelo, excepto una que, viéndonos pasar, se levantó prestamente para sentarse.

—¡Oh!, tú, que has venido a este infierno, me dijo, reconóceme si puedes. Tú fuiste hecho, antes que yo deshecho (121) —. Y yo le contesté: —El estado en que te veo es quizá causa de que no me acuerde de ti; me parece que no te he visto nunca. Pero dime, ¿quién eres tú, que a tan triste lugar has sido conducido, y condenado a un suplicio que, si hay otro mayor, no será por cierto tan desagradable? —Tu ciudad (122), me respondió él, en la que la envidia colma ya la medida, me vió en su seno en vida más serena. Vosotros, los habitantes de ella, me llamasteis Ciacco (123). Por el reprensible pecado de la gula, me veo, como ves, sufriendo esta lluvia. Yo no soy aquí la única alma triste; todas las demás están condenadas a igual pena por la misma causa —. Y no pronunció una palabra más.

Yo le respondí: —Ciacco, tu martirio me conmueve tanto (124), que me hace verter lágrimas; pero dime, si es que lo sabes: ¿en qué pararán los habitantes de esa ciudad tan dividida en facciones? ¿Hay algún justo entre ellos? Dime por qué razón se ha introducido en ella la discordia —. Después de grandes debates, me contestó él, llegarán a verter su

que los poetas representaban a aquel monstruo con sus tres cabezas erizadas de serpientes.

(121) *Tu fosti prima ch' io disfatto, fatto.* Que traducido libremente significa: tú naciste antes que yo muriese.

(122) Florencia.

(123) Ciacco significa, en lengua toscana, puerco. Parece ser que este apodo fué atribuído al florentino de que habla, porque era conocido por un parásito, célebre en Florencia por su insigne glotonería. Landino asegura que este Ciacco era, no obstante, un hombre «elocuente», de gran urbanidad, jovial y de conversación sumamente agradable.

(124) Hacen notar aquí los comentadores que Dante va graduando los pecados de incontinencia en un sentido más alto, y que determina su gravedad por la fuerza que impulsa a pecar, de suerte que, a mayor impulso, menor gravedad, y viceversa. Observan también que va

sangre. y el partido salvaje (125) arrojará al otro partido (126) con grave daño. Luego será preciso que el vencedor sucumba al cabo de tres años (127), y que el vencido
se eleve, merced a la ayuda de aquel (128) que ahora ensalza (129). Esta facción llevará alta la frente por mucho tiempo, teniendo bajo su férreo yugo a la otra, por más que ésta
se lamente y sufra vergüenza. Aún hay dos justos (130), pero

disminuyendo su compasión hacia los condenados a medida que disminuye la propensión de la naturaleza humana a aquel género de
culpas, y que, por consiguiente, crece la malicia del pecador.

(125) Esto es, el partido cuyos jefes eran los Cerchi, familia de
reciente nobleza y oriunda de los bosques de Val di Sieve. A este
partido pertenecía Dante, y se llamaba el de los Blancos.

(126) Es decir, el partido de los Negros, que tenía por jefe a Corso
Donati.

(127) Dentro de tres Soles, como dice el texto: *Infra tre Soli*,
antes de que transcurriesen tres años. Desde el plenilunio de marzo
de 1300, época de la visión de Dante, hasta abril de 1302, en que los
Blancos fueron totalmente expulsados, median veinticinco meses: así
que se confirma la profecía, aplicándola al principio del tercer año,
no a cuando éste finalizaba.

(128) Carlos de Valois, hermano de Felipe *el Hermoso*, el cual acudió en socorro de los Negros, y los restableció en Florencia, en 1301.

(129) Tanto se ha comentado este pasaje, que no podemos por
menos de copiar lo que sobre él dice extensamente Bruno Bianchi:
«La explicación que dan algunos, y entre ellos Costa, de que *piaggia*
indique la dulzura y halagos con que el de Valois trataba a los florentinos, no está conforme con la cronología, pues sabido es que Carlos no fué a Florencia hasta noviembre de 1301, y Ciacco hablaba
con Dante en la primavera de 1300. Por lo que éste dice del mismo
príncipe, y por boca de Hugo Capeto, en el canto XX del *Purgatorio*,
verso 70, se ve que en aquel tiempo no había salido aún de Francia;
de manera que, si se refiere a Carlos de Valois, el *testè piaggia* (ahora anda por las playas), deberá tomarse el verbo *piaggiare* en el sentido de *costear la marina*, y dar al tiempo presente el tono de visión
profética. Sabemos también que Bonifacio VIII había, con grandes
promesas, excitado a Carlos de Valois, hermano de Felipe *el Hermoso*, a pasar a Italia, para acometer la empresa de Sicilia contra el
Aragonés, y que, acudiendo el príncipe a su llamamiento, mientras
estaba en la corte pontificia, esperando el tiempo oportuno para darse
a la vela, le mandó el mismo Papa ir a Florencia y apaciguar las
discusiones que había entre aquellos ciudadanos. Hízolo así el francés; despachóse a su gusto en sentar la mano el partido enemigo de
la Corte romana y de su casa y, cargado con los despojos, así de
Blancos como de Negros, dió el asunto por terminado. Pero si al verbo
piaggere se le quiere dar la significación de *lisonjear, ayudar maño-
samente*, la maña, entonces, pudiera atribuirse al mismo Bonifacio,
que, mientras con una mano trabajaba por la paz de Florencia, con
la otra iba secretamente encaminándola en sus designios; y valiéndose de las fuerzas del de Valois, que también podían llamarse suyas,
porque él las enviaba y las dirigía, logró, por último, que preponde-
rase la facción de los Negros, a la que ayudaba. La significación propia de *piaggere es andar entre tierra y mar.*» Ahora bien, el verso
italiano dice: *Con la forza di tal che testè piaggia.*

(130) Del silencio que guarda Dante sobre los nombres de estos
dos varones justos, se ha deducido que el uno era él mismo y el otro
su amigo Guido Cavalcanti. No falta quien afirme que quiso aludir
a Barduccio y Juan de Vespigniano, conjeturas más singulares que
probables.

nadie les escucha; la soberbia, la envidia y la avaricia son las tres antorchas que han inflamado los corazones (131).

Aquí dió Ciacco fin a su lamentable discurso, y yo le dije: —Todavía quiero que me informes y me concedas algunas palabras. Dime dónde están, y haz que les conozca, a Farinata (132) y al Tegghiaio, que fueron tan dignos, a Jacobo Rusticucci, Arrigo y Mosca, y a otros que se dedicaron a hacer bien, pues siento un gran deseo de saber si están entre las dulzuras del Cielo o entre las amarguras del Infierno —. A lo cual me contestó él: —Están entre almas más perversas, porque a consecuencia de otros pecados los han arrojado a un círculo más profundo; si bajas hasta allí podrás verlos. Pero cuando vuelvas al dulce mundo, te ruego que hagas porque en él se renueve mi recuerdo; y no te digo ni te respondo más.

Entonces revolvió los ojos que había tenido fijos; miróme un momento, y luego inclinó la cabeza, y volvió a caer entre los demás ciegos.

Mi guía me dijo: —Ya no volverá a levantarse hasta que se oiga el sonido de la angélica trompeta (133); cuando venga la potestad enemiga del pecado. Cada cual encontrará entonces su triste tumba; recobrará sus carnes y su figura; y oirá el juicio que debe resonar por toda una eternidad.

Así fuimos atravesando aquella impura mezcla de sombras y de lluvia, con paso lento, razonando brevemente sobre la vida futura. Por lo cual dije: —Maestro, ¿estos tormentos serán mayores después de la gran sentencia, o bien menores, o seguirán siendo tan dolorosos? —. Y él contestóme: —Acuérdate de tu ciencia (134), que pretende que cuanto más perfecta es una cosa, tanto mayor bien o dolor experimenta. Aunque esta raza maldita no debe jamás llegar a la verdadera perfección, espera ser después del juicio más perfecta que ahora (135).

(131) Entiéndase de los florentinos.
(132) Farinata degli Uberti, jefe de la facción de los gibelinos, personaje de gran carácter, y Tegghiaio Aldobrandi degli Odimari, gran capitán de la época, que se había hecho famoso por su prudencia y los sabios consejos que daba a su partido. Jacobo Rusticucci, perteneciente a una familia poco elevada, pero sumamente rica. Arrigo, caballero de la familia de Fisanti; Mosca, de la familia degli Uberti, según Landino, Danielo y Vellutello, y de la familia de los Lamberti, según Juan Villani y Paolino Pieri.
(133) La del Juicio final.
(134) De la filosofía aristotélica.
(135) Por cuya razón sentirán más el dolor de los tormentos.

Continuando hablando de otras cosas que no refiero, llegamos al sitio donde se desciende, y allí encontramos a Plutón (136), el gran enemigo.

(136) Plutón, dios de las riquezas, y que como tal preside el círculo siguiente.

CANTO VII

Cuarto círculo, el de los pródigos y los avaros. — Están conde-
nados a chocar unos contra otros eternamente. — Retrato de
la Fortuna. — Virgilio y Dante bajan al quinto círculo.

PAPE *Satan, pape Satan aleppe* (137), comenzó a gritar
Plutón, con ronca voz. Y aquel sabio gentil (138), que
lo conoce todo, para animarme dijo: —No te inquiete
el temor, pues con todo su poder no te impedirá que des-
ciendas a este círculo (139) —. Después, volviéndose hacia
aquel rostro hinchado de ira, le dijo: —Calla, lobo maldito (140); consúmete interiormente con tu propia rabia. No
sin razón venimos al profundo infierno, pues así lo han
dispuesto allá arriba, donde Miguel castigó la soberbia rebelión (141) —. Como las velas, hinchadas por el viento caen
derribadas cuando el mástil se rompe, del mismo modo cayó
al suelo aquella fiera cruel. Así bajamos a la cuarta cavidad,
aproximándonos más a la dolorosa orilla que encierra en sí
todo el mal del Universo.

¡Ah, justicia de Dios! ¿quién, si no tú, puede amonto-
nar tantas penas y trabajos como allí vi? ¿Por qué nos des-
truyen así nuestras propias faltas? Aquí chocan los condenados unos con otros, lo mismo que la ola, saltando sobre el
escollo de Caribdis, se rompe contra la que viene a su en-

(137) Ninguna explicación plausible se ha sabido dar aún al sentido de estas palabras.
(138) Virgilio, según su discípulo, debía entenderlo todo, hasta las
palabras de Plutón.
(139) En el cuarto círculo, en que van a entrar, como dice después: *Così scendemmo nella quarta lacca*, y *lacca* viene a ser lo
mismo, aunque podría traducirse por foso.
(140) El lobo es símbolo de la avaricia, según se ha dicho anteriormente.
(141) Cuando venció a los ángeles rebeldes.

cuentro (142) Allí vi más seres que en ninguna otra parte, los cuales, formados en dos filas, se lanzaban de la una a la otra enormes pesos, con todo el esfuerzo de su pecho, gritando fuertemente; dábanse grandes golpes, y después se volvía cada cual hacia atrás, exclamando: —¿Por qué guardaste? (143) ¿Por qué derrochaste? (144)—. De esta suerte iban girando por aquel tétrico círculo, yendo desde un extremo a su opuesto, y repitiendo a gritos su injurioso estribillo. Después, cuando cada cual había llegado al centro de su círculo, se volvían todos a la vez para volver de nuevo a sus insultos.

Yo, que tenía el corazón conmovido de lástima, dije: —Maestro mío, indícame qué gente es ésta. Todos esos tonsurados que vemos a nuestra izquierda ¿han sido clérigos?—. Y él me respondió: —Todos fueron de tan limitado talento en la primera vida, que no supieron gastar razonablemente; así lo manifiestan ellos con claridad cuando llegan a los dos puntos del círculo que los separa de los que siguieron camino opuesto. Esos que no tienen cabellos que cubran su cabeza, fueron clérigos, papas y cardenales, a quienes subyugó la avaricia. —Maestro, le dije yo entonces, entre todos ésos, y a quienes tan inmundos hizo este vicio, bien deberá haber algunos a quienes yo conozca—. Y él me contestó: —En vano esforzarás tu imaginación: la vida sórdida que los hizo deformes, hace que hoy aparezcan obscuros y desconocidos. Continuarán chocando entre sí eternamente y saldrán del sepulcro éstos con los puños cerrados, y aquéllos rapado el cabello. Por haber gastado mal y guardado mal, han perdido el Paraíso, y se ven condenados a ese eterno combate, que necesito pintarte con palabras escogidas. Ahí podrás ver, hijo mío, cuán rápidamente pasa el soplo de los bienes de la Fortuna, por los que la raza humana se enorgullece y querella. Todo el oro que existe bajo la luna, y todo el que ha existido, no puede dar un momento de reposo a una sola de esas almas fatigadas.

—Maestro, le dije entonces, enséñame cuál es esa Fortuna de que me hablas y que así tiene entre sus manos los bienes del mundo—. Y él me dijo: —¡Oh, locas criaturas! ¡Cuán grande es la ignorancia que os extravía! Quiero que

(142) En el estrecho de Sicilia, las olas que proceden del mar Jónico y las que avanzan del Tirreno, impelidas por vientos contrarios, chocan unas con otras y se deshacen.
(143) Los pródigos a los avaros.
(144) Los avaros a los pródigos.

te alimentes (145) con mis lecciones. Aquel cuya sabiduría es superior a todo, hizo los Cielos y les dió un guía, de modo que toda parte brilla para toda parte (146), distribuyendo la luz por igual; con el esplendor del mundo hizo lo mismo, y le dió una guía que, administrándolo todo, hiciera pasar de tiempo en tiempo las vanas riquezas de una a otra familia, de una a otra nación, a pesar de los obstáculos que crean la prudencia y previsión humanas. He aquí por qué, mientras una nación impera, otra languidece, según el juicio de Aquel que está oculto como la serpiente en la hierba (147). Vuestro saber no puede contrastarla (148); porque provee, juzga y prosigue su reinado como el suyo cada una de las otras deidades (149). Sus transformaciones no tienen tregua; la necesidad le obliga a ser rápida; por eso se cambia todo en el mundo con tanta frecuencia (150). Tal es ésa a quien tan a menudo vituperan los mismos que deberían ensalzarla, y de quien blasfeman y maldicen sin razón. Pero ella es feliz, y no oye esas maldiciones: contenta entre las primeras criaturas (151), prosigue su obra y goza en su beatitud. Bajemos, ahora, donde existen mayores y más lamentables males. Ya

(145) En lugar de *che tu mia sentenza ne imbocche*, otros comentadores leen *che tutti mia sentenza imbocche*, esto es: «que todos aprendan esto de mí». *Imboccare* significa propiamente recibir algo en la boca.

(146) Esto es: por el regulado movimiento de las esferas celestes, la luz de todas resplandece sobre todas en armónica proporción.

(147) Latet anguis in herba. (Virgilio.)

(148) La Fortuna.

(149) Los espíritus propuestos al gobierno del mundo, llamados también Dioses en las Sagradas Escrituras.

(150) Para la mejor inteligencia de esta personificación semiteológica, semipagana, de la Fortuna, oigamos a algunos comentadores. «Este es el pensamiento del poeta: que un angélico espíritu, llamado Fortuna, ejecuta en la tierra lo que otras inteligencias, angélicas también, inician en las esferas superiores, con el curso de los planetas influyentes. Estas opiniones son propias de un siglo en que la astronomía judiciaria se reputaba poco menos que como un dogma. Hoy sabemos todos que la tal Fortuna, si no se indican con este nombre las ocultas disposiciones de la Divina Providencia, es un nombre vano, que no puede aplicarse a sujeto alguno.» (Bruno Bianchi, *Coment. in Inf.*) Ginguené, por su parte, dice: «No se halla en ningún otro poeta más bello retrato de la Fortuna, incluso ni en la misma bellísima oda de Horacio *O diva que regis Antium*, sobre la cual no hay nada en toda la poesía antigua. Dante ha aprovechado una idea de la antigua filosofía, adoptada por el Cristianismo, la idea de una inteligencia secundaria, encargada de presidir cada una de las esferas celestes, y, en cierto modo, ha resucitado y rejuvenecido a la diosa de la Fortuna, colocando a esta inteligencia en la dirección de los negocios mundanos. Es este uno de los fragmentos de Dante raramente citados, pero que releen con gran frecuencia los que ya han vencido las dificultades de interpretación y han gustado las severas bellezas de este poeta sin par y sublime.» (*Hist. Litt. d'Italie*, T. II, págs. 58-59.)

(151) Los ángeles.

descienden (152) todas las estrellas que salían cuando me puse en marcha, y no podemos retrasarnos.

Atravesamos el círculo hasta la otra orilla, no lejos de un hirviente manantial, que vierte sus aguas en un arroyo que le debe su origen y cuyas aguas son más bien obscuras que azuladas; y bajamos por un camino distinto, siguiendo el curso de aquellas tenebrosas ondas. Cuando el arroyo ha llegado al pie de la playa gris e infecta, forma una laguna llamada Estigia (153); y yo, que miraba atentamente, vi gran número de seres encenagados en aquel pantano, completamente desnudos y de irritado semblante. Se golpeaban, no sólo con las manos, sino con la cabeza, con el pecho, con los pies, arrancándose la carne a pedazos con los dientes.

Díjome el buen Maestro: —Hijo, contempla las almas de los que han sido dominados por la ira, y quiero que sepas que bajo esta agua hay gentes que suspiran (154) y hacen hervir la superficie, como te lo indican tus miradas en cuantos sitios se fijan—. Metidos en el lodo dicen: —Estuvimos siempre tristes bajo aquel aire dulce que alegra el sol (155), llevando en nuestro interior una tétrica sombra: ahora nos entristecemos también en medio de este negro cieno (156).

Estas palabras emitían, como gargarizando, desde el fondo de sus gargantas, y ni una sola era pronunciada claramente.

Así fuimos describiendo un gran arco alrededor del fétido pántano, entre la playa seca y el agua, vueltos los ojos hacia los que se atragantaban con el fango, hasta que al fin llegamos al pie de una torre.

---

(152) Ya es pasada la medianoche.
(153) De una palabra griega, que significa *odio, tristeza y horror.*
(154) Estos eran los melancólicos o descontentadizos.
(155) Es decir, en el mundo.
(156) Estos eran los displicentes, los devorados por la melancolía, que forman contraste con los iracundos, como antes los pródigos con los avaros.

CANTO VIII

*Quinto círculo, el de los irascibles. — Los dos Poetas atraviesan
la Estigia en la barca de Flegias. — Encuentran a Felipe Argenti. — La ciudad de Dite. — Los demonios, con gran asombro de Virgilio, les cierran las puertas de la ciudad.*

DIGO, continuando, que mucho antes de llegar al pie de
la elevada torre, nuestros ojos se fijaron en su parte
más alta, a causa de dos lucecitas que allí vimos, y
otra que correspondía a estas dos, pero desde tan lejos, que
apenas podía distinguirse (157). Entonces, dirigiéndome hacia el mar de toda ciencia (158), dije: —¿Qué significan
esas luces? ¿Qué responde aquella otra, y quiénes son los que
hacen esas señales? —. Y contestóme él: —Sobre esas aguas
fangosas puedes ver lo que ha de venir, si es que no te lo
ocultan los vapores del pantano—. Jamás flecha alguna, dis-
parada del arco, voló tan ligera por el aire, como veloz sur-
caba las ondas una navecilla que descubrí en aquel momento, lanzada en nuestra dirección y gobernada por un solo remero, que gritaba: —¿Has llegado ya, alma vil? —Flegias,
Flegias (159), gritas en vano esta vez, dijo mi señor; pues

(157) Explicaremos este sistema de señales que nuestro autor in-
venta. Figúrase una ciudad fortificada, con dos torres, una en la orilla exterior de la Estigia y la otra en la interior, sobre la cual hay
varios diablos haciendo el oficio de vigías o centinelas. Cuando llega
un alma para pasar la laguna, la torre de la parte de acá enciende
una luz, por cuyo medio advierte a la otra que manden la barca, y
ésta enciende otra luz, en prueba de que ha visto la señal. En la
presente ocasión son dos las luces, porque dos son también los que
pretenden pasar. Y nótese, como lo hacen algunos críticos, que la luz,
que le parece tan pequeña al poeta, indica lo anchurosos que son los
círculos infernales.
(158) Virgilio.
(159) Flegias, según las fábulas mitológicas, fué hijo de Marte y
padre de Ixion y de Coronis. Enamorado de ésta Apolo, tuvo en ella
a Esculapio, el dios de la Medicina; de lo cual irritado Flegias, quemó

esta vez nada obtendrás sino el pasarnos con tu barca—. Flegias hizo lo que un hombre que descubre que ha sido víctima de un engaño, y a pesar suyo y con dolor de su alma, dominó su cólera. Mi guía saltó a la barca y me hizo entrar en ella tras él; pero aquélla no pareció ir cargada hasta que recibió mi peso (160).

En cuanto ambos estuvimos dentro, la antigua proa partió trazando en el agua una estela más profunda de lo que solía cuando llevaba otros pasajeros. Mientras recorríamos aquel canal de agua estancada, se me presentó delante una sombra llena de lodo, y me preguntó: —¿Quién eres tú, que vienes antes de tiempo? (161)—. A lo que le contesté: —Si he venido, no es para permanecer aquí; pero tú, a quien veo cubierto de lodo, dime, ¿quién eres? —. Y él me contestó: —Ya ves que soy uno de los que lloran —. Y le dije yo: —¡Permanece, pues, entre el llanto y la desolación, espíritu maldito! Te conozco aunque estés tan enlodado —. Entonces extendió sus manos hacia la barca, pero mi prudente Maestro le rechazó diciendo: —Vete de aquí con los otros perros —. En seguida rodeó mi cuello con sus brazos, me besó en el rostro y me dijo: —Alma desdeñosa (162), ¡bendita aquélla que te llevo en su seno! Ése que ves fué en el mundo una persona soberbia; ninguna virtud ha honrado su memoria, por lo que su sombra es siempre presa del furor. ¡Cuántos se tienen allá arriba por grandes reyes que se verán sumidos como cerdos en ese pantano, sin dejar en pos de sí más que horribles desprecios! —. Y yo le dije entonces: —Maestro, antes de salir de aquí, desearía en gran manera ver a ese pecador sumergido en el fango —. Y él me contestó: —Antes de que veas la orilla, quedarás satisfecho; convendrá que

---

el templo del seductor de su hija. Apolo, en venganza, matólo a flechazos y lo arrojó al Infierno; y de él dice Virgilio, en el lib. VI de su *Eneida*:

> «...Phlegyasque miserrimus omnes
> Admonet, et magna voce testatur per umbras:
> Discite justitiam, et non temnere divos.»

Dante parece que personifica en Flegias a los iracundos, porque lo fué en grado sumo, como lo manifestó al incendiar el templo de Apolo; pero fundados otros en que su oficio era el de conducir las almas a la ciudad de Dite, morada de los que no habían creído en los dioses, opinan que el poeta le consideraba como incrédulo; y, sin embargo, el carácter que éste le atribuye es el de un furioso.

(160) Porque Dante tenía cuerpo, y los otros dos sólo eran almas.
(161) Es decir: que vienes antes de estar muerto.
(162) Virgilio alaba el sublime desdén de Dante.

goces de ese deseo —. Poco después, vi acometida de tal modo a aquella sombra por las otras sombras cenagosas, que aun alabo a Dios y le doy gracias por ello. Todas gritaban: —¡A Felipe Argenti! (163) —. Y el florentino, espíritu orgulloso, se revolvía contra sí mismo, destrozándose con sus dientes.

Allí le dejamos, y no hablaré más de él. Un lamento doloroso vino a herir entonces mis oídos, por lo cual miré con más atención a mi alrededor. El buen Maestro me dijo: —Hijo mío, ya estamos cerca de la ciudad que se llama Dite (164); sus habitantes son grandes pecadores, y su número es incontable —. Y yo le respondí: —Ya distingo en el fondo del valle sus torres bermejas (165), como si salieran de entre llamas —. A lo cual me contestó: —El fuego eterno que interiormente las abrasa, les comunica el rojo color que ves en ese bajo infierno (166).

Al fin entramos en los profundos fosos que ciñen aquella desolada tierra y cuyas murallas me parecían de hierro. Llegamos, no sin haber dado antes un gran rodeo, a un sitio en que el barquero (167) nos dijo en alta voz: «Salid; he aquí la entrada —. Vi sobre las puertas más de mil espíritus, caídos del cielo como una lluvia (168), que decían con ira: —¿Quién es ése que, sin haber muerto, anda por el reino de

(163) Este Felipe Argenti, según Boccaccio, fué un riquísimo y poderoso ciudadano de Florencia, de la noble familia de los Cavicciuli, rama de los Adimari, célebre por su iracundo genio, y tan vano, que el sobrenombre de Argenti parece que se le dió porque llevaba sus caballos con herraduras de plata. Dícese, además, que fué quien expulsó de Florencia al Partido Blanco y a Dante, cuyos bienes pasaron a un hermano del mismo Felipe, y así no es extraño que el poeta pusiese a éste en el Infierno y entre los soberbios.

(164) O Plutón, su rey, a quien se daba el mismo nombre. Supónela el poeta colocada en medio de la laguna Estigia; y con este motivo es bien advertir, como algunos lo han hecho, cuán cuidadosamente imita Dante a Virgilio en todo lo que no se opone al dogma y espíritu de la Religión. Al describir Virgilio el Infierno, coloca en los primeros círculos a los que han incurrido en pecados menos graves, o a los que, a pesar de tal o cual vicio, conservan algún resto de virtud. Después pinta el Tártaro rodeado por el Flegetón, río de fuego; las puertas tienen columnas de diamante; las torres son de hierro, y por guardián de la puerta pone a Tesifón, furia infernal. Una cosa parecida hace Dante, poniendo en los círculos superiores los pecados más leves, que, porque proceden de incontinencia, son dignos de alguna conmiseración, graduando las penas según la malicia y responsabilidad de los criminales.

(165) Este valle es el sexto círculo, que, estando al mismo nivel del quinto, se halla separado de él por fosos y muros y toma la forma de la ciudad de Dite.

(166) Dante distingue el Infierno en alto y bajo. El bajo principia en la misma ciudad de Dite y va hasta la residencia de Lucifer. En él son castigados los pecados de pura e inexcusable malicia.

(167) Flegias.

(168) Almas caídas del Cielo; las de los ángeles malos.

los muertos? —. Mi sabio Maestro hizo un ademán, expresando que quería hablarles en secreto. Entonces contuvieron un poco su cólera y respondieron: —Ven tú solo, y que se vaya aquel que tan audazmente entró en este reino. Que se vuelva solo por el camino que ha emprendido locamente: que lo intente, si sabe; porque tú, que le has guiado por esta obscura región, te has de quedar aquí.

Fácil es imaginar mi estado de espíritu al oír aquellas palabras malditas, y el temor que me acometió de no poder volver ya más a la Tierra. —¡Oh, mi guía querido! Tú que más de siete veces (169) me has devuelto la tranquilidad y librado de los grandes peligros con que he tropezado, no me dejes, le dije, en este abatimiento: si nos está prohibido avanzar más, volvamos al punto sobre nuestros pasos —. Y el noble señor, el que hasta allí me había conducido, me dijo: —No temas, pues nadie puede cerrarnos el paso que Dios nos ha abierto. Aguárdame aquí; reanima tu abatido espíritu y alimenta una grata esperanza, que yo no te dejaré en este bajo mundo —. En seguida se fué el dulce Padre, dejándome solo; y yo permanecí en una gran incertidumbre, agitándose el sí y el no en mi cerebro (170).

No pude oír lo que les propuso; pero habló poco tiempo con ellos, y todos a una se precipitaron hacia la ciudad. Nuestros enemigos dieron con las puertas en el rostro de mi Señor, que se quedó fuera, y se dirigió lentamente hacia donde yo estaba. Avanzaba con la vista baja, perdido el ánimo, y decía entre suspiros: —¿Quién me ha impedido la entrada en la mansión de los dolores? —. Y dirigiéndose a mí: —Aunque me veas afligido, me dijo, no te inquietes; yo saldré victorioso de esta prueba, cualesquiera que sean los que se opongan a nuestra entrada. Su insolencia no es nueva: ya la demostraron ante una puerta menos secreta, que se encuentra todavía sin cerradura (171). Ya has visto sobre ella la inscripción de muerte (172). Pero más acá de esa

---

(169) Algunos críticos como Vellutello, Rosa, Morando y otros, se empeñan en demostrar que Dante alude aquí a los siete peligros corridos hasta entonces, a saber: 1.º el de las tres fieras; 2.º el de Caronte; 3.º el de Minos; 4.º el de Cerbero; 5.º el de Pluto; 6.º el de Flegias; y 7.º el de Felipe Argenti. Otros dicen que por más elegancia puso aquí un número determinado, sin tener en cuenta la circunstancia de tan cabal resumen. Quizá no sea esto más que una imitación del *terque quaterque* de su modelo.

(170) Esto es: dudando si volvería o no Virgilio.

(171) Porque, a pesar de la resistencia de los demonios, la puerta fué rota por Jesucristo cuando bajó al Limbo.

(172) Véase el principio del canto III.

puerta, descendiendo la montaña y pasando por los círculos sin necesidad de guía, se acerca uno que nos abrirá la ciudad (173).

(173) El ángel enviado por Dios.

CANTO IX

Se aparecen tres furias a los Poetas y les amenazan. — Acude un ángel en su socorro y les abre las puertas de la ciudad de Dite.

AQUEL color que el miedo pintó en mi rostro, cuando vi a mi guía retroceder, hizo que en el suyo se desvaneciera más pronto la insólita palidez (174) que lo cubría. Púsose atento, como un hombre que escucha, porque las miradas no podían penetrar a través del denso aire y de la espesa niebla.

—Sin embargo, debemos vencer en esta lucha — empezó a decir; ¡si no...! pero se nos ha prometido... ¡Oh! ¡cuánto tarda el otro en llegar! (175).

Yo bien veía que ocultaba lo que había comenzado a decir bajo otra idea que le asaltó después, y que estas últimas palabras eran diferentes de las primeras; sin embargo, su discurso me causó espanto, porque me parecía descubrir en sus entrecortadas frases un sentido peor del que en realidad tenían. —¿Ha bajado alguna vez al fondo de este triste abismo algún espíritu del primer círculo, cuya sola pena es la de

---

(174) Quiere decir que Virgilio, pálido de indignación, procuró recobrar en seguida su serenidad para tranquilizar a Dante.

(175) Este obscuro pasaje ha dado mucha tarea a los comentadores de Dante, que tratan de ver en él mil obscuros sentidos. Virgilio no pronuncia más que palabras entrecortadas, sin verdadera coherencia. Se adivina, no obstante, que aguarda impacientemente a alguien que ha prometido ayuda. El mismo Dante no sabe cuál es el «verdadero sentido» del «truncado discurso» de su guía. Entre los gibelinos había una especie de lenguaje convenido, un lenguaje misterioso del que se halla huella de una huella en este poema y más todavía en otras obras del autor, sobre todo en sus *Canzoni*. Las palabras «tal» y «altri» parecen pertenecer a este lenguaje, cuyo secreto, probablemente, se ha perdido para siempre. Algunos comentadores suponen que se referían a Enrique de Luxemburgo, impacientemente aguardado por los gibelinos, abatidos a la sazón por el partido contrario.

perder la esperanza? (176), le pregunté. A lo que me respondió: —Rara vez sucede que ande algún ser el camino por donde yo voy. Es cierto que tuve que bajar aquí otra vez a causa de los conjuros de la cruel Erictón (177), que llamaba las almas a sus cuerpos. Hacía poco tiempo que mi carne estaba despojada de su alma, cuando me hizo traspasar esas murallas, para sacar un espíritu del círculo de Judas (178). Este círculo es el más profundo, el más obscuro y el más lejano del Cielo que lo mueve todo (179). Conozco bien el camino; por lo cual debes estar tranquilo. Esta laguna, que exhala tan gran fetidez, ciñe por todas partes la ciudad del dolor, donde ya no podremos entrar sin justa indignación.

Dijo además otras cosas, que no he podido retener en mi memoria, porque me hallaba absorto, mirando la alta torre de ardiente cúspide, donde vi de improviso aparecer rápidamente tres furias infernales, tintas en sangre, las cuales tenían mo-

(176) Recuérdese aquí que el primer círculo es el Limbo, y que la pena de los que en él yacen es no tener esperanza de salir del mismo. Algunos comentadores, entre ellos Artaud de Montor, creen que Dante duda aquí del poder de Virgilio y que le manifiesta desconfianza.

(177) Era ésta una maga de Tesalia, de la que habla Lucano en el lib. VI, vers. 727 de su *Farsalia*. Conjuraba a los espíritus, uniéndolos a sus cuerpos, para profetizar los sucesos futuros; y de ella dice que se valió Sexto Pompeyo a fin de averiguar el resultado de la guerra civil movida entre Julio César y su padre. Con este motivo se dice que Dante incurrió aquí en un anacronismo, porque Virgilio murió treinta años después de la batalla de Farsalia, y, por consiguiente, no estaba aún su alma en disposición de someterse a los conjuros de Ericton. Mas es un escrúpulo infundado, porque en parte alguna dice Dante que la maga conjurase al épico latino en favor del hijo de Pompeyo. Por otra parte, ¿no pudo Ericton sobrevivir a Virgilio aquellos treinta años, y evocar su sombra para otro caso que nada tuviera que ver con la batalla de Farsalia?

(178) Aquí sí que viene de molde la censura hecha anteriormente. Virgilio murió treinta años antes que Judas, y, por consiguiente, cuando bajó al Infierno no podía haber recibido aquel círculo el susodicho nombre; sin embargo, pudo referirse al que tenía en la actualidad, pues, en efecto, se muestra enterado de hombres y cosas muy posteriores a su época.

(179) Del cielo llamado *primer móvil*, que contiene en sí y da movimiento a los demás cielos. Es de advertir que Dante, siguiendo el sistema astronómico de Tolomeo, supone a la Tierra inmóvil en el centro del mundo, y alrededor de ella siete órbitas o cielos, que corresponden a otros tantos planetas, en este orden: Luna, Mercurio, Venus, Sol, Marte, Júpiter y Saturno. Después de estos cielos, se suponían otros dos: el *cielo estrellado* o de las *estrellas fijas*, y el *cristalino* o *primer móvil*. Estos nueve cielos son dirigidos en su movimiento por otros tantos ángeles, que el poeta llama *inteligencias*, los cuales son de un orden jerárquico mayor o menor, según es más bajo o más alto el cielo cuyo movimiento dirigen. Sobre todos está el firmamento o empíreo, que se considera inmóvil. Dado el sistema de Tolomeo, generalmente admitido en tiempo de Dante, se explicaba el movimiento diurno aparente de todos los astros por el común impulso del *primer móvil*.

vimientos y miembros femeniles. Estaban rodeadas de hidras verdosas (180), y tenían por cabellos pequeñas serpientes y cerastas (181), que ceñían sus horribles sienes. Y aquél (182), que conocía muy bien a las siervas de la Reina del dolor eterno (183): —Mira, me dijo, las feroces Erinnias (184). La de la izquierda es Megera; la que llora a la derecha es Alecton, y la del centro es Tisifone—. Y dicho esto se calló.

Las furias se desgarraban el pecho con sus uñas; se golpeaban con las manos, y daban tan fuertes gritos, que, por temor, me acerqué más al poeta. —Venga Medusa y le convertiremos en piedra, decían todas mirando hacia abajo; hicimos mal en no vengarnos de la audaz entrada de Teseo (185).

—Vuélvete y cierra los ojos, porque si apareciese la Gorgona (186), y la vieses, no podrías jamás volver arriba—. Así me dijo el Maestro, volviéndome él mismo; y no fiándose de mis manos, me tapó los ojos con las suyas (187).

¡Oh, vosotros, que gozáis de sano entendimiento; descubrid la doctrina que se oculta bajo el velo de tan extraños versos!

Oíase a través de las turbias ondas un gran ruido, lleno de horror, que hacía retemblar las dos orillas, asemejándose a un viento impetuoso, impelido por contrarios ardores (188), que se ensaña con las selvas, y sin tregua las ramas rompe y desgaja, y las arroja lejos de allí; y marchando polvoroso y soberbio, hace huir a las fieras y a los pastores. Me descu-

(180) Culebras acuáticas.
(181) Cerastas son una especie de sierpes con cuernos.
(182) Virgilio.
(183) Proserpina, esposa de Plutón.
(184) Nombre colectivo de las Furias, ejecutoras de las venganzas infernales.
(185) Aluden al atrevimiento de Teseo, cuando bajó a los Infiernos para robar a Proserpina, y el cual, encadenado por orden de Plutón, fué libertado por Hércules.
(186) Medusa, cuya cabeza convertía en piedra a todo el que la miraba.
(187) Es notable este pasaje, y lo que sigue. En las Furias quiere significarse el remordimiento, que atormenta más que el castigo en esta vida y en la otra; y en el rostro de Medusa, que tenía el don de petrificar a las gentes, se quiere representar el placer de los sentidos que, endureciendo el corazón del hombre, obscurece su entendimiento. Por eso Virgilio manda a su discípulo que cierre los ojos, y él mismo (simbolizando la filosofía) le ayuda a hacerlo.
(188) Sabido es que el calor, enrareciendo el aire, aumenta su volumen y disminuye su densidad; de lo cual resulta que, buscando el equilibrio en las diversas partes de la Tierra, se producen los vientos. Dante se refiere aquí a esta causa, que no es la única, de las agitaciones atmosféricas.

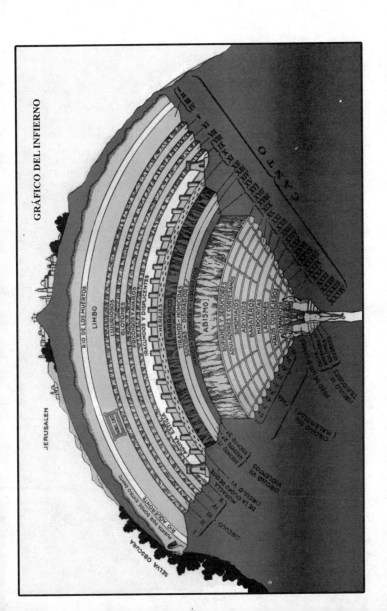

GRÁFICO DEL INFIERNO

brió los ojos, y me dijo: —Ahora dirige el nervio de tu vista
sobre esa antigua espuma, hacia el sitio en que el humo es
más maligno—. Como las ranas, que, al ver la culebra enemiga, desaparecen a través del agua, hasta que se han reunido
todas en el cieno, del mismo modo vi más de mil almas condenadas, huyendo de uno que atravesaba la Estigia a pie
enjuto. Alejaba de su rostro el aire denso, extendiendo con
frecuencia la siniestra mano hacia adelante, y sólo este trabajo
parecía cansarle. Bien comprendí que era un mensajero del
Cielo, y volvíme hacia el Maestro; pero éste me indicó que
permaneciese quieto y me inclinara. ¡Ah! ¡cuán lleno de
dignidad me pareció aquel enviado celeste! Llegó a la puerta, y la abrió con una varita, sin encontrar obstáculo.

—¡Oh, demonios arrojados del Cielo, raza despreciable!,
empezó a decir en el horrible umbral; ¿cómo habéis podido
conservar vuestra arrogancia? ¿Por qué os resistís contra esa
voluntad que no deja nunca de conseguir su intento y que
ha aumentado tantas veces vuestros dolores? ¿De qué os
sirve luchar contra el destino? Vuestro Cerbero, si bien lo
recordáis, tiene aún el cuello y el hocico pelados (189).

Entonces se volvió hacia el cenagoso camino sin diri-
girnos la palabra, semejante a un hombre a quien preocupan
y apremian otros cuidados que no se relacionan con la gente
que tiene delante. Y nosotros, confiados en las palabras santas, dirigimos nuestros pasos hacia la ciudad de Dite. Entramos en ella sin ninguna resistencia; y como yo deseaba conocer la suerte de los que estaban encerrados en aquella fortaleza, luego que estuve dentro, empecé a dirigir escudriñado-
ras miradas en torno mío, y vi por todos lados un gran campo lleno de dolor y de crueles tormentos. Como en los alre-
dedores de Arlés (190), donde se estanca el Ródano, o como
en Pola, cerca del Quarnero (191), que encierra a Italia y
baña sus fronteras, vense antiguos sepulcros, que hacen des-
igual el terreno, así también aquí se elevaban sepulcros por
todas partes; con la diferencia de que su aspecto era más terrible, por estar envueltos entre un mar de llamas, que los

(189) Pelados por la cadena con que Hércules lo sujetó y lo sacó
fuera del Infierno. Según otros comentadores, si bien los menos, bajo
la imagen del Cerbero se quiere representar alegóricamente al espíritu
infernal, que llevado de su impotente ira, se peló el hocico, cuando
bajó Jesucristo a los Infiernos, al ver que no podía oponerse a ello.
(190) Ciudad de Provenza, situada en la boca del Ródano.
(191) Quarnero, *Flanaticus sinus* de los antiguos: golfo del Adriático, que baña la Istria, última parte de la Italia, confinante con la
Croacia.

encendían enteramente, más que lo fué nunca el hierro en
ningún arte. Todas sus losas estaban levantadas, y del interior
salían tristes lamentos, parecidos a los de los míseros ajus-
ticiados.

Entonces le pregunté a mi Maestro: —¿Qué clase de
gente es ésa, que sepultada en esas arcas, deja sentir sus dolientes suspiros? —. A lo que me respondió: —Son los here-
siarcas, con sus secuaces de todas sectas: esas tumbas están
mucho más llenas de lo que puedes figurarte. Ahí está sepultado cada cual con su semejante (192), y las tumbas arden
con diferente fuego —. Después, dirigiéndose hacia la derecha, y siguiéndole yo, pasamos entre los sepulcros y las altas
murallas (193).

(192) Es decir, cada secta en su lugar, separada de las otras.
(193) Supónese que pasan entre los sepulcros y las murallas de la
ciudad. En el canto siguiente dice: *Tra'l muro della terra ed i martiri.*

CANTO X

Sexto círculo, donde gimen los herejes, metidos en sepulcros de fuego. — Dante encuentra allí a Farinata degli Uberti y a Cavalcante de Calvacanti. — Farinata predice al poeta florentino su destierro y sus infortunios.

MI Maestro avanzó entonces por un estrecho sendero, entre los muros de la ciudad y las tumbas de los condenados, y yo seguí tras él. —¡Oh, suma virtud (194), exclamé, que me conduces a tu placer por esos anchos círculos! Háblame y satisface mis deseos. ¿Podré ver la gente que yace en esos sepulcros? Todas las losas están levantadas, y no hay nadie que vigile—. Y contestóme él: —Todos quedarán cerrados, cuando hayan vuelto de Josafat las almas con los cuerpos que han dejado allá arriba. Epicuro y todos sus sectarios, que pretenden que el alma muere con el cuerpo (195), tienen su cementerio hacia esta parte. Así, que pronto contestarán aquí dentro a la pregunta que me haces, y al deseo que me ocultas—. Y yo le repliqué: —Buen Guía, si acaso te oculto mi corazón, es por no hablar demasiado, a lo cual no es la primera vez que me has predispuesto con tus advertencias.

—¡Oh, Toscano, que vas por la ciudad del fuego hablando así con palabra suave! Dígnate detenerte en este sitio. Tu modo de hablar revela claramente el noble país de donde procedes (196), al que quizá fuí yo funesto—. Tales palabras salieron súbitamente de una de aquellas arcas, haciendo que, por el temor, me aproximara un poco más a mi Guía. Él

---

(194) ¡Oh, Virgilio!
(195) El filósofo Epicuro profesaba, en efecto, y enseñaba la doctrina de que el alma se disolvía con el cuerpo.
(196) Florencia, patria de Farinata degli Uberti, el cual, unido a los gibelinos de Siena, ejerció gran severidad contra aquellos de sus conciudadanos que pertenecían al partido güelfo.

me dijo entonces: —Vuélvete: ¿qué haces? Mira a Farinata (197), que se ha levantado en su tumba, y a quien puedes contemplar desde la cintura a la cabeza—. Yo tenía ya mis miradas fijas en las suyas, y le veía erguir su pecho y su cabeza en ademán de desafiar al Infierno. Entonces mi Guía, con mano animosa y pronta, me impelió hacia él, a través de los sepulcros, diciéndome: —Háblale con claridad.

En cuanto estuve al pie de su tumba, examinóme un momento; y después, con acento un tanto desdeñoso, me preguntó: —¿Quiénes fueron tus antepasados? — Yo, que deseaba obedecer (198), no se lo oculté, antes se lo expliqué todo; y él, después de haberme oído, arqueó levemente las cejas y me habló así: —Fueron todos enconados contrarios míos, de mis parientes y de mi partido; por eso dos veces desterré dos veces (199). —Si estuvieron desterrados, le contesté, volvieron de todas partes una y otra vez (200), arte que los vuestros no han aprendido (201)—. Entonces, al lado de aquél, apareció a mi vista una sombra, que sólo descubría hasta la barba, lo que me hizo pensar que estaba de rodillas (202). Miró en torno mío, como temiendo descubrir a

(197) Farinata degli Uberti fué hombre muy animoso y jefe de los gibelinos de Florencia. En una sangrienta batalla dada en Monte Aperto, cerca del río Arbia (septiembre de 1260), derrotó al ejército güelfo, y entrando triunfante en Florencia, expulsó a todos los güelfos, y entre ellos a la familia del Dante. Pero cuando, envanecidos con su victoria, tomaron en Empoli los gibelinos el acuerdo de destruir a Florencia, aquel insigne varón se opuso a ello con entereza digna de un romano, y sólo a él debió Florencia su salvación. Fué, pues, según testimonios fidedignos, un eminente patricio; mas en cuanto a sus creencias religiosas, no parece que fuese muy espiritualista, ni de costumbres muy regulares en su vida particular. Dante, que alaba la magnanimidad del ciudadano, no perdona al incrédulo, y le condena al castigo que, según él, Epicuro y los de su secta sufren en el Infierno.

(198) Seguramente a Virgilio.

(199) La primera vez, cuando, apoyando Federico II a los gibelinos, se vieron obligados los güelfos a salir de Florencia, que fué el 2 de febrero de 1248, y la segunda después de la derrota de Monte Aperto.

(200) Después de la expulsión de 1248 volvieron los güelfos en enero de 1251, a consecuencia de la derrota que habían experimentado, en Figline, los gibelinos, el 20 de octubre del año anterior. Después de la segunda expulsión, volvieron a Florencia en 1266, por la destrucción y muerte del rey Manfredo, pero Farinata no existía ya entonces, porque murió en 1264.

(201) No se dieron para volver la misma maña que los güelfos. Dante habla así a Farinata, no porque fuese güelfo cuando escribía esto, sino porque finge su viaje poético en 1300, cuando aún no era gibelino y afecta aquí opiniones y lenguaje de verdadero güelfo. Dante fué el primer gibelino de su familia después de haber salido de Florencia.

(202) Esta sombra es Cavalcante de Cavalcanti, padre de Guido Cavalcanti.

alguien conmigo; y apenas se desvanecieron sus sospechas,
me dijo, llorando: —Si la fuerza de tu genio es la que te ha
abierto esta obscura prisión, dime: ¿dónde está mi hijo y por
qué no se encuentra a tu lado? — Y yo le respondí: —No
he venido por mí mismo; el que me espera allí me guía por
estos lugares. Quizá vuestro Guido (203) *mostró* hacia él demasiado desdén (204).

Sus palabras y la índole de su suplicio me habían revelado ya el nombre de aquella sombra; por esto mi respuesta
fué precisa. Irguiéndose repentinamente, exclamó: —¿Cómo
dijiste *mostró*? Pues qué, ¿no vive aún? ¿No hiere ya sus
ojos la dulce luz del día? —. Cuando observó que yo tardaba
en responderle, cayó de espaldas en su tumba, y no volvió ya
a aparecer.

Pero el otro magnánimo (205), por quien yo estaba allí,
no cambió de color, ni movió el cuello, ni inclinó el cuerpo.
—El que no hayan aprendido bien ese arte (206), me dijo,
continuando la conversación empezada, me atormenta más
que este lecho. Mas la deidad que reina aquí (207) no mos-
trará cincuenta veces su faz iluminada, sin que tú conozcas
lo difícil que es ese arte (208). Pero dime, así puedas volver al dulce mundo (209), ¿por qué causa es ese pueblo tan

(023) Guido Cavalcanti, hijo de Cavalcante, fué poeta lírico y filósofo; pero poco o nada aficionado a la lengua latina en que escribió
Virgilio.
(204) ¿Por qué Guido Cavalcanti, insigne poeta y amigo de Dante, miraba con menosprecio a Virgilio...? ¿Por haberse hecho filósofo y renunciado a la poesía? ¿Por no haber escrito una epopeya
como se asegura que Dante le aconsejaba? Difícil es averiguar con
qué intención le atribuiría su íntimo amigo antipatía hacia el poeta
latino que, sin embargo, no hace más que poner en duda, por medio
de aquel «forse», expresión de mera hipótesis. Dícese que Dante y
Guido militaron, al fin, en opuestos bandos políticos, y que el segundo era opuesto a la idea del origen divino del Imperio, que
Dante tomó de Virgilio. No parece esta razón bastante. Por lo demás,
ya se comprenderá que la curiosidad de Cavalcanti consistía en creer
que siendo Guido tan amigo de Dante, le acompañaría en su descenso
al Infierno.
(205) Farinata.
(206) El arte de volver del destierro, de que le habló Dante.
(207) La Luna, llamada en el Infierno Proserpina.
(208) No pasarán cincuenta lunas, sin que tú, Dante, sepas cuánto
cuesta aprender ese arte de volver a la patria una vez arrojado de
ella. Aquí se alude a la osada e inútil tentativa que hicieron los gibelinos desterrados (y con ellos Dante), en julio de 1304 (cincuenta
meses después de la fecha de este coloquio con Farinata), para volver por fuerza a Florencia. (Véase *Paraíso*, c. XVII.)
(209) En medio de sus tormentos no era mucho que Farinata con-
templase dulce la existencia de la Tierra. Esto no ofrece dificultad
alguna; pero la tiene, y grande, la verdadera interpretación del verso
en que se contienen aquellas palabras, y por lo mismo debemos, si no
justificar, explicar al menos la idea. Hecho asunto de discusión **entre**

despiadado con los míos en todas sus leyes? — A lo cual le contesté: —El destrozo y la gran matanza que enrojeció el Arbia excita tales discursos en nuestro templo (210).

Entonces movió la cabeza suspirando, y después dijo: —No estaba yo allí solo; y en verdad, no sin razón me encontré en aquel sitio (211) con los demás; pero fuí el único que, cuando se trató de destruir a Florencia, la defendí resueltamente (212). —¡Ah!, le contesté; ¡ojalá vuestra descendencia tenga paz y reposo! Pero os ruego que deshagáis el nudo que ha enmarañado mi pensamiento. Me parece, por lo que he oído, que prevéis lo que el tiempo ha de traer, a pesar de que os suceda lo contrario con respecto a lo presente. —Nosotros, dijo, somos como los que tienen la vista cansada, que vemos las cosas distantes, gracias a una luz con que nos ilumina el Guía soberano. Cuando las cosas están próximas o existen (213), nuestra inteligencia es vana, y si otro no nos los descubre, nada sabemos de los sucesos humanos; por lo cual puedes comprender que toda nuestra inteligencia morirá el día en que se cierre la puerta del porvenir (214). —. Entonces como arrepentido de mi falta (215), le dije: —Decidle, pues, al que se ha hundido, que su hijo está aún entre los vivos. Si antes no le respondí, hacedle saber que lo hice porque estaba ya distraído con la duda que me habéis aclarado.

Mi Maestro me llamaba ya, por cuya razón rogué más solícitamente al espíritu, que me dijera quién estaba con él.

comentaristas, críticos y gramáticos, cada cual halla en el verso siguiente diverso sentido:

E se tu mai nel dolce mondo regge

Depende del sentido que se dé a la partícula *se* y al verbo *regge*. Para unos la partícula es condicional, para otros deprecativa; quién cree que el verbo equivale a *riedi*, del infinitivo *reddire*; quién que a *ragni*, lo mismo que *comandi*, y quién, por último, opina que el verbo *reggere* significa durar, no tener término. Mas dícese que no hay ejemplo de que el verbo *reggere* haya significado nunca volver; ni Farinata, que profetizaba sobre lo futuro, hubiera dudado ni deseado que Dante volviese al mundo, porque no ignoraba que volvería.

(210) Hasta el año 1282 se reunían y deliberaban sobre sus intereses los magistrados de Florencia en las iglesias, y a esto hace alusión el templo de que habla Dante a Farinata.

(211) El Arbia, río de Monte Aperto, donde vencieron los gibelinos.

(212) Recuérdese lo dicho anteriormente (nota 197) acerca de la destrucción de Florencia. Por esta causa esta ciudad italiana ha levantado una estatua a su libertador en la Galería de los Oficios, frente a la de Dante.

(213) Todas estas suposiciones del poeta están fundadas en pasajes de San Agustín, San Gregorio y Santo Tomás.

(214) Cuando se acabe el mundo.

(215) De no haber contestado a Cavalcanti.

—Estoy tendido entre más de mil, me respondió; están conmigo aquí el segundo Federico y el Cardenal (216). En cuanto a los demás, me callo.

Se ocultó después de decir esto, y yo dirigí mis pasos hacia el antiguo poeta, pensando en aquellas palabras que me parecían amenazadoras. Se puso en marcha, y mientras caminábamos, me dijo: —¿Por qué estás tan caviloso? — Y cuando satisfice su pregunta: —Conserva en tu memoria lo que has oído contra ti, me ordenó mi sabio Guía; y ahora estáte atento—. Y levantando el dedo, prosiguió: —Cuando estés ante la dulce mirada de aquella (217) cuyos hermosos ojos lo ven todo, conocerás el porvenir que te espera.

En seguida se dirigió hacia la derecha. Dejamos las murallas, y fuimos hacia el centro de la ciudad por un sendero que conduce a un valle, el cual exhalaba un hedor insoportable.

(216) El emperador Federico II, siempre en guerra con los Papas, contra los cuales escribió versos, fué excomulgado por Gregorio IX e Inocencio IV, y murió en 1250. Ottaviano degli Ubaldi, de Florencia y del partido gibelino, a pesar de ser cardenal, dijo una vez que, si acaso tuviera alma, la perdería por los gibelinos. Por esta razón los coloca Dante entre los herejes.

(217) Beatriz.

CANTO XI

Continuación del sexto círculo. — Tumba del papa Anastasio. — Los dos Poetas se detienen allí, y Virgilio explica a Dante cómo se castigan la violencia y los fraudes en los tres círculos siguientes.

POR el extremo de una elevada orilla, formada por enormes rocas desgajadas y dispuestas en círculo, llegamos a un punto donde se acumulaba aún más dolor. Allí, para preservarnos de las horribles emanaciones y de la fetidez que despedía el profundo abismo, nos pusimos al abrigo de la losa de un gran sepulcro, donde vi una inscripción que decía: «*Encierro al papa Anastasio, a quien Fotino arrastró lejos del camino recto*» (218).

—Es preciso que descendamos por aquí lentamente, a fin de acostumbrar de antemano nuestros sentidos a este triste hedor, y después no tendremos necesidad de precavernos de él —. Así habló mi Maestro, y yo le dije: —Busca algún recurso para que no perdamos el tiempo inútilmente —. A lo que me respondió: —Ya ves que en ello pienso.

—Hijo mío, continuó; en medio de estas rocas hay tres círculos, que se estrechan gradualmente como los que has dejado, y todos están llenos de espíritus malditos; mas para que después te baste con sólo verlos, oye cómo y por qué están aquí encerrados. De cuantas maldades se atraen la ira del Cielo, la injuria es el fin, y se llega a este fin, que redunda en perjuicio de otros, bien por medio de la violencia, bien por medio del fraude. Pero como el fraude es una maldad propia del hombre (219), por eso es más desagradable a los

(218) Parece que, efectivamente, se trata del papa Anastasio II, contra la opinión de algunos comentadores, que afirman que el Dante incurrió en error confundiendo a dicho papa con el emperador del mismo nombre.
(219) El uso de la fuerza es común a todos los animales; pero el

ojos de Dios, y por esta razón también los fraudulentos están más abajo, entregados a un dolor más vivo. Todo el primer círculo lo ocupan los violentos; porque puede cometerse violencia contra tres clases de seres está construído y dividido en tres recintos. Se puede, en efecto, cometer violencia contra Dios, contra sí mismo y contra el prójimo; y no sólo contra sus personas, sino también contra sus bienes, como lo comprenderás por estas claras razones. Se comete violencia contra el prójimo dándole la muerte o causándole heridas dolorosas; y contra sus bienes, por medio de la ruina, del incendio o de los latrocinios. De aquí resulta que los homicidas, los que causan heridas, los incendiarios y los ladrones están atormentados sucesivamente en el primer recinto. Un hombre puede haber dirigido su mano violenta contra sí mismo o contra sus bienes; justo es, pues, que purgue su culpa en el segundo recinto, sin esperar tampoco mejor suerte aquel que por su propia voluntad se priva de vuestro mundo (220), juega, disipa sus bienes o llora donde debía haber estado alegre y gozoso. Puede cometer violencia contra la Divinidad el que reniega de ella y blasfema con el corazón, y el que desprecia la Naturaleza y sus bondades. He aquí por qué el recinto más pequeño marca con su sello (221) a Sodoma y a Cahors (222) y a todo el que, despreciando a Dios, le injuria sin hablar, desde el fondo de su corazón. El hombre puede emplear el fraude, que produce remordimientos en todas las conciencias, ya con el que de él se fía, ya también con el que desconfía de él. Este último modo de usar del fraude parece que sólo quebranta los vínculos de amor, que forma la Naturaleza; por esta causa están encadenados en el segundo recinto los hipócritas, los aduladores, los hechiceros, los falsarios, los ladrones, los simoníacos, los rufianes, los barateros y todos los que se han manchado con semejantes e inmundos vicios. Por el primer fraude (223), no sólo se olvida el amor

abuso de la inteligencia para hacer daño a otro es propio solamente del hombre.

(220) Aquel que se suicida.

(221) El recinto menor, más pequeño porque era de menor diámetro a medida que iban aproximándose al centro, Dante dice que marcaba con su sello a los que se encerraban con él. Sello aquí equivale a fuego.

(222) Sodoma es la ciudad reducida a cenizas por la ira de Dios, lo mismo que Gomorra. Cahors, capital de Querey, en la Guyena, era famosa en tiempo de Dante por el gran número de usureros que vivían en ella, tanto que decir caorcino o usurero era una misma cosa. A propósito de lo cual se cita un decreto de Felipe *el Atrevido* que dice : *contra usurarios qui vulgariter caorci ni dicuntur,* etcétera.

(223) Por el que se comete con los confiados.

que establece la Naturaleza, sino también el sentimiento que le sigue, y de donde nace la confianza (224); he aquí por qué, en el círculo menor, donde está el centro de la Tierra y donde se halla el asiento de Dite, yace eternamente atormentado todo aquel que ha cometido traición.

A tal discurso, contesté: —Maestro, tus razones son muy claras, y bien me dan a conocer, por medio de tales divisiones, ese abismo y la muchedumbre que le habita; pero dime: los que están sumergidos en aquella laguna cenagosa (225), los que agita el viento sin cesar (226), los que azota la lluvia (227), y los que chocan entre sí lanzando tan estridentes gritos (228), ¿por qué no son castigados en la ciudad del fuego, si se han atraído la cólera de Dios?, y si no se la han atraído, ¿por qué se ven atormentados de tal suerte?

Y él me contestó: —¿Por qué tu ingenio, contra su costumbre, delira tanto ahora? ¿O es que tienes el pensamiento en otra parte? ¿No te acuerdas de aquellas palabras de la Ética (229), que has estudiado, en la que se trata de las tres inclinaciones que el Cielo reprueba: la incontinencia, la malicia y la loca bestialidad (230), y de qué modo la incontinencia ofende menos a Dios y produce menor censura? Si examinas bien esta sentencia, acordándote de los que sufren su castigo fuera de aquí, conocerás por qué están separados de estos condenados (231), y por qué los atormenta la Justicia Divina a pesar de mostrarse con ellos menos ofendida.

—¡Oh Sol, que sanas toda vista conturbada!, exclamé; tal contento me das cuando desarrollas tus ideas, que sólo por eso me es tan grato dudar como saber. Vuelve atrás un momento, y explícame de qué modo ofende la usura a la bondad divina; desvanece en mi pecho esta duda.

—La Filosofía, me contestó, enseña en más de un punto al que la estudia, que la Naturaleza tiene su origen en la In-

---

(224) El vínculo de amistad o parentesco, de donde nace una especial confianza entre los hombres.
(225) Los negligentes o desidiosos y los iracundos.
(226) Los lujuriosos o lascivos.
(227) Los glotones.
(228) Los pródigos y los avaros. Todos estos pecados están comprendidos en un solo nombre: la incontinencia.
(229) La *Ética*, de Aristóteles, o Ciencia de la moral.
(230) Al principio del séptimo libro de la *Ética* dice Aristóteles que, con respecto a las costumbres, tres especies de cosas deben evitarse: el vicio, la incontinencia y la bestialidad. Estas son sus palabras: *Dicendum est rerum circa mores fugiendarum, tres species: vitium, incontinentiam et feritatem.*
(231) Los iracundos y los que se valen de fraudes.

teligencia divina y en su arte (232); y si consultas bien tu
Física (233), encontrarás, sin necesidad de hojear muchas
páginas, que el arte humano sigue cuanto puede a la Naturaleza como el discípulo a su maestro; de modo que aquél
es casi nieto de Dios (234). Partiendo, pues, de estos principios, sabrás, si recuerdas bien el Génesis, que es conveniente sacar de la vida la mayor utilidad, y multiplicar el género
humano. El usurero sigue otra vía; desprecia a la Naturaleza y al Arte y coloca su esperanza en otro lugar.

—Ahora sígueme; que el avanzar me place. Los Peces (235) suben ya por el horizonte; el Carro se ve hacia
aquel punto donde expira Coro (236) y lejos de aquí la elevada orilla parece que disminuye (237).

(232) De la idea eterna de Dios y de su modo de obrar; los comentadores hacen notar aquí que, según los platónicos, el arte existe
primero en la inteligencia de Dios, después en la Naturaleza y después en la inteligencia del hombre.
(233) La de Aristóteles.
(234) La Naturaleza procede de Dios, el arte de la Naturaleza;
por eso dice, valiéndose de una semejanza, que el arte es nieto de
Dios.
(235) Las estrellas que forman el signo Piscis, en el Zodíaco, se
hallan en el punto del Oriente dos horas antes que el Sol, cuando éste
se encuentra en Aries. Con esto se indica que empezaba a rayar el
alba.
(236) Coro, nombre que se daba antiguamente al viento Noroeste.
(237) La elevada orilla que vieron al principio del canto.

CANTO XII

*Primer recinto del séptimo círculo, donde gimen los violentos. —
Encuentran en él al Minotauro, que es su guarda. — Los que
han cometido violencia contra la vida y los bienes del prójimo están sumergidos en un río de sangre. — Más abajo, los
Poetas encuentran una tropa de centauros, uno de los cuales, el centauro Neso, pasa a Dante en su grupa a través del
Flegetón.*

EL sitio por donde hubimos de bajar era un paraje alpestre (238), y tal, a causa del que allí se hallaba (239),
que todas las miradas se apartarían de él con horror.
Como aquellas ruinas, cuyo flanco azota el río Adigio, más
acá de Trento, producidas por un terremoto o por falta de
base (240), que desde la cima del monte de donde cayeron

(238) *Alpestre,* lo mismo que áspero y montuoso. Nos permitimos
este neologismo, que nos parece admisible, derivándolo de *Alpes,* lo
mismo que de *Pirineos,* decimos *pirenaico.*

(239) Del Minotauro, del que se hablará a seguido.

(240) Este pasaje ha suscitado gran controversia entre los eruditos comentadores de Dante. E. P. Buenaventura Lombardi ha escrito
una disertación sobre este punto, que reproducimos a continuación:
«Ruinas que destrozaron la orilla del Adigio, llama Dante al derrumbamiento de una gran parte de Monte Barco, situado entre Treviso
y Trento; derrumbamiento que alejó el río Adigio buen trecho del
pie del monte por donde antes corría. — VOLPI. Otros llevan estas
ruinas (véase *Serie de Aneddoti,* número II, Verona, 1786, cap. II) a
otra parte; pero a cualquiera que sea importa poco. Creyendo nosotros, por el contrario, de mucho interés todo lo que se refiere al
divino poema de Dante, juzgamos emplear bien nuestro trabajo al referir aquí, brevemente, cuanto hemos podido recoger para ilustrar un
pasaje obscuro, o muy ligeramente tratado hasta ahora por todos los
comentadores. A la citada explicación de Volpi se opone el caballero José Valeriano Vanneti (véase su *Carta* a J. Pedro Moneta, vol. 4,
pág. 11 del Dante, edic. en 4.º de Zatta, 1757) sosteniendo que el docto
comentador incurrió aquí en un enorme despropósito, supuesto que
de tal Monte Barco no se tiene indicio ni memoria alguna, y que,
probablemente, habrá sido una equivocación material, poniendo la
palabra Barco por Marco. Según él, debe aludirse a «un derrumbamiento de un grandísimo monte cerca de Marco, pueblecillo que está

hasta la llanura, presentan la roca tan hendida, que ningún paso hallaría el que estuviese sobre ellas, así era la bajada de aquel precipicio; y en el borde de la entreabierta cima estaba tendido el monstruo, oprobio de Creta (241), que fué concebido en una falsa vaca (242).

Cuando nos vió, se mordió a sí mismo, como enloquecido por la ira. Y mi sabio Guía gritó entonces: —¿Por ventura crees que esté aquí el rey de Atenas (243), que allá arriba, en el mundo, te dió muerte? Aléjate, monstruo; que éste (244) no viene amaestrado por tu hermana (245), sino con el objeto de contemplar vuestras penas —. Como el toro

debajo de Lizzana, a una hora de Rovereto, en el camino que por la izquierda del Adigio conduce a Verona, y que los del país llaman el «Slavino de Marco». Esta catástrofe debió probablemente de ocurrir el año 883, según el descubrimiento hecho por el Cab. Jacobo Tartarotti, en los *Anales Fuldenses* (véase su *Raccolta delle piu antiche Iscrizione di Rovereto e della Valle Lagarina*, fac. 74-75, publicada en 1754, por Jerónimo Tartaroli, en sus *Memorie antiche di Rovereto*), el cual sospecha que los glosadores de Dante han confundido Monte Barco, situado a la derecha del Adigio, encima de Chiusole, y más allá de Rovereto, hacia Trento. Jerónimo Tartarotti, hermano del mencionado Jacobo, en su comentario m. s. del *Infierno* que disfrutó Vannetti, juzga, por el contrario, que Dante quiso hablar de otras ruinas, dos millas y media más allá de Rovereto, vulgarmente llamadas Cengio Rosso, donde ahora existe el castillo de la Pietra, ruinas escarpadas y altísimas, más propias de la pintura trazada por Dante que las de Marco, que, aunque más extensas, se ven más esparcidas y amontonadas por la llanura. Maffei (*Veron, Ilustr.*, P. III, c. 8, fac. 523) ha sospechado que estas ruinas son un peñasco caído en el Adigio, cerca de Rívoli (que está inmediato a Chiusa); ocurrencia que, como dice Vannetti, tiene más trazas de nueva que de verdadera. Y, sin embargo, en apoyo de esta opinión, quizá pudiera alegarse lo que se lee en el estimable *Comentario* m. s. del célebre Torelli, donde en este pasaje hay la siguiente nota: «Jacobo Pindemonte, en una crónica m. s. que poseía (en vida de Torelli) el señor don Bartolomé Campagnola, arcipreste de Santa Cecilia, que empieza en el año 1100 y termina en el 1415, escribe estas palabras: «*Anno 1310, die Sabatti, 20 Junii ceciderunt Montes de la Clusa*». Tratándose de un hecho acaecido no sólo en tiempo de Dante, sino durante su permanencia entre los Scaligeros, motivo hay para suponer que visitase aquellas ruinas, y que, maravillado del suceso, a ellas y no a otras aludiese en estos versos. Todo lo que va expuesto, aunque no resuelva la cuestión, que seguirá indecisa, puede, no obstante, servir para dar algún rayo de luz en medio de tanta obscuridad.»

(241) De Creta o Candía.

(242) Se refiere al Minotauro, monstruo medio hombre medio toro, nacido del comercio carnal de Pasifae, mujer de Minos, rey de Creta, con un toro, del cual se apasionó, y para gozarle se metió dentro de una vaca de madera, fabricada por Dédalo.

(243) Teseo, rey de Atenas, figuró voluntariamente entre los siete jóvenes que sorteaban y mandaban todos los años los atenienses a Creta, para que fuesen devorados por el Minotauro. Teseo, merced a Ariadna, logró vencer al monstruo.

(244) Dante.

(245) Ariadna, hija de Minos y de Pasifae, que, enamorada de Teseo, le enseñó el modo de matar al Minotauro y la manera de salir del laberinto de Creta, fabricado por Dédalo.

que rompe las ligaduras en el momento de recibir el golpe mortal, así se revolvió el Minotauro; y mi prudente Maestro me gritó: —Corre hacia el borde; mientras esté furioso, bueno es que te pongas en salvo.

Nos encaminamos por aquel derrumbamiento de piedras, que oscilaban por primera vez bajo el peso de mi cuerpo (246). Iba yo pensativo, por lo cual me dijo:

—Acaso piensas en estas ruinas, defendidas por aquella ira bestial, que he disipado. Quiero, pues, que sepas, que la otra vez que bajé al profundo Infierno (247) aún no se habían desprendido estas piedras; pero un poco antes (si no estoy equivocado) de que viniese Aquel (248) que arrebató a Dite (249) la gran presa (250) del primer círculo, retembló el impuro valle tan profundamente por todos sus ámbitos, que creí ver al Universo sintiendo aquel amor por el cual otros creyeron que el mundo ha vuelto más de una vez a sumirse en el caos (251); y entonces fué cuando esa antigua roca se deshizo en tantos fragmentos.

Pero fija tus miradas en el valle; pues ya estamos cerca del río de sangre, en el cual hierve todo aquel que por medio de la violencia ha hecho daño a sus semejantes.

¡Oh, ciega pasión! ¡Oh, ira desatentada, que nos aguijonea de tal modo en nuestra corta vida, y así nos sumerge en sangre hirviente por toda una eternidad!

Vi un ancho foso, en forma circular (252), como un monte que rodease toda la llanura, según me había dicho mi Guía, y entre el pie de la roca y este foso corrían en fila gran número de centauros armados de saetas, del mismo modo que solían ir a cazar por el mundo (253). Al vernos descen-

(246) Porque no estaban acostumbradas a que pasase sobre ellas una persona viva, a semejanza de lo que en el canto VIII dijo que había sucedido ya con la barca de Caronte.

(247) Véase el canto IX.

(248) Jesucristo, cuando sacó las almas de los santos Padres del Limbo, colocado por Dante en el primer círculo.

(249) Dite también equivale a Lucifer.

(250) Literalmente dice que arrebató a Dite la gran presa. Alude, como fácilmente se comprende, a los padres del Limbo, y está tomado del himno *Vexilla* cuando dice: *Tulitque praedam Tartari.*

(251) Empédocles opinó que el mundo tuvo su origen en la discordia de los elementos, y por el contrario, que por su concordia, o sea, por la unión de las partículas con sus semejantes, se disolvió en el caos; por eso dice aquí Virgilio que se le figuró que el *Universo sentía amor;* esto es, que los elementos volviesen a su concordia, al caos.

(252) El primer recinto del séptimo círculo.

(253) Los Centauros, en general, eran hijos de Ixion y de la Niebla, a la cual dió Júpiter las aparentes formas de Juno: simbolizan la vida feroz y sin ley. Por eso están aquí guardando a los violentos.

der se detuvieron, y tres de ellos se separaron del grupo, preparando sus arcos y escogiendo antes sus flechas. Uno de ellos gritó desde lejos: —¿Qué tormento os está reservado a vosotros los que bajáis por esa cuesta? Decidlo desde donde estáis, porque si no, disparo mi arco —. Mi maestro le respondió: —Contestaremos a Quirón (254) cuando estemos cerca. Tus deseos fueron siempre, por desgracia, demasiado impetuosos —. Después me tocó y me dijo así: —Ése es Neso (255), el que murió por la hermosa Deyanira, y vengó por sí mismo su muerte; el de en medio, que inclina la cabeza sobre el pecho (256), es el gran Quirón, que educó a Aquiles; el otro es el irascible Foló (257). Alrededor del foso van a millares, atravesando con sus flechas a toda alma que sale de la sangre más de lo que le permiten sus culpas.

Nos fuimos aproximando a aquellos ágiles monstruos; Quirón cogió una flecha, y con el regatón apartó las barbas hacia detrás de sus quijadas. Cuando se descubrió la enorme boca, dijo a sus compañeros: —¿Habéis observado que el de detrás (258) mueve cuanto toca? Los pies de los muertos no suelen hacer eso —. Y mi buen Maestro, que estaba ya junto a él, y le llegaba al pecho, donde las dos naturalezas se unen (259), repuso: —Está en efecto vivo, y yo sólo debo enseñarle el sombrío valle; viene a él por necesidad, y no por diversión. La que me ha encomendado este nuevo oficio ha cesado por un momento de cantar *aleluya* (260). No es él un ladrón, ni yo un alma criminal. Pero por aquella Virtud

(254) Uno de los Centauros, hijo de Saturno y de la ninfa Filira, que, como los demás, era mitad hombre y mitad caballo. El centauro Quirón fué uno de los mayores sabios de su tiempo. Dante le coloca en el Infierno, aunque no podía ignorar que la Mitología le pone entre las constelaciones del Cielo. Quirón es *Sagitario*, uno de los doce signos del Zodíaco.

(255) Enamorado el centauro Neso de Deyanira, mujer de Hércules, intentó robarla mientras la ayudaba a pasar un río; pero viéndolo Hércules, hirió al raptor con sus flechas, que estaban teñidas en la venenosa sangre de la hidra de Lerna. El moribundo Neso entregó su ensangrentada túnica a Deyanira, asegurándole que, si la vestía Hércules, desdeñaría el amor de cualquiera otra mujer. La crédula esposa hizo lo que le aconsejó el centauro, muriendo al poco rato Hércules, entre los horribles dolores que le causara la emponzoñada túnica.

(256) En ademán pensativo.

(257) Hijo de Sileno y de Melia, que en las bodas de Piritoo fué el primero en lanzarse contra los lapitas.

(258) Dante.

(259) Donde se reúne la forma del hombre con la del caballo. Dice que la cabeza de Virgilio no alcanzaba más arriba del pecho de Quirón.

(260) Es decir: Beatriz ha cesado por un momento de entonar alabanzas a Dios para recomendarme a Dante.

que dirige mis pasos en un camino tan salvaje, cédeme uno
de los tuyos para que nos acompañe, que nos indique un
punto vadeable y lleve a éste sobre su grupa, pues no es
espíritu que vaya por el aire.

Quirón se volvió hacia la derecha, y dijo a Neso:

—Ve, guíales; y si tropiezan con algún grupo de los
nuestros, haz que les abran paso.

Nos pusimos en marcha, tan fielmente escoltados, hacia
lo largo de las orillas de aquella roja espuma, donde los que
hervían en ella lanzaban horribles gritos. Los vi sumergidos
hasta las cejas, por lo que el gran Centauro (261) dijo:

—Esos son los tiranos, que vivieron de sangre y de rapiña.
Aquí se lloran las despiadadas culpas; aquí está Alejandro (262), y el feroz Dionisio (263), que tantos años de
dolor hizo sufrir a la Sicilia. Aquella frente que tiene el
cabello tan negro es la de Azzolino (264), y la otra que lo
tiene rubio es la de Obezzo de Este (265), que verdaderamente fué asesinado en el mundo por su hijastro —. Entonces me volví hacia el poeta, el cual me dijo: —Sea éste ahora tu primer guía; yo seré el segundo —. Algo más lejos se
detuvo el Centauro sobre unos condenados, que parecían sacar
fuera de aquel hervidero su cabeza hasta la garganta, y nos
mostró una sombra que estaba separada de las demás, diciendo: —Aquél hirió, en recinto sagrado, a un corazón que aún
se ve honrado en las orillas del Támesis (266) —. Después
vi otras sombras que sacaban la cabeza fuera del río, y algunas todo el pecho, y reconocí a muchos de ellos. Como la
sangre iba disminuyendo poco a poco, hasta no cubrir más

(261) Neso.
(262) Según los comentadores Vellutello, Daniello, Grangier, Mou-
tonnet, Rivarol, Colbert y Biagioli, se trata de Alejandro, tirano de
Fere, en Tesalia, que hacía sepultar a los hombres vivos; Lombardi
cree que alude a Alejandro Magno.
(263) Dionisio, tirano de Siracusa. Hubo dos tiranos de este nombre en aquella isla.
(264) Ezzelino o *Azzolino* de Romano, tirano de Padua. Fué hecho
prisionero por los príncipes de Lombardía y conducido herido a Son-
cino, donde no quiso que fuesen curadas sus heridas y se negó a tomar
alimento, muriendo de hambre y de desesperación en 1260.
(265) Obezzo de Este, marqués de Ferrara y de la Marca de Ancona, hombre cruel, que en 1293 fué ahogado por su hijo Azzo VIII, a
quien el poeta da el nombre de *hijastro*, por su parricidio. Dice *verdaderamente*, porque el hecho había sido puesto en duda.
(266) Guido de Montfort. Para vengar la muerte de Simón, su
padre, muerto en Inglaterra por Eduardo, asesinó en 1271, en una
iglesia de Viterbo, a Enrique, hermano de aquél, mientras el sacerdote elevaba la hostia. El corazón del asesinado fué llevado en una
copa a Londres y colocado sobre una columna en el puente del Támesis, para recordar a los ingleses la ofensa que se les había inferido.

que el pie, vadeamos el foso. —Quiero que sepas, me dijo el Centauro, que así como ves disminuir la corriente por esta parte, por la otra es su fondo cada vez mayor, hasta que llega a reunirse en aquel punto donde la tiranía está condenada a gemir. Allí es donde la Justicia Divina ha arrojado a Atila (267), que fué su azote en la tierra; a Pirro; a Sexto (268), el cual eternamente arranca lágrimas, que en el hervor de esta sangre desata; a Renato de Corneto y a Renato Pazzo (269), que tanto daño causaron en los caminos —. Dicho esto, se volvió y repasó el vado.

267) *Flagellum Dei,* azote de Dios, como se llamó a Atila, rey de los hunos, famoso conquistador, que devastó a Italia y otros países en el siglo v.
(268) Pirro, hijo de Aquiles, que asesinó a Príamo e inmoló a Polixena sobre la tumba de su padre. Otros entienden que es Pirro, rey de Epiro. — Sexto, hijo de Tarquino *el Soberbio;* o tal vez Sexto Pompeyo, hijo del Magno.
(269) Renato Corneto, famoso ladrón de las playas romanas. — Renato Pazzo, noble, de la antigua familia de los Pazzi de Florencia, asesino famoso y salteador de caminos.

CANTO XIII

Segundo recinto del séptimo círculo, donde son atormentados los violentos contra sí mismos. — Los suicidas están aprisionados en árboles y malezas. — Los disipadores son perseguidos por perros. — Pedro Desvignes, Lano de Siena, Santiago de Padua.

No había llegado aún Neso a la otra orilla cuando penetramos en un bosque, que no estaba surcado por ningún sendero. El follaje no era verde, sino de un color obscuro; las ramas no eran rectas, sino nudosas y entrelazadas; no había frutas, sino espinas venenosas. No son tan ásperas y espesas las selvas donde moran las fieras, que aborrecen los sitios cultivados entre el Cecina y Corneto (270). Allí anidan las brutales Arpías, que arrojaron a los troyanos de las Strofades con el triste presagio de un mal futuro (271). Tienen alas anchas, cuellos y rostros humanos, pies con garras y el vientre cubierto de plumas; subidas en los árboles, lanzan extraños lamentos.

Mi buen Maestro empezó a decirme: —Antes de avanzar más, debes saber que te encuentras en el segundo recinto (272), por el cual continuarás hasta que llegues a los terribles arenales. Por tanto, mira con atención, y verás cosas que darán testimonio de mis palabras (273). Por todas partes oía

(270) Entre el río Cecina y el pueblo de Corneto había grandes bosques, donde se ocultaban las fieras que huían de los sitios abiertos y cultivados.

(271) *Strofades*, o *Estrofades*, son unas islas del mar Jónico, llamadas hoy *Estrivales*. Las *Arpías* eran unos monstruos fabulosos con cuerpo de ave, pecho y cuello de doncella. Celene, una de ellas, predijo a los troyanos que, antes de llegar a Italia, padecerían tanta hambre, que devorarían las mesas; profecía que se cumplió. — *Eneida*, lib. III y VII.

(272) El segundo recinto del séptimo círculo era el de los suicidas.

(273) Lo que se lee de Polidoro en la *Eneida*, donde cuenta Virgilio que sobre el cuerpo de aquél habían nacido hierbas, de las cuales, cortadas por Eneas, brotó sangre.

yo gemidos, sin ver a nadie que los exhalara; por cuya razón me detuve atemorizado. Creo que él creyó que yo creía (274) que aquellas voces eran de gente que se ocultaba de nosotros entre la espesura; y así me dijo mi Maestro: —Si rompes cualquier ramita de una de esas plantas, verás lo equivocados que son tus pensamientos.

Entonces extendí la mano hacia adelante, cogí una ramita de un gran endrino (275), y su tronco exclamó: —¿Por qué me rompes? — Inmediatamente se tiñó de sangre, y volvió a exclamar: —¿Por qué me desgarras? ¿No tienes ningún sentimiento de piedad? Hombres fuimos y ahora estamos convertidos en troncos; tu mano debería haber sido más piadosa, aunque fuéramos almas de serpientes.

Cual de verde tizón que, encendido por uno de sus extremos, gotea y chilla por el otro, a causa del aire que le atraviesa, así salían de aquel tronco palabras y sangre juntamente; lo que me hizo dejar caer la rama y detenerme como hombre acobardado.

—Alma herida, respondió mi Sabio; si él hubiera podido creer, desde luego, que era verdad lo que ha leído en mis versos (276), no habría extendido su mano hacia ti; el ser una cosa tan increíble me ha obligado a aconsejar que hiciese lo que ahora me está pesando. Pero dile quién fuiste, a fin de que, en compensación, renueve tu fama en el mundo, donde le es lícito volver —. El tronco respondió entonces: —Me halagas tanto con tus dulces palabras, que no puedo callar; no llevéis a mal que me entretenga un poco hablando con vosotros. Yo soy aquel (277) que tuvo las dos llaves

---

(274) *I'credo ch'ei credette ch'io credesse*, juego de palabras, de bastante mal gusto, censurado por muchos comentadores de Dante. Venturi, entre ellos, dice que no es digno de ser imitado este verso. Lombardi excusa a Dante, citando este otro verso de Ariosto:

I credea e credo, e creder credo il vero
(*Orlando*, Cant. IX, oct. 23.)

Aún se cita otro ejemplo de Persio, pero todos estos ejemplos no bastan a justificar este enredijo.

(275) Ciruelo silvestre, con espinas negras en las ramas, cuyo fruto pequeño y áspero al gusto no se utiliza para nada; crece espontáneamente en los parajes incultos.

(276) Es decir: si Dante hubiera creído lo que Virgilio cuenta de Polidoro.

(277) Pedro Desvignes, jurisconsulto de Capua; gozó por mucho tiempo el favor del emperador Federico II, de quien era canciller y a quien inclinaba lo mismo a la clemencia que a la severidad. Acusado de traición por envidiosos cortesanos, le sacaron los ojos en 1246. Su desesperación fué tal que se estrelló la cabeza contra los muros de su calabozo.

del corazón de Federico, manejándolas tan suavemente para cerrar y abrir, que a casi todos aparté de su confianza; con tanta fe me dediqué a aquel glorioso cargo, que perdí el sueño y la vida. La cortesana (278) que no ha separado nunca del palacio de César sus impúdicos ojos, peste común y vicio de las cortes, inflamó contra mí todos los ánimos, y los inflamados inflamaron a su vez y de tal modo a Augusto (279), que mis dichosos honores se trocaron en triste duelo. Mi alma, en un arranque de indignación, creyendo librarse del oprobio por medio de la muerte, me hizo injusto contra mí mismo, siendo justo (280). Os juro, por las tiernas raíces de este leño, que jamás fuí desleal a mi señor, tan digno de ser honrado. Y si uno de vosotros vuelve al mundo, reivindique en él mi memoria, que yace aún bajo el golpe que le asestó la envidia.

El poeta esperó un momento, y después me dijo: —Pues que calla, no pierdas el tiempo: habla y pregúntale, si quieres saber más —. Y yo le contesté: —Interrógale tú mismo lo que creas que me interese, pues la compasión que me aflige, me impide hacerlo.

Por lo cual volvió él a empezar de este modo: —A fin de que pueda éste hacer generosamente lo que tu súplica reclama, espíritu encarcelado, dígnate aún decirnos cómo se encierra el alma en esos nudosos troncos y dime, además, si puedes, si hay alguna que se desprenda de tales miembros —. Entonces el tronco suspiró, y aquel resoplido se convirtió en esta voz: —Os contestaré brevemente: cuando el alma feroz sale del cuerpo, de donde se ha arrancado ella misma, Minos la envía al séptimo círculo. Cae en la selva, sin que tenga designado sitio fijo, y allí donde la lanza la fortuna, germina cual grano de espelta (281). Brota primero como un retoño, y luego se convierte en planta silvestre; las Arpías, al devorar sus hojas, le causan dolor, y abren paso por donde ese dolor se exhale (282). Como las demás almas, iremos a recoger nuestros despojos; pero sin que ninguna de nosotras pueda revestirse con ellos, porque no sería justo volver a tener lo que uno se ha quitado voluntariamente. Los

(278) La Envidia cortesana.
(279) A Federico II.
(280) Matándome en un arranque de indignación, fuí injusto conmigo mismo, puesto que era inocente.
(281) Especie de gramínea.
(282) Causan dolor, porque la planta es sensible; y abren paso al dolor, porque por las roturas exhala el espíritu sus lamentos.

arrastraremos hasta aquí, y en este lúgubre bosque estará
cada uno de nuestros cuerpos suspendido en el mismo endrino donde sufre tal tormento su alma.

Prestábamos aún atención a aquel tronco, creyendo que
añadiría algo más, cuando fuimos sorprendidos por un rumor,
a la manera del cazador que siente venir el jabalí y los perros
hacia el sitio donde está apostado, que juntamente oye el
ruido de las fieras y el fragor del ramaje. Y he aquí que aparecen a nuestra izquierda dos infelices, desnudos y lacerados,
huyendo tan precipitadamente, que rompían todas las ramas
de la selva. El de delante: —¡Acude, acude, muerte! — decía;
y el otro, que no corría tanto: —Lano, tus piernas no eran
tan ágiles en el combate del Toppo (283) —. Y sin duda faltándole el aliento, hizo un grupo de sí y de un arbusto (284).

Detrás de ellos estaba la selva llena de perras negras,
ávidas y corriendo cual lebreles a quienes quitan su cadena.
Empezaron a dar terribles dentelladas a aquel que se ocultó,
y después de despedazarle, se llevaron sus miembros palpi-
tantes.

Mi Guía me tomó entonces de la mano, y llevóme hacia
el arbusto, que en vano se quejaba por sus sangrientas heridas. —¡Oh! Jacobo de San Andrés (285), decía. ¿De qué
te ha servido tomarme por refugio? ¿Tengo yo la culpa de tu
vida criminal?

Cuando mi Maestro se detuvo delante de aquel arbusto,
dijo: —¿Quién fuiste tú que por tantas heridas exhalas con
tu sangre tan quejumbrosas palabras? —. A lo que él contestó (286): —¡Oh, almas, que habéis venido a contemplar el
lamentable estrago que me ha separado así de mis hojas!,
recogedlas al pie del triste arbusto. Yo fuí de la ciudad que
cambió su primer patrón por San Juan Bautista (287); por

(283) Lano de Siena, rico caballero, que en poco tiempo consumió
un gran patrimonio. Combatiendo en favor de los florentinos, en 1280,
fué sorprendido por los de Arezzo, y prefiriendo la muerte a la fuga,
se arrojó en medio de sus enemigos, muriendo gloriosamente.
(284) Esto es, se ocultó detrás de un arbusto.
(285) Jacobo de San Andrés, noble de Padua, que, habiendo disipado todo su caudal, se suicidó. Cuéntase de él que, por el gusto de
ver un gran fuego, mandó incendiar una de sus villas.
(286) Créese que esta sombra sea la de Rocco de Mozzi, que después
de haber derrochado sus bienes se ahorcó para librarse de la miseria;
o Lotto degli Angli, que se dió igual muerte por haber pronunciado
una sentencia injusta.
(287) Florencia, cuyo antiguo patrón era el dios Marte. Su estatua
ecuestre se conservaba aún en 1337, en el Ponte-Vecchio, de donde la
arrancó, juntamente con un trozo del puente, una avenida del Arno.
Se pretendía que dicha estatua era para Florencia lo que el Pallá-
dium para Troya.

6 *

cuya razón aquél la contristará siempre con su terrible arte (288); y a no ser porque en el puente del Arno se conserva todavía alguna imagen suya, fuera en vano todo el trabajo de aquellos ciudadanos que la reedificaron sobre las cenizas que de ella dejó Atila (289). Yo de mi casa hice mi propia horca.

CANTO XIV

Tercer recinto del séptimo círculo; gimen en él los violentos contra Dios, contra la Naturaleza y contra la Sociedad.

ENTERNECIDO por el amor patrio, reuní las hojas dispersas, y las devolví a aquel que estaba ya *enronquecido*.

Desde allí nos dirigimos al punto en que se divide el segundo recinto del tercero y donde se ve el terrible poder de la Justicia Divina.

Para explicar mejor las cosas nuevas que allí vi, diré que llegamos a un arenal que no admite planta alguna en su superficie. La dolorosa selva lo rodeaba cual guirnalda, así como el sangriento foso circundaba a aquélla. Nuestros pies quedaron fijos en el mismo lindero de la selva y la llanura. El espacio estaba cubierto de una arena tan árida y espesa, como la que oprimieron los pies de Catón en otros tiempos (290). ¡Oh, venganza de Dios! ¡Cuánto debe temerte todo aquel que lea lo que se presentó a mis ojos! Vi numerosos grupos de almas desnudas, que lloraban miserablemente, y parecían cumplir sentencias diversas. Unas yacían de espaldas sobre el suelo; otras estaban sentadas en confuso montón; otras andaban continuamente. Las que daban la vuelta al círculo eran más numerosas, y en menor número las que yacían para sufrir algún tormento; pero éstas tenían la lengua más suelta para quejarse.

Llovían lentamente en el arenal grandes copos de fuego, semejantes a los de nieve que en los Alpes caen cuando no sopla el viento. Así como Alejandro vió en las ardientes comarcas de la India caer sobre sus soldados llamas (291), que quedaban en el suelo sin extinguirse, lo que le obligó a orde-

(290) Las arenas de la Libia, que atravesó Catón de Útica, después de la muerte de Pompeyo, para reunirse al ejército de Juba, rey de Numidia.

(291) Esto no lo refiere ni Quinto Curcio ni Justino, pero se halla en una supuesta carta de Alejandro a Aristóteles. (M. Ginguené, *Hist. Litt. d'Italie*, T. II, pág. 76).

nar a las tropas que las pisaran, porque el incendio se apa-
gaba mejor cuanto más aislado estaba, así descendía el fuego
eterno, abrasando la arena, como abrasa a la yesca el pedernal,
para redoblar el dolor de las almas. Sus míseras manos se
agitaban sin reposo, apartando a uno y otro lado las brasas
continuamente renovadas.

Yo empecé a decir: —Maestro, tú que has vencido todos
los obstáculos, a excepción del que nos opusieron los demonios inflexibles a la puerta de la ciudad, dime, ¿quién es
aquella gran sombra, que no parece cuidarse del incendio, y
yace tan feroz y altanera, como si no la martirizara esa lluvia? —. Y la sombra, observando que yo hablaba de ella a
mi Guía, gritó: —Tal cual fuí en vida soy después de muerto (292). Aun cuando Júpiter cansara a su herrero, de quien
tomó en su cólera el agudo rayo que me hirió el último día
de mi vida; aun cuando fatigara uno tras otro a todos los
negros obreros de Mongibelo (293), gritando: «Ayúdame,
ayúdame, buen Vulcano», según hizo en el combate de Flegra (294), y me asaeteara con todas sus fuerzas, no lograría
de mí satisfactoria venganza.

Entonces mi Guía habló con tanta vehemencia, que nunca yo le había oído expresarse de aquel modo: —¡Oh!
Capaneo (295), en no abatirse tu soberbia está tu mayor
castigo. No hay martirio comparable al dolor que te hace
sufrir tu cólera.

Después se dirigió a mí diciendo con acento más apaci-
ble: —Ése fué uno de los siete reyes que sitiaron a Tebas (296); despreció a Dios y tampoco ahora parece reveren-
ciarlo más; pero, como le he dicho, es su cólera el digno
premio debido a su corazón. Ahora, sígueme y cuida de no
poner tus pies sobre la abrasada arena; camina siempre arri-
mado al bosque.

Llegamos en silencio al sitio donde desemboca fuera de
la selva un riachuelo, cuyo rojo color todavía me horroriza.
Cual sale del Bulicame (297), el arroyo, cuyas aguas se re-

(292) Es decir: soberbio e indómito.
(293) Alude a Vulcano y los Cíclopes que, según la fábula, forja-
ban los rayos de Júpiter en las entrañas del Mongibelo o monte Etna.
(294) Flegra, valle de Tesalia, donde acaeció el combate entre los
dioses y los gigantes.
(295) Fué Capaneo uno de los siete reyes que sitiaron a Tebas
para reponer en el trono a Polinice. Estaico (*Theb.* III, vers. 620) dice
que Capaneo era «*superum contemptor et æqui*».
(296) Eran Adrasto, Polinice, Tydeo, Hipomedón, Anfiarao, Parte-
nopeo y Capaneo.
(297) Manantial de aguas minerales calientes, a dos millas de Vi-

parten las pecadoras, así corría aquel riachuelo por la arena.
Las dos pendientes con el fondo eran de piedra, y de piedra
las márgenes a ambos lados, por lo que pensé que por él
debíamos pasar.

—Entre todas las cosas que te he enseñado, desde que entramos por la puerta en cuyo umbral puede detenerse cualquiera (298), tus ojos no han visto otra tan notable como
esa corriente, que amortigua todas las llamas—. Tales fueron las palabras de mi Guía; por lo que le supliqué se expli-
case más claramente, ya que había excitado mi curiosidad.

—En medio del mar existe un país arruinado, me dijo
entonces, que se llama Creta, y tuvo un rey (299), bajo cuyo
imperio el mundo fué virtuoso. En él hay un monte, llamado
Ida, que en otro tiempo fué delicioso por sus aguas y su
frondosidad, y hoy está desierto, como todas las cosas antiguas. Rea lo escogió por cuna segura de su hijo; y para ocul-
tarlo mejor, cuando lloraba, hacía que se produjesen grandes
ruidos (300). En el interior del monte se mantiene en pie
un gigantesco anciano (301), que está de espaldas hacia
Damieta (302), con la mirada fija en Roma (303) como en

terbo, adonde acudían toda clase de enfermos. Más abajo tomaban
y «se repartían» las aguas *le peccatrice*, las mujeres públicas.

(298) La puerta del Infierno. El texto viene a decir literalmente:
«donde a nadie le es negado edificar»; esto es, hacer casa, establecer
su solar; lo cual, en sentido recto, significa que todos pueden detenerse en el camino de la perdición.

(299) Saturno, del cual dijo Juvenal:

　　　Credo pudicitiam, Saturno rege, moratam
　　　In terris.

Refiérese al reinado de Saturno, la Edad de Oro de los poetas; es
decir, la soñada época de la virtud y la felicidad, que está por venir.
Creta es la moderna Candía.

(300) *Rea* o *Rhea*, también llamada Cibeles, Ops, Vesta, Tellus, etc.,
diosa de la Tierra, hija del Cielo y esposa de Saturno, de quien tuvo
a Júpiter, Juno, Neptuno y Plutón. Como su marido, que simboliza
el *Tiempo*, devoraba todos los hijos que le nacían, hizo criar secretamente a Júpiter en el monte Ida, y para que no se le oyese llorar,
mandaba a los Curetas, sus servidores, que metiesen gran ruido con
fiestas y voces de alegría.

(301) Aquí es menester entrar en largas explicaciones, teniendo en
cuenta las que se han dado sobre este pasaje. Al inventar esta estatua,
debió Dante recordar la visión que tuvo Nabucodonosor y la explicación que le dió el profeta Daniel (*Daniel*, II) en estos términos: «La
cabeza de oro, buen rey, eres tú mismo; después de ti vendrá un
reino menor que el tuyo, que será como plata; después otro como
cobre; el cuarto como hierro; y por último quedará dividido el mismo reino, de lo cual son indicios el hierro y la tierra de que los pies
de la estatua están formados». Y así como en el profético sueño se
revelan las vicisitudes del Imperio asirio, Dante pudo aludir en su
imitación a las del Imperio latino, establecido en Roma por César y
por Augusto, y de cuya postración y ruina quería que se levantase
para bien del mundo.

(302) Damieta o la idolatría. Está en Egipto, y por esto significa

un espejo. Su cabeza es formada de oro fino, y de plata pura son los brazos y el pecho; después es de bronce hasta la entrepierna, y de allí para abajo es todo de hierro escogido, excepto el pie derecho, que es de barro cocido; y el anciano se afirma sobre éste más que sobre el otro. Cada parte, menos la formada de oro, está surcada por una hendidura que mana lágrimas, las cuales, reunidas, agujerean aquel monte (304). Su curso se dirige hacia este valle, de roca en roca, formando el Aqueronte, la Estigia y el Flegetón (305); después descienden por este estrecho conducto, hasta el punto donde no se puede bajar más, y allí forman el Cocito (306). No quiero describírtelo ahora, pues por ti mismo lo verás.

Y yo le contesté: —Si ese riachuelo se deriva así de nuestro mundo, ¿por qué se deja ver únicamente al margen de este bosque? — Y él me dijo entonces: —Tú sabes que este lugar es redondo, y aunque hayas andado mucho, descendiendo siempre al fondo por la izquierda, no has dado aún la vuelta a todo el círculo; por lo cual, si se te aparece alguna cosa nueva, no debes asombrarte por ello—. Y yo le repliqué: —Maestro, ¿dónde están el Flegetón y el Leteo? Del uno no dices nada (307) y del otro sólo me dices que lo origina esa lluvia de lágrimas. —Me agradan todas tus preguntas, contestó; pero el hervor de esa agua roja debiera haberte servido de contestación a una de ellas (308). Verás el Leteo, pero fuera de este abismo, allá donde van las almas a lavarse, cuando las culpas de que se han arrepentido les son perdonadas (309).

Después añadió: —Ya es tiempo de que nos apartemos de ese bosque; procura seguir detrás de mí; sus márgenes nos ofrecen un camino; pues no son ardientes, y sobre ellas se extinguen todas las brasas.

también que el anciano vuelve la espalda a los Imperios del pasado.

(303) Roma, o la verdadera religión: también significa el asiento del Imperio del porvenir; porque, para Dante, Italia debía ser la cabeza del Imperio, y no Alemania, y en esto fundaba la felicidad del género humano.

(304) Con esta alegoría quiere expresar el poeta, según la mayor parte de los comentadores, que de todos los sistemas de gobierno, a excepción de la monarquía, brotan infinitas lágrimas, de que se llenan los ríos del Infierno; es decir, resultan infinitos males.

(305) Ríos infernales.

(306) En el Cocito reciben su castigo los traidores. Se deriva de una voz griega que quiere decir llanto.

(307) Del que no dice nada es el Leteo.

(308) Por el hervor del agua sangrienta debería haber conocido que aquél era el Flegetón.

(309) En el Purgatorio. El Leteo, que significa *olvido*, no puede estar en el Infierno.

CANTO XV

Dante encuentra a su maestro Brunetto Latini, que le predice su destierro de Florencia y le recomienda su "Tesoro".

NOS pusimos en marcha, siguiendo una de aquellas orillas de piedra; el vapor del arroyuelo formaba sobre él una niebla, que preservaba del fuego las ondas y los ribazos. Así como los flamencos que habitan entre Cadsant (310) y Brujas, temiendo al mar que avanza hacia ellos, levantan diques para contenerle; o como los paduanos lo hacen a lo largo del Brenta para defender sus castillos y ciudades, antes que el Chiarentana (311) sienta el calor, de un modo semejante eran formados aquellos ribazos; pero su constructor, quienquiera que fuese, no los había hecho tan altos ni tan gruesos.

Nos hallábamos ya tan lejos de la selva, que no me habría sido posible descubrirla, por más que volviese atrás la vista, cuando encontramos una legión de almas (312) que venía a lo largo del ribazo: cada cual de ellas me miraba, como de noche suelen mirarse unos a otros los humanos a la escasa luz de la luna nueva, y aguzaban hacia nosotros las pestañas, como un sastre viejo para enfilar la negra aguja.

Examinado de este modo por aquellas almas, fuí conocido por una de ellas, que me asió del vestido, exclamando: —¡Oh, maravilla!—. Y yo, mientras me tendía los brazos, miré atentamente su abrasado rostro, de tal modo que, a pesar de estar desfigurado, no me fué imposible conocerle a

(310) Cadsant es una isla de la Flandes holandesa. Dante ha querido dulcificar un poco este nombre y lo ha convertido en «Guzzante», razón por la cual algunos han traducido Gante.
(311) Chiarentana, monte de los Alpes, donde tiene su origen el Brenta, río formado por la licuación de las nieves de aquél.
(312) Los sodomitas.

mi vez, e inclinado hacia su faz la mía, contesté: —¿Vos
aquí, *ser Brunetto?* —. Y él repuso: —¡Oh, hijo mío! no te
enojes si Brunetto Latini (313) vuelve un poco atrás contigo y
deja que se adelanten las demás almas—. Y yo le dije: —Os
lo ruego con toda mi alma; y si queréis que nos sentemos, lo
haré, si así le place al que me acompaña. —¡Oh, hijo mío!,
replicó, cualquiera de nosotros que se detenga un momento,
queda después cien años sufriendo esta lluvia, sin poder esquivar el fuego que le abrasa. Así, pues, sigue adelante; yo
caminaré a tu lado, y luego me reuniré a mi mesnada, que
va llorando sus eternos tormentos.

No me atreví a bajar del ribazo por donde iba para nive-
larme con él; pero mantuve mi cabeza inclinada, en actitud
respetuosa, mientras él empezaba de este modo: —¿Cuál es
la suerte o el destino que te trae aquí abajo antes de tu última hora? ¿Quién es ése que te enseña el camino? —Allá
arriba, en la vida serena le respondí me extravié en un valle
antes de haberse llenado mi edad (314). Pero ayer de mañana, le volví la espalda; y cuando retrocedía otra vez hacia
él, se me apareció el que me acompaña (315), y me volvió
al verdadero camino—. A lo que él contestó: —Si sigues
tu estrella, no puedes menos de llegar a glorioso puerto si me
acuerdo bien de ti en la hermosa vida. Y a no haber muerto
tan pronto, viendo que el cielo te era tan favorable, te habría
dado alientos para proseguir tu obra. Pero aquel pueblo in-
grato y malvado, que en otro tiempo descendió de Fiésole (316), y que aun conserva algo de la aspereza de sus
montañas y de sus rocas, será tu enemigo, por lo mismo que
prodigarás el bien; lo cual es natural, pues no conviene que

(313) *Micer* Brunetto Latini, orador, poeta, historiador, filósofo y teólogo de Florencia: estaba al frente de una escuela célebre, de donde
salieron Guido Cavalcanti y Dante. Fué secretario de la República,
que le confirió varias embajadas. Obligado a expatriarse por ser partidario de los güelfos, fijó su residencia en París, donde compuso en
francés una especie de Enciclopedia, titulada *El Tesoro*. Dante le hace
figurar en este círculo, por haber ejercido violencia contra sí mismo
entregándose al feo vicio de los sodomitas.
(314) Esto es, antes de haber cumplido enteramente el año 35 de su
vida. La visión de Dante comienza el 24 de marzo del año 1300, en
cuyo tiempo le faltaban cerca de dos meses al poeta para cumplir
aquella edad. Los comentadores discurren con sutilezas sobre este
pasaje; pero el sentido está claro. Dante dice que se extravió en el
Valle de los vicios y de los odios políticos, antes de cumplir la edad
de 35 años; «*pero* ayer (24 de marzo de 1300) le volví la espalda»; esto
es, quise salir de él, etc.
(315) Virgilio.
(316) El pueblo florentino tuvo su origen en Fiésole, antigua ciudad situada en una áspera colina a tres millas de Florencia.

cual a su contrario, espiando la oportunidad de lanzarse con ventaja sobre él, del mismo modo, cada una de aquellas sombras dirigía su rostro hacia mí, girando sin cesar, de suerte que tenían vuelto el cuello en distinta dirección de la que seguían sus pies (337).

—Aunque la miseria de este suelo movedizo y nuestro llagado y sucio aspecto haga que nosotros y nuestros ruegos seamos despreciables, comenzó a decir una de ellas, nuestra fama debe incitar a tu corazón a decirnos quién eres, tú, que asientas con tal seguridad los pies vivos en el Infierno. Este cuyas huellas voy siguiendo, y a quien ves desnudo y destrozado, gozó de tal poder entre los hombres, que apenas osarías creerlo. Nieto fué de la púdica Gualdrata (338); se llamó Guidoguerra, y durante su vida hizo tanto con su talento, como con su espada; el otro, que tras de mí oprime la arena, es Tegghiajo Aldobrandini (339), cuya voz debería ser agradecida en el mundo; y yo, que sufro en la misma cruz que ellos, fuí Jacobo Rusticucci, y el ser que me causó más daño fué, sin ninguna duda, mi fiera mujer (340).

Si hubiese podido estar al abrigo del fuego, me habría lanzado hacia los de abajo (341), y creo que mi Maestro lo hubiera sufrido; pero el temor de verme entre las llamas venció en mi alma a la noble intención que a abrazarlos me impelía. Luego les dije:

—No desprecio, sino dolor, me ha hecho experimentar vuestro estado, y dolor que tardará en desvanecerse totalmente. Así lo he sentido desde que mi Señor me dijo palabras por las cuales entendí quiénes erais los que hacia nosotros veníais.

(337) Tenían que torcer el cuello para mirar a Dante, porque éste estaba en alto.

(338) Bellísima y honesta doncella, hija de Bellincón Berti, la cual, al mostrarse el emperador Otón IV deseoso de besarla, se volvió hacia su padre diciendo: «Nadie me ha de besar, excepto aquel a quien dé la mano de esposa». Se casó con el conde Guido, de familia germánica, del cual descendieron los condes Guidi, señores de Casentino. De este matrimonio nació Marcovaldo, que fué padre de Guidoguerra, valiente caballero y hombre de gran prudencia y talento, a quien se debió la victoria en la batalla de Benevento.

(339) Tegghiajo Aldobrandini, de la familia de los Adimari. Aconsejó a los florentinos que no declararan la guerra a los de Siena, pero fué deseído, y aquéllos sufrieron un descalabro junto al río Arbia. Por eso dice que su voz debería ser agradecida en el mundo.

(340) Jacobo Rusticucci, famoso caballero. Su mujer fué tan caprichosa, que tuvo que separarse de ella, de cuyas resultas manchó su fama con un feo vicio.

(341) Hacia los personajes con quienes hablaba, que se encontraban en la parte inferior del ribazo en que estaba Dante, y al cual, como queda dicho, no alcanzaba la lluvia de fuego.

De vuestra tierra soy, y escuché siempre y recordé con gusto vuestros actos y vuestros nombres honorables.

Dejo las amarguras (342) y voy en busca de los sabrosos frutos que me ha prometido mi sincero Guía (343); pero antes me es preciso bajar hasta el centro.

—Así tu alma permanezca unida a tus miembros por mucho tiempo, repuso aquél (344), y así resplandezca también tu fama después de la muerte; ruégote nos digas si la gentileza y el valor habitan aún en nuestra ciudad, como solían, o si se han desterrado por completo; porque Guillermo Borsiere (345), que gime hace poco tiempo entre nosotros, y va allí con los demás compañeros, nos atormenta con sus relatos.

—¡Los advenedizos y las rápidas fortunas han engendrado en ti, Florencia, tanto orgullo e inmoderación, que tú misma te lamentas ya por esa causa! —. Así exclamé, con el rostro levantado; y las tres sombras, oyendo esta respuesta, se miraron mutuamente, como quien oye la verdad.

—¡Si tan poco te cuesta en otras ocasiones satisfacer las preguntas de cualquiera, respondieron todos, dichoso tú que dices lo que sientes! (346). Mas, si sales de estos lugares obscuros, y vuelves a ver las hermosas estrellas, cuando te plazca decir: «Estuve allí», haz que los hombres hablen de nosotros —. En seguida rompieron el círculo, y huyeron tan de prisa, que sus piernas parecían alas, y en un decir Jesús desaparecieron. Mi Maestro determinó entonces que nos fuésemos.

Yo le seguía, y a los pocos pasos, advertí que el ruido del agua estaba tan próximo, que aun hablando alto apenas nos hubieran oído.

Como aquel río (347) que sigue su propio curso (348) desde el monte Veso hacia levante por la izquierda del Ape-

(342) *Lascio lo fele;* esto es, este amargo Infierno.
(343) Alude a las palabras de Virgilio : Y te llevaré hacia un lugar eterno (Canto II).
(344) Rusticucci.
(345) Guillermo Borsiere, caballero florentino, no menos distinguido por su nobleza que por su ingenio, tuvo íntimas relaciones con todos los señores de Italia, y fué en este concepto llamado «cavalier di corte». De «faceto e prontissimo» lo califica Boccaccio en su novela *M. Erminio dei Grimaldi.*
(346) Esto es : puedes tenerte por dichoso en decir siempre lo que sientes, si a tan poca costa como ahora consigues responder con verdad a cuantas preguntas se te dirijan. Dante sufrió muchas amarguras en su vida por hablar con completa sinceridad.
(347) El Montone.
(348) Porque no se une con otros ríos.

nino, el cual se llama Acquacheta (349) antes de precipitarse en un lecho más bajo, y perdiendo este nombre en Forlí, y formando después una cascada, ruge sobre San Benedetto en los Alpes, donde un millar de hombres debiera hallar su retiro (350), así en la parte inferior de una roca escarpada, oímos resonar tan fuertemente aquel agua teñida de sangre (351), que, de durar mucho, me habría hecho ensordecer. Tenía yo una cuerda ceñida al cuerpo, con la cual había esperado apoderarme de la pantera de pintada piel (352); cuando me la desaté, según lo había ordenado mi Guía, se la presenté arrollada y replegada (353); entonces se volvió hacia la derecha, y desde una distancia considerable de la orilla, la arrojó en aquel abismo profundo (354). Preciso es, decía yo entre mí, que alguna novedad responda a esta nueva señal, cuyo efecto espera con tanta atención mi Maestro (355). ¡Oh, cuán prudentes deberían ser los hombres ante los que, no solamente ven sus actos, sino que, con la inteligencia, leen en el fondo de su pensamiento!

—Pronto vendrá, díjome entonces mi Guía, desde arriba lo que yo espero y lo que tú tienes en la mente; es menester que sin tardanza se descubra a tus ojos.

El hombre debe, siempre que pueda, cerrar sus labios antes de decir una verdad que tenga visos de mentira; por-

(349) Río de Romaña, que nace en los Alpes.

(350) Según Boccaccio, uno de los comentadores de Dante, esta frase se refiere a que algunos condes, señores de aquellos montes, determinaron fabricar un castillo en el sitio donde se forma esta cascada, y adosar a él muchas cabañas para vivienda de sus vasallos; pero esta determinación no tuvo efecto por haber muerto su principal emprendedor. Según otros, se refiere a una abadía allí existente, la cual era capaz para mil monjes.

(351) El Flegetón.

(352) Según el sentido moral, esta cuerda puede significar alguna virtud. Para conocer cuál sea ésta, debe tenerse presente que la cuerda se destinaba a sujetar a Gerión, imagen del frande, por lo cual debe ser el símbolo de la virtud contraria a aquel vicio, o sea la de aquella magnanimidad que hace al hombre acérrimo partidario de la verdad, y con la cual creyó Dante apoderarse de la pantera de pintada piel; esto es, persuadir y atraer al bien a los florentinos. Otros creen que esta cuerda sea símbolo de la *vigilancia*, y que Dante tomó su alegoría de algunos pasajes de las Escrituras, en que se lee: «Sint lumbi vestri præcinti, et lucerne ardentes in manibus vestris», Luc., 12, 35. «Neque dormiet, neque solvetur cingulum renum ejus», Isaías, 5, 27, y otros. Algunos han supuesto también que Dante fué en su juventud fraile de San Francisco y que colgó los hábitos.

(353) Para poderla arrojar mejor, como lo hace después Virgilio.

(354) En el octavo círculo, adonde inmediatamente se dirigían.

(355) Como, por ejemplo, el que, al lanzar una piedra, va siguiéndola con la vista.

que se expone a ser avergonzado sin culpa (356). Pero
ahora no puedo callarme, y te juro, ¡oh, lector!, por los versos de esta Comedia (357) y porque goce de una grata acogida entre los hombres, que vi venir nadando por el aire
denso y obscuro una figura, que causaría espanto al corazón
más entero; la cual se asemejaba al buzo que vuelve del fondo, adonde bajó acaso a desprender el ancla enganchada en un
escollo o en otro objeto cualquiera escondido en el mar, y que
a la vez que encoge sus piernas, extiende hacia arriba los
brazos.

(356) Dante advierte que no se deben narrar las cosas increíbles,
aunque sean verdaderas; porque la verdad que tiene visos de mentira
avergüenza al narrador, haciéndole pasar por mentiroso sin culpa suya.
Dice esto, para conseguir que se crea lo que tiene que contar, por lo
mismo que sabía que no es maravillosa la ficción poética, si antes no
se la rodea de cierta verosimilitud.
(357) Véase lo que se dice en otro lugar acerca del título de este
poema.

CANTO XVII

Retrato de Gerión (358). — *Dante habla de los usureros, ence-*
rrados en el tercer recinto de los violentos. — *Los Poetas sa-*
len del séptimo círculo, conducidos por Gerión.

He ahí la fiera de aguzada cola, que traspasa las montañas y rompe los muros y las armas; he ahí la que corrompe al mundo.»

Así empezó a hablarme mi Maestro, e hizo a aquélla una seña, indicándole que se dirigiera hacia la margen de piedra donde nos encontrábamos. Y aquella inmunda imagen del fraude llegó a nosotros, y adelantó la cabeza y el cuerpo, pero no puso la cola sobre la orilla. Su rostro era el de un varón justo, tan bondadosa era su apariencia exterior, y el resto del cuerpo el de una serpiente (359). Tenía dos garras llenas de vello hasta los sobacos, y la espalda, el pecho y los costados salpicados de tal modo de lazos y escudos (360), que no ha habido tela turca ni tártara tan rica en colores; y ni siquiera las telas tejidas por Aracne se le podían comparar (361).

Como se ven muchas veces las barcas en la orilla, mitad en el agua y mitad en tierra, o como en el país de los glotones tudescos el castor se prepara a hacer la guerra a los

---

(358) Bajo la imagen de Gerión está aquí representado el fraude; y con tan grandiosa personificación creen algunos que se propuso el poeta designar a Carlos de Valois o a algunos de sus ministros, como Musciato Franzesi o Guillermo de Nogareto.

(359) El hombre fraudulento suele disfrazar su rostro y, bajo la apariencia de humanidad y de justicia, ocultar perversos designios.

(360) Emblemas del fraude. Los lazos significan las falsas palabras con que los fraudulentos envuelven y engañan a los demás, y los escudos, las defensas y artificios con que se ven obligados a encubrir sus defraudaciones.

(361) Joven de la Lidia, que queriendo competir con Minerva en el arte de tejer, salió vencedora, por lo cual, irritada la diosa, la convirtió en araña.

peces (362), así la detestable fiera se mantenía sobre el cerco de piedra que circundaba la arenosa llanura, agitando su cola en el vacío, y levantando el venenoso dardo que, a guisa de escorpión, armaba la punta.

Mi Guía me dijo: —Ahora conviene dirijamos nuestros pasos hacia el horrendo monstruo que allí está tendido—. Descendimos, pues, por la derecha, y dimos diez pasos por la extremidad del margen, procurando evitar la arena abrasada y las llamas; cuando llegamos donde el monstruo estaba, vi a corta distancia sobre la arena gran número de gentes, sentadas al borde del abismo.

Allí me dijo mi Maestro: —A fin de que adquieras una completa experiencia de lo que es este recinto, ve y examina la condición de aquellas almas, pero que sean breves tus razones. Mientras vuelves, hablaré con el monstruo, para que nos preste sus fuertes espaldas.

Continué, pues, andando solo hasta el extremo del séptimo círculo, donde gemían aquellos desgraciados (363). El dolor estallaba por sus ojos, mientras acá y allá se defendían con las manos, ya de las pavesas, ya de la candente arena, como los perros, en el estío, rechazan con las patas o con la punta del hocico las pulgas, moscas y tábanos que se ceban en ellos.

Miré atentamente el rostro de muchos de aquellos a quienes azotaba el doloroso fuego y a ninguno reconocí; pero observé que del cuello de cada uno pendía una bolsa de cierto color, marcada con un signo, en cuya contemplación parecían deleitarse sus miradas. Aproximándome más para examinar mejor, vi en una bolsa amarilla una figura azul, que tenía toda la apariencia de un león (364). Después, prosiguiendo el curso de mis observaciones, vi otra, roja como la sangre, que ostentaba una oca más blanca que la leche (365). Uno de ellos, en cuya bolsa blanca figuraba una puerca preñada, de color azul (366), me dijo: —¿Qué haces en esta fosa? Vete; y puesto que aún vives, sabe que mi vecino Vitaliano (367) debe sentarse aquí a mi izquierda.

---

(362) Dícese que la cola de este animal, al introducirse en el agua, la hace algo aceitosa, y los peces acuden neciamente a ella, siendo presa de su enemigo.
(363) Son éstos los usureros.
(364) El blasón de los Gianfigliazzi, de Florencia, figuraba un león azul en campo amarillo.
(365) El blasón de los Ubbriachi.
(366) Los Scrovigni de Padua.
(367) Vitaliano del Dente, usurero de Padua.

Yo, entre esos florentinos, soy paduano (368), y mil veces
atruenan mis oídos gritando: «Venga el caballero soberano,
que llevará la bolsa con los tres picos» (369). Después torció
la boca, y sacó la lengua, como la saca el buey para lamerse
el belfo (370). Y yo, temiendo que mi tardanza pudiese inco-
modar al que me había advertido que no permaneciese largo
tiempo, volví la espalda a aquellas míseras almas.

Encontré a mi Guía, que había saltado ya sobre la grupa
del feroz animal, y me dijo: —Ahora sé fuerte y osado.
Por aquí no se baja sino por escaleras de esta clase (371);
monta delante; quiero quedarme en medio (372), a fin de
que la cola no pueda hacerte daño.

Como aquel que, presintiendo el frío de la cuartana, pierde ya el color de las uñas, y tiembla con todo su cuerpo con
sólo pensar en la sombra (372 a), tal me sentí al oír aquellas
palabras; pero la amenaza que envolvían me hicieron experimentar la vergüenza que experimenta ante el buen señor el
siervo fuerte.

Y me senté sobre las anchas espaldas del monstruo, y
quise decir: «Ten cuidado de sostenerme», pero, contra lo
que esperaba, me faltó la voz; si bien el que ya anteriormente me había socorrido en todos los peligros, apenas monté,
me estrechó y me sostuvo entre sus brazos. Después dijo:
—Gerión, ponte ya en marcha, trazando anchos círculos y
descendiendo lentamente; piensa en la nueva carga que llevas (373).

El monstruo fué retrocediendo como la barca que se aleja
de la orilla, y cuando sintió todos sus movimientos en libertad, revolvió la cola hacia donde antes tenía el pecho, y

(368) El que habla es Reinaldo Scrovigni, y al quejarse de los gritos que daban los florentinos, alude a lo que era la usura, más común
en Florencia que en Padua, pues constituía allí una especie de profesión practicada hasta por los nobles.
(369) Juan Bujamonte, el más infame usurero de su tiempo, cuyas
armas eran tres cabezas de águila. Lo de soberano lo dice Dante en
sentido irónico.
(370) Como haciendo irrisión del mismo a quien alababa irónicamente.
(371) Porque hasta llegar al centro del Infierno habían de valerse
de ayuda extraña, como veremos.
(372) Entre ti y la cola.
(372 a) La sombra buscada por los atacados de cuartanas parece que
calma sus ardores.
(373) Gerión, rey fabuloso de las Baleares, según los poetas, tenía
tres cuerpos y era muy astuto; por esto le coloca Dante a la entrada
del octavo círculo, como guarda de los fraudulentos. Cuéntase que el
tal rey tenía multitud de toros rojos, que se apacentaban con carne
humana: fué vencido y muerto por Hércules.

extendiéndola, la agitó como una anguila, atrayendo el aire con las garras.

No tuvo tanto miedo Faetón, cuando abandonó las riendas, por lo cual se abrasó el cielo, como se puede ver todavía (374); ni el desgraciado Ícaro, cuando, derritiéndose la cera, sintió que las alas se desprendían de su cintura, al mismo tiempo que su padre le gritaba: «Mal camino llevas», como el que yo sentí al verme en el vacío, y alejado de mi vista todo, excepto el monstruo.

Éste empezó a marchar, andando lentamente, girando y descendiendo; pero yo no podía darme cuenta más que del viento que sentía en mi rostro y en la parte inferior de mi cuerpo. Empecé a oír hacia la derecha el horrible estrépito que producían las aguas en el abismo; por lo cual incliné la cabeza y dirigí mis miradas hacia abajo, sintiéndome acometido de un profundo terror a la vista de aquel precipicio; porque vi llamas y percibí lamentos, que me obligaron a encogerme tembloroso. Entonces observé, pues no lo había reparado antes, que descendíamos dando vueltas, como me lo hizo notar la proximidad de los grandes dolores, amontonados por doquier en torno nuestro.

Como el halcón, que ha permanecido volando largo tiempo sin ver reclamo ni pájaro alguno, hace exclamar al halconero: «¡Eh! ¡Baja ya!», y el pájaro desciende cansado de las alturas donde trazaba cien rápidos círculos, posándose lejos del que lo amaestró, desdeñoso e iracundo, así nos dejó Gerión en el fondo del abismo, al pie de una desmoronada roca; y libre de nuestras personas, se alejó cual saeta despedida por el arco.

(374) Según la fábula, la Vía Láctea apareció en el cielo cuando el carro del Sol, mal guiado por Faetón, incendió aquella parte del mismo cielo.

CANTO XVIII

Octavo círculo: el de los fraudulentos. — Se divide en diez fosas concéntricas. — En la primera, los rufianes y los seductores son azotados por los demonios. — Dante encuentra allí a Caccianimìco y Jasón. — En la segunda, los aduladores y los cortesanos están sumergidos en un foso de inmundicia.

HAY un lugar en el Infierno, llamado Malebolge (375), construído todo de piedra y de color ferruginoso, como la cerca que lo rodea. En el centro mismo de aquella funesta planicie se abre un pozo bastante ancho y profundo, de cuya estructura me ocuparé en su lugar. El espacio que queda entre el pozo y el pie de la dura cerca es redondo, y está dividido en diez valles o fosos cerrados, semejantes a los numerosos fosos que rodean un castillo para defensa de las murallas; y así como estos fosos tienen puentes que van desde el umbral de la puerta a su otro extremo, del mismo modo aquí avanzaban desde la base de la montaña algunas rocas, que atravesando las márgenes y los fosos, llegaban hasta el pozo central, que las cortaba y reunía (376).

Tal era el sitio donde nos encontramos cuando descendimos de la grupa de Gerión; el poeta echó a andar hacia la

(375) *Malebolge,* fosas malditas. Palabra compuesta de *bolgia,* bolsa, alforja, y *male,* maldita.
(376) Describiremos en términos más claros esta parte de la mansión infernal. Es, como ya sabemos, el octavo círculo. En el centro de este anchuroso y horrible espacio se abre un gran pozo, desde el cual se van extendiendo uno tras otro hacia la circunferencia diez muros o baluartes, circulares y concéntricos. Entre muro y muro queda un profundo foso, cuyo ámbito es perfectamente redondo; cada uno forma lo que el poeta llama una bolsa, y para comunicarse unas con otras hay de trecho en trecho, a distancias iguales, unos puentes que van a parar, estrechando cada vez más, hasta el pozo central; a la manera que los rayos de una rueda, que parten de su aro o circunferencia y terminan en el centro o cubo de la misma.

izquierda, y yo seguí tras él. A mi derecha vi nuevas causas de conmiseración, nuevos tormentos y nuevos amigos del engaño, que llenaban la primera fosa. En el fondo estaban desnudos los pecadores; los del centro acá venían de frente a nosotros; y los de esta parte afuera seguían nuestra misma dirección, pero con paso más veloz (377).

Como en el año del Jubileo, a causa de la afluencia de gente que atraviesa el puente de Sant'Angelo, los romanos han determinado que todos los que se dirijan al castillo y vayan hacia San Pedro pasen por un lado, y por el otro los que van hacia el Monte (378), así vi, por uno y otro lado de la negra roca, cornudos demonios con grandes látigos, que azotaban cruelmente las espaldas de los condenados. ¡Oh, con cuánta ligereza movían ellos las piernas al primer azote! Ninguno aguardaba el segundo ni el tercero.

Mientras yo andaba, mis ojos se encontraron con los de un pecador, y díjeme en seguida: «No es la primera vez que veo a ése.» Por lo que fijé la vista para reconocerle mejor; mi dulce Guía se detuvo al mismo tiempo, y aun me permitió retroceder un tanto. El azotado creyó ocultarse bajando la cabeza; mas le sirvió de poco, pues le dije: —Tú, que fijas los ojos en el suelo, si no son falsas las facciones que llevas, eres Venedico Caccianimico (379). Pero, ¿qué es lo que te ha traído a tan picantes salsas? (380). A lo que me contestó: —Lo digo con repugnancia; pero cedo a tu claro lenguaje, que me hace recordar el mundo de otro tiempo.

(377) Imagínese la primera fosa dividida en dos partes por una línea circular, cuya línea divisoria es el camino que siguen los poetas, marchando siempre a la izquierda. Por estas dos partes, interna y externa, van los pecadores en sentido inverso unos de otros. Los de la parte interna, que vienen de cara a los poetas, son los seductores de mujeres por cuenta ajena, esto es, los alcahuetes; los que van en su propia dirección son los seductores por cuenta propia, y como ocupan la parte externa del círculo, necesitan correr más para seguir a los otros.

(378) El Papa Bonifacio VIII dispuso, en el año del Jubileo (1300), que se dividiera en dos partes el puente del castillo de Sant'Angelo, para evitar la confusión de los transeúntes. Por un lado pasaban los que se dirigían hacia San Pedro, y por el otro los que llevaban dirección contraria, o sea hacia el Monte Giordano, o Janículo, que está enfrente.

(379) Bolofiés, que indujo a su hermana Ghisola a satisfacer los deseos del marqués Obizzo II de Este, señor de Ferrara, haciéndole creer que éste se casaría con ella.

(380) Había fuera de Bolonia un sitio llamado Las salsas, en el cual se castigaba a los alcahuetes y otros malhechores. Dante, hablando aquí con un bolofiés, da a aquel sitio del Infierno un nombre harto conocido de los bolofieses, queriendo decir: «¿Qué delito te ha traído a un lugar de tan duro suplicio?»

Yo fuí aquel que obligó a la bella Ghisola a satisfacer los deseos del marqués, cuéntese como se quiera la tal historia (381). Y no soy el único boloñés que llora aquí; antes bien, este sitio está tan lleno de ellos, que no hay en el día entre el Savena y el Reno tantas lenguas que digan *sipa* (382), como en esta fosa; y si quieres una prueba de lo que te digo, recuerda nuestra codicia.

Mientras así hablaba, les descargó un demonio un latigazo, diciéndole: —Anda, rufián; que aquí no hay mujeres de cuño (383).

Me reuní a mi Guía; y a los pocos pasos llegamos a un punto de donde salía una roca de la montaña. Subimos por ella ligeramente, y volviendo a la derecha sobre su áspero dorso, salimos de aquel eterno recinto (384). Luego que llegamos al sitio en que aquel peñasco se ahueca por debajo a modo de puente, para dar paso a los condenados, mi Guía me dijo: —Detente, y haz que en ti se fijen las miradas de esos otros mal nacidos, cuyos rostros no has visto aún, porque han caminado hasta ahora en nuestra misma dirección.

Desde el vetusto puente contemplamos la larga fila que hacia nosotros venía por la otra parte, y que era igualmente castigada por el látigo. El buen Maestro me dijo, sin que yo le preguntara nada: —Mira esa gran sombra que se acerca, y que, a pesar de su dolor, no parece derramar ninguna lágrima. ¡Qué aspecto tan majestuoso conserva aún! Ése es Jasón (385), que con su valor y su destreza, robó en Cólquida

(381) Alude a que ciertos rumores eran favorables a Caccianimico.

(382) En la provincia de Bolonia, situada entre los ríos Savena y Reno, para decir *sia* o *sí*, decían *sipa* o *sipò*. En el día pronuncian: *se pó*, que viene a ser el *c'est bon* de los franceses.

(383) *Femmine da conio*. Con esta frase designa Dante, y es probable se designase vulgarmente a las meretrices: mujeres de *cuño*, que hacen o sirven para hacer moneda.

(384) Se salieron del camino circular, para ir en línea recta, desde la circunferencia al centro.

(385) Jasón, príncipe griego, amó en su juventud a Hipsipila (Isifile, dice el texto), hija de Toante, rey de la isla de Lemnos, la cual, para salvar a su padre de la muerte, engañó a las mujeres de la isla que, hostigadas por Venus, mataron a todos los hombres. Abandonada Hipsipila por Jasón, pasó éste a la Cólquida, con los Argonautas, para llevar a cabo la conquista del vellocino de oro. Medea, célebre encantadora, se enamoró de él, le enseñó cómo había de matar al dragón que guardaba el vellocino, y conseguido esto fácilmente, huyó de la Cólquida, llevándose consigo a Medea. Encaminóse luego a Corinto, pero cobrando aversión a Medea, por sus crueldades, se apartó de ella, dejándola en el mismo estado que Hipsipila, y casó con Creusa, hija de Creonte, que a poco pereció víctima de las artes mágicas de su rival. Jasón llevó después una vida errante, muriendo bajo las ruinas de la nave Argos.

el vellocino de oro. Pasó por la isla de Lemnos, después que
las audaces y crueles mujeres de aquella isla dieron muerte
a todos los habitantes varones; y allí, con sus artificios y sus
dulces palabras, engañó a la joven Hipsipila, que antes había engañado a todas sus compañeras, y la dejó encinta y
abandonada; por tal culpa está condenado a este martirio,
que es también la venganza de Medea (386). Con él van
todos los que han cometido igual clase de engaños; bástate,
pues, saber esto de la primera fosa y de los que en ella son
atormentados.

Nos encontrábamos ya en el punto donde el estrecho
sendero se cruza con el segundo margen, que sirve de apoyo
para otro acto. Allí vimos a los que se amontonaban en una
nueva fosa, dando resoplidos y golpeándose con sus propias
manos (387). Las orillas estaban incrustadas de moho, producido por las emanaciones de abajo, que allí se condensan,
ofendiendo a la vista y al olfato. La fosa es tan profunda,
que no se puede ver el fondo sino mirando desde la parte
más alta del arco, que lo domina perpendicularmente.

Allí nos pusimos, y desde aquel punto vimos en el foso
a unas gentes sumergidas en un estiércol que parecía salir de
letrinas humanas; y mientras tenía la vista fija allí dentro, vi
uno con la cabeza tan sucia de excremento (388), que no
podía saber si era clérigo o seglar. Aquella cabeza me dijo:
—¿Por qué te muestras tan ávido de mirarme a mí, con
preferencia a los otros que están tan sucios como yo? — Le
respondí. —Porque, si mal no recuerdo, te he visto otra vez
con los cabellos enjutos, y tú eres Alejo Interminei de Luca;
por eso te miro con preferencia a todos los otros (389).

Entonces él, golpeándose la cabeza (390), exclamó:
—Aquí me han sumergido las lisonjas que no cesó de prodi-
gar mi lengua.

Después de esto, mi Guía me dijo: —Procura adelantar
un poco la cabeza, a fin de que tus miradas alcancen las facciones de aquella sucia esclava desmelenada, que se desgarra
las carnes con sus uñas llenas de inmundicia, y que tan
pronto se encoge como se estira. Ésa es Thais (391), la pros-

(386)   Medea, a quien Jasón abandonó, como se ha dicho, del mismo modo.
(387)   Estos son los aduladores.
(388)   *Vidi un col capo si di merda lordo.*
(389)   Fué un gran caballero de Luca excesivamente adulador.
(390)   Dice *la zueca,* pues así llamaban los de Luca a la cabeza en
tono despectivo.
(391)   Dante recuerda aquí una escena del *Eunuco* de Terencio. En

tituta, que cuando su amante le preguntó: «¿Tengo grandes
gracias a tus ojos?», ella le contestó: «Sí, maravillosas.»
    Y con esto queden saciadas nuestras miradas.

---

ella Trasón regala a Thais una esclava por conducto del parásito Guatón. Cuando éste regresa, Trasón le pregunta: —¿Se muestra Thais
muy agradecida? —Muchísimo, le contesta Guatón.

CANTO XIX

Tercera fosa del octavo círculo, la de los simoníacos. — Sus cuerpos están enterrados en la fosa cabeza abajo, y sus piernas son devoradas por las llamas. — El papa Nicolás III.

OH, Simón el Mago! (392) ¡Oh, miserables sectarios suyos, almas rapaces, que prostituís, a cambio de oro y plata, las cosas de Dios, que deben ser inseparables de la bondad! Ahora resonará la trompeta (393) para vosotros, puesto que os encontráis en la tercera fosa (394).

Estábamos ya junto a ella, subidos en aquella parte del escollo que cae justamente sobre su centro. ¡Oh, suma Sabiduría! ¡Cuán grande es el arte que demuestras en el cielo, en la tierra y en el mundo maldito (395), y con cuánta equidad se reparte tu virtud! Vi en los lados y en el fondo la piedra lívida llena de pozuelos, todos redondos y de igual tamaño, los cuales me parecieron ni más ni menos anchos que los que hay en mi hermoso San Juan (396) para servir de pilas bautismales; uno de estos rompí yo, no ha muchos años, para salvar a un niño que dentro de él se ahogaba; y baste lo que digo, para desengañar a todos (397). Fuera de

---

(392) Simón, mago de Samaria: después de bautizado, ofreció dinero a san Pedro para adquirir los dones del Espíritu Santo. Sus sectarios son los que, como Simón, comercian con las cosas sagradas. De aquí la palabra *simonía.*

(393) Es decir: ahora me ocuparé en mis versos de vosotros.

(394) El lugar donde los simoníacos purgan su pecado.

(395) En el Infierno.

(396) San Giovanni, templo de Florencia, donde fué bautizado Dante.

(397) Habiendo roto Dante una de las pilas bautismales para salvar a un niño que se ahogaba, fué acusado de sacrilegio, por lo cual demuestra aquí que no lo hizo por desprecio a las cosas sagradas, sino por amor a la humanidad; así lo refiere Benvenuto de Imola.

la boca de cada uno de aquellos pozuelos salían los pies y las piernas de un pecador, hasta el muslo, quedando dentro el resto del cuerpo. Ambos pies estaban encendidos, por cuya razón se agitaban tan fuertemente sus coyunturas, que hubieran roto sogas y cuerdas. Del mismo modo que la llama suele recorrer la superficie de los objetos untados de grasa, así el fuego flameaba desde el talón a la punta de los pies de los condenados.

—¿Quién es aquél, Maestro, que furioso agita los pies más que sus otros compañeros, dije entonces, y a quien corroe y deseca una llama mucho más viva? —. A lo cual me contestó: —Si quieres que te conduzca por aquella parte de la escarpa que está más cercana al fondo, él mismo te dirá quién es y cuáles son sus crímenes. —Me parece bien, le respondí yo, todo lo que a ti te agrada; tú eres el dueño y sabes que yo no me separo de tu voluntad, así como también conoces lo que me callo (398) —. Subimos entonces al cuarto margen; después volvimos y bajamos por la izquierda hacia la estrecha y perforada fosa, sin que el buen Maestro me hiciera separar de su lado, hasta haberme conducido junto al hoyo de aquel que daba tantas señales de dolor con los movimientos de sus piernas.

—¡Oh! Quienquiera que seas, tú, que tienes enterrada la parte superior de tu cuerpo; alma triste, plantada como una estaca, empecé a decir: párate, si puedes.

Yo estaba como el fraile que confiesa al pérfido asesino, que, metido en la tierra, le llama porque dilata así su muerte (399). Y él gritó: —¿Estás ya aquí de pie; estás ya aquí de pie, Bonifacio? (400). Me ha engañado en algunos años lo que está escrito (401). ¿Tan pronto te has saciado de aquellos bienes, por los cuales no temiste apoderarte con

(398) Conoces lo que pienso sin necesidad de manifestártelo.
(399) Para comprender bien esta comparación de Dante, debe tenerse presente que uno de los crueles suplicios de la antigüedad consistía en meter al criminal con la cabeza hacia abajo en un hoyo, en el que se arrojaban después poco a poco puñados de tierra para sofocarlo. Solía el asesino, de tal modo enterrado, llamar al confesor, y entonces el verdugo cesaba de echar tierra, y el fraile inclinaba la cabeza hacia el hoyo para oír la confesión.
(400) Esta sombra es la del Papa Nicolás III, de la familia de los Orsini de Roma, electo en 1277. Cree que quien le interroga es el alma de Bonifacio VIII; y por eso dice: «¿Estás ya aquí, Bonifacio?» Y añade en seguida: «Me ha engañado en algunos años lo que está escrito». Es decir: El libro profético, en que nosotros los condenados leemos lo futuro; me ha engañado; porque, según él, tú debías morir en 1303, y no en 1300.
(401) Alusión a la profecía a que se refiere la nota anterior.

embustes de la hermosa Dama (402), y gobernarla después indignamente? (403).

Quedéme, al oír esto, como aquellos que, casi avergonzados de no haber comprendido lo que se les ha dicho, no saben qué contestar. Entonces Virgilio dijo: —Respóndele pronto: «Yo no soy, yo no soy el que tú crees» —; y yo contesté como se me ordenó. Por lo cual el espíritu retorció sus pies; y luego, suspirando y con llorosa voz, me dijo: —¿Pues qué es lo que me preguntas? Si necesitas conocer quién soy, hasta el punto de haber descendido para ello por todos estos peñascos, sabrás que estuve investido del gran manto, y fuí verdadero hijo de la Osa (404), tan codicioso, que, por aumentar la riqueza de los oseznos (405), allá arriba metí en mi bolsa cuanto dinero pude, y aquí bajo metí en esta bolsa mi alma (406). Bajo mi cabeza están sepultados los demás papas que antes de mí cometieron simonía, y se hallan oprimidos a lo largo de este angosto agujero. Yo me hundiré también luego que venga aquel que creí fueses tú, cuando te dirigí mi súbita pregunta. Pero desde que mis pies se abrasan, y me encuentro colocado al revés, ha transcurrido más tiempo del que él permanecerá en este mismo sitio con los pies ardiendo; porque en pos de él vendrá de Poniente un pastor sin ley (407), por causa más repugnante, y éste deberá cubrirnos a entrambos (408). Será un nuevo Jasón, semejante a aquel de quien se habla en el libro de los Macabeos (409); y así como el rey de éste fué débil para con él (410), así con el otro lo será el que rige la Francia (411).

(402) La Iglesia romana, en la que te introdujiste con astucia, para hacer estragos en ella. Según la Historia, esta opinión de Dante es exagerada. Sin embargo, Celestino V dijo de Bonifacio VIII que este Papa entró a reinar como un zorro, gobernó como un león y murió como un perro.

(403) El poeta censura a Nicolás III, a Bonifacio VIII y a Clemente V, más tarde.

(404) Fuí verdadero hijo de la casa de Orsini.

(405) De sus parientes. Esto es, los Orsini.

(406) Alude a la sepultura en que está metido como en una bolsa.

(407) Designa a Clemente V, arzobispo de Burdeos, el cual, por influencia de Felipe *el Hermoso*, fué elegido Papa, después de la muerte de Bonifacio VIII, y cometió el crimen de simonía. Entre estos dos hay que contar, sin embargo, a Benedicto XI, buen pontífice, que reinó pocos meses.

(408) Quiere decir que los pecados de éste serán superiores a los de ellos.

(409) Jasón fué elegido sumo sacerdote por influencia de Antíoco. (Lib. II, cap. IV.)

(410) Fué débil haciendo que su hermano Oseas le consiguiese la dignidad de sumo sacerdote por una gran suma de dinero.

(411) A este propósito se dice que Clemente V prometió a Felipe

No sé si en tal momento fué demasiada fatuidad la mía, pues le respondí en estos términos: —¡Eh! dime: ¿cuánto dinero exigió Nuestro Señor de San Pedro, antes de poner las llaves en su poder? En verdad que no le pidió más sino que le siguiera. Ni Pedro ni los otros (412) pidieron a Matías oro ni plata, cuando por su suerte fué elegido para reemplazar al que perdió su alma traidora (413). Permanece, pues, ahí, porque has sido castigado justamente, y guarda bien la mal adquirida riqueza, que tan atrevido te hizo contra Carlos (414). Y si no fuese porque aún me contiene el respeto a las llaves soberanas que poseíste en tu alegre vida, emplearía palabras mucho más severas; porque vuestra avaricia contrista al mundo, ya que por ella es pisoteado el bueno y ensalzado el malo. Pastores, a vosotros se refería el Evangelista, cuando vió prostituída ante los reyes (415) a la que se sienta sobre las aguas (416); a la que nació con siete cabezas, y obtuvo autoridad por sus diez cuernos, mientras la virtud agradó a su esposo. Os habéis construído dioses de oro y plata; ¿qué diferencia, pues, existe entre vosotros y los idólatras, sino la de que ellos adoran a uno y vosotros

el *Hermoso* cuanto desease, con tal que asegurase su elección. Pero Nàtal Alejandro defiende la memoria de este Pontífice, asegurando que cuanto se refiere de él son calumnias divulgadas por los escritores italianos. (*Saec.*, XIV, cap. 2, art. 2.).

(412) Súplase Apóstoles.

(413) El traidor Judas, a quien Matías, elegido por suerte, reemplazó en el apostolado.

(414) Engreído Nicolás con sus riquezas, pidió al rey Carlos I de Anjou la mano de una hija de éste para un sobrino suyo, y habiéndole sido negada, lo privó de la dignidad de senador romano, y se entendió con Juan de Prócida y con los aragoneses para quitarle la Sicilia.

(415) *Apocalipsis*, de San Juan.

(416) Se refiere a Roma, a la curia romana, al poder temporal de los papas, y no a la religión ni a la Iglesia católica, como han entendido muchos comentadores. El concepto está tomado del *Apocalipsis* de San Juan, cap. XVII, como lo dice claramente el Poeta, y aún repite sus mismas palabras. El Evangelista explica así su visión: «Mulier, quam vidisti, est civitas magna quœ habet regnum super reges terrœ.» — «Aquœ, quas vidisti, ubi meretrix sedet, populi sunt et gentes et tinguœ.» (Las aguas sobre que está sentada... son los pueblos, naciones y lenguas. v. 15). — «Septem capita, septem montes sunt, super quos mulier sedet.» (Las siete cabezas son siete montes sobre los cuales se asienta. v. 9). «Et decem cornua, quos vidisti, decem reves sunt.» (Y los diez cuernos que viste son diez reyes, v. 12.) — Se ve, pues, que Dante alude a Roma, edificada sobre siete colinas, a la que rendían obediencia muchos pueblos y naciones, y permaneció constituída en gran poder y autoridad, mientras (su marido) sus jefes fueron virtuosos; pero decayó en la opinión, que por tanto tiempo había merecido y gozado, cuando la Corte romana prefirió a la virtud el oro y la plata, prostituyéndose a los reyes de la tierra.

8

adoráis ciento? (417). ¡Ah, Constantino! ¡A cuántos males dió origen, no tu conversión al cristianismo, sino la donación que de ti recibió el primer papa que fué rico! (418).

Mientras yo le hablaba con esta claridad, él, ya fuese a impulsos de la ira o por que le remordiese la conciencia, agitaba aún más fuertemente ambas piernas. Creo que complací a mi Guía, porque escuchó siempre con rostro satisfecho el sonido de mis palabras, expresadas con sinceridad. Entonces me cogió con los dos brazos, y tendiéndome en alto, bien afianzado sobre su pecho, volvió a subir por el camino por donde habíamos descendido, sin dejar de estrecharme contra sí, hasta llegar a la parte superior del puente que va de la cuarta a la quinta calzada. Allí depositó suavemente su querido fardo sobre el áspero y pelado escollo, que hasta para las cabras sería un difícil sendero, desde donde descubrí una nueva fosa.

(417) Entiéndase : «Por cada ídolo que adoran los paganos, adoráis vosotros ciento, pues para vosotros lo son todas las monedas de oro y plata».

(418) Se creía en tiempo de Dante que Constantino hizo donación de los Estados pontificios a san Silvestre, el cual fué por esto el primer papa rico; y el Poeta creía que la riqueza era causa de la corrupción de las costumbres del clero, habiendo dicho Jesucristo: «Vende quod habes et da pauperibus, et sequere me». Véase la *Crónica Martiniana* o de Martín Polonio. *Papa* significa padre.

CANTO XX

Cuarta fosa del octavo círculo, donde gimen los adivinos. — Ca-
minan hacia atrás, con la cabeza vuelta al revés. — Tiresias,
Aronte, Manto: Virgilio explica el origen y el nombre de Man-
tua. — Euripilo, Miguel Scott, Guido Bonatti. — Los Poetas
continúan su viaje.

MIS versos deben ahora relatar un nuevo suplicio, el
cual servirá de asunto al vigésimo canto del primer
cántico (419), que trata de los sumergidos en el
Infierno.

Me hallaba yo dispuesto a contemplar el descubierto fondo, que está bañado de lágrimas de angustia, cuando vi venir
por la fosa circular gentes que, llorando en silencio, caminaban con aquel paso lento que llevan las letanías en el mundo (420). Cuando incliné más hacia ellos mi mirada, me
pareció que cada uno de aquellos condenados estaba retorci-
do de un modo extraño, desde la barba al principio del pecho; pues tenían el rostro vuelto hacia las espaldas, y les
era preciso andar hacia atrás, porque habían perdido la facultad de ver por delante.

Quizá, por la fuerza de la perlesía, se encuentre un
hombre de tal manera contrahecho; pero yo no le he visto,
ni creo que pueda suceder. Ahora bien, lector, ¡así Dios te
permita sacar fruto de esta lectura! Considera por ti mismo
si mis ojos podrían permanecer secos, cuando vi de cerca
nuestra humana figura tan torcida que las lágrimas le res-
balaban por la espina dorsal.

Yo lloraba en verdad, apoyado contra una de las rocas de
la dura montaña, de suerte que mi Guía me dijo: —¿Tú

(419) El poeta llama canción a esta primera parte del poema.
(420) Las procesiones de rogativa. *Letanías* es palabra griega, que
significa *ruegos, súplicas.*

también eres de los insensatos? Aquí vive la piedad cuando
está bien muerta (421). ¿Quién más criminal que el que se
conmueve contemplando la Justicia Divina? Levanta la cabeza, levántala y mira a aquel por quien se abrió la tierra en
presencia de los tebanos, que exclamaban: « ¿Adónde caes,
Anfiarao? (422). ¿Por qué abandonas la guerra?» Y no
cesó de caer en el Infierno hasta llegar a Minos, que se apodera de cada culpable. Mira cómo ha convertido sus espaldas
en pecho; por haber querido ver demasiado hacia delante,
ahora mira hacia atrás, y sigue su camino al revés.

Mira a Tiresias (423), que mudó de aspecto cuando de
varón se convirtió en hembra, cambiando también todos sus
miembros, y hubo de abatir con su vara las dos serpientes
unidas, antes que recobrar su pelo viril.

El que acerca sus espaldas al vientre de aquél es Aronte (424), que tuvo por morada una gruta de blancos mármoles en las montañas de Luni (425), cultivadas por el ca-
rrarés (426), que habita en su falda, y desde allí no había
nada que limitara su vista, cuando contemplaba el mar o las
estrellas. Aquella que, con los destrenzados cabellos, cubre
sus pechos, por lo cual se ocultan a tus miradas, y tiene en
ese lado de su cuerpo todas las partes velludas, fué Manto (427), que recorrió muchas comarcas, hasta que se detuvo
en el sitio donde yo nací (428); por lo cual deseo que me
prestes un poco de atención. Luego que su padre salió de la
vida, y fué esclavizada la ciudad de Baco (429), Manto
anduvo errante por el mundo durante mucho tiempo. Allá

(421) Esto es: la piedad consiste aquí en no tener ninguna, porque
no debe sentirse compasión al mirar en los pecadores los efectos de la
justicia divina.
(422) Anfiarao, uno de los siete reyes que sitiaron a Tebas. Era
adivino, y había predicho que moriría en aquel sitio; y en efecto, en
medio del combate, se abrió la tierra y se lo tragó con su carro.
(423) Tiresias, adivino tebano, que habiendo encontrado en un bosque dos serpientes unidas, las hirió con su báculo y quedó convertido
en mujer. Al cabo de siete años volvió a encontrar y herir a las mismas serpientes, y recobró su primitiva forma.
(424) Aronte, adivino toscano, del que hace mención Lucano en su
Farsalia, lib. I.
(425) Ciudad destruída, en la desembocadura del Magra.
(426) Debajo de los montes de Luni está Carrara, ciudad famosa
por sus mármoles.
(427) Manto, maga, hija del tebano Tiresias. Después de la muerte
de su padre, abandonó su patria para huir de la tiranía de Creón, y
tuvo del río Tiberino a Ocno, el cual fundó una ciudad que llamó
Mantua, del nombre de su madre. Ver *Eneida*, lib. X, ver. 93.
(428) No olvidemos que quien habla es Virgilio, que nació en
Mantua.
(429) Tebas, ciudad consagrada a Baco.

arriba, en la bella Italia, existe un lago al pie de los Alpes
que ciñen la Alemania por la parte superior del Tirol, el
cual se llama Benaco (430). Mil corrientes, y aun más según
creo, vienen a aumentar, entre Garda, Val-Camonica y el
Apenino, el agua que se estanca en dicho lago. En medio
de éste hay un sitio donde el Pastor de Trento y los de
Verona y Brescia podrían dar su bendición si siguiesen aquel
camino (431). En el punto donde es más baja la orilla que
le circunda, está situada Peschiera, bello y fuerte castillo, a
propósito para hacer frente a los de Brescia y a los de Bér-
gamo (432). Allí afluye necesariamente toda el agua que no
puede estar contenida en el lago de Benaco, formando un
río que corre entre verdes praderas. En cuanto aquella agua
sigue un curso propio, ya no se llama Benaco, sino Mincio,
hasta que llega a Governolo, donde desemboca en el Po. No
corre mucho sin que encuentre una hondonada, en la cual se
extiende y se estanca, y suele ser malsana en el estío. Pasando, pues, por allí la feroz doncella (433), vió en medio del
pantano una tierra inculta y deshabitada. Se detuvo en ella
con sus esclavas, para huir de todo consorcio humano, y para
ejercer su arte mágica, y allí vivió y dejó sus restos mortales.
Entonces los hombres, que estaban dispersos por los alrede-
dores, se reunieron en aquel sitio, que era fuerte a causa del
pantano que le circundaba; edificaron una ciudad sobre los
huesos de la difunta, y del nombre de la primera que había
elegido aquel sitio, la llamaron Mantua, sin consultar para
ello al Destino (434). En otro tiempo fueron sus habitantes

(430) *Tiralli*, hoy Tirol; Benaco, actualmente el *lago de Garda*. Al
pie de los Alpes tiroleses, que dividen a Italia de Alemania, se ve un
lago, llamado por los antiguos Benaco y hoy de Garda, del nombre de
una pequeña población situada por la parte sudeste en el mismo lago.
De éste, alimentado por las copiosas aguas que bajan del Apenino, o
Alpes Pœnæ, entre Garda y Val-Camónica, nace el río Mincio que,
comenzando aquí su curso en el sitio en que se halla la fortaleza de
Pescara, va a sumergirse en el Po, en las inmediaciones del castillo
de Governolo. Pocas leguas antes de su confluencia con el mismo Po,
se extiende el Mincio por la llanura, y forma la laguna o pantano en
medio del cual se halla Mantua.
(431) Es decir, que hay en el lago un punto donde los obispos de
Trento, de Verona y Brescia podrían ejercer jurisdicción. Este punto
es aquel en que las aguas del río Tignalga entran en el lago de
Garda.
(432) Alude seguramente a que los habitantes de estos dos pueblos
debían tener formada alianza ofensiva y defensiva contra los señores
de la Scala, patronos a la sazón de Pescara y de todo el territorio de
Verona.
(433) Llama feroz a Manto porque se bañaba en sangre e inquietaba las sombras de los muertos.
(434) Dice que la llamaron Mantua sin consultar el Destino, porque

más numerosos, antes de que Casalodi se dejara engañar neciamente por Pinamonte (435). Te lo advierto a fin de que,
si oyes atribuir otro origen a mi patria, ninguna mentira
pueda obscurecer la verdad (436).

Le respondí: —Maestro, tus razonamientos son para mí
tan verídicos, y me obligan a prestarles tanta fe, que cualesquiera otros me parecerían carbones apagados. Pero dime si
entre la gente que va pasando hay alguno digno de notarse,
pues eso sólo ocupa mi alma.

Entonces me dijo: —Aquel, cuya barba se extiende desde el rostro a sus morenas espaldas, fué augur cuando la
Grecia se quedó tan exhausta de varones que apenas los había en las cunas (437), y junto con Calcas dió la señal en Áuli-
de para cortar el primer cable (438). Se llamó Euripilo, y así
lo nombra en algún punto mi alta tragedia (439). Aquel
otro que ves tan demacrado fué Miguel Scott (440), que
conoció perfectamente las imposturas del arte mágico. Mira
a Guido Bonatti (441), y ve allí a Asdente (442), que
ahora desearía no haber dejado su cuero y su bramante;
pero se arrepiente demasiado tarde. Contempla las tristes
que abandonaron la aguja, la lanzadera y el huso para convertirse en adivinas, y para obrar maleficios con hierbas y
figuras (443). Pero ven ahora, porque ya el astro en que
se ve a Caín con las espinas (444) ocupa el confín de los

cuando los antiguos edificaban una ciudad, solían echar suertes para
darle nombre, o bien consultaban las entrañas de los animales sacri-
ficados, el vuelo de los pájaros y otros augurios.

(435) El hecho que aquí se indica fué el siguiente: Pinamonte de
Buonacosi, noble de Mantua, persuadió al conde Alberto de Casalodi,
señor de aquella ciudad, a que alejase de ella a cuantos podían servir
de estorbo a sus ambiciosas miras. Lo hizo así el conde de su señorío, quitó la vida a unos nobles, desterró a otros y se apoderó de todo;
por lo que disminuyó mucho desde entonces la población de Mantua.

(436) Otros referían de modo diferente el origen de Mantua, atri-
buyéndolo a Tarcone, jefe de los etruscos y hermano de Tirreno, que
ayudó a Eneas contra Turno (véase *Eneida*, lib. VIII). Mas en el libro X de la misma *Eneida* Virgilio se aparta de esta opinión.

(437) Por haberse marchado todos al sitio de Troya.

(438) Fué el que dió la señal para soltar las amarras y hacerse a
la vela la escuadra griega.

(439) La *Eneida*, a la que llama así por estar escrita en verso
heroico.

(440) Sabio escocés, astrólogo del emperador Federico II.

(441) Famoso astrólogo florentino, de quien fué muy apasionado el
conde de Montefeltro, señor de Forlí. Vivió en el siglo XIII.

(442) Zapatero de Parma, que se hizo astrólogo.

(443) Se refiere a todas las mujeres que se dedicaron a la magia,
o a las brujerías, en que creen aún algunas gentes. Hacían sus sortilegios con imágenes o figuras de cera.

(444) El vulgo creía en aquel tiempo que las manchas de la luna
eran Caín cargado con un haz de zarzas. Por esta razón debe dedu-

dos hemisferios, y toca el mar más abajo de Sevilla. La luna era ya redonda en la noche anterior, pues debes recordar que a veces te prestó su ayuda cuando ibas por la selva umbría (445).

Así me hablaba, y entre tanto íbamos caminando.

cirse de esta frase que la luna estaba en el horizonte próxima a ocultarse detrás de Sevilla, ciudad occidental respecto de Italia.

(445) Debes recordar que la luna, como era llena, te ayudó, alumbrando tu camino.

CANTO XXI

Quinta fosa del octavo círculo; encierra a los que trafican con la Justicia, los cuales están sumergidos en un lago de pez hirviendo. — Los demonios, armados de arpones, acuden furiosos contra los Poetas: después, ante una orden de su jefe, les dejan el paso franco. — Infierno grotesco.

Así, de un puente a otro, y hablando de cosas que mi comedia no se cuida de referir, fuimos avanzando y llegamos a lo alto del quinto, donde nos detuvimos para ver la otra hondonada de Malebolge (446), y otras vanas lágrimas, y la vi tan obscura que quedé asombrado.

Así como en el arsenal (447) de los venecianos hierve en el invierno la pez tenaz, destinada a reparar los buques averiados que no pueden navegar, y al mismo tiempo que uno construye su embarcación, otro calafatea los costados de la que ha hecho ya muchos viajes; otro recorre la proa, otro la popa; quién hace remos; quién retuerce las cuerdas; quiénes, por fin, reparan el palo de mesana y el mayor; de igual suerte, y no por medio del fuego, sino por la voluntad divina, hervía allá abajo una resina espesa que se pegaba a la orilla por todas partes.

Yo la veía, pero sin percibir en ella más que las burbujas que producía el hervor, hinchándose toda y volviendo a caer desplomada. Mientras la contemplaba fijamente, mi Guía me atrajo hacia sí desde el sitio en que me encontraba, diciéndome: —¡Ten cuidado, ten cuidado! —. Entonces me volví como el hombre que ansía ver aquello que le conviene huir, y a quien asalta un temor tan grande y repentino que ni para mirar detiene su fuga; y vi detrás de nosotros un negro diablo, que venía corriendo por el puente.

(446) El quinto puente.
(447) Dársena.

¡Oh! ¡Cuán feroz era su aspecto, y qué amenazador me parecía con sus alas abiertas y sus ligeros pies! Sobre sus hombros, altos y angulosos, llevaba a cuestas un pecador, a quien tenía agarrado por ambos jarretes. Desde nuestro puente dijo: —¡Oh! Malebranche (448), ved aquí uno de los ancianos de Santa Zita (449), ponedle debajo; que yo me vuelvo otra vez a aquella tierra, que está tan bien provista de ellos. Allí todos son bribones, excepto Bonturo (450); y por dinero, de un *no* hacen un *ita* (451) —. Le arrojó abajo, y se volvió por la dura roca tan de prisa, que jamás ha habido mastín suelto que haya perseguido a un ladrón con tanta ligereza.

El pecador se hundió y volvió a subir, hecho un arco; pero los demonios, que estaban resguardados por el puente, gritaban: —Aquí no está el Santo Rostro (452); aquí se nada de diferente modo que en el Serchio (453). Si no quieres probar nuestros garfios, no salgas de la pez —. Después le pincharon con más de cien arpones, diciéndole: —Es forzoso que bailes aquí a cubierto, de modo que, si puedes, prevariques ocultamente —. No de otra suerte hacen los cocineros que sus marmitones sumerjan en la caldera las viandas por medio de grandes tenedores, para que no sobrenaden. —A fin de que no se den cuenta de que estás aquí, me dijo el buen Maestro, ocúltate detrás de una roca, que te sirva de abrigo; y aunque se me haga alguna ofensa, no temas nada; pues ya conozco estas cosas por haber estado otra vez entre estas almas venales —. Dicho esto pasó al otro lado del puente, y cuando llegó a la sexta orilla, tuvo necesidad de mostrar su intrepidez.

(448) Así se llamaban los demonios de la quinta fosa, donde están los que han traficado con la justicia. *Male-branche:* voz compuesta, que puede traducirse: *malas garras.*

(449) Así se llamaban los magistrados de Luca, que tiene por patrona a santa Zita.

(450) Ironía contra Bonturo Bonturi, de la familia de Dati, que pasaba por el hombre más venal de Luca.

(451) Solíase antiguamente, en los testimonios públicos, escribir el *ita* de los latinos por signo de afirmación, y el *no* por signo de negación, de este modo: núm. 3; — ita. Los falsificadores de las escrituras, cuando querían cometer un fraude, del *no* hacían *ita* del siguiente modo: sobre el primer palo de la *n* ponían un punto; prolongaban el segundo palo hacia arriba y lo atravesaban con una línea horizontal para hacer una *t,* y por último, añadiendo una curva a la *o,* la convertían en *a.*

(452) Esto es: aquí no está la imagen del Redentor, el Santo Rostro que se venera en Luca, ante el cual se doblan tus compatriotas como tú lo estás ahora. Estas palabras de los demonios vienen a ser un sarcasmo atroz contra él.

(453) Río que pasa cerca de Luca.

Con el furor y el ímpetu con que salen los perros tras
el pobre que, parado de pronto ante una puerta, pide limosna,
así salieron los demonios de debajo del puente, volviendo todos
contra él sus arpones; pero él les gritó: —Que ninguno de
vosotros se atreva. Antes que me punce vuestra horquilla,
adelántese uno que me oiga, y después medite si debe absте-
nerse de ofenderme—. Todos gritaron: —Ve, Malacoda (454) —. Y entonces uno de ellos se puso en marcha,
mientras otros permanecían quietos, y se adelantó diciendo:
—¿Qué te podrá salvar de nuestras garras? — ¿Crees tú,
Malacoda, que a no ser por la voluntad divina y por tener
el destino propio — dijo mi Maestro —, me hubieras visto
llegar aquí, sano y salvo, a pesar de todas vuestras armas?
Déjame pasar, para que enseñe a otro este camino salvaje.

Entonces quedó tan abatido el orgullo del demonio, que
dejó caer el arpón a sus plantas, y dijo a los otros: —Que
no se le haga daño—. Y mi Guía a mí: —¡Oh, tú, que
estás agazapado tras de las rocas del puente! Ya puedes
llegar a mí con toda seguridad—. Entonces eché a andar, y
me acerqué a él con prontitud; pero los diablos avanzaron
de modo que temí que no respetaran el pacto. Como vi temblar en otro tiempo a los que por capitulación salían de Caprona, viéndose rodeados de tantos enemigos (455), así temblaba yo en aquel momento.

Me acerqué cuanto pude a mi Guía, y no separaba mis
ojos del rostro de aquéllos, que nada bueno prometía. Bajaban ellos sus garfios, y: —¿Quieres que le pinche en la
tabadilla? — se decían unos a otros. — Y respondían: —Sí,
sí; enrístrale —. Pero el demonio, que estaba conversando
con mi Guía; se volvió de repente, y gritó: —Quieto, quieto,
Scarmiglione (456) —. Después nos dijo: —Por este escollo no podréis ir más lejos, pues el sexto arco yace destrozado en el fondo. Si os place ir más adelante, seguid esta costa escarpada; cerca veréis otro escollo por el que podréis
pasar (457). Ayer, cinco horas más tarde que en este mo-

(454) Cola maldita.
(455) Los pisanos, sitiados en el castillo de Caprona por los luqueses y los florentinos coligados, se rindieron con la condición de que
se les dejase la vida; y al pasar por entre sus numerosos enemigos
para ser conducidos a los confines de Pisa, temieron que se faltase a
lo pactado. Sucedió esto en 1290, y Dante se hallaba entre las tropas
florentinas.
(456) El que arranca los cabellos.
(457) Nótese que esto es un engaño de Malacoda, porque todos los
demás puentes de esta fosa estaban rotos, como luego veremos.

mento, se cumplieron mil doscientos sesenta y seis años desde
que se quebró el camino (458). Voy a enviar allá varios de
los míos para que observen si algún condenado procura
sacar la cabeza al aire; id con ellos, que no os harán daño.

—Adelante, Alichino y Calcabrina — empezó a decir —; y
tú también, Cagnazzo; Barbariccia guiará a los diez. Vengan
además, Libicocco y Draghignazzo; Ciriatto, el de los grandes colmillos y Graffiacane y Farfarello y el loco de Rubicante (459); rondad en torno de la pez hirviente; éstos
deben llegar salvos hasta el otro escollo, que atraviesa enteramente sobre la fosa.

—¡Oh, Maestro! ¿Qué es lo que veo?, dije; si conoces
el camino, vayamos sin escolta; yo, por mí, no la solicito. Si
eres tan prudente como de costumbre, ¿no ves que rechinan
los dientes, y se hacen guiños como indicando que nos amenaza algún mal?

—No quiero que te espantes, me contestó, deja que re-
chinen los dientes a su gusto. Si lo hacen es por los desgraciados que están hirviendo.

Se pusieron en camino por la margen izquierda; pero
cada uno de ellos de antemano se había mordido la lengua
en señal de inteligencia con su jefe, y éste se sirvió de su
ano a guisa de trompeta.

---

(458) Ayer, viernes, a las tres de la tarde, quiere decir el diablo
(pues se supone que habla a las diez de la mañana del Sábado Santo),
se cumplieron 1266 años desde que se rompió este puente, a consecuencia de un terremoto, en el momento de la muerte de Jesucristo.
Según esto, parece que la bajada de Dante al Infierno se supone en
1299, y no en 1300. Jesucristo vivió treinta y tres años y tres meses; y
los antiguos le atribuían treinta y cuatro años, contando los nueve
meses de su concepción. Además, el primer día del año era entonces
el 25 de marzo, y no el 1 de enero; de manera que añadiendo treinta
y cuatro años a 1266 y un día, tendremos que la verdadera fecha de la
visión del Poema no es, como se ha creído, el año 1300, sino el primer día de 1301; es decir, que empieza con el nuevo siglo.

(459) *Alichino*, que hace inclinar a los otros. — *Calcabrina*, que
pisa el rocío. — *Cagnazzo*, perro malo. — *Barbarricia*, el de la barba
erizada. — *Libicocco*, deseo ardiente. — *Draghignazzo*, veneno de dragón. — *Ciriatto-Sannuto*, colmillo de jabalí. — *Graffiaccane*, perro que
araña. — *Rubicante*, inflamado. Todas estas versiones son de Landino.
¿Inventó Dante estos nombres que da a los demonios, o de dónde
pudo tomarlos? No es fácil averiguarlo. Quizá cada uno de ellos es un
apodo, o designa un animal ridículo o dañino, o se forma de una voz
italiana común, combinada ya con un dialecto cualquiera, ya con voces
del todo extrañas. Landino, por ejemplo, cree que a *Ciriatto* le llama
sannuto, porque *ciro* significa *puerco*, tanto en italiano vulgar como
en griego. Otros creen que Dante quiso representar en estos diablos
a los esbirros de Italia, gente abyecta y despreciable.

CANTO XXII

Continuación de la quinta fosa. — Los Poetas encuentran en ella a Giampolo, navarro, ministro del rey Tebaldo, que había traficado con el favor de su señor. — Astucia de Giampolo para librarse de los garfios de los demonios. — Dos diablos, riñendo, caen en la pez hirviendo.

HE visto alguna vez a la caballería levantar el campo, empezar el combate, su pasada en revista, y a veces batirse en retirada; he visto, ¡oh, aretinos!, hacer excursiones por vuestra tierra y saquearla; he visto luchar en los torneos y correr en las justas, ya al sonido de las trompetas, ya al de las campanas (460), al ruido de los tambores, con las señales de los castillos (461), con usos nuestros o extranjeros; pero lo que no he visto nunca, es que tan extraño instrumento de viento haya indicado la marcha a jinetes ni peones; jamás, ni en la Tierra ni en los Cielos, guió semejante faro a ningún buque.

Marchábamos juntamente con los diez demonios — ¡terrible compañía! —; pero en la iglesia con los santos, y en la taberna con los borrachos (462). Sin embargo, mi atención estaba concentrada en la pez para distinguir todo lo que contenía la fosa y los que se abrasaban dentro de ella. Así como saltan los delfines fuera del agua, indicando a los marinos que precavan la nave de la tempestad, así también algunos condenados, para aliviar su tormento, sacaban la espalda y la volvían a esconder más rápidos que el relámpago; y lo mismo que en un charco las ranas sacan la cabeza a flor de

---

(460) Los florentinos solían llevar sobre un carro un castillo de madera con una campana, y al son de ésta guiar a los combatientes.
(461) Es decir, las señales que se hacían en las fortalezas con hogueras, para que se viesen, de día el humo y de noche el fuego.
(462) Proverbio italiano, que significa que el hombre debe amoldarse a la compañía que encuentra.

agua, aunque teniendo dentro de ella sus patas y el resto del cuerpo, así estaban por todas partes los pecadores; pero en cuanto Barbariccia se aproximaba, volvían a sumergirse en aquel hervidero.

Vi, y aún se estremece por ello mi corazón, a uno de ellos que había tardado más tiempo en hundirse, como sucede con las ranas, que una queda fuera del agua, mientras otra se zambulle; y Graffiacane, que estaba más cerca de él, le enganchó por los cabellos enviscados de pez, y lo sacó fuera como si fuese una nutria. Sabía yo el nombre de todos los demonios, por haber estado atento a ello cuando los eligió Malacoda.

—Rubicante, clávale tus garfios y desuéllalo — gritaban a una los malditos.

Yo dije: —Maestro mío, si puedes, procura saber quién es ese desgraciado que ha caído en manos de sus adversarios.

Mi Guía se le acercó, y le preguntó de dónde era; a lo que respondió: —Nací en el reino de Navarra (463). Mi madre me puso al servicio de un señor; ella me había engendrado de un pródigo, que se destruyó a sí mismo y disipó su fortuna. Después fuí favorito del buen rey Tebaldo, y me lancé a traficar con sus favores; crimen de que doy cuenta en este horno.

Y Ciriatto, a quien salía de cada lado de la boca un colmillo, como el de un jabalí, le hizo sentir cuán cruelmente uno de ellos hería.

Entre malos gatos había caído el ratón; porque Barbariccia lo sujetó entre sus brazos, diciendo: —Quedaos ahí mientras que yo le ensarto —. Y volviendo el rostro hacia mi Maestro, añadió: —Pregúntale aún si deseas saber más, antes que otros lo despedacen.

Mi Guía preguntó: —Dime, pues, si entre los otros culpables que están sumergidos en esa pez, conoces algunos que sean latinos (464). A lo que contestó: —Acabo de separarme de uno que nació cerca de esa región. Así estuviera, como él, bajo la pez; no temería ni las garras ni los garfios.

Y Libicocco: —Cansados estamos ya de oírte, dijo; y le enganchó por el brazo con su arpón, arrancándole de un golpe todo el antebrazo. Draghignazzo quiso también cogerle

(463) Se llamaba Giambolo o Ciampolo, hijo de una dama muy distinguida de Navarra. El favor de que gozó cerca del rey Tebaldo fué el que le dió ocasión a sus fechorías.
(464) O sea italianos.

por las piernas, pero su Decurión (465) se volvió hacia todos ellos lanzando una mirada furiosa. Cuando se hubieron calmado un poco, mi Guía, dirigiéndose a aquel que estaba contemplando su herida, le preguntó al momento: —¿Quién es ése de quien dices que te has separado, por tu desgracia, para salir a flote? —. Y le respondió él: —Es el hermano Gomita (466), aquel de Gallura, vaso de iniquidad, que tuvo en su poder a los enemigos de su señor, e hizo de modo que todos le alabasen. Aceptó su oro y los dejó libres, según él mismo dice; y con respecto a los empleos, no fué un pequeño, sino un soberano prevaricador. Con él conversa a menudo dòn Miguel Zanche de Logodoro (467), y sus lenguas no se cansan nunca de hablar de las cosas de Cerdeña. ¡Ay de mí! Ved a ese otro cómo rechina los dientes. Aún hablaría más, pero temo que sienta deseos de rascarme otra vez la tiña.

El gran jefe de los demonios se dirigió a Farfarelo, que movía sus ojos en todas direcciones buscando dónde herir, y le dijo: —Aparta de ahí, pérfido avechucho.

—Si queréis ver u oír a toscanos y lombardos, empezó a decir en seguida el desgraciado pecador, haré que vengan. Pero que esas malditas garras se mantengan un poco apartadas, a fin de que ellos puedan venir sin temor; yo, sentándome en este mismo sitio, por uno que soy haré venir siete, silbando como acostumbramos cuando uno de nosotros saca la cabeza fuera de la pez (468).

Al oír estas palabras, Cagnazzo levantó el hocico meneando la cabeza, y dijo: —¡Oigan el medio malicioso de que se ha valido para volver a sumergirse! —. A lo cual, él, siempre abundante en engaños, contestó: —Buena ha sido en verdad mi astucia, cuando expongo a los míos a mayores tormentos! —. No pudo contener Alichiorno, y en contra de lo dicho por los otros, respondió: —Si te arrojas en la pez, no correré al galope detrás de ti, sino que emplearé mis

(465) Barbariccia.
(466) Religioso sardo, que, siendo favorito de Nino de Visconti, de Pisa, señor de Gallura, en Cerdeña, abusó del favor de éste, vendiendo dignidades y empleos, y ejerciendo otros actos fraudulentos, por lo cual fué ahorcado.
(467) Miguel Zanche, senescal de Enzo, señor de Logodoro, de cuyo Estado se apoderó, casándose con Blanca Lanza, madre de Enzo, mientras éste se hallaba prisionero de los bolofieses.
(468) Supone Dante que cuando alguno de los que están sumergidos en la pez saca fuera de ella la cabeza y observa que no están presentes los demonios, acostumbra avisar a los que con él están, dando un silbido, para que salgan a reponerse.

alas para ello. Te damos de ventaja la escarpa, y el ribazo por defensa, y veamos si tú solo vales más que todos nosotros.

¡Oh, tú, que lees esto, vas a ver una nueva artería! Todos los demonios se volvieron hacia la pendiente opuesta, y el primero de ellos, el que se había mostrado más renitente (469). El navarro aprovechó bien el tiempo; fijó sus pies en el suelo, y precipitándose de un solo salto, se puso fuera del alcance de sus enemigos. Contristados se quedaron los demonios ante esta treta, pero mucho más el (470) que tuvo la culpa de ella; por lo cual se lanzó tras de él gritando: —Ya te tengo. Pero de poco le valió, porque sus alas no pudieron igualar en velocidad al espanto de Giampolo; éste se lanzó en la pez, y aquél, irguiendo la cabeza, cambió la dirección del vuelo. No de otro modo se sumerge instantáneamente el pato cuando el halcón se aproxima, y éste se remonta furioso y fatigado.

Calcabrina, irritado contra Alichino por aquel engaño, echó a volar tras él, deseoso de que el pecador se escapara para tener un motivo de querella. Y cuando hubo desaparecido el prevaricador, volvió sus garras contra su compañero, y se aferró con él sobre el mismo estanque. Pero éste, gavilán adiestrado, hizo uso también de las suyas, y los dos cayeron en medio de la pez hirviente. El calor los separó bien pronto; pero todo su esfuerzo para remontarse era en vano, porque sus alas estaban enviscadas. Barbariccia, descontento como los demás, hizo volar a cuatro desde la otra parte con todos sus arpones, y bajando rápidamente hacia el sitio designado, tendieron sus garfios a los dos demonios, ya medio asados en la superficie de aquella fosa.

Y allí les dejamos enredados como estaban.

(469) Esto es: Cagnazzo.
(470) Alichino.

CANTO XXIII

Sexta fosa del octavo círculo, donde están los hipócritas, los cuales andan inclinados bajo el peso de unas capas de plomo, exteriormente doradas. — Los Poetas encuentran allí a Catalano y Loderingo de Bolonia.

SOLOS, en silencio y sin escolta, íbamos uno tras otro, como acostumbran ir los frailes menores (471). La riña que acabábamos de presenciar me trajo a la memoria la fábula de Esopo, en que habla de la rana y del topo (472); pues las partículas *mo* e *issa* (473) no son tan semejantes como estos dos hechos, si atentamente se consideran el principio y el fin de entrambos. Y como un pensamiento procede rápidamente de otro, de éste nació uno nuevo, que redobló mi primitivo espanto. Yo pensaba así:

—Esos demonios han sido engañados por nuestra causa, y con tanto daño y escarnio, que les creo vivamente ofendidos. Si a la malevolencia se añade la ira, nos van a perseguir con más crueldad que el perro que sujeta a la liebre por el cuello.

Ya sentía que se erizaban mis cabellos a causa del temor, y miraba hacia atrás atentamente, por lo que dije: —Maestro, si no procuras prestamente que nos pierdan de vista, temo a los demonios que vienen detrás de nosotros; y tan así me lo imagino, que ya me parece que los oigo —. A lo que él contestó: —Si yo fuera un espejo, no verías en mí

---

(471) La comparación con los frailes menores, o franciscanos, no se refiere sólo a ir uno tras otro, sino también al silencio y recogimiento con que iban.

(472) Cuenta Esopo que, queriendo una rana ahogar a un topo, se brindó a llevarlo sobre sí a través del agua, hasta llegar a la otra parte de un foso; pero, mientras lo atravesaban, descendió un milano de los aires y los devoró.

(473) *Mo* e *issa*, voces que significan *ahora* en lombardo. — *Mo* del latín *modo*, que es *ahora*; *issa*, elipsis del latín *hac, ipsa hora*, es también *ahora*.

tu imagen tan pronto como veo en tu interior. En este momento se cruzaban tus pensamientos con los míos bajo la misma faz y aspecto, de suerte que he deducido de ambos un solo consejo. Si es cierto que la cuesta que hay a nuestra derecha está tan inclinada que nos permita bajar a la sexta fosa, huiremos de la caza que imaginamos.

Apenas había concluído de hablar, cuando vi venir a los demonios con las alas extendidas y muy cerca, queriendo hacer presa en nosotros. Mi Guía me agarró súbitamente, como una madre que, despertada por el ruido y viendo brillar las llamas cerca de ella, coge a su hijo y huye, y teniendo más cuidado de él que de sí misma, no se detiene ni aun a cubrir su desnudez. Desde lo alto de la calzada se deslizó de espaldas por la pendiente roca, uno de cuyos lados divide la quinta de la sexta fosa.

Jamás corrió tan rápida el agua por el canal de un molino, cuando más se acerca a las paletas de la rueda, como descendió por aquel declive mi Maestro llevándome sobre su pecho, cual si fuese hijo suyo y no su compañero. Apenas tocaron sus pies el suelo del profundo abismo, cuando los demonios aparecieron en la roca sobre nuestras cabezas; pero ya no nos inspiraban temor; porque la alta Providencia que los había designado para ministros de la quinta fosa, les quitó la facultad de separarse de allí.

Abajo encontramos gentes que, con la faz pintada (474), giraban en torno con gran lentitud, llorosas y con los semblantes fatigados y abatidos. Llevaban capas con capuchas echadas sobre los ojos, por el estilo de las que llevan los monjes de Colonia (475). Aquellas capas eran doradas por de fuera, de modo que deslumbraban; pero por dentro eran todas de plomo, y tan pesadas, que las de Federico a su lado parecerían de paja (476). ¡Oh, manto fatigoso que ha de pesar eternamente sobre las espaldas! Nos volvimos aún hacia la izquierda, y anduvimos con aquellas almas, escuchando sus tristes lamentos. Pero las sombras, rendidas por el

(474) Porque los hipócritas, con los bellos colores de la virtud, encubren sus repugnantes vicios.

(475) Cuéntase que hubo en Colonia un abad tan ambicioso e insolente, que pidió permiso al Papa para que sus monjes pudieran usar capas de escarlata, cintos, espuelas y estribos de plata sobredorada. Esta petición desagradó tanto al Pontífice, que dispuso que en adelante el abad y sus monjes usaran capas negras y mal hechas, y cintos y estribos de madera.

(476) El emperador Federico II encerraba a los culpables de lesa majestad en cajas de plomo, y luego los arrojaba al fuego.

peso, caminaban tan despacio, que a cada paso que dábamos cambiábamos de compañero.—

Yo dije a mi Guía:—Procura encontrar a alguno que sea conocido por su nombre o por sus hechos; y mira al efecto en derredor tuyo mientras andas—. Y uno de ellos, que entendió el idioma toscano, exclamó detrás de nosotros:—Detened vuestros pasos, vosotros que tanto corréis a través del aire sombrío; quizá podrás obtener de mí lo que solicitas—. En seguida, mi Guía se volvió y me dijo:—Espera, y modera tu paso hasta igualar al suyo—. Me detuve, y vi a dos de ellos, que en sus miradas demostraban gran deseo de alcanzarme; pero su carga y lo estrecho del camino les hacían tardar. Cuando se me hubieron reunido me miraron con torvos ojos y sin hablarme; después se volvieron uno a otro diciéndose:—Ese parece vivo, a juzgar por el movimiento de su garganta (477); y si están muertos, ¿por qué privilegio no llevan nuestra pesada capa?

Después me dijeron:—¡Oh, toscano, que has venido a la mansión de los tristes hipócritas! Dígnate decirnos quién eres.—Nací y crecí junto a la orilla del hermoso Arno, en la gran ciudad (478), les contesté yo, y conservo el cuerpo que he tenido siempre. Pero vosotros, que gota a gota, como puedo ver, derramais tan doloroso llanto, ¿quiénes sois, y qué pena os aflige, que tan visiblemente se manifiesta?—. Y uno de ellos me respondió:—¡Ay de mí! Estas doradas capas son de plomo, y tan gruesas, que su peso nos hace gemir como cargadas balanzas (479). Fuimos hermanos Gozosos (480) y boloñeses. Yo me llamé Catalano y éste Loderingo (481). Tu ciudad nos nombró magistrados (482), co-

(477) Por el movimiento de la respiración.
(478) Florencia.
(479) Fácil es de comprender esta alegoría: la balanza era su cuerpo, o su espíritu bajo la forma corpórea; el peso, pues, era tan excesivo, que la balanza crujía al sostenerlo.
(480) Orden de caballería fundada hacia el año 1260, en Bolonia, bajo la advocación de los Hermanos de Santa María, para proteger, a título de procuradores, a las viudas y huérfanos, extranjeros y pobres. Fueron nombrados sus miembros Hermanos Gaudentes, debido a la vida agradable y muelle que llevaban, pues vivían en sus respectivas casas, con su mujer e hijos, con gran esplendidez, disfrutando de numerosos privilegios.
(481) En 1266, dice la crónica de Paulino Peri, fueron nombrados para la dignidad de *podestà* o potestad, en Florencia, dos Hermanos Gaudentes, llamado uno Loderingo degli Andalo o d' Lambertacci, y el otro Napoleón Catalani. Algunos llaman a Loderingo, Lotorico, Rodorico, y aun Rodrigo, y a su compañero Catalano dei Malavolti.
(482) Al dividirse Florencia en los dos bandos de güelfos y gibelinos, la *potestad*, que era magistratura anual y de una sola persona,

mo suele elegirse a un hombre neutral para conservar la paz (483); y la conservamos tan bien como puede verse aún cerca del Gardingo (484).

Yo repuse: —¡Oh, hermanos! Vuestros males... Pero no pude continuar; porque vi en el suelo a uno clavado en cruz con tres puntales (485). En cuanto me vió, se retorció, haciendo agitar su barba con la fuerza de sus suspiros; y el hermano Catalano, que se dió cuenta de ello, me dijo: —Ése que estás mirando crucificado, aconsejó a los fariseos que era necesario hacer sufrir a un hombre el martirio por el pueblo. Está atravesado y desnudo sobre el camino, como ves; y es preciso que sienta sobre sí el peso de cada uno de los que pasan. Su suegro está condenado a igual suplicio en esta fosa, así como los demás del Consejo que fué para los judíos origen de tantas desgracias.

Entonces vi a Virgilio que contemplaba con asombro a aquel que estaba tan vilmente crucificado en el eterno destierro (486). Luego se dirigió al fraile en estos términos: —¿Querríais decirnos si hacia la derecha hay alguna abertura por donde podamos salir los dos, sin obligar a los ángeles negros a que nos saquen de este abismo? —. Y aquél le respondió: —Más cerca de aquí de lo que esperas, se levanta una peña que parte del gran círculo y atraviesa todas las terribles fosas; pero está cortada en ésta y no continúa sobre ella. Podréis subir por las ruinas que existen en el declive de su falda y cubren el fondo—. Mi Guía permaneció un momento con la cabeza inclinada, y después dijo: —¡Cómo nos ha engañado aquel que ensarta con su garfio a los pecadores! —. Y el fraile repuso: —En Bolonia, oí referir

se dió por tiempo de seis meses a, cada uno de los personajes mencionados. Catalano por la parte güelfa y Loderingo por la gibelina.

(483) *Un uom solingo*, lo que no solamente quiere decir un hombre solo, sino también solitario, extraño, sin relaciones en la ciudad, desligado de todo vínculo, que era la condición que se requería en el que fuese elegido para *podestà*.

(484) No tardaron mucho en manifestar su hipocresía los elegidos para *podestà*, los cuales recibieron dádivas de los güelfos, y no solamente expulsaron de la ciudad a los gibelinos, sino que incendiaron las casas de los Uberti, jefes del partido gibelino.

(485) Según el poeta, Caifás, su suegro Anás, y todos los que asistieron al Consejo en que se decretó la muerte de Jesucristo, están crucificados en el Infierno. (Véase *San Juan*, cap. VI, versículos 49 y 50.)

(486) Maravillábase, o porque, como pagano, no tenía conocimiento de aquellos sucesos, o por la novedad del caso, que no había visto la otra vez que estuvo en el Infierno, pues fué con anterioridad a la muerte del Redentor.

los numerosos vicios del demonio, entre los cuales no era el menor el de ser falso y padre de la mentira (487).

Entonces vi a mi Guía, que con faz turbada por el enojo, se alejaba veloz. Y yo, apartándome de aquellos míseros prisioneros, seguí las huellas de los pies queridos.

(487) Diabolus... mendax est pater mendacii. (S. Joan, cap. VIII, v, 44.) Esto es como decirle a Virgilio que no debió creer al Diablo; y la advertencia hace que el poeta se enoje porque comprende que ha sido engañado.

CANTO XXIV

Séptima fosa del octavo círculo, la de los ladrones; se ven mordidos por horribles serpientes. — Vanni Fucci de Pistoya. — Sus predicciones contra su patria y contra Florencia.

EN la época del año nuevo en que templa el Sol su cabellera bajo el Acuario (488), y en que ya las noches van igualándose con los días (489); cuando la escarcha imita en la tierra, aunque por poco tiempo, el color de su blanca hermana (490), el campesino que escasea ya de todo, se levanta, y al ver blanco todo el campo se golpea el muslo, vuelve a su casa, y gira de aquí para allá y se lamenta como el triste que no acierta a hacer nada; pero torna luego a mirar, y recobra la esperanza, viendo que la tierra ha cambiado de aspecto en pocas horas, y entonces coge su cayado y sale a apacentar sus ovejas; así mi Maestro me llenó de inquietud cuando vi tan turbado su rostro, y así también aplicó pronto remedio a mi mal; porque al llegar al derruído puente, se volvió hacia mí con el amable aspecto que tenía cuando le vi al pie del monte (491). Después de haber pensado la determinación que había de tomar, contemplando antes con cuidado las ruinas, abrió sus brazos, cogióme por detrás, y como aquel que trabaja, pensando siempre en la labor que emprenderá en seguida, del mismo modo, elevándome sobre la cima de una roca, contemplaba otra diciendo: —Agárrate bien a ésa, pero tantea primero si tal cual es podrá sostenerte.

No era camino aquel para capas de plomo (492); pues

---

(488) El mes de febrero.
(489) Es decir : y en que ya las largas noches del invierno van disminuyendo hasta ser iguales a la mitad de un día entero.
(490) La nieve.
(491) Como cuando se le apareció la primera vez.
(492) Para los hipócritas, que llevaban capas de plomo.

apenas podíamos, Virgilio tan ágil y yo sostenido por él, trepar de piedra en piedra. Y a no ser porque en aquel recinto era más corto el camino que en otro alguno, no digo él, sino hasta yo, hubiese caído vencido.

Mas como Malebolge va siempre en declive hacia la boca del profundísimo pozo, cada fosa que se recorre presenta un margen que se eleva y otro que desciende. Llegamos por fin al extremo en que se destaca la última piedra. Cuando estuve sobre ella, de tal modo me faltaba el aliento, que no podía más; y me senté a descansar apenas nos detuvimos.

—Ahora es preciso que sacudas tu pereza, me dijo el Maestro; que no se alcanza la fama en blanda pluma, ni al abrigo de colchas; y el que sin gloria consume su vida, deja en pos de sí el mismo vestigio que el humo en el aire o la espuma en el agua (493). Ea, pues, levántate; domina la fatiga con el alma, que vence todos los obstáculos, mientras no se envilece con la pesadez del cuerpo. Tenemos que subir todavía una escalera mucho más alta (494); pues no basta haber atravesado por entre los espíritus infernales. Si me entiendes, debes cobrar ánimo con mis palabras.

Levantéme entonces, demostrando más resolución de la que verdaderamente sentía en mí, y dije: —Vamos, ya me siento fuerte y osado—. Echamos a andar por el escollo, que era áspero, estrecho y escabroso, y más inclinado que el anterior. Iba hablando para disimular mi flaqueza, cuando oí una voz que salía de la otra fosa, articulando palabras ininteligibles. No sé lo que dijo, a pesar de encontrarme en la cima del arco que por allí pasaba; mas el que hablaba parecía arrebatado por la ira. Yo me había inclinado; pero los ojos de un vivo no podían distinguir el fondo a través de aquella obscuridad; por lo cual dije: —Maestro, haz por llegar al otro recinto, y descendamos este muro, porque desde aquí oigo y no comprendo nada; miro hacia abajo y nada veo—. Te responderé, me dijo, haciendo lo que deseas; que a las peticiones justas debe contestarse con el silencio, satisfaciéndolas.

Bajamos por el puente desde lo alto hasta donde se une con el octavo margen; y entonces descubrí la fosa, y vi una espantosa masa de serpientes, de tan diferentes especies, que su recuerdo me hiela todavía la sangre.

Deje la Libia de envanecerse con sus arenas; que si pro-

(493) Ni Petrarca ni Tasso tienen más delicadas expresiones.
(494) Se refiere a la del Purgatorio.

duce quelidras, yáculos y faras, cencros y anfisbenas (495), ni
en ella, ni en toda la Etiopía, con el país que está sobre el
mar Rojo, existieron jamás tantas ni tan nocivas pestilencias
como en este lugar. A través de aquella espantosa y cruel
multitud de reptiles corrían gentes desnudas y aterrorizadas,
sin esperanza de encontrar refugio ni heliotropo (496). Tenían
las manos atadas a la espalda con sierpes, las cuales, formando nudos por encima, les hincaban la cola y la cabeza en los
riñones. Y he aquí que uno de aquellos desgraciados, que
estaba cerca de nosotros, fué mordido por una serpiente en
el punto en que el cuello se une a los hombros; y en el
breve tiempo que se necesita para escribir una O y una I, se
encendió, ardió y cayó reducido a cenizas. Pero apenas quedó
consumido en el suelo, reuniéronse aquéllas por sí mismas, y
volvió súbitamente aquel espíritu a su forma de antes.

Así dicen los grandes sabios que muere el Fénix, y renace
cuando está cercano a su quinto siglo; no se alimenta de
hierba ni de trigo durante su vida, sino de incienso, lágrimas y amomo, y su último nido está formado con nardo
y mirra (497). Y como aquel que cae y no sabe cómo, a
impulsos del demonio que lo arroja en el suelo o de algún
accidente producido por su temperamento enfermizo, cuando
se levanta, se queda asombrado de la cruel angustia que ha
sufrido y suspira al mirar en torno suyo, así se levantó el
pecador ante nosotros.

¡Oh, cuán severa es la justicia de Dios, que hace esta-
llar su cólera por medio de tales golpes!

Mi Guía le preguntó quién era, y él le contestó:

—Yo caí hace poco tiempo desde Toscana en este horrible abismo. La vida salvaje me agradó más que la humana; como mulo (498) viví; soy Vanni Fucci, el bestia, y
Pistoya fué mi digno cubil.

(495) *Quelidra:* serpiente acuática. Se ha dado últimamente este
nombre a la tortuga serpentina de América. — *Yáculo:* serpiente que
se arroja desde los árboles para acometer. — *Fara:* especie de serpiente de África, que hace un arco cuando camina. — *Cencro:* reptil
del género boa. — *Anfisbena:* reptil cuyo cuerpo es igualmente volu-
minoso en toda su extensión, y cuya cola, de igual forma y tamaño
que la cabeza, suele confundirse con ésta, por lo cual se las llamó
serpientes de dos cabezas, y es lo que hizo creer a los antiguos que
andaban hacia atrás y hacia delante. — Esta descripción es imitada de
la de Lucano: *Farsal.*, lib. VIII.

(496) *Heliotropo*, piedra preciosa, especie de cuarzo verde con manchas rojas, a la cual antiguamente se atribuía la virtud de hacer invisible al que la llevaba.

(497) Imitación de Ovidio, *Metam.*, XV, vers. 392.

(498) *Mulo*, en italiano, es el nombre del animal llamado así y significa también bastardo.

Entonces dije a mi Guía: —Dile que no huya, y pregúntale qué delito le ha precipitado aquí; pues yo le conocí ya hombre colérico y sanguinario —. El pecador, que me oyó, no se ocultó, sino que dirigió hacia mí atentamente su mirada, y se cubrió el rostro de triste vergüenza. Después dijo: —Siento más que me hayas encontrado en la miseria en que me ves, de lo que sentí verme privado de la vida; pero no puedo negarme a satisfacer tus preguntas. Estoy sumido aquí, porque robé en la sacristía hermosos ornamentos, de cuyo delito fué otro acusado falsamente (499). Mas para que no te goces en mi desgracia, si acaso llegas a salir de estos lugares sombríos, abre tus oídos a mi anuncio, y escucha: —Primeramente, Pistoya quedará despoblada de Negros (500); después Florencia renovará sus habitantes (501) y su forma de gobierno; Marte hará salir del valle de Magra un vapor, que envuelto en sombrías nieblas y en tempestad impetuosa y terrible, se desencadenará sobre el campo Piceno (502); y allí, desgarrándose de repente la nube, aniquilará todos los Blancos. Te lo digo para hacerte sufrir.

(499) Vanni Fucci robó los vasos sagrados de San Jacobo de Pistoya, siendo su cómplice Vanni de la Mona y Vanni de Mirone. Dos años duraba el proceso imputándose el delito a un tal Rampino de Ranuccio, que iba a ser condenado, cuando Vanni de la Mona, comprando la impunidad, reveló quiénes eran los verdaderos autores del robo. Puesto en libertad Rampino, los dos ladrones Fucci y Mirone fueron atados a la cola de un caballo y arrastrados. Vanni Fucci era un bastardo de meser Fuccio d' Lazzari.

(500) Para la inteligencia de este pasaje hay que tener presente: que en 1301 los Blancos pistoyeses, con ayuda de los Blancos florentinos, arrojaron de su ciudad a los Negros; los cuales, refugiándose en Florencia y unidos a los florentinos de su mismo partido, hicieron que éste prevaleciese en dicha república sobre los Blancos, imponiéndoles su gobierno. Florencia, dominada así por los Negros, deliberó ir contra Pistoya, donde mandaban los Blancos, y para ello se coligó con la república de Luca, nombrando jefe de los coligados a Moroello Malaspina, marqués de Giovagallo, en *Val di Magra:* pusieron sitio a Seravalle; salieron a su encuentro los de Pistoya, y sufrieron una completa derrota.

(501) Admitiendo a los Negros, procedentes de Pistoya.

(502) Campo Piceno, donde los Blancos fueron derrotados por el marqués Moroello Malaspina que mandaba los Negros en 1302.

CANTO XXV

*Continuación de la séptima fosa del octavo círculo. — El Poeta
encuentra en ella a Caco, bajo la forma de un Centauro, con
un dragón sobre sus espaldas. — Encuentra además cinco florentinos. — Transformación extraña de varios espíritus.*

A L terminar estas palabras, el ladrón alzó ambas manos
haciendo un gesto indecente (503), y exclamó: —Toma, Dios, esta va para ti —. Desde entonces fuí amigo de las serpientes; porque una de ellas se le enroscó en
el cuello como diciendo: «No quiero que hables más»; y
otra se agarró a sus brazos, sujetándolos de tal modo, que
no le era posible al condenado hacer ningún movimiento.

¡Ah, Pistoya! ¡Pistoya! ¿Cómo no decides reducirte tu-
misma a cenizas, y dejar de existir, pues que tus hijos son
peores que sus antepasados (504)? En todos los círculos del
obscuro Infierno no he visto espíritu tan soberbio ante Dios,
a no ser aquel que cayó derribado desde los muros de Tebas (505).

El ladrón huyó sin decir una palabra más. Entonces vi
un Centauro lleno de ira, que acudía gritando: —¿Dónde
está, dónde está el soberbio?

No creo que contengan las Marismas (506) tanto reptil
como llevaba el Centauro sobre su grupa hasta el sitio en

(503) Acción de hacer una higa. Parece ser que antiguamente era
muy usual, pues en el siglo XIII se veían sobre una torre del castillo
de Carmiñano dos brazos de mármol que hacían una higa a Florencia.
(504) Creíase en tiempo de Dante que los secuaces de Catilina, fallida su conjuración contra su patria, se refugiaron en Pistoya.
(505) Capaneo, que, por haber desafiado en el sitio de Tebas el
poder de Júpiter, cayó desde los muros herido por un rayo.
(506) Sitio pantanoso de Toscana, donde hay gran número de reptiles.

que empezaba la forma humana; sobre sus espaldas, detrás
de la nuca, descansaba un dragón con las alas abiertas, el
cual abrasaba cuanto salía a su encuentro.

Mi maestro dijo: —Ese monstruo es Caco, el que al pie
de las rocas del monte Aventino formó más de una vez un
lago de sangre. No va por el mismo camino que sus hermanos, porque robó fraudulentamente el gran rebaño que pacía
en las inmediaciones del sitio que había escogido por vivienda; pero sus inicuos hechos acabaron por fin bajo la
clava de Hércules; más de cien golpes le descargó, pero al
décimo había ya acabado con él (507).

Mientras así hablaba Virgilio, Caco desapareció, al mismo tiempo que se acercaban tres espíritus por debajo del margen donde estábamos, de lo cual no nos dimos cuenta ni mi
Guía ni yo, hasta que les oímos gritar: —¿Quiénes sois?—.
Cesó entonces nuestra conversación, y nos fijamos solamente
en ellos. Yo no les conocía; pero sucedió, como suele acon-
tecer algunas veces, que el uno tuvo necesidad de llamar al
otro, diciéndole: —Cianfa (508), ¿dónde te has metido?
Y yo, a fin de que estuviese atento mi Guía, me puse el dedo
sobre los labios.

Ahora, lector, si se te hace difícil creer lo que te voy a
decir, no será extraño, porque yo que lo vi, apenas lo creo.
Mientras estaba contemplando a aquellos espíritus, se lanzó
una serpiente con seis patas sobre uno de ellos, oprimiéndole
por todas partes. Con las patas de en medio le oprimió el
vientre; con las de delante le sujetó los brazos, y después le
mordió en ambas mejillas. Extendiendo en seguida las patas
de detrás sobre sus muslos, le pasó la cola por entre los dos,
y se la mantuvo apretada contra los riñones. Nunca se agarró
tan fuertemente la hiedra al árbol, como el horrible monstruo
adaptó sus miembros a los del culpable; después uno y otro
se confundieron, como si fuesen de blanda cera, y mezclaron
tan bien sus colores, que ninguno de ambos parecía ya lo
que antes había sido. Así con el ardor del fuego se extiende

(507) Caco robó las vacas que Hércules apacentaba en el monte
Aventino, y tirándoles de la cola, las hizo andar hacia atrás hasta su
cueva, a fin de que Hércules no pudiera seguir sus huellas y descubrir
el hurto; pero las vacas, mugiendo, hicieron vana la astucia de Caco,
que cayó muerto bajo la clava de aquél. Véase *Eneida*, lib. VIII.
(508) Cianfa, de la familia de los Donati, en Florencia. Este Cianfa
es un cuarto espíritu, que aparece luego en forma de serpiente. Los
tres que aquí se presentan, y que luego se irán nombrando, son tres
altos funcionarios de Florencia que se enriquecieron distrayendo a su
favor las rentas públicas.

sobre el papel un color obscuro, que no es negro, y sin embargo deja de ser blanco.

Los otros dos condenados (509) le miraban, exclamando cada cual : —¡Ay, Agnel (510), cómo cambias! No eres ya uno ni dos —. Las dos cabezas se habían convertido en una, y aparecían dos figuras mezcladas en una sola faz (511), quedando en ella confundidas entrambas. De los cuatro brazos se hicieron dos; los muslos y las piernas, el vientre y el tronco se convirtieron en miembros nunca vistos. Quedó borrado todo su primitivo aspecto : la imagen transformada tenía de las dos sin ser una ni otra; y en tal aspecto se alejaba a pasos lentos.

Como el lagarto, que bajo el ardor de los días caniculares, cuando cambia de maleza, atraviesa como un rayo el camino, tal parecía, dirigiéndose hacia el vientre de los otros dos espíritus, una pequeña serpiente irritada, lívida y negra como grano de pimienta (512). Mordió a uno de ellos (513) en aquella parte del cuerpo por donde nos alimentamos antes de nacer (514), y después cayó a sus pies, quedando tendida. El herido la miró sin decir nada; y permaneció inmóvil, en pie y bostezando, como si le hubiera sorprendido el sueño o la fiebre (515). Él y la serpiente se miraban, y el uno por la herida y la otra por la boca lanzaban un denso humo que llegaba a confundirse.

Calle Lucano al referir las miserias de Sabello y de Nasidio (516), y escuche atentamente lo que describo aquí; calle Ovidio al ocuparse de Cadmo y Aretusa; que si en su poema convirtió a aquél en serpiente y a ésta en fuente, no le envidio (517). Jamás trasmudó él dos naturalezas frente

(509) Llamábanse Buoso degli Abati y Puccio Sciancato.
(510) Agnolo Brunelleschi, florentino.
(511) El hombre y el demonio, bajo la forma de serpiente, confundidos en una sola figura.
(512) Era éste Francisco Guercio Cavalcanti, de quien se hace mención al fin de este canto.
(513) A Buoso degli Abati.
(514) Todos los comentadores están conformes en que se trata del ombligo.
(515) En efecto, la mordedura de algunas serpientes produce un sueño, precursor de la muerte.
(516) Soldados de Catón que, al atravesar la Libia, fueron mordidos por serpientes venenosas. El cuerpo de Sabello se destruyó por las heridas de tal modo, que en breve quedó reducido a cenizas. Nasidio se hinchó tanto que reventó su coraza.
(517) Ovidio, metamorfosis de Cadmo, lib. III; y de Aretusa, libro V.

a frente, de tal modo que cambiaran también sus materias (518).

Hombre y serpiente de tal modo se confundieron (519), que cuando ésta abrió su cola en forma de horquilla, el herido juntó sus dos pies. Las piernas y los muslos de éste se estrecharon tanto, que en poco tiempo no quedaron vestigios de su natural separación. La cola hendida de la serpiente tomaba la figura que desaparecía en el hombre, y su piel se hacía blanda al paso que dura la de aquél. Vi entrar los brazos del condenado en los sobacos; y las dos patas de la fiera, que eran cortas, se alargaban tanto cuanto aquéllos se encogían. Las patas de detrás de aquélla, retorciéndose, formaban el miembro que el hombre oculta, y el del miserable dividióse en dos patas. Mientras que el humo daba al hombre el color de la serpiente y viceversa, y hacía salir en aquélla el pelo que quitaba a éste, el uno, es decir, el animal transformado en hombre, se levantó, y cayó el otro; pero sin dejar de lanzarse miradas feroces ante las cuales cada uno de ellos cambiaba de rostro. El que estaba en pie lo encogió hacia las sienes, y de la carne excedente se le formaron las orejas en sus lisos carrillos. La parte del hocico de la serpiente que no se replegó en la cabeza quedó fuera formando la nariz del rostro humano, y abultó al propio tiempo convenientemente los labios.

El que estaba en el suelo extendió su boca hacia delante, e hizo entrar sus orejas en la cabeza, como el caracol hace con sus cuernos; y la lengua, que estaba antes unida y dispuesta a hablar, se hendió, al paso que se unía la lengua hendida del reptil, dejando de lanzar humo.

El alma que se había convertido en serpiente huyó silbando por la fosa; y el otro, hablando detrás de ella, le escupía. Volvióle después sus recién formadas espaldas, y dijo al otro condenado: —Quiero que Buoso (520) se arrastre por este camino como yo lo he hecho.

De tal suerte vi yo, en la séptima fosa, cambiarse y metamorfosearse dos naturalezas; y si mi lenguaje no es florido, sírvame de excusa la novedad del caso.

---

(518) En las Metamorfosis de Ovidio no hay transmutación recíproca de dos naturalezas diversas, una en presencia de otra, como aquí, que la serpiente toma la materia y la forma del hombre, y éste de la serpiente.

(519) Los movimientos sucesivos de la transformación se efectuaron en una y otra simultáneamente.

(520) Buoso, florentino, de la familia de los Abatti.

Aunque mis ojos estuviesen turbados y mi espíritu aturdido, no pudieron huir las otras dos sombras tan ocultamente que yo no conociese a Puccio Sciancato (521), el único de los tres espíritus llegados anteriormente que no había cambiado de forma: el otro era aquel que tú lloras, ¡oh, Gaville! (522).

(521) Puccio Sciancato, florentino; uno de los tres que se apoderaron de las rentas públicas.

(522) El que bajo la forma de serpiente hirió a Buoso en el ombligo, el cual se llamaba Francisco Guercio, de la familia Cavalcanti, a quien dieron muerte los habitantes del territorio de Gaville. En venganza de la muerte de éste, sus parientes ejercieron terribles venganzas contra aquéllos.

Para mayor claridad, nótese bien que Dante ve primero tres espíritus: Agnolo Brunelleschi, Buoso Donati y Puccio Sciancato. Luego viene Cianfa en forma de serpiente con seis patas, se arroja sobre Brunelleschi, y los dos se convierten en un solo monstruo, que se aleja con pasos lentos. Llegan después, en forma de serpiente lívida y negra, Guercio Cavalcanti; muerde a Buoso, le transforma en serpiente y él se vuelve hombre; Buoso huye silbando. Quedan solos en escena Puccio Sciancato, que no ha sufrido transformación, y «aquel otro a quien llora Gaville», es decir, Guercio Cavalcanti.

CANTO XXVI

Octava fosa del octavo círculo, o de los malos consejeros, que están convertidos en llamas. — Ulises refiere al Poeta su vida errante y su muerte.

A LÉGRATE, Florencia; pues eres tan grande, que tu nombre vuela por mar y tierra, y es famoso en todo el Infierno (523).

Entre los ladrones he encontrado cinco de tus nobles ciudadanos (524); lo cual me avergüenza, y a ti no te honra demasiado. Pero, si es verdad lo que se sueña cerca del amanecer (525), dentro de poco tiempo conocerás lo que contra ti desean, no ya otros pueblos, sino Prato (526); y si este mal se hubiese ya cumplido, no sería el castigo prematuro. ¡Así viniese hoy lo que ha de suceder! Pues tanto más me contristará cuanto más viejo me vuelva (527).

Partimos; y por las mismas escaleras de las rocas que nos habían servido para bajar, subió mi Guía, tirando de mí. Prosiguiendo la ruta solitaria a través de picos y rocas del escollo, no era posible mover un pie sin el auxilio de la mano. Aflígíme entonces, como me aflijo ahora, cuando pien-

---

(523) El lector comprenderá que cuanto se dice en este apóstrofe es una ironía y una imprecación contra Florencia.

(524) Los que cita en el canto anterior.

(525) Los antiguos poetas han dicho que suele ser verdadero lo que se sueña al amanecer. Ovidio: «Sub aurora... tempore quo cerni somnia vera solent». — Horacio: «Quirinus, post mediam noctem visus, quum somnia vera». — Dante quiere decir: «Si lo que he soñado antes de amanecer es verdad, como creo, pronto sufrirás los males que te desean», etc.

(526) Es decir: los daños que, no ya otras ciudades, sino el pequeño pueblo de Prato te desea. Estos daños fueron la ruina del puente de la Carraia, el incendio de 1700 casas, y las terribles discordias ocurridas entre Blancos y Negros en 1304.

(527) ¡Ojalá hubiese caído ya sobre ti, Florencia, el castigo que mereces! supuesto que ese castigo ha de venir; y cuanto más tarde, mayor será el número de tus delitos; y a medida que yo envejezca, más tendré que sentir tu deshonra y tu expiación.

so en lo que vi; y refreno mi espíritu más de lo que acostumbro, para que no aventure tanto que deje de guiarlo la virtud; porque, si mi buena estrella u otra influencia mejor me ha dado algún ingenio, no quiero yo mismo envidiármelo (528).

Así como en la estación en que el astro ilumina al mundo nos oculta menos su faz (529), el campesino que reposa en la colina a la hora en que el mosquito reemplaza a la mosca (530), ve por el valle las luciérnagas que corren por el sitio donde vendimia y ara, así también vi infinitas llamas en la octava fosa, en cuanto estuve en el punto desde donde se distinguía su fondo. Y como aquel a quien los osos ayudaron en su venganza (531) vió partir el carro de Elías, cuando los caballos subían erguidos al cielo, de tal modo que no pudiendo sus ojos seguirle sólo distinguían una ligera llama, elevándose como débil nubecilla, así también noté que se agitaban aquéllas en la abertura de la fosa, encerrando cada una un pecador (532), pero sin manifestar lo que ocultaban.

Yo estaba sobre el puente, tan absorto en la contemplación de aquel espectáculo, que, a no haberme agarrado a un trozo de roca, me hubiera precipitado al fondo, sin que me empujaran.

Mi Guía, que me vió tan atento, me dijo: —Dentro del fuego están los espíritus, cada uno revestido de la llama que le abrasa.

—¡Oh!, Maestro, respondí: tus palabras me han dado la certeza de ello; pero ya lo había pensado, y así quería decírtelo. Mas dime: ¿quién está en aquella llama que se divide en su parte superior, y parece salir de la pira donde fueron puestos Etéocles y su hermano (533)? Me contestó: —Allí dentro están torturados Ulises y Diómedes; juntos sufren

(528) Estando Dante en la fosa donde se castiga a los que han hecho mal uso de su talento, manifiesta que enfrena el suyo más de lo que acostumbra, a fin de no ir tan adelante que se aparte del camino de la virtud, y no verse privado por su culpa de los buenos efectos de su ingenio.

(529) En el verano, que es cuando el Sol está más tiempo sobre el horizonte.

(530) Quiere decir a primera hora de la noche.

(531) El profeta Eliseo, que viéndose escarnecido por una turba de muchachos, los maldijo, y a su maldición salieron de una espesura dos osos y destrozaron a cuarenta y dos de aquéllos.

(532) Consejero fraudulento.

(533) Habiéndose colocado en una misma pira los cadáveres de los dos hermanos enemigos, Etéocles y Polinice, que se habían dado muerte el uno al otro, la llama, bifurcándose, reveló que su odio duraba aún después de su muerte. Véase *Thebaida*, XII, 430-431.

aquí un mismo castigo, como juntos se entregaron a la ira (534). En esa llama se llora también el engaño del caballo de madera, que fué la puerta por donde salió la noble estirpe de los romanos (535) Llórase también el artificio por el que Deidamia, aun después de muerta, se lamenta de Aquiles (536), y se sufre además el castigo por el robo del Paladión (537).

—Si es que pueden hablar en medio de las llamas, dije yo, Maestro, te pido y te suplico, y así mi súplica valga por mil, que me permitas esperar que esa llama dividida llegue hasta aquí, pues el deseo me impulsa ardientemente hacia ella—. A lo que me contestó: —Tu súplica es digna de alabanza, y yo la acojo; pero haz que tu lengua se reprima, y déjame a mí hablar, pues comprendo lo que quieres, y quizá ellos, siendo griegos, se desdeñarían de contestarte (538).

Cuando la llama estuvo cerca de nosotros, y mi Guía juzgó el lugar y el momento favorables, le oí expresarse en estos términos:

—¡Oh, vosotros, que sois dos en un mismo fuego! Si he merecido vuestra gracia durante mi vida, si he merecido de vosotros poco o mucho, cuando escribí mi gran poema (539)

---

(534) Célebres capitanes griegos, que no sólo emplearon contra Troya sus armas, sino la astucia y el fraude. Ulises, fingiéndose mercader, se introdujo en casa de Licomedes, y se presentó a sus hijas, entre las cuales sabía que, disfrazado de mujer, estaba escondido Aquiles, por mandato de su madre Tetis, para impedir que fuese al sitio de Troya, donde, según los oráculos, había de perder la vida. Y como entre varias chucherías femeniles llevase escondido Ulises, con algunas armas, un bellísimo escudo, le fué fácil reconocer, por medio de este artificio, a Aquiles, el cual se apoderó al punto del escudo, dejando todo lo demás. Provisto, pues, de aquellas armas, pasó a Troya con Ulises, abandonando a Deidamia, a la que dejaba encinta.

(535) Alude al caballo de madera que, por un engaño de Ulises, dejaron entrar los troyanos en su ciudad sitiada por los griegos, y del que salieron los guerreros que estaban ocultos en su interior, facilitando luego la entrada al ejército sitiador. Este engaño, que ocasionó la ruina de Troya, fué también causa de que su defensor Eneas pasara a Italia, teniendo en él origen la raza de los romanos.

(536) Deidamia, hija de Licomedes, rey de Scyro, fué amada de Aquiles, el cual, incitado artificiosamente por Ulises, se disfrazó de mujer para conseguirla, y la hizo madre de Neoptolemo, abandonándola después.

(537) Nombre de una estatua de Minerva, que creían los troyanos caída del cielo, y a la que guardaban celosamente, porque suponían que de su conservación pendía la suerte de la ciudad. Ulises y Diómedes penetraron una noche en Troya y la robaron del santuario de la diosa.

(538) Entienden algunos comentadores que esta frase significa que, siendo Ulises y Diómedes, griegos y altivos, quizá no hubieran hecho caso de Dante, que entonces no tenía tanta fama entre ellos.

(539) La *Eneida*.

en el mundo, no os alejéis; antes bien, dígame uno de vosotros dónde fué a morir, llevado de su valor.

La punta más elevada de la antigua llama (540) empezó a oscilar murmurando como la que agita el viento; después, dirigiendo a uno y otro lado su extremidad, empezó a lanzar algunos sonidos, como si fuera una lengua que hablara, y dijo: —Cuando me separé de Circe (541), que me tuvo oculto más de un año en Gaeta (542), antes de que Eneas le diera este nombre (543), ni las dulzuras paternales, ni la piedad debida a un padre anciano, ni el amor mutuo que debía hacer dichosa a Penélope (544), pudieron vencer el ardiente deseo que yo tuve de conocer el mundo, los vicios y las virtudes de los humanos (545), sino que me lancé por el abierto mar (546) sólo con un navío y con los pocos compañeros que nunca me abandonaron. Vi entrambas costas (547), por un lado hasta España, por otro hasta Marruecos, y la isla de los Sardos y las demás que baña en torno aquel mar. Mis compañeros y yo nos habíamos vuelto viejos y pesados cuando llegamos a la estrecha garganta donde plantó Hércules las dos columnas para que ningún hombre pase más adelante. Dejé a Sevilla a mi derecha, como había dejado ya a Ceuta a mi izquierda. « ¡Oh, hermanos, dije, que habéis llegado al Occidente a través de cien mil peligros!, ya que tan poco os resta de vida, no os neguéis a conocer el mundo sin habitantes que se encuentra siguiendo al Sol (548).

(540) Supone que la punta más elevada de la llama sea la que oculta a Ulises, como hombre más famoso que Diómedes; y califica aquélla de antigua, porque había transcurrido mucho tiempo desde la muerte de los dos griegos.

(541) Circe, maga famosa y bellísima, que transformaba a sus amantes en bestias. Algunos griegos amigos de Ulises sufrieron dicha transformación; éste la obligó con amenazas a devolver a aquéllos su primitiva forma; pero enamorado ardientemente de ella, permaneció a su lado un año.

(542) Cerca del monte Circio o Circello, situado entre Gaeta y el *Capo d'Antium.*

(543) El nombre de su nodriza, que fué sepultada allí.

(544) Nombre de la mujer de Ulises. Dice «las dulzuras paternales» por su hijo Telémaco.

(545) Aquí hay un recuerdo de Horacio (*Epíst.*, lib. I, epíst. 2):

Qui... multorum providus urbes
Et mores hominum inspexit; lotumque per æquor,
Dum sibi, dum sociis reditumparat, aspera multa
Pertulit.

(546) Llama abierto al Mediterráneo, para distinguirlo del Jonio.

(547) Las de Europa y África.

(548) Es notabilísimo este pasaje por la idea que tenía Dante de la redondez de la Tierra, y de un mundo occidental que debía encontrarse siguiendo el curso del Sol. Aunque supone inhabitado aquel

Pensad en vuestro origen; vosotros no habéis nacido para vivir como brutos, sino para alcanzar la virtud y la ciencia.» Con esta corta arenga infundí en mis compañeros tal deseo de continuar el viaje, que apenas los hubiera podido detener después. Y volviendo la popa hacia el Oriente, de nuestros remos hicimos alas para seguir tan desatentado viaje, inclinándonos siempre hacia la izquierda (549). La noche veía ya brillar todas las estrellas del otro polo, y estaba el nuestro tan bajo que apenas parecía salir fuera de la superficie de las aguas (550). Cinco veces se había encendido y otras tantas apagado la luz de la luna desde que entramos en aquel gran mar, cuando apareció una montaña (551) obscurecida por la distancia, la cual me pareció la más alta de cuantas había visto hasta entonces. Nos causó alegría, pero nuestro gozo se trocó bien pronto en llanto; pues de aquella tierra se levantó un torbellino que se lanzó contra la proa de nuestro buque: tres veces lo hizo girar juntamente con las encrespadas ondas, y a la cuarta levantó la popa y sumergió la proa como plugo al Otro (552), hasta que el mar volvió a unirse sobre nosotros.

hemisferio, las ideas del Poeta coinciden con las de Marco Polo y con las que Colón tenía ciento noventa años después.

(549) Hacia el Sur; al Ecuador. Parece estar aquí trazando el rumbo que siguió Colón.

(550) Se hallaban cerca del Ecuador, por eso dice que se veían las estrellas del polo antártico, y que la del Norte apenas salía de la superficie de las aguas.

(551) ¿Alude aquí Dante a la famosa Atlántida, a que se refiere Platón en su Timeo, o a la montaña donde suponía existir el Purgatorio, como creen algunos comentadores? Imposible es adivinarlo.

(552) Esto es, como plugo a Dios. Ulises calla el nombre, o porque así lo requiere su condición de condenado, o porque no conoció al verdadero Dios.

CANTO XXVII

Continuación. — El conde Guido de Montefeltro

HABÍASE quedado derecha e inmóvil la llama, por no tener más que decir, y ya se iba alejando de nosotros a la indicación del dulce Poeta, cuando otra, que seguía detrás, nos hizo volver la vista hacia su parte alta, a causa del confuso rumor que brotaba de ella. Como el toro de Sicilia que, lanzando por primer mugido el llanto del que lo había trabajado con su lima (553) (lo cual fué justo), bramaba con las voces de los torturados en él, de tal suerte, que a pesar de estar construído de bronce, parecía realmente traspasado de dolor, así también las palabras lastimeras del espíritu contenido en la llama, no encontrando en toda la extensión de ella ninguna abertura por donde salir, se convertían en el lenguaje del fuego (554); pero cuando consiguieron llegar a su extremo, comunicando a éste el movimiento que la lengua les había dado al pasar, oímos decir: —¡Oh, tú, a quien me dirijo, y que hace poco hablabas en lombardo, diciendo: «Vete ya, no te detengo más!» Aun cuando yo haya llegado tarde, no te pese permanecer hablando conmigo, pues a mí no me pesa, no obstante que estoy ardiendo (555). Si acabas de caer en este mundo lóbrego desde la dulce tierra latina, donde cometí todas mis faltas, dime si los romañolos están en paz

(553) Perilo, artífice ateniense, inventó un toro de bronce dispuesto de tal modo que, introduciendo en él a un reo, y puesto sobre las llamas, los gritos de la víctima sonaban como los bramidos de un toro verdadero. Habiéndolo presentado a Falaris, tirano de Agrigento, éste ordenó que el inventor fuese el primero en sufrir sus efectos.

(554) En el murmullo que hace la llama al ser agitada por el viento.

(555) Este espíritu es el conde Guido de Montefeltro, ciudad situada en un monte entre Urbino y la cumbre del Apenino, donde nace el Tíber.

o en guerra, pues fuí de las montañas que se elevan entre
Urbino y el yugo de que el Tíber se desata (556).

Yo escuchaba aún atento e inclinado, cuando mi Guía
me tocó, diciendo: —Habla tú; ese es latino (557) —. Y yo,
que tenía la respuesta preparada, empecé a hablarle así sin
tardanza: —¡Oh, alma, que te escondes ahí bajo! Tu Romaña no está ni estuvo nunca sin guerra en el corazón de sus
tiranos; pero al venir no he dejado guerra manifiesta: Ravena está allí, y cubre aún a Cervia con sus alas (558). La
tierra que sostuvo tan larga prueba, y contiene sangrientos
cadáveres franceses, se encuentra en poder de las garras verdes (559); y el mastín viejo y el joven Verrucchio, que
tanto daño hicieron a Montagna (560), siguen ensangrentando sus dientes donde acostumbran (561). La ciudad del Lamone y la del Santerno están dirigidas por el leoncillo de
blanco cubil, que del verano al invierno cambia de partido (562); y aquella que baña el Savio (563), vive entre
la tiranía y la libertad (564), así como se asienta entre la
llanura y la montaña. Ahora te ruego que me digas quién
eres; no seas más duro de lo que han sido otros; así pueda
tu nombre durar eternamente en el mundo.

Cuando el fuego hubo producido su acostumbrado rumor,

(556) En este lugar estaba situado Montefeltro, señorío del condenado que estaba hablando.
(557) Hace Virgilio esta advertencia a Dante, porque así como antes
no permitió que dirigiera la palabra a los griegos por temor de que
éstos le desdeñaran, tratándose ahora de latinos o italianos no abri-
gaba el mismo temor, por lo mismo que Dante era su compatriota.
(558) Toma el águila, armas de los Polentinos, por la familia que
dominaba en Ravena y en Cervia.
(559) Alude a la ciudad de Forlí que, con otras poblaciones, tenía
bajo su dominio el conde Guido de Montefeltro. Sitiáronla los franceses y las tropas del papa Martín IV, en 1281. Tomaron los franceses
una puerta y por ella se introdujeron en la población; pero a mediados
de mayo siguiente sorprendió el valiente Guido a los sitiadores, y em-
peñando con ellos un terrible combate, quedaron muertos más de dos
mil franceses y pontificios, y Forlí recobró su libertad. (Véase Gio.
Villani, *Stor.*, lib. VII, cap. 80.)
(560) Montagna, ilustre caballero de Rímini, de la noble estirpe de
los Parcisati, a quien dieron cruelísima muerte los Malatesta, por ser
jefe de los gibelinos.
(561) El viejo mastín es Malatesta el padre, señor de Rímini; el
joven mastín de Verrucchio, Malatesta el hijo; Montagna, jefe del partido gibelino de Rímini, a quien Malatesta el joven hizo morir.
(562) La ciudad de Faenza y la de Imola, situadas junto a los ríos
Lamone y Santerno, son gobernadas por Mainardo Pagani, cuyas armas eran un león azul en campo blanco.
(563) Cesena.
(564) Efectivamente, Cesena era la única ciudad de la Romaña que
gozaba de libertad en aquellos tiempos, si bien de cuando en cuando
gemía bajo el yugo de algún ciudadano poderoso.

movió de una parte a otra su aguda punta, y después habló
así: —Si yo creyera que dirijo mi respuesta a una persona
que debe volver al mundo, esta llama dejaría de agitarse;
pero como ninguno pudo salir jamás de esta profundidad, si
es cierto lo que he oído, te responderé sin temor a la infamia. Yo fuí hombre de guerra y luego franciscano, creyendo
que con este hábito expiaría mis faltas; y mi creencia hubiera tenido ciertamente efecto si el Gran Sacerdote (565),
a quien deseo todo mal, no me hubiese hecho incurrir en mis
primeras faltas. Quiero que sepas cómo y por qué. Mientras conservé la forma de carne y hueso que mi madre me
dió, mis acciones no fueron de león, sino de zorra (566).
Yo conocí toda clase de astucias, todas las asechanzas, y las
practiqué tan hábilmente, que su fama resonó hasta en el último confín del mundo. Cuando me vi cercano a la edad en que
cada uno debería abatir las velas y recoger los cables, lo
que antes me agradaba me disgustó entonces; y, arrepentido,
confesé mis culpas, retirándome al claustro. Entonces, ¡ay!
¡infeliz de mí!, pude haberme salvado; pero el príncipe
de los nuevos fariseos estaba en guerra cerca de Letrán (567)
(y no con los sarracenos ni con los judíos, pues todos sus
enemigos eran cristianos, y ninguno de ellos había ido a con-
quistar a Acre ni a comerciar en la tierra del Sultán) (568);
no tuvo en cuenta su dignidad suprema ni las sagradas órdenes de que estaba investido, ni vió en mí aquel cordón que
solía enflaquecer a los que lo llevaban (569); sino que, así
como Constantino llamó a Silvestre en el monte Soracto, para
que le curase la lepra (570), así también me llamó aquél

(565) Bonifacio VIII, a quien luego llama «príncipe de los nuevos
fariseos».
(566) Esto es, no me distinguí por mi valor de león, sino por mi
astucia de zorra.
(567) En Roma misma, con los Colonnas, que habitaban cerca de
San Juan de Letrán. Se refiere al papa Bonifacio VIII.
(568) Ninguno de sus enemigos, después de abjurar la fe cristiana,
había ido a atacar a Acre en compañía de los sarracenos ni había
proporcionado a éstos, por el deseo del lucro, víveres ni municiones.
(569) Por causa de la austeridad de la vida claustral.
(570) Así como Constantino pidió al papa san Silvestre, que estaba
oculto en una cueva del monte Soracto, por huir de la persecución
que se hacía a los cristianos, que le curara la lepra. Este hecho, atribuído a Constantino, es falso; pero se creía en tiempo del Poeta.
El Soracto, hoy monte de San Orestes, está situado en la Etruria Meridional, a la derecha del Tíber, y a 50 kilómetros al norte de Roma;
tiene 1.747 m. de elevación, y suele estar cubierto de nieve en su
cima. Hubo en él un templo de Apolo, y Carlomagno fundó en su ver-
tiente oriental un convento de San Silvestre, por lo cual también se da
a dicho monte el nombre de este santo.

10 *

para que le curara su orgullosa fiebre (571); pidióme consejo, y yo me callé, porque sus palabras me parecieron las de un hombre ebrio. Después añadió: «No abrigue tu corazón temor alguno: te absuelvo de antemano; pero me has de decir cómo podré echar por tierra los muros de Preneste (572). Yo puedo abrir y cerrar el cielo, como sabes, porque son dos las llaves a que no tuvo mucho apego mi antecesor» (573). Estos graves argumentos me impresionaron, y pensando que sería peor callar que hablar, dije: «Padre, puesto que tú me lavas del pecado en que voy a incurrir, para triunfar en tu alto solio, debes prometer mucho y cumplir poco de lo que prometas» (574). Cuando ocurrió mi muerte, fué Francisco (575) a buscarme; pero uno de los negros querubines (576) le dijo: «No puedes llevártelo; no me prives de lo que es mío; éste debe bajar a lo profundo entre mis condenados, por haber aconsejado el fraude, desde cuya falta le tengo asido por los cabellos. No es posible absolver al que no se arrepiente, como tampoco es posible arrepentirse y querer el pecado al mismo tiempo, pues la contradicción no lo consiente.» ¡Ay de mí, desdichado! ¡Cómo me aterré cuando, agarrándome, me dijo: «¡Acaso no creerías que fuera yo tan lógico!» Me condujo ante Minos, el cual se ciñó ocho veces la cola (577) en derredor de su duro cuerpo, y mordiéndosela con rabia, dijo: «Ése debe estar entre los culpables que esconde el fuego.» Heme aquí por qué estoy sepultado donde me ves, y por qué gimo bajo este vestido.»

Cuando hubo acabado de hablar, se alejó la plañidora llama, torciendo y agitando su aguda punta.

Mi Guía y yo seguimos adelante, a través del escollo, hasta llegar al otro arco que cubre el foso donde se castiga a los que cargaron su conciencia introduciendo la discordia.

(571) El odio mortal que tenía a los Colonnas, originado por su soberbia.

(572) El papa Bonifacio VIII había sitiado en vano y por largo tiempo la antigua fortaleza de Preneste, hoy Palestina; y en último extremo determinó apoderarse de ella por traición.

(573) El papa Celestino V, que renunció al Pontificado.

(574) El Papa, siguiendo este consejo, fingió que se movía a piedad la uerte de los Colonnas, y les prometió que, si se humillaban, los perdonaría. Habiéndose acercado los cardenales Jacobo y Pedro a pedirle perdón, se lo concedió con tal de que se le entregasen la fortaleza; y apenas lo consiguió, mandó arrasarla y edificarla de nuevo en el llano, llamándola Ciudad del Papa.

(575) San Francisco.

(576) Los diablos, a los que llaman querubines, sin duda por oposición a los del cielo.

(577) Recuérdese que según las vueltas que daba Minos a su cola, indicaba el círculo del Infierno adonde iba destinada cada alma.

CANTO XXVIII

Novena fosa del octavo círculo, donde se encuentran los autores de escándalos, cismas y herejías. — Se ven atormentados sin cesar por un demonio que les hiere con su espada. — Dante observa allí el suplicio de Mahoma, Alí, Pedro de Médicis, Mosca y Bertrán de Born.

QUIÉN podría jamás, ni aun con palabra libre (578), por más que lo intentase, describir cuántas fueron las llagas y la sangre que entonces vi? No existe, ciertamente, lengua alguna que pueda expresar, ni entendimiento que retenga lo que apenas cabe en la imaginación.

Si pudiera reunirse toda la gente que derramó su sangre en la tierra de la Pulla, teatro de tantos combates (579), cuando lucharon los romanos durante aquella prolongada guerra en que se recogió tan gran botín de anillos (580), como refiere Tivo Livio, y no se equivoca, con la que sufrió tan rudos golpes por contrastar a Roberto Guiscardo (581), y con aquella cuyos huesos se recogen aún, tanto en Cepera-no (582), donde cada habitante fué un traidor (583), como

(578) Esto es, suelta, en prosa.

(579) *Fortunata terra di Puglia*, dice el poeta. *Fortunata* viene a significar aquí escenario de los juegos de la Fortuna.

(580) La segunda guerra púnica, que duró tres lustros, durante la cual se dió la famosa batalla de Cannas, en la que se hizo tal matanza de romanos que, habiendo quitado los anillos a los caballeros muertos, Aníbal envió a Cartago, en prueba de su victoria, tres modios y medio de dichas alhajas. (Véase Tito Livio, lib. XXIII, 12.)

(581) Roberto Guiscardo, hermano de Ricardo, duque de Normandía, que obligó al ejército griego, enviado por Alejo Comneno, a abandonar la Pulla y la Calabria, de que se había apoderado.

(582) Ceperano, lugar en los confines de la campiña de Roma hacia Monte Casino : los labradores encontraban aún en tiempos de Dante los huesos de los que allí combatieron y murieron en la primera batalla entre Manfredo, rey de la Pulla y de Sicilia, y Carlos de Anjou.

(583) Los habitantes de la Pulla abandonaron en la acción a su soberano Manfredo, que combatía contra Carlos de Anjou.

en Tagliacozzo, donde el viejo Allard venció sin armas (584),
y fuera posible que todos los combatientes mencionados ense-
ñaran sus miembros rotos y traspasados, ni aun así tendría
una idea del aspecto horrible que presentaba la novena fosa.

Una cuba que haya perdido las duelas del fondo no se
vacia tanto como un espíritu que vi hendido desde la barba
hasta la parte inferior del vientre; sus intestinos le colgaban
por las piernas; se veía el corazón en movimiento, y mostraba también el triste saco donde se convierte en excremento
todo cuanto se come.

Mientras le estaba contemplando atentamente, me miró y
con las manos se abrió el pecho, diciendo: —Mira cómo me
desgarro; mira cuán estropeado está Mahoma. Alí va delante de mí llorando, con la cabeza abierta desde el cráneo
hasta la barba (585), y todos los que aquí ves, vivieron;
mas por haber diseminado el escándalo y el cisma en la tierra,
están hendidos del mismo modo. En pos de nosotros viene
un diablo que nos hiere cruelmente, descargando golpes con
su afilada espada a cuantos alcanza entre esta multitud de pecadores, luego que hemos dado una vuelta por esta lamentable fosa (586); porque nuestras heridas se cierran antes de
volvernos a encontrar con él. Pero tú, que estás mirando desde
lo alto del escollo, quizá para demorar tu marcha hacia el
suplicio que te haya sido impuesto por tus culpas, ¿quién
eres?

—Ni la muerte le alcanzó aún, ni le traen aquí sus culpas,
para que sea atormentado, contestó mi Maestro, sino que ha
venido para conocer todos los suplicios. Yo, que estoy muerto, debo guiarle por cada uno de los círculos del profundo Infierno, y esto es tan cierto como que te estoy hablando.

Al oír estas palabras, más de cien condenados se detu-

---

(584) En Tagliacozzo, castillo del Abruzzo Ulterior, combatió Carlos
de Anjou, ya rey de Sicilia, contra Conradino, sobrino de Manfredo.
Allard, caballero francés, aconsejó al rey Carlos, que había perdido
ya las dos terceras partes de su gente, que atacara con la restante
al enemigo, que estaba desordenado ocupándose sólo en recoger el
botín. Carlos, siguiendo este consejo, puso en fuga al ejército de Conradino con su sola presencia, por lo cual dice Dante que Allard venció sin armas.

(585) Alí, primo de Mahoma.

(586) Supone aquí Dante que las almas van dando vueltas alrededor
de este foso, y a medida que van pasando hay un diablo encargado de
abrirlas de arriba abajo con una espada. Pero vuelven a juntarse inmediatamente las partes segregadas, de modo que cuando llegan de nuevo
a él se repite la operación, y así hasta el infinito.

vieron en la fosa para contemplarme, olvidados, con el asombro, de su martirio.

—Pues bien, tú. que tal vez dentro de poco volverás a ver el Sol, di a fray Colcín (587) que, si no quiere reunirse conmigo aquí muy pronto, debe proveerse de víveres y no dejarse rodear por la nieve; pues sin el hambre y la nieve, difícil le será al novarés vencerle.

Mahoma me dijo estas palabras, después de haber levantado un pie para alejarse; cuando cesó de hablar, lo fijó en el suelo y partió.

Otro, que tenía la garganta atravesada, la nariz cortada hasta las cejas, y una oreja solamente, se quedó asombrado con los demás espíritus, y abriendo antes que ellos su boca, toda llena de sangre, dijo: —¡Oh!, tú, a quien no condena culpa alguna y a quien ya vi allá arriba, en la tierra latina, si es que no me engaña una gran semejanza; acuérdate de Pedro de Medicina (588), si logras ver de nuevo la hermosa llanura que declina desde Vercelli a Marcabó (589); y haz saber a los dos mejores de Fano (590), a meser Guido y Angiolello (591), que si la previsión no es aquí vana, serán arrojados fuera de su bajel y ahogados cerca de la Católica (592) por la traición de un tirano desleal. Desde la isla de Chipre a la de Mallorca (593) no habrá visto jamás Neptuno tan grande felonía, ni llevada a cabo por piratas, ni por corsarios griegos. Aquel traidor, que ve solamente con un ojo (594), y que gobierna el país que.no quisiera haber visto

(587) Fray Colcín predicaba, en las montañas de Novara, la comunidad de mujeres y de bienes. Había logrado reunir más de 3.000 sectarios. Perseguido por las tropas del obispo de Benevento, falto de víveres y detenido por la nieve, cayó prisionero juntamente con su compañera Margarita, y fué quemado vivo en la ciudad de Novara, haciéndose notable por su heroico valor en los suplicios. Sucedió esto en 1307.

(588) Pedro de Medicina, llamado así de la tierra de este nombre, situada en el territorio de Bolonia. Fué un intrigante que sembró la discordia entre sus conciudadanos por una parte y Guido de Polenta y Malatestino de Rímini por otra.

(589) La llanura de Lombardía.

(590) Fano, ciudad a orillas del Adriático.

(591) Guido del Cassero y Angiolello de Cignano, nobilísimos caballeros de Fano, los cuales, invitados por Malatestino para que acudieran a conferenciar con él en la Católica, se embarcaron, y cuando estuvieron a la vista de aquella ciudad fueron arrojados al mar, según lo dispuesto por aquel tirano.

(592) Así se llamaba un castillo situado entre Rímini y Pésaro, a orillas también del Adriático.

(593) Chipre es la isla más oriental del Mediterráneo, y Mallorca la más occidental.

(594) Malatestino era tuerto.

uno (595) que está aquí conmigo (596), les invitará a parlamentar con él, y despés hará de modo que no necesiten conjurar con sus votos y oraciones (597) el viento de Focara (598).

Yo le dije: —Si quieres que lleve noticias tuyas allá arriba, muéstrame y declara quién es ése que deplora haber visto aquel país.

Entonces puso su mano sobre la mandíbula de uno de sus compañeros, y le abrió la boca, exclamando: —Hele aquí; pero no puede hablar (599).

Era aquel que, desterrado de Roma, ahogó la duda en el corazón de César, afirmando que el que está preparado se perjudica al aplazar la realización de una empresa (600). ¡Oh! ¡Cuán acobardado me parecía con su lengua cortada en la garganta aquel Curión, que tan audaz fué para hablar!

Otro, que tenía las manos cortadas, levantando sus muñones al aire sombrío, de tal modo que se inundaba la cara de sangre, gritó: —Acuérdate también de Mosca (601), que dijo, ¡desventurado! «Cosa hecha está concluída.» Palabras que fueron el origen de las discordias civiles de los toscanos —. ¡Y de la muerte de tu raza!, exclamé yo. Entonces él, acumulando dolor sobre dolor (602), se alejó cual persona triste y alocada.

Continué yo examinando la infernal caterva, y vi cosas que no me atrevería a referir sin otra prueba, si no fuese por la seguridad de mi conciencia, esa buena compañera que, confiada en su pureza, fortifica tanto el corazón del hombre; vi

(595) Curión, como más adelante se dice.
(596) Véase Lucano, *Farsalia*, lib. I, vers. 201.
(597) Para librarse de los peligros que se indican en la nota siguiente.
(598) Focara, monte de la Católica, desde el cual soplan vientos borrascosos; por ello los navegantes hacían votos y oraciones al pasar por delante de aquella tierra.
(599) Porque tenía la lengua cortada.
(600) Curión aconsejó a César que pasara el Rubicón, dando así lugar a la guerra civil.
(601) De la familia de los Uberti o de los Lamberti; el cual, ayudado por otros compañeros, dió de puñaladas a Buondelmonte para vengar el honor de los Amidei; pues habiendo prometido aquél casarse con una hija de la casa de éstos, la abandonó para casarse con una de los Donati. Este hecho encendió la primera chispa de las discordias civiles en Florencia, la cual se dividió luego entre güelfos y gibelinos. Mosca fué quien propuso el asesinato en un consejo de los parientes de Amidei; pronunciando entonces las palabras que dice; esto es: *Cosa fatta capo ha.*
(602) El dolor que le causaban las penas del Infierno y el que le producía el recuerdo de la extinción de su raza, ocasionada por las discordias civiles.

en efecto, y aún me parece que lo estoy viendo, un cuerpo sin cabeza, andando como los demás que formaban aquella triste grey; asida por los cabellos, y pendiente a guisa de linterna, llevaba en una mano su cabeza cortada, la cual nos miraba, exclamando: —¡Ay de mí! —. Servíase de sí mismo como de una lámpara, y eran dos en uno y uno en dos (603); cómo puede ser esto, sólo Aquél que nos gobierna podría decirlo.

Cuando llegó al pie del puente, levantó en alto su brazo con la cabeza pata acercarnos más sus palabras, y dijo así: —Mira mi tormento cruel, tú que, aunque estás vivo, vas contemplando los muertos; ve si puede haber alguno tan grande como éste. Y para que puedas dar noticias mías, sabe que yo soy Bertrán de Born (604), aquel que tan mal aconsejó al rey joven. Yo armé al padre y al hijo uno contra otro; no hizo más Aquitofel (605) con sus perversas instigaciones a David y Absalón. Por haber dividido a personas tan unidas, llevo ¡ay de mí! mi cabeza separada de su principio (606), que queda encerrado en este tronco; así se observa conmigo la pena del talión.

---

(603) Es decir, sus ojos le servían de lámpara para guiar sus pasos, y eran dos partes, cabeza y tronco, de un solo cuerpo.

(604) Bertrán de Born o del Born, brillante poeta Provenzal y bravo guerrero, que fué vizconde del castillo de Hautefort, en Gascuña, e instigó al hijo de Enrique II de Inglaterra a rebelarse contra su padre. Habiendo fallecido aquel príncipe, Bertrán lloró su muerte, dedicándole una tristísima elegía, en la cual le llama *l'jove rei engles* (el joven rey inglés). Algunas ediciones de la *Divina Comedia* dicen aquí: «dió malos consejos al rey Juan»; pero Dante, que debía conocer la canción de Bertrán, y que coloca a éste, en su *Volgare Eloquio*, entre los ilustres poetas vulgares, no pudo decir *al re Giovanni*, sino *al re giovane*; tanto menos, cuanto que el príncipe en cuestión, que fué coronado a la edad de 15 años, se llamaba *Enrique* y no *Juan*, y le decían el *rey joven* para distinguirlo de su padre, que tenía el mismo nombre.

(605) Véase *Reyes*, lib. II.

(606) Esto es, del corazón, que Dante, como Aristóteles, juzga ser el principio de la vida, el centro de los espíritus vitales.

CANTO XXIX

Décima y última fosa del octavo círculo, donde sufren los charla-
tanes y falsarios, que están cubiertos de lepra. — Griffolino
de Arezzo y Capocchio de Siena.

EL espectáculo de tanta multitud y de tantas y tan diversas
heridas, de tal modo henchía de lágrimas mis ojos,
que hubiera deseado detenerme para llorar. Pero Virgilio me dijo: —¿Qué miras ahora? ¿Por qué tu vista se
obstina en contemplar ahí bajo esas sombras tristes y mutila-
das? No te comportaste así en las otras fosas; si crees poder
contar esas almas, piensa que la fosa tiene veintidós mil millas
de circunferencia. La luna está ya debajo de nosotros (607);
el tiempo que se nos ha concedido es muy corto, y aún nos
queda por ver más de lo que has visto.

—Si hubieses considerado atentamente, le respondí, la
causa que me obligaba a mirar, quizá hubieras permitido que
me detuviera aquí un poco.

Mi Guía se alejaba ya, mientras yo iba tras de él contes-
tándole y añadiendo: —Dentro de aquella cueva, donde tan
fijamente miraba, creo haber descubierto a un espíritu de
mi familia llorando el delito que se castiga ahí con tan grandes penas—. Entonces me contestó el Maestro: —No se
ocupe ya más tu pensamiento en la suerte de ese espíritu;
piensa en otra cosa, y quédese él donde está. Le he visto al pie
del puente señalarte y amenazarte airadamente con el dedo,

(607) Es decir, ya es mediodía. Es sabido que, en los plenilunios,
la Luna aparece sobre el horizonte al anochecer y corta el meridiano
a medianoche; de modo que a esta hora está en el cenit, en aquellos
puntos de la Tierra por donde pasa sobre la cabeza del espectador,
y al mediodía se halla en el nadir, o sea en el punto opuesto del
meridiano, como si dijésemos bajo los pies del mismo espectador.
Dante había ya dicho que en la noche precedente la Luna estaba
llena.

y oí que le llamaban Geri del Bello (608); pero tú estabas
tan distraído con el que gobernó a Hautefort (609), que
como no miraste hacia donde él estaba, se marchó.

—¡Oh, mi Guía!, dije yo entonces. Su violenta muerte,
que no ha sido aún vengada por ninguno de nosotros, partí-
cipes de la ofensa, le ha indignado (610); he aquí por qué,
según presumo, se ha ido sin hablarme; y esto es causa de
que me inspire más compasión.

Así continuamos hablando hasta el primer punto del peñasco, desde donde se distinguiera la otra fosa hasta el fondo,
de haber habido en ella más claridad. Cuando estuvimos colocados sobre el último recinto de Malebolge, de manera que
los transfigurados que contenía pudieran aparecer a nuestra
vista, hirieron mis oídos diversos lamentos que, cual agudas
flechas, me traspasaron el corazón de tal modo, que tuve que
cubrirme las orejas con ambas manos.

Si entre los meses de julio y septiembre los hospitales de
la Valdichiana (611) y los enfermos de las Marismas y de
Cerdeña (612) estuvieran reunidos en una sola fosa, esta
acumulación formaría un espectáculo tan doloroso como el
que vi en aquella de la cual se exhalaba la misma pestilencia
que la que despiden los miembros gangrenados.

Descendíamos hacia la izquierda, por la última orilla del
largo peñasco, y entonces pude distinguir mejor la profundidad de aquel abismo, donde la infalible Justicia, ministro
del Altísimo, castiga a los falsarios que apunta en su registro.

No creo que causara mayor tristeza ver enfermo el pueblo
entero de Egina (613), cuando se inficionó tanto el aire, que
perecieron todos los animales hasta el miserable gusano, habiendo salido después los habitantes de aquella isla de la raza

(608) Este era hijo de *messer* Bello Alighieri, y primo del padre
de Dante, hombre pendenciero, que fué muerto en una riña.
(609) Bertrán de Born, de quien se ha hablado en el canto precedente.
(610) Geri del Bello fué asesinado por un individuo de la familia
de los Sachetti, y ninguno de la de los Alighieri tomó venganza de
dicho homicidio, por lo cual cree Dante que el alma de aquél se alejó
amenazándole indignada.
(611) Valle situado entre Arezzo, Cortona, Chiusi y Montepulciano,
por donde corre el Chiana: era muy malsano; pero la ciencia hidráu-
lica lo ha convertido en uno de los más hermosos y fértiles de la
Toscana.
(612) En todos estos sitios, por causa del aire malsano, los hospitales estaban en verano llenos de enfermos. Por Cerdeña se entiende
aquí la isla de este nombre.
(613) Islote cerca del Peloponeso.

de las hormigas, según aseguran los poetas (614), como causaba el ver a los espíritus languidecer en tristes montones por aquel obscuro valle. Cuál yacía tendido sobre el vientre, cuál sobre las espaldas unos de otros; y alguno andaba arrastrándose (615) por el triste camino.

Íbamos caminando paso a paso sin decir palabra, mirando y escuchando a los enfermos que no podían sostener sus cuerpos. Vi dos de ellos sentados y apoyados el uno contra el otro, como se apoyan las tejas para cocerlas, y llenos de pústulas desde la cabeza hasta los pies. Nunca he visto criado alguno, a quien espera su amo o que vela a pesar suyo, tan diligente en remover la almohada, como lo era cada uno de aquellos desgraciados para rascarse repetidamente y calmar la horrible furia de su picazón, que no tenía otro remedio. Se arrancaban con las uñas las pústulas, como el cuchillo arranca las escamas del escaro o de otro pescado que las tenga aún mayores.

—¡Oh, tú, que con los dedos te desarmas! (616), dijo mi Guía a uno de ellos, y que los empleas como si fueran tenazas!, dime si hay algún latino entre los que están aquí, y ¡ojalá puedan tus uñas bastarte eternamente para ese trabajo!

—Latinos somos los dos a quienes ves tan deformes, respondió uno de ellos, llorando; pero, ¿quién eres tú, que preguntas por nosotros?

Y mi Guía repuso: —Soy un espíritu que he descendido con este ser viviente de grado en grado, y tengo el encargo de enseñarle el Infierno.

Las dos sombras cesaron entonces de prestarse mutuo apoyo, y cada cual de ellas se volvió, temblando, hacia mí, juntamente con otras que lo oyeron, aunque no se dirigía a ellas la contestación. El buen Maestro se me acercó, diciendo: —Diles lo que quieras—. Y ya que él lo permitía, empecé de este modo:

—Así vuestra memoria no se borre de las mentes huma-

----

(614) Según la fábula, Júpiter, vencido por los ruegos de Eaco, rey de Egina, transformó las hormigas de este país en hombres para poblar de nuevo la isla.

(615) Observan algunos comentadores de Dante que estos condenados yacen impedidos o paralíticos para indicar los efectos que en vida solía producir en ellos el mercurio de que se servían los tales alquimistas para sus manipulaciones.

(616) *Ti dismaglis.* Te quitas la armadura, la cota de mallas, que figuraba escamas de pescado. La metáfora quiere decir: te descortezas, te arrancas las costras.

nas en el primer mundo, y antes bien, dure por muchos años;
decidme quiénes sois y de qué nación; no tengáis reparo en
franquearos conmigo, sin que os lo impida vuestro insoportable y vergonzoso suplicio. —Yo fuí de Arezzo, respondió
uno, y Alberto de Siena me condenó a las llamas; pero la
causa de mi muerte no es la que me ha traído al Infierno (617). Es cierto que le dije, chanceándome: «Yo sabría
elevarme por el aire volando»; y él (618), como curioso y
de cortos alcances, quiso que yo le enseñase el secreto; y por
no haberlo convertido en Dédalo, me hizo quemar por mandato de uno que le tenía por hijo (619); pero Minos, juez
infalible, me condenó a la última de las diez fosas por haberme dedicado a la alquimia en el mundo.

Yo dije al Poeta: —¿Hubo jamás un pueblo tan vano
como el de Siena? Seguramente no lo es tanto, ni con mucho, el pueblo francés.

Entonces, el otro leproso que me oyó, contestó a mis palabras: —Exceptúa a Stricca (620), que supo hacer mode-
rados gastos; y a Niccolo, que fué el primero que descubrió
la *costuma ricca* (621) del clavo de especia, en la ciudad en
que malgastó Caccia de Asciano sus viñas y sus bosques, y en
la que Abbaghiato demostró hasta dónde llegaba su juicio (622). Mas para que sepas quién es el que de este modo
te secunda contra los sieneses, fija en mí tus ojos a fin de que
mi rostro corresponda al deseo que tienes de conocerme, y
podrás ver que soy la sombra de Capocchio, el que falsificó

(617) Dícese que éste fué cierto Griffolino, alquimista, que alában-
dose de conocer el arte de volar, prometió enseñárselo a un sienés
llamado Alberto, el cual al principio le creyó; pero habiéndose dado
cuenta, después, del engaño, le acusó ante el obispo de Siena como
reo de nigromancia, y Griffolino fué condenado por dicho obispo a ser
quemado vivo como nigromante.

(618) El mismo Alberto.

(619) Por mandato del obispo, que tenía a dicho Alberto por hijo
adoptivo.

(620) Todo este pasaje es irónico, en confirmación del juicio que
Dante acaba de emitir acerca de los sieneses. El llamado Stricca,
parece que era un tal *Baldastricca*, de la familia de los Marescotti:
a él se atribuye la formación de la sociedad de disipadores, de que se
habla luego.

(621) Dicen que este Nicolo se dedicó a dar nuevos y delicados
condimentos a las viandas. Una especie de asado, en el que ponía
clavillos y otras especias, fué llamado la *costuma ricca* (la rica usan-
za), y se popularizó en Siena.

(622) Cuéntase que en Siena se formó una sociedad de jóvenes
ricos, que habiendo vendido todos sus bienes y reunido doscientos
mil florines, los malgastaron en veinte meses en orgías, y quedaron
reducidos a la miseria. Entre estos jóvenes se contaban los cuatro
que se citan: Nicolo fué el más famoso de la banda; Abbaghiato
era hombre de mucha ciencia.

los metales por medio de la alquimia; y debes recordar, si eres, efectivamente, el que pienso, que fuí por naturaleza un buen imitador (623).

(623) Sienés, que estudió con Dante la filosofía natural, y dedicándose después al arte de falsificar los metales, sobresalió mucho en él.

CANTO XXX

Continuación. — Tres clases de falsarios: 1.ª Los que toman el nombre o el aspecto de otras personas, van persiguiéndose a mordiscos. — 2.ª Los monederos falsos, que están atacados de hidropesía y padecen una sed inextinguible. — 3.ª Los calumniadores, devorados por la fiebre.

EN aquel tiempo en que Juno, por causa de Semelé (624), estaba irritada contra la sangre tebana, como lo demostró más de una vez, Atamás (625) se volvió tan insensato que al ver acercarse a su mujer llevando de la mano a sus dos hijos, exclamó: «Tendamos las redes de modo que yo coja a su paso la leona con sus cachorros»; y extendiendo después las despiadadas garras, agarró a uno de ellos, que se llamaba Learco, le hizo dar vueltas en el aire y lo estrelló contra una roca, después de lo cual la madre se ahogó con el hijo restante.

Cuando la fortuna abatió la grandeza de los troyanos, que a todo se atrevían, hasta que el reino fué destruído, juntamente con el rey, la triste Hécuba, miserable y cautiva, después de haber visto a Polixena muerta, y el cuerpo de su Polidoro tendido en la orilla del mar, quedó con el corazón tan desgarrado que, fuera de sí, empezó a ladrar como un perro: de tal modo la había trastornado el dolor (626).

(624) Hija de Cadmo, fundador de Tebas, fué amada de Júpiter, de quien tuvo a Baco, por cuya causa fué odiada de Juno.
(625) Atamás, rey de Tebas, a quien Juno, por odio a los tebanos, volvió tan furioso, que encontrándose con Ino, su mujer, y Learco y Melicerto, sus hijos, los creyó una leona con sus cachorros y los hizo morir. (Véase Ovidio, *Metam.*, lib. IV, 513 y siguientes.)
(626) Cuando los griegos se apoderaron de Troya, Hécuba, mujer de Príamo, su rey, cayó prisionera juntamente con una hija suya llamada Polixena, a quien degollaron los vencedores sobre la tumba de Aquiles, para calmar los manes de este héroe. Al llegar Hécuba prisionera a las playas de Tracia, encontró en ellas el cadáver de su hijo Polidoro, a quien había dado muerte el rey Polinéstor, para que-

Pero ni los tebanos ni los troyanos furiosos demostraron
tanta crueldad, no ya en torturar cuerpos humanos, sino ni
siquiera animales, como la que vi en dos sombras desnudas
y pálidas, que corrían mordiéndose, como el cerdo cuando se
escapa de su pocilga. Una de ellas alcanzó a Capocchio, y se le
afianzó en la nuca de tal modo, que tirando de él le hizo
arañar con su vientre el duro suelo. El aretino (627), que
quedó temblando, me dijo: —Ese loco es Gianni Schichi (628), que, poseído por la cólera, va acometiendo a
todos.

—¡Oh!, le dije yo, no temas decirme quién es la otra
sombra que va con él, antes que desaparezca. y ojalá no venga
a hincarte los dientes en el cuerpo —. Y me contestó: —Es
el alma antigua de la perversa Mirra, que fué amante de su
padre contra las leyes del amor honesto; para cometer tal
pecado se disfrazó bajo la forma de otra (629); como aquel
que ya se va, tuvo empeño en fingirse Buoso Donati, a fin
de ganar la *Donna della Torma,* testando en su lugar y dic-
tando las cláusulas del testamento.

Cuando hubieron pasado aquellas dos almas furiosas, sobre las cuales había tenido fija mi vista, me volví para mirar
las sombras de los otros míseros. Vi uno que pareciera un
laúd si hubiese tenido el cuerpo cortado en el sitio donde el
hombre se bifurca (630). La pesada hidropesía que, a causa
de los humores convertidos en maligna substancia, hace los
miembros tan desproporcionados, que el rostro no corresponde

darse con sus tesoros; y ante tanta desgracia, Hécuba, fuera de sí,
prorrumpió en desgarradores gritos, semejantes a los ladridos de
un perro.

(627) Griffolino, el alquimista de quien se habla en el canto
anterior.

(628) Gianni Schichi acometió la empresa de suplantar la persona
de Buoso Donati, muerto sin testar; para lo cual se metió en la
cama de éste, y fingiendo que estaba cercano a la muerte, testó e
instituyó por heredero a Simón Donati, hijo de Buoso, y como legado
dejó a Giani Schichi, es decir, a sí mismo, la mejor yegua de las
caballerizas de Buoso, llamada *Madona Tonina.* Dante dice: *della
Torma* por desprecio.

(629) Enamorada Mirra de su padre el rey Ciniras, consiguió en-
ternecer a su nodriza hasta el punto de que ésta le facilitara el logro
de sus incestuosos deseos, haciendo entrar a Mirra, de noche y a
obscuras, en las habitaciones de su padre, el cual estaba persuadido
de que dicha nodriza le había proporcionado otra joven diferente;
pero descubierto el engaño, Ciniras quiso matar a su hija, la cual
huyó y anduvo por largo tiempo errante, hasta que los dioses, com-
padecidos de sus pesares, la convirtieron en el árbol de su nombre.
(Véase Ovidio, *Metam.,* X.)

(630) A causa de la gran hinchazón del vientre y lo delgado del
cuello, habría parecido un laúd si le hubiesen cortado los muslos.

al vientre, le obligaba a tener la boca abierta, pareciéndose al ético que, cuando está sediento, dirige uno de sus labios hacia la barba y otro hacia la nariz.

—¡Oh, vosotros, que no sufrís pena alguna (y no sé por qué) en este mundo miserable!, nos dijo, mirad y estad atentos al infortunio de maese Adam (631); yo tuve en abundancia, mientras viví, todo cuanto deseé; y ahora, ¡ay de mí!, sólo deseo una gota de agua. Los arroyuelos que desde las verdes colinas del Casentino descienden hasta el Arno, trazando frescos y apacibles cauces, continuamente están ante mi vista, y no en vano; pues su imagen me reseca más que el mal que descarna mi rostro. La rígida justicia que me castiga se sirve del mismo lugar donde he pecado, para hacerme exhalar más suspiros (632). Allí está Romena (633), donde falsifiqué la moneda acuñada con el busto del Bautista, por lo cual dejé en la tierra mi cuerpo quemado. Pero si yo viese aquí el alma lamentable de Guido, o la de Alejandro (634), o la de su hermano (635), no cambiaría el placer de mirarlas a mi lado ni aun por la fuente Branda (636). Una de ellas está ya aquí dentro, si es cierto lo que dicen las coléricas sombras de los que giran por estos sitios; pero, ¿qué me importa, si tengo encadenados mis miembros? Si a lo menos fuese yo tan ágil que en cien años pudiera andar una pulgada, ya me habría internado por el sendero, buscándola entre esa gente deforme, a pesar de que la fosa tiene once millas de circunferencia y no menos de media milla de diámetro.

---

(631) Hábil monedero de Brescia, que de acuerdo con los condes de Romena, falsificó los florines que llevaban la imagen de san Juan Bautista, patrón de Florencia, por lo cual fué preso y quemado vivo.

(632) La justicia divina trae a su memoria las frescas aguas del Casentino, donde falsificó la moneda, para hacer más frecuentes sus suspiros.

(633) Romena era un castillo de los condes de este título, situado cerca de las colinas de Casentino.

(634) Guido y Alejandro, conde de Romena, citados en la nota precedente, o su hermano Aghinolfo.

(635) Este hermano parece que se llamaba Aghinolfo. Dante tuvo amistad con un Guido y un Alejandro de esta familia, pero eran nietos de los falsificadores, lo que se advierte para que la semejanza de nombres y títulos no induzca a error.

(636) *Fonte branda*. Todos los comentadores han creído que se tratase aquí de una fuente muy copiosa, de este nombre, que hay en Siena; pero sin duda se refiere Dante a otra que había junto a los muros de Romena, y cerca de la cual existía el hospital de Santa María Magdalena penitente, que fué casi arruinado por un terremoto en 16 de noviembre de 1599. Natural es que maese Adam, recordando el lugar de su delito, y diciendo que la justicia divina pone ante sus ojos las frescas aguas del Casentino, hable aquí de la *fonte branda* de Romena, y no de la de Siena.

Por su causa me veo entre estos condenados; ellos me indujeron a acuñar los florines, que bien tenían tres quilates de liga.

A mi vez, le dije: —¿Quiénes son esos dos espíritus infelices que despiden vaho, como en el invierno una mano mojada, y que tan unidos yacen a tu derecha? —Aquí los encontré, respondióme, cuando bajé a este abismo; y desde entonces, ni se han movido, ni creo que eternamente se muevan. El uno es la falsa que acusó a José (637); el otro es el falso Sinón, griego de Troya (638): por efecto de su ardiente fiebre, lanzan ese vapor fétido.

Uno de ellos, indignado quizá porque se le daba aquel nombre infame, le golpeó con el puño en su endurecido vientre, haciéndoselo resonar como un tambor. Maese Adam le dió a su vez en el rostro con su puño, que no parecía menos duro, diciéndole: —Aunque me vea privado de moverme a causa de la pesadez de algunos de mis miembros, tengo el brazo suelto para semejante tarea. A lo que aquél replicó: —Cuando marchabas hacia la hoguera no lo tenías tan suelto; pero lo tenías mucho más cuando acuñabas moneda —. El hidrópico repuso: —Eres verídico en eso; mas no lo fuiste tanto cuando en Troya te incitaron a que dijeses la verdad (639). —Si allí dije una falsedad, en cambio tú falsificaste el cuño, dijo Sinón; y si yo estoy aquí por una falta, tú lo estás por muchas más que ningún otro demonio. —Acuérdate, perjuro, del caballo, replicó aquel que tenía el vientre hinchado; y sírvate de castigo el que el mundo entero conozca tu delito. —Sírvate a ti también de castigo la sed que tiene agrietada tu lengua, contestó el griego, y el agua podrida que eleva tu vientre como una barrera ante tus ojos —. Entonces el monedero replicó: —También tu boca se rasga por hablar mal, como acostumbra; si yo tengo sed y si el humor me hincha, tú tienes fiebre y te duele la cabeza; no te harías mucho de rogar para lamer el espejo de Narciso (640).

Yo estaba escuchándoles atentamente, cuando me dijo mi

(637) La mujer de Putifar.
(638) *Sinón, griego...* Fué el que, fingiéndose perseguido por los suyos, se refugió en Troya cerca del rey Príamo, a quien persuadió con engaños que dejase entrar en la ciudad el famoso caballo de madera. Dante le llama *de Troya*, no porque fuese troyano, sino porque en Troya adquirió su mala fama. (Véase *Eneida*, II, 148.)
(639) Porque no quiso declarar, por más que se lo exigieron, con qué objeto habían construido los griegos el caballo de Troya.
(640) El agua donde se contempló Narciso antes de convertirse en la flor de su nombre. Dice *lamer* por desprecio, queriendo significar: «Tú también tienes sed, y de buena gana beberías como las bestias».

Maestro: —Sigue, sigue contemplándoles aún, que poco falta para reírme de ti.

Cuando le oí hablarme con ira, me volví hacia él tan abochornado, que aún conservo vivo el recuerdo en mi memoria; y como quien sueña en su desgracia, que aun soñando desea soñar, y anhela ardientemente que sea sueño lo que ya lo es, así estaba yo, sin poder proferir una palabra, por más que quisiera excusarme; y a pesar de que con el silencio me excusaba, no creía yo que lo hacía.

—Con menos vergüenza habría bastante para borrar una falta mayor que la tuya, me dijo el Maestro; no te aflijas; y si acaso vuelve a suceder que te encuentres con gente hundida en disputas semejantes, piensa en que estoy siempre a tu lado; y que escuchar bajezas es gusto bajo.

CANTO XXXI

Noveno y último círculo, en el que son atormentados los traido-res. — Se divide en cuatro recintos donde se castiga a cuatro clases de traidores. — Antes de llegar a él, hay un pozo, al-rededor del cual los dos Poetas encuentran a Nemrod, Efialto, Anteo y otros gigantes. — Anteo, cogiendo a los Poetas en sus brazos, los lleva al fondo del noveno círculo.

L A misma lengua que antes me hirió, tiñendo de rubor mis mejillas, me aplicó en seguida el remedio; así he oído contar que la lanza de Aquiles y de su padre solía ocasionar primero un daño y luego ella misma lo remedia-ba (641).

Volvimos la espalda a aquel desventurado valle, andando sin decir una palabra, por encima del margen que lo rodea. Allí no era de día ni de noche, de modo que mi vista alcan-zaba poco delante de mí; pero oí resonar una gran trompa, tan fuertemente, que habría impuesto silencio a cualquier trueno; por lo cual mis ojos, siguiendo la dirección que aquel ruido traía, se fijaron totalmente en un solo punto. No hizo sonar tan terriblemente su trompa Orlando, después de la dolorosa derrota en que Carlomagno perdió el fruto de su santa empresa (642).

A poco de haber vuelto hacia aquel lado la cabeza, me pareció ver muchas torres elevadas; por lo que dije: —Maes-tro, ¿qué tierra es ésta? —. Y me contestó él: —Como miras a lo lejos a través de las tinieblas, te equivocas en lo que te imaginas. Ya verás, cuando hayas llegado allí, cuánto engaña a la vista la distancia; mas ahora, apresura el paso.

(641) Cuentan los poetas que la lanza que Aquiles heredó de su padre Peleo tenía virtud de curar las heridas que había causado. Así dice Dante que fué para con él la lengua de Virgilio. (Véase Ovidio, *Metam.*, XII, 112.)

(642) Alude a la derrota de Roncesvalles. Cuenta Turpín que el sonido de la trompa de Orlando se oyó a ocho millas de distancia.

Después me cogió afectuosamente de la mano, y me dijo:
—Antes de que pasemos más adelante, y para que el caso no
te asombre, sabe que eso no son torres, sino gigantes; todos
los cuales están metidos hasta el ombligo en el pozo alrededor de sus muros.

Así como la vista, cuando se disipa la niebla, reconoce
poco a poco las cosas ocultas por el vapor en que estaba
envuelto el aire, de igual modo, y a medida que la mía atravesaba aquella atmósfera densa y obscura, conforme nos íbamos acercando hacia el borde del pozo, mi error se disipaba
y crecía mi miedo. Lo mismo que Montereggione (643) corona de torres su recinto amurallado, así, por el borde que
rodea el pozo, se elevaban como torres y hasta la mitad del
cuerpo, los hombres gigantes, a quienes amenaza todavía Júpiter desde el cielo cuando truena. Yo podía distinguir ya el
rostro, los hombros y el pecho de uno de ellos, y la gran
parte de su vientre, y sus dos brazos a lo largo de los costados.
En verdad que hizo bien la Naturaleza cuando abandonó el
arte de crear tales seres, para quitar a Marte auxiliares tan
terribles; y si ella no se arrepiente de producir elefantes y
ballenas, quien lo repare sutilmente, verá en esto mismo su
justicia y su discreción; porque donde la fuerza del ingenio se une a la malevolencia y al vigor, no hay resistencia
posible para los hombres.

Su cabeza me parecía tan alta y gruesa como la piña de
San Pedro en Roma (644), guardando la misma proporción
las demás partes del cuerpo; de suerte que, aun cuando el ribazo le ocultaba de medio cuerpo abajo, se veía lo bastante
para que tres frisones no hubieran podido alabarse de alcanzar treinta grandes palmos desde el borde del pozo hasta el
sitio donde el hombre se abrocha la capa.

—*Rafèl maì amech zabì almi* (645), empezó a gritar la
horrenda boca, no hecha para palabras más suaves. Y mi
Guía le dijo: —Alma insensata, sigue entreteniéndote con la

(643) Montereggione, Castillo entre Stragia y Siena: conserva todavía sus muros circulares y sus torres, a la distancia de cincuenta
brazas unas de otras.
(644) Una gran piña de bronce, que primero estuvo sobre la Mole
Adriana; en tiempo de Dante estaba en la plaza de la antigua basílica de San Pedro en el Vaticano, y ahora está en el jardín que conduce al palacio de Inocencio VIII.
(645) Entre las varias opiniones acerca del significado de estas
extrañas palabras, parece ser la más probable la que apunta Fraticelli,
a saber: que cada una de las cinco voces pertenece a diferente
lengua; la primera al hebreo, y las otras a cuatro de los principales
dialectos derivados de aquélla. Esta opinión parece confirmarla Dante

trompa, y desahógate con ella cuando te agite la cólera u otra
pasión. Busca por tu cuello y encontrarás la soga que la sujeta
¡oh, alma turbada!; mírala cómo ciñe tu enorme pecho —.
Después, volviéndose hacia mí, me dijo: —Él mismo se
acusa: ese es Nemrod (646), por cuyo audaz pensamiento
se ve obligado el mundo a usar más de una lengua. Dejé-
mosle estar, y no lancemos nuestras palabras al viento, pues
ni él comprende el lenguaje de los demás, ni nadie conoce
el suyo.

Continuamos, pues, nuestro viaje, siguiendo hacia la izquierda; y a un tiro de ballesta de aquel punto encontramos
otro gigante, mucho más grande y de más feroz aspecto. No
podré decir quién fué capaz de sujetarle; pero sí que tenía
ligado el brazo izquierdo por delante y el otro por detrás con
una cadena, la cual le rodeaba del cuello abajo, dándole cinco
vueltas en la parte del cuerpo que salía fuera del pozo.

—Ese soberbio quiso ensayar su poder contra el sumo
Júpiter, dijo mi Guía, por lo cual tiene la pena que ha merecido. Llámase Efialto (647), y dió muestras de audacia
cuando los gigantes infundieron temor a los dioses; los brazos
que tanto movió entonces, no los moverá ya jamás.

Y yo le dije: —Si fuese posible, quisiera que mis ojos tu-
viesen una idea de lo que es el desmesurado Briareo (648) —.
A lo que contestó: —Verás cerca de aquí a Anteo (649),
que habla y anda suelto, el cual nos conducirá al fondo del
Infierno. El que tú quieres ver está atado mucho más lejos,
y es lo mismo que éste, sólo que su rostro parece más feroz.

El más impetuoso terremoto no sacudió nunca una torre
con tal violencia como se agitó repentinamente Efialto. Enton-

---

cuando dice más abajo: «Él mismo se acusa: este es Nemrod, etc.;
el que por haber querido construir la torre de Babel, produjo la confusión e hizo que en el mundo no se hable una sola lengua. En tal
supuesto, y admitiendo la versión del abate Giuseppe Venturi (aunque
éste dice que las palabras son siríacas), significarían: *¡Poder de Dios!
¿Por qué estoy en esta profundidad? Vuelve atrás; escóndete*; pero
perteneciendo a varias lenguas, serían como si traducidas en español,
latín, alemán, francés e italiano, dijésemos: ¡Pardiez! — cur ego —
hier? — Va-t-en; — t' ascondi.

(646) Nemrod, hijo de Caín, autor de la famosa torre de Babel. Virgilio le supone tan distraído, que se olvida de que lleva colgada al
cuello la trompa que acababa de tocar.

(647) Fialto o Efialto, uno de los gigantes hijos de Titán que
movieron guerra a Júpiter.

(648) Briareo, el de los cien brazos, a quien pinta Virgilio (*Eneida*,
lib. X, vers. 565 y sigs.); por esto, sin duda, sentía Dante curiosidad
por verle.

(649) Anteo, otro gigante, que en singular combate con Hércules,
fué vencido y muerto.

ces temí la muerte más que nunca, y a no haber visto que el
gigante estaba bien atado, bastara para ello el miedo que me
poseía.

Seguimos avanzando, y llegamos a donde estaba Anteo,
que, sin contar la cabeza, salía fuera del abismo lo menos
cinco alas (650).

—¡Oh! tú, que en el afortunado valle donde Escipión heredó tanta gloria, cuando Aníbal y los suyos volvieron las espaldas (651), recogiste mil leones por presa, y que, si hubieras asistido a la gran guerra de tus hermanos, aún hay
quien crea que habrías asegurado la victoria a los hijos de la
Tierra (652); si no lo llevas a mal, condúcenos al fondo en
donde el frío endurece el Cocito. No hagas que me dirija a
Ticio ni a Tifeo (653). Éste que ves aquí puede proporcio-
naros lo que más vivamente deseáis (654); por tanto, inclí-
nate y no tuerzas la boca. Todavía puede renovar tu fama en
el mundo; pues vive, y espera gozar aún de larga vida, si la
gracia no lo llama a sí antes de tiempo (655).

Así le dijo el Maestro; y el gigante, apresurándose a
extender aquellas manos que tan rudamente oprimieron a
Hércules (656), cogió a mi Guía. Cuando Virgilio se sintió
en sus manos, me dijo: —Acércate para que yo te tome—.
Y en seguida me abrazó de modo que los dos juntos formá-
bamos un solo fardo.

Como al mirar la Carisenda (657) por el lado a que está
inclinada, cuando pasa una nube por encima de ella en sentido contrario, parece próxima a derrumbarse, tal me pareció
Anteo cuando le vi inclinarse; y fué para mí tan terrible
aquel momento, que hubiese preferido ir por otro lado.

Pero él nos condujo suavemente al fondo del abismo que
devora a Lucifer y a Judas; y no permaneció largo rato inclinado, pues volvió a erguirse como el mástil de un navío.

(650) Medida inglesa de aquel tiempo, calculada en 1 metro y
168 mm. Las cinco *alas* equivaldrían a unos 30 palmos.
(651) En la batalla de Zama.
(652) Los gigantes, hijos de Titán y de la Tierra.
(653) Otros dos gigantes.
(654) Dante puede daros lo que aquí deseáis; esto es, fama en el
mundo; por lo tanto, complácele y no hagas muecas de desdén.
(655) Es decir, antes del término natural, pues se hallaba *a la
mitad del camino de su vida.*
(656) Alusión a la lucha de Hércules con Anteo.
(657) Carisenda o Garisenda, torre inclinada de Bolonia, llamada
así del nombre de su constructor, y que hoy se llama la Torre Moz-
za. Tiene 130 pies de elevación. Al que se coloca al pie de ella en el
lado a que se inclina, mirando arriba cuando pasa una nube en sentido contrario a su inclinación, le parece que la torre va a caerse.

CANTO XXXII

Noveno círculo; están en él los traidores y se divide en cuatro recintos. — El primero, llamado "La Caína", es el de Caín el fratricida. Los que han sido traidores a sus parientes están sumergidos en un lago helado. — En el segundo recinto, llamado "La Antenora", están los traidores a su patria.

SI poseyese un estilo áspero y ronco, cual conviene para describir el sombrío pozo donde mueren todas las rocas (658), expresaría mucho mejor la esencia de mi pensamiento; pero como no lo tengo, me decido a ello con temor; pues que el describir el fondo de todo el Universo no es empresa que pueda tomarse como juego, ni para ser acometida por una lengua balbuciente (659).

¡Oh, gentes malditas sobre todas las demás, que estáis en el sitio al que me es tan duro referirme; más os valiera haber sido aquí convertidas en ovejas o cabras!

Cuando llegamos al fondo del obscuro pozo, mucho más abajo de donde tenía los pies el gigante, como yo estuviese aún mirando el alto muro, oí que me decían (660): —Cuidado cómo andas; procura no pisar las cabezas de nuestros infelices y torturados hermanos—. Volvíme al oír esto, y vi delante de mí y a mis pies un lago, que, por estar helado, parecía de vidrio y no de agua. Ni el Danubio en Austria, durante el invierno, ni el Tanáis (661) allá, bajo el frío cielo,

(658) En su sistema cósmico, Dante contemplaba la tierra como centro del Universo y el Infierno como centro de la tierra, de donde la residencia de Satanás venía a ser el eje en que se apoyaba toda la máquina de la Creación.
(659) Quiere aludir aquí el poeta a que el asunto de que va a tratar no es baladí ni debe ser tratado para lenguas infantiles, considerando su propia insuficiencia o la de la lengua.
(660) Las Musas. Cuéntase que Anfión, al sonido de su lira, hizo descender de los peñascos del monte Citerón, los cuales por sí mismos se unieron y formaron las murallas de Tebas.
(661) El Don actual, bajo el frío clima de la Moscovia.

cubren su curso de un velo tan denso como el de aquel lago; en el cual, aunque hubiera caído el Tabernick o el Pietrapana (662), no habrían causado la menor hendidura. Y a la manera de las ranas cuando gritan con la cabeza del agua, en la estación en que la villana sueña que espiga, así estaban aquellas sombras llorosas y lívidas, sumergidas en el hielo hasta el sitio donde aparece la vergüenza (663), produciendo con sus dientes el mismo sonido que la cigüeña con su pico.

Tenían todas el rostro vuelto hacia abajo; su boca daba muestras del frío que sentían, y sus ojos las daban de la tristeza de su corazón. Cuando hube examinado algún tiempo en torno mío, miré a mis pies. y vi dos sombras tan estrechamente unidas, que sus cabellos se mezclaban.

—Decidme quiénes sois, vosotros que tanto unís vuestros pechos, dije yo. Levantaron la cabeza, y después de haberme mirado, sus ojos, húmedos por dentro, derramaron lágrimas sobre los labios; congelólas el frío en torno a éstos, quedando la boca sellada.

Ninguna grapa unió jamás tan fuertemente dos trozos de madera; por lo cual ambos condenados se embistieron como dos carneros. Tanta fué la ira que los dominó. Y otro, a quien el frío había hecho perder las orejas, me dijo sin levantar la cabeza: —¿Por qué nos miras tanto? (664). Si quieres saber quiénes son estos dos, te diré que el valle por donde corre el Bisenzio fué de su padre Alberto (665) y de ellos. Ambos salieron de un mismo cuerpo (666); y aunque recorras toda la Caína, no encontrarás una sombra más digna

(662) Tabernik, monte de la Esclavonia; Pietrapana, monte de Toscana al norte de Luca.
(663)   «Livide insin là dove appar vergogna,
                Eran l'ombre dolenti nella ghiaccia.»
Este pasaje ha sido interpretado de dos maneras. Unos entienden que Dante quiso decir que las sombras estaban lívidas hasta en el rostro, donde aparece o se muestra la vergüenza. Otros le dan el sentido que va expresado en el texto, y se fundan en la gradación de las penas impuestas a los traidores, que en el tercer recinto están sumergidos hasta el cuello y en el cuarto lo están totalmente: de lo que infieren que los del segundo deben estar hundidos hasta el pecho, y los del primero hasta el ombligo: là dove appar vergogna.
(664) Teniendo la cabeza baja, ¿cómo podía ver que le observaba Dante? Responden algunos comentadores a esto que tal vez el hielo le servía de espejo.
(665) Alberto degli Alberti.
(666) El Bisenzio corre por el valle de Falterona, entre Luca y Florencia. En este valle tuvo sus posesiones Alberto degli Alberti. Muerto éste, sus dos hijos Alejandro y Napoleón (nacidos de una misma madre) se disputaron la herencia, y el uno mató al otro a traición.

de estar sumergida en el hielo, ni aun la de aquel a quien la
mano de Arturo rompió de un golpe el pecho y la sombra (667), ni la de Focaccia (668), ni la de éste que se llamó
Sassolo Mascheroni (669); si eres toscano, bien sabrás quién
es. Y para que no me hagas hablar más, sabe que yo soy Camiccione de Pazzi (670), y que espero a Carlino (671),
cuyas culpas harán aparecer menos graves las mías.

Después vi otros mil rostros amoratados por el frío, de
tal modo, que desde entonces no puedo mirar sin horror los
estanques helados. Y mientras nos dirigíamos hacia el centro, donde converge toda la gravedad de la tierra, yo temblaba en la eterna lobreguez (672); y no sé si lo dispuso Dios,
el Destino o la Fortuna, pero al pasar por entre aquellas
cabezas, di un fuerte golpe con el pie en el rostro de una de
ellas, que me dijo llorando: —¿Por qué me pisas? Si no
vienes a aumentar la venganza de Monte Aperto (673), ¿por
qué me molestas? —. Entonces dije yo: —Maestro mío, es-
pérame aquí, a fin de que éste me esclarezca una duda; luego te seguiré con la rapidez que desees —. Mi Guía se detuvo, y yo dije a aquel que aún estaba blasfemando:
—¿Quién eres tú, que así reprendes a los demás? —Y tú,
que vas por el recinto de Antenor, me contestó él, golpeando
a los demás en el rostro, de tal modo que, ni aun cuando

(667) Mordrec, que habiéndose emboscado para matar a su padre
Arturo, rey de la Gran Bretaña, fué descubierto por él y traspasado
de una lanzada; y como, según cuenta la novela de *Lancelote del
Lago*, a través de la herida pasó un rayo de sol, dice por eso el
Poeta que un golpe le rompió el pecho y la sombra.

(668) Focaccia de Cancellieri, noble de Pistoya, el cual cortó una
mano a un primo y mató a un tío suyos; cuyas crueldades dieron
origen a las facciones de los Blancos y de los Negros, que primero
empezaron en Pistoya y luego se extendieron a Florencia.

(669) Sassolo Mascheroni, de Florencia, que mató a su tío. Otros
dicen que, siendo tutor de un sobrino suyo, lo mató para apoderarse
de la herencia.

(670) Camiccione de Pazzi, de Valdarno, el cual mató a traición
a Ubertino, su pariente.

(671) Carlino de Pazzi entregó a traición y por dinero en poder
de los Negros de Florencia el castillo de Piano de Trevigna, situado
en el valle del Arno; y puso en manos de sus enemigos a todos los
Blancos que había en él.

(672) Entran en la *Antenora* o recinto de Antenor, donde están los
traidores a su patria. Antenor hizo traición a Troya, ocultando a
Ulises en su palacio.

(673) Este es Bocca de los Abatti, florentino, que en la batalla de
Monte Aperto y estando él en el ejército güelfo, ganado por los gibelinos, cortó traidoramente la mano a Jacobo Pazzi, que llevaba el estandarte de su partido. Los güelfos, aterrados por la caída de su enseña, huyeron y perdieron la batalla. «Si no vienes a aumentar el
castigo que sufro por la traición de Monte Aperto, dice a Dante, ¿por
qué me molestas?»

fueras un hombre vivo, sería demasiado fuerte, dime, ¿quién eres? —Yo estoy vivo, fué mi respuesta; y puede serte grato, si fama deseas, que ponga tu nombre entre los otros que conservo en la memoria—. A lo que repuso: —Deseo todo lo contrario; vete de aquí, y no me causes más molestia, pues suenan mal tus lisonjas en esta caverna (674)—. Entonces le cogí por detrás, por los cabellos, y le dije: —Es preciso que digas tu nombre, o no te quedará un solo cabello—. Pero él me replicó: —Aunque me dejes sin cabello, no te diré quién soy; no verás mi rostro, aunque destroces mi cabeza.

Yo tenía ya sus cabellos enroscados en mi mano, y le había arrancado más de un puñado de ellos, mientras él aullaba con los ojos fijos en el hielo, cuando otro condenado gritó: —¿Qué tienes, Bocca? ¿No te basta castañetear los dientes, sino que también ladras? ¿Qué demonio te atormenta? —Ahora, dije, ya no quiero que hables, traidor maldito; que para tu eterna vergüenza llevaré al mundo noticias ciertas de ti. —Vete pronto, repuso, y cuenta lo que quieras; pero si sales de aquí, no dejes de hablar de ese que ha tenido la lengua tan suelta, y que está llorando el dinero que recibió de los franceses: «Yo vi, podrás decir, a Buoso de Duera (675), allí donde los pecadores están helados.» Si te preguntan por los demás que están aquí, a tu lado tienes al de Beccaria (676), cuya garganta segó Florencia. Creo que más allá está Gianni de Soldaniero (677) con Ganelón y Tebaldello, el que entregó a Faenza mientras sus habitantes dormían.

Estábamos ya lejos de él, cuando vi a otros dos helados en una misma fosa, colocados de tal modo, que la cabeza del uno parecía ser el sombrero del otro.

Y como el hambriento en el pan, así el de encima clavó

(674) Los traidores no desean fama, sino, antes bien, el olvido de sus nombres.

(675) Buoso de Duera, de Cremona, el cual, mandando buenas tropas del rey Manfredo en el distrito de Parma, merced al oro que le ofreció el conde, dejó pasar el ejército francés de Carlos de Anjou.

(676) Don Tesauro de Becheria, o Beccaría, de Pavía, abad de Vallombrosa, y cardenal legado del papa Alejandro IV, a quien cortaron la cabeza en la plaza de San Apolinar de Florencia por haber tratado de quitar el gobierno a los güelfos para darlo a los gibelinos.

(677) Juan Soldanieri, que siendo del partido de los gibelinos, en Florencia, se pasó a los güelfos. — Ganelón, traidor, según las crónicas de Carlomagno, que vendió a Roldán, ocasionando la derrota de Roncesvalles. — Tebaldello de Manfredi era un ciudadano de Faenza, que por traición abrió de noche una puerta de la ciudad, entregándola a un francés, lugarteniente de Martín IV.

sus dientes al de debajo en el sitio donde el cerebro se une con la nuca. No mordió con más furor Tideo las sienes de Menalipo (678), como éste el cráneo de su enemigo y todo lo demás que contenía.

—¡Oh, tú, que demuestras, por medio de tan brutal acción, el odio que tienes al que estás devorando! Dime qué es lo que te induce a ello, le pregunté, y te doy mi palabra de que, si te quejas con razón de él, sabiendo yo qué crimen es el suyo y quiénes sois, te vengaré en el mundo, si mi lengua no llega antes a secarse.

(678) Tideo, hijo de Eneas, rey de Caledonia, y el tebano Menalipo, combatieron uno contra otro frente a Tebas; y habiendo quedado ambos mortalmente heridos, Tideo, sobreviviendo a su enemigo, hizo que le trajeran su cabeza y la mordió de rabia.

CANTO XXXIII

*Historia del conde Ugolino. — Tercer recinto, llamado "Ptolomea"
o de Ptolomeo: en él están los traidores a sus amigos y huéspedes. — El hermano Alberico.*

APARTÓ aquel pecador su boca de tan horrible alimento,
limpiándosela en los pelos de la cabeza, cuya parte
posterior acababa de roer; y luego empezó a hablar
de esta manera:

—Tú quieres que renueve el desesperado dolor que oprime mi corazón, sólo al pensar en él y aun antes de hablar.
Pero si mis palabras deben ser un germen de infamia para el
traidor a quien devoro, me verás llorar y hablar a un mismo
tiempo. No sé quién eres, ni de qué medios te has valido
para llegar hasta aquí; pero al oírte, me pareces, ciertamente,
florentino.

Has de saber que yo fuí el conde Ugolino y éste el arzobispo Ruggieri (679); ahora te diré por qué le trato así.
No es necesario manifestarte que por efecto de sus infames
pensamientos, y fiándome de él, fuí preso y muerto después.
Pero te referiré lo que no puedes haber sabido; esto es, lo
cruel que fué mi muerte, y sólo entonces comprenderás cuán
cruelmente me ha ofendido.

(679) Ugolino de la Gherardesca, conde de Donorático, de concierto con el arzobispo Ruggieri degli Ubaldini, se apoderó del gobierno de Pisa. Posteriormente, en 1288, el arzobispo, ya fuese por
odio de partidos, o por vengarse de Ugolino, que había dado muerte
a un sobrino suyo, sublevó al pueblo contra él, esparciendo la voz
de que había vendido a los florentinos y lugueses algunos castillos
(lo cual no era verdad), y con ayuda de los Gualandi, de los Sismondi
y de los Lanfranchi, nobles familias pisanas, atacó a las casas del
conde, y le hizo prisionero, junto con sus dos hijos Gaddo y Uguc-
ción, y sus dos sobrinos Ugolino, llamado el *Brigata*, y Anselmiti.
Habiéndolos encerrado en la torre de los Gualandi, al cabo de siete
meses hizo arrojar al Arno las llaves de la prisión, que desde entonces fué llamada *Torre del Hambre*, a fin de que nadie pudiese
dar ningún alimento a los prisioneros.

Un pequeño agujero abierto en la torre, que por mi mal se llama hoy del Hambre, y en la que todavía serán encerrados otros, me había permitido ver por su hendidura ya muchas lunas (680), cuando tuve el mal sueño que descorrió para mí el velo del porvenir. Ruggieri se me aparecía como señor y caudillo, cazando el lobo y los lobeznos en el monte que impide a los pisanos ver la ciudad de Luca (681). Se había hecho preceder de los Gualandi, de los Sismondi y los Lanfranchi (682), que iban a la cabeza con perros hambrientos, diligentes y amaestrados. El padre y sus hijuelos me parecieron rendidos después de una corta carrera, y creí ver que aquéllos les desgarraban los costados con sus agudas presas.

Cuando desperté antes de la aurora, oí llorar entre sueños a mis hijos, que me rodeaban pidiendo pan. Bien cruel eres, si no te contristas pensando en lo que aquello anunciaba a mi corazón; y si ahora no lloras, no sé lo que puede excitar tus lágrimas. Estábamos ya despiertos, y se acercaba la hora en que solían traernos alimentos; pero todos dudábamos, porque cada cual había tenido un sueño semejante. Oí que clavaban la puerta de la horrible torre (683), por lo cual miré al rostro de mis hijos sin decir palabra. Yo no podía llorar, porque el dolor me tenía como petrificado; lloraban ellos, y mi Anselmito dijo: «¿Qué tienes, padre, que así nos miras?» Sin embargo, no lloré, ni respondí una palabra en todo aquel día, ni en la noche siguiente, hasta que otro sol alum-

(680) Quiere decir que habían pasado muchos meses.
(681) El monte de San Julián, que está entre Pisa y Luca. El lobo y sus lobeznos figuran ser el conde y sus hijos. Los perros hambrientos significan las turbas populares, capitaneadas por los nobles pisanos.

El conde Ugolino era güelfo, y por eso, en su sueño, se simboliza a sí mismo en el *lobo*. Como se hace frecuente mención en este poema de los güelfos y gibelinos, o mejor dicho, *guibelinos (ghibelini)*, conviene explicar el origen de estos nombres, con que se distinguían los dos partidos que durante tantos años agitaron a Alemania y a Italia. A la muerte de Enrique V, acaecida en 1120, dos animosos rivales, Lotario *Wolf* y Conrado *Guebeling*, se disputaron el trono imperial: entonces empezaron los dos partidos, que continuaron luego transmitiéndose los odios de generación en generación. Andando el tiempo, los papas se colocaron a la cabeza de los güelfos, y los emperadores a la de los gibelinos. *Wolf*, en lengua alemana, significa *lobo*, por lo cual los italianos llamaban a los güelfos *lupi* (lobos); y así vemos que Dante, al principio del poema, simboliza a Roma en una *loba*; en otros pasajes designa con ese mismo nombre a los güelfos, y en el canto XIV del Purgatorio llama a Florencia *la maladetta e sventurata fossa de' lupi*.

(682) Familias pisanas.
(683) Cuando el arzobispo dispuso que se arrojaran las llaves al Arno.

bró el mundo. Cuando entró en la dolorosa prisión uno de
sus débiles rayos, y consideré en aquellos cuatro rostros el
aspecto que debía tener el mío, empecé a morderme las manos desesperado; y ellos, creyendo que yo lo hacía obligado
por el hambre, se levantaron con presteza y dijeron: «Padre,
nuestro dolor será mucho menor si te nutres con nuestros
cuerpos; tú nos diste estas miserables carnes; despójanos,
pues, de ellas.»

Entonces me calmé para no entristecerlos más; y aquel
día y el siguiente permanecimos mudos. ¡Ay, dura tierra!
¿Por qué no te abriste? Cuando llegamos al cuarto día, Gaddo
se tendió a mis pies, diciendo: «Padre mío, ¿por qué no me
auxilias?» Allí murió; y lo mismo que me estás viendo, vi
yo caer los tres, uno a uno, entre el quinto y el sexto día.
Ciego ya (684), fuí a tientas buscando a cada cual, llamán-
dolos durante tres días después de estar muertos; hasta que,
al fin, pudo en mí más el hambre que el dolor» (685).

Cuando hubo pronunciado estas palabras, con mirada ex-
traviada, volvió a coger el miserable cráneo, y sus dientes,
como los de un perro, se clavaron en el hueso. ¡Ah, Pisa,
vituperio de las gentes del hermoso país donde el *si* sue-
na! (686). Ya que tus vecinos son tan morosos en castigar-
te, muévanse la Capraja y la Gorgona (687), y formen un
dique a la embocadura del Arno, para que sepulte en sus
aguas a todos tus habitantes; pues si el conde Ugolino fué
acusado de haber vendido tus castillos, no debiste someter a
sus hijos a tal suplicio. Su tierna edad patentiza, ¡oh, nueva
Tebas! (688), la inocencia de Uguccción y del Brigata (689),
y la de los otros dos que nombré antes (690).

Seguimos luego más allá, donde el hielo oprimía duramente a otros condenados, que no estaban con el rostro hacia
abajo, sino vueltos hacia arriba (691). Su mismo llanto no
les dejaba llorar; pues el dolor, que topaba al salir con el

(684) Debilitada su vista por el hambre.
(685) Pudo más el hambre, porque le quitó la vida; lo que el
dolor no había podido.
(686) En otra de sus obras llama Dante lengua del *si* a la italiana, así como lengua de *oc* a la provenzal, y lengua de *oïl* a la
francesa.
(687) Dos islas del mar de Toscana, en la embocadura del Arno.
Los vecinos a que alude son los luqueses, florentinos y sieneses.
(688) La antigua Tebas tuvo fama de crueldad, porque fueron en
extremo crueles sus ciudadanos.
(689) El primero era hijo del conde, y el segundo, nieto.
(690) Anselmo y Gaddo.
(691) Entran en el tercer recinto del noveno círculo, el de Tolomeo.

obstáculo de las lágrimas, retrocedía hacia dentro, aumentando la angustia; porque las primeras lágrimas formaban un dique, y como una visera de cristal, llenaban debajo de los párpados toda la cavidad del ojo.

Y aunque mi rostro, a causa del intenso frío, había perdido toda sensibilidad, como si lo tuviera encallecido, me pareció que sentía algún viento, por lo cual dije: —Maestro, ¿qué causa mueve este viento? ¿No está extinguido aquí todo vapor? (692)—. A lo cual me contestó: —Pronto llegarás a un sitio donde tus ojos te darán la respuesta, viendo la causa de ese viento—. Y uno de los desgraciados de la helada charca nos gritó: —¡Oh, almas cuya gran culpa ha destinado al último recinto! (693). Arrancadme de los ojos este duro velo, a fin de que pueda desahogar el dolor que me hincha el corazón, antes que mis lágrimas se hielen de nuevo.

Al oír tales palabras, le dije: —Si quieres que te alivie, dime quién fuiste; y si no te presto este consuelo, véame sumergido en el fondo de ese hielo—. Entonces él me contestó: —Yo soy fray Alberigo (694); soy aquel cuyo huerto ha producido tan mala fruta, que aquí recibo un dátil por un higo (695)—. ¡Oh!, le dije yo: ¿también tú has muerto? (696). —No sé cómo estará mi cuerpo allá arriba, repuso; esta Ptolomea (697) tiene el privilegio de que las almas caigan con frecuencia en ella antes de que Atropos (698) mueva los dedos; y para que de mejor grado me arranques las congeladas lágrimas del rostro, sabe que en cuanto un alma comete alguna traición como la que yo cometí, se apodera de su cuerpo un demonio, que después dirige

(692) Costa interpreta así esta pregunta: La causa del viento es el calor del Sol, que produce la evaporación. Por eso la pregunta: «¿No está extinguido aquí todo el vapor?» Equivale a esta otra: «¿No está privado este sitio de la actividad del Sol?», y si así es, ¿de dónde sopla el viento?»

(693) Porque juzgaba a los dos poetas almas de condenados al lugar ínfimo del Infierno

(694) Alberigo de Manfredi, señor de Faenza, que ingresó en la orden de los Hermanos Gozosos, se había enemistado con sus parientes. Un día, fingiendo reconciliarse con ellos, les invitó a un gran banquete, y en el momento de servirse los postres, les hizo asesinar. De aquí tuvo origen el proverbio italiano: «Ese ha probado la fruta de Alberigo».

(695) Esto es: por el daño que hizo en el mundo, lo recibe mayor en el Infierno.

(696) El Poeta hace esta pregunta porque sabía que fray Alberigo vivía aún.

(697) El recinto de Tolomeo, donde están los traidores a sus huéspedes y a sus amigos.

(698) Atropos, una de las tres Parcas, encargada de cortar el hilo de la vida.

todas sus acciones, hasta que llega el término de su vida. En cuanto al alma, cae en este pozo; y por eso tal vez puede verse todavía en el mundo el cuerpo de esa sombra que está detrás de mí en este hielo. Debes conocerle, si es que acabas de llegar al Infierno: es *ser* Branca d'Oria (699), el cual hace ya muchos años que fué encerrado aquí.

—Yo creo, le dije, que me engañas, porque Branca d'Oria no ha muerto aún, y come, bebe, y duerme, y va vestido.

—Aún no había caído Miguel Zanche, repuso aquél, en la fosa de Malebranche, allí donde hierve continuamente la pez, cuando Branca d'Oria ya dejaba un diablo haciendo sus veces en su cuerpo y en el de uno de sus parientes, que fué cómplice de su traición. Extiende ahora la mano y ábreme los ojos —. Yo no se los abrí, y lealtad ha de llamarse a mi parecer el mostrarse con tal sujeto desleal.

¡Ah, genoveses! ¡hombres diversos de los demás en costumbres, y llenos de toda iniquidad! ¿por qué no sois desterrados del mundo? Junto con el peor espíritu de la Romaña (700), he encontrado uno de vosotros, que, por sus acciones, tiene el alma sumergida en el Cocito, mientras que su cuerpo aparece aún vivo en el mundo (701).

(699) Branca d'Oria, genovés, que mató a traición a su suegro Miguel Zanche, a quien colocó el poeta en la fosa de los prevaricadores.

(700) Fray Alberigo.

(701) Cuéntase, dice un comentador de Dante, que, habiéndose éste dirigido a Génova, fué muy mal recibido, gracias a las instigaciones de Branca d'Oria, que azuzó contra él a todos los enemigos de los principios que profesaba; y el poeta, que no se distinguía, en verdad, por lo caritativo, lo metió en el Infierno y no sólo desahogó en él su saña, sino en todos y en cada uno de sus compatriotas.

CANTO XXXIV

Cuarto recinto del noveno círculo, llamado "la Judesca". — En él sufren tormento Judas y los que han sido traidores a sus bienhechores. — Lucifer. — Los Poetas salen de la ciudad del llanto, y ven otra vez las estrellas.

VEXILLA *regis prodeunt Inferni* (702) hacia nosotros. Mira adentro, dijo mi Maestro, a ver si lo distingues. Como aparece a lo lejos un molino, cuyas aspas hace girar el viento, cuando éste arrastra una espesa niebla, o cuando anochece en nuestro hemisferio, así me pareció ver a gran distancia un artificio semejante; y luego, para resguardarme del viento, a falta de otro abrigo, me acurruqué detrás de mi Guía.

Estaba ya (con pavor lo digo en mis versos) en el sitio donde las sombras se hallaban completamente cubiertas de hielo (703), y se transparentaba como paja en vidrio. Unas estaban tendidas, otras derechas; aquéllas con la cabeza, éstas con los pies hacia abajo, y otras por fin con la cabeza tocando a los pies como un arco. Cuando mi Guía creyó que habíamos avanzado lo suficiente para enseñarme la criatura que tuvo el más hermoso rostro, se colocó delante de mí, e hizo que me detuviera. —He ahí a Dite (704), me dijo, y he aquí el lugar donde es preciso que te armes de fortaleza.

No me preguntes, lector, cuán helado y yerto me quedé en aquel momento; no quiero escribirlo, porque cuanto po-

---

(702) «*Los estandartes del rey de los Infiernos avanzan.*» — Imitación del primer verso del himno que entona la Iglesia ante el estandarte de la Cruz, y que aquí aplica irónicamente Virgilio hablando de Lucifer, para burlarse de la soberbia de éste, que intentó igualarse a Dios.

(703) Al cuarto recinto, la *Giudeca* o *Judaica*, destinado a los que han hecho traición a sus bienhechores o a aquellos de quien dependían.

(704) Dite, Lucifer, que antes de su caída fué el más hermoso de los ángeles.

dría decir sería poco. No morí, y tampoco quedé vivo; piensa por ti, si tienes alguna imaginación, lo que me sucedería viéndome así privado de la vida sin estar muerto.

El emperador del doloroso reino salía fuera del hielo desde la mitad del pecho; mi estatura era más proporcionada a la de un gigante que la de uno de éstos a la longitud de los brazos de Lucifer; juzga, pues, cuál deba ser el todo que a semejante parte corresponda (704*). Si fué tan bello como deforme es hoy, y osó levantar sus ojos contra su Creador, de él debe proceder sin duda todo mal. ¡Oh! ¡Cuánto asombro me causó, al ver que su cabeza tenía tres rostros! Uno por delante, que era de color bermejo; los otros dos se unían a éste sobre el medio de los hombros, y se juntaban por detrás en lo alto de la coronilla, siendo el de la derecha entre blanco y amarillo, según me pareció; el de la izquierda tenía el aspecto de los oriundos del valle del Nilo (705). Debajo de cada rostro nacían dos grandes alas, proporcionadas a la magnitud de tal pájaro; y no he visto jamás velas de buque comparables a ellas; no tenían plumas, pues eran por el estilo de las del murciélago; y se agitaban de manera que producían tres vientos, con los cuales se helaba todo el Cocito. Con seis ojos lloraba Lucifer, y por las tres barbas corrían sus lágrimas, mezcladas de baba sanguinolenta. Con los dientes de cada boca, a modo de agramadera (706), trituraba un pecador, de suerte que tres desgraciados sufrían a la vez aquel castigo. Nada representaba para el de delante el verse mordido, comparado con las heridas que le causaban las garras en la espalda, que a veces quedaba desollada totalmente.

—El alma que está sufriendo la mayor pena allá arri-

(704*) Lucifer está en un pozo cuyo centro es el del Universo. La parte circular interna del mismo pozo, que le rodea, es de hielo macizo; la otra mitad, toda de piedra. Del pecho arriba, que es la cuarta parte superior de su enorme cuerpo, sobresale del pozo y corresponde a nuestro hemisferio; de las rodillas a los pies, que es la otra cuarta parte inferior, está también fuera del pozo, pero en el hemisferio opuesto. Tiene de alto 3.000 codos (de a tres palmos), de modo que la parte metida dentro del pozo son las dos cuartas partes de su cuerpo, o sea, 1.500 codos, y, por consiguiente, esta es la profundidad del pozo, en cuyo centro está justamente el centro del cuerpo de Lucifer, que permanece allí suspendido.

(705) Los tres rostros de diversos colores significan las tres partes del mundo entonces conocidas. El rojo o bermejo, los europeos; el entre blanco y amarillo, los asiáticos; el negro, los africanos. Los tres vientos de que habla luego simbolizan tal vez los tres vicios generadores de todo mal, a saber: la soberbia, la envidia y la avaricia.

(706) Agramadera (maciulla) es el instrumento con que se machaca el lino y el cáñamo, para quebrantar los troncos, haciendo saltar las aristas y dejando sólo las hebras.

ba (707), dijo el Maestro, es la de Judas Iscariote, que tiene la cabeza dentro de la boca de Lucifer y agita fuera de ella las piernas. De las otras dos que tienen la cabeza hacia abajo, la que pende de la boca negra es Bruto (708); mira cómo se retuerce sin decir una palabra; el otro, que tan membrudo parece, es Casio. Pero se acerca la noche, y es hora ya de partir, pues todo lo hemos visto.

Siguiendo sus deseos, me abracé a su cuello; aprovechó el momento y el lugar favorables, y cuando las alas estuvieron bien abiertas, agarróse a las velludas costillas de Lucifer, y de un pelo a otro descendió por entre el bosque hirsuto y las heladas costras (709). Cuando llegamos al sitio en que el muslo se desarrolla justamente sobre lo grueso de las caderas, mi Guía, con fatiga y con angustia, volvió su cabeza hacia donde aquél tenía las zancas (710), y se agarró al pelo como un hombre que sube, de modo que creí que volvíamos al Infierno (711).

—Sosténte bien, me dijo jadeando como un hombre cansado; que por esta escalera es preciso partir de la mansión del dolor.

Después salió fuera por la hendidura de una roca, y me sentó en el borde de la misma, poniendo junto a mí su pie

(707) En la boca de Lucifer, Virgilio dice «allá arriba», porque él y Dante la ven a mucha altura, a pesar de que el rey del Infierno está hundido en el hielo hasta la mitad del pecho.

(708) Aquí se ve simbolizada la principal idea política de Dante, que creía necesarias para la felicidad de los hombres la religión cristiana y la monarquía imperial; por esto en las tres bocas de Lucifer pone a Judas, que vendió al Divino Fundador del cristianismo, y a Bruto y Casio, que dieron muerte a Julio César, fundador del Imperio romano.

(709) *Tra 'l folto e le gelate croste.* Aunque Lucifer está hundido en el hielo, éste no se adhiere enteramente a su cuerpo a causa de la espesa y áspera pelambre que le cubre.

(710) Todos los comentadores de Dante, italianos y otros, han explicado mal, en nuestro concepto, este pasaje: Primero, suponiendo que, al decir el poeta que su Guía se volvió *con trabajo y con angustia,* quiso dar a entender la dificultad de moverse en aquel punto, *por ser el centro de la Tierra,* donde la fuerza centrípeta y atractiva debía estar en su mayor grado, según las ideas físicas de aquel tiempo; y segundo, entendiendo que Virgilio se revolvió poniendo su cabeza donde antes tenía los pies. Dante dice: «Bajamos de un pelo a otro por el costado de Lucifer; y cuando estuvimos en aquella parte donde el muslo se desarrolla justamente *appunto* sobre lo grueso de las caderas.

(711) Como Dante (el hombre alegórico) no había tenido que hacer ningún esfuerzo para dar la vuelta, al llegar al centro de la Tierra, por cuanto iba abrazado al cuello de Virgilio, viendo a éste subir, en vez de continuar bajando, como hasta entonces lo había hecho, debió de figurarse que retrocedían para volver al Infierno. Esto es naturalísimo, y no necesita ser explicado, como lo hacen algunos comentadores.

prudente (712). Yo levanté mis ojos, creyendo ver a Lucifer como le había dejado; pero vi que tenía las piernas en alto. Si debí quedar asombrado, júzguelo el vulgo, que no sabe qué punto es aquel por donde yo había pasado (713).

—Levántate, me dijo el Maestro; la ruta es larga, el camino áspero, y ya el sol se acerca a la mitad de tercia (714).

El sitio donde nos encontrábamos no era como la galería de un palacio, sino una caverna de mal piso y escasa de luz.

—Antes que yo salga de este abismo, Maestro mío, le dije al ponerme en pie, contéstame a una cosa, para que salga de dudas. ¿Dónde está el hielo, y cómo es que Lucifer está de ese modo invertido? ¿Cómo es que, en tan pocas horas, ha recorrido el sol su carrera desde la noche a la mañana? (715).

Y me respondió: —¿Te imaginas sin duda que estás aún al otro lado del centro, donde me cogí al vello de ese miserable gusano que atraviesa el mundo? Allá te encontrabas mientras descendíamos; cuando me volví, pasaste el punto hacia el que converge toda la gravedad de la Tierra; y ahora estás bajo el hemisferio opuesto a aquel que cubre el árido desierto (716), y bajo cuyo más alto punto fué muerto el Hombre que nació y vivió sin pecado (717). Tienes los pies sobre una pequeña esfera, que por el otro lado mira a la Judesca. Aquí amanece, cuando allí anochece; y éste de cuyo vello nos hemos servido como de una escala, permanece aún fijo del mismo modo que antes. Por esta parte cayó del cielo; y la tierra, que antes se mostraba en este lado, aterro-

(712) *Appresso porse a me l'accorto passo.* La inteligencia de este verso ha sido muy disputada entre los italianos, y no estamos seguros de haberlo interpretado bien. *Appresso,* puede entenderse *appressoché,* después que; y entre otras versiones, los italianos hacen las siguientes: «Me sentó en el borde de la roca, *después que* me hubo enseñado el modo de salvar aquel difícil paso».

(713) *La gente grossa il pensi.* Piénselo, júzguelo el vulgo, que ignorando las leyes físicas, no puede tener idea de lo que es el centro de la Tierra; y por lo tanto, se asombraría, como Dante, de ver, de un momento a otro, al Diablo con los pies en alto.

(714) Los romanos dividían el día solar en cuatro partes iguales: prima, tercia, sexta y nona. La hora de tercia empezaba a las nueve de la mañana. Pero Virgilio dice que el sol «se acerca a la mitad de tercia», por lo que debe entenderse que serían las siete y media de la mañana.

(715) Dante propone estas dudas para aclarar más el cambio que se ha operado al pasar del uno al otro hemisferio.

(716) Es decir, bajo el hemisferio celeste opuesto al nuestro, que, a manera de bóveda, cubre la extensión de la tierra. *La gran secca,* la gran tierra.

(717) Imagina Dante que Jerusalén está situada en medio del hemisferio boreal y diametralmente opuesta a la montaña del Purgatorio. «El Hombre que nació y vivió sin pecado»: Jesucristo.

rizada al verle, se hizo un velo con el mar y se retiró hacia nuestro hemisferio (718);· y quizá también huyendo de él dejó aquí este vacío el monte que ves elevarse más allá (719).

Hay allá abajo una cavidad que se aleja tanto de Lucifer cuanta es la extensión de su tumba (720); cavidad que no puede reconocerse por la vista, sino por el rumor de un arroyuelo, que desciende por el cauce abierto por él mismo, con sinuosos giros, en una roca de escasa inclinación. Mi Guía y yo entramos en aquel camino oculto, para volver al mundo luminoso; y sin concedernos el menor descanso, subimos, él delante y yo detrás, hasta que pude ver por una abertura redonda las bellezas que contiene el cielo, y por allí salimos para volver a ver las estrellas (721).

(718) Es decir, que la tierra, que antes de la caída de Lucifer estaba por este lado más alta que las aguas, se hundió cubriéndose con aquéllas, y fué a aparecer en la parte de nuestro hemisferio.

(719) Quizá huyendo de Lucifer, dejó aquí esta caverna donde estamos, aquella tierra que se levanta en este hemisferio y forma la montaña del Purgatorio.

Con estas palabras termina Virgilio su discurso, y a continuación habla Dante, dirigiéndose al lector.

(720) Es decir, pasado el centro de la Tierra, hay una cavidad, que se prolonga en el otro hemisferio tanto como tiene de profundidad la caverna infernal.

(721) Desde su entrada en el Infierno hasta el momento de su salida emplearon los poetas cuarenta y ocho horas: veinticuatro desde que entraron hasta que partieron de la Giudeca; tres que les costó bajar desde el pecho de Lucifer al Centro y veintiuna que tardaron en salir desde el centro de la Tierra a la isla del Purgatorio.

Digamos finalmente que Dante quiso que cada uno de los tres Cánticos de su poema terminase con la palabra *estrellas* («stelle»). El Cántico del Infierno tiene 4.720 versos.

RESUMEN DEL PURGATORIO, SEGUNDA PARTE DEL POEMA

E L Purgatorio está dividido en nueve partes. La primera es la denominada por los comentadores Antepurgatorio. Le siguen inmediatamente las siete cornisas en las cuales se purgan los siete pecados capitales. Encima de la última cornisa se halla el Paraíso terrenal. Se ha podido observar que el orden del tratado moral del Infierno es Aristotélico y que el del Purgatorio es Platónico. Aquí las culpas son consideradas, no en razón de sus efectos, sino de sus causas. (*Convivio*, VI; *Purgatorio*, C. XVII.) El Antepurgatorio es el lugar donde son confinadas las almas de los culpables de negligencia, hasta el momento en que les es permitido pasar a purgar sus pecados. Estas almas están bajo la tutela de Catón, en razón de que éste fué hombre excelente en virtud estoica, en oposición con la negligencia. Sus siete reinos, *sette regni* (*Purgatorio*, C. I.), son las siete condiciones de los espíritus que anduvieron lentos en arrepentirse, *e peccattori infino all' ultim' ora* (*Purgatorio*, C. V.), en alguno de los siete pecados capitales. Estos pecados son después castigados en las respectivas cornisas. Una vez purgado el pecado, los espíritus salen libremente hacia el Paraíso terrenal, que es figura del estado de inocencia, para que, por fin, *mondi e lievi possano uscire alle stellate rote*, «purificadas y ágiles puedan salir a las estrelladas esferas» (*Purgatorio*, C. XI.) Los Poetas, después de salir del Infierno, se dirigen hacia la montaña, atravesando la moral de los negligentes, donde, llegada la noche, se duermen, y son transportados por Lucía, que los pone a la entrada del Purgatorio. Entra Dante en éste, por la puerta de la Penitencia, y llega hasta la primera cornisa; después, «bordeando la montaña» (*Purgatorio*, C. XXIII), siempre hacia la izquierda, de cornisa en cornisa y a favor de unas escalas — que resultan menos penosas a medida que se acercan a la cumbre —, llega a la «selva divina», donde pierde a Virgilio y encuentra a Beatriz. Dante se baña en las aguas purificadoras del Eunoé, y se siente dispuesto a emprender el viaje al Cielo.

EL PURGATORIO

CANTO I

Después de una breve invocación a las Musas, cuenta el divino Poeta que, encontrándose en una isla con su guía, al amanecer, halló a Catón de Útica. — Habiéndosele permitido subir al Purgatorio, se dirigió con Virgilio hacia el mar. — Allí, siguiendo el consejo de Catón, Virgilio lavó el rostro a Dante y le puso un cinturón de junco (722).

AHORA la navecilla de mi ingenio, que deja en pos de sí un mar tan cruel, desplegará las velas para navegar por mejores aguas (723); y cantaré aquel segundo reino (724), donde se purifica el espíritu humano y se hace digno de subir al Cielo.

Resucite aquí, pues, la muerta poesía (725), ¡oh, santas

(722) Véase nota 742.
(723) Para tratar de cosas menos dolorosas, menos terribles que las del Infierno.
(724) El Purgatorio.
(725) «*Risurga*, resucite aquí la muerta poesía.» Traducimos estas palabras literalmente, porque nos parece encontrar en ellas un doble sentido alegórico. Pueden significar: «Recobre aquí su viveza la poesía, que ha cantado hasta ahora cosas lúgubres, cosas de muerte, etc.» Pero Dante no escribió· *risurga* por capricho, como tampoco lo hizo así con otra infinidad de palabras que se encuentran en este admirable poema. Sus comentadores no han reparado hasta hoy, que sepamos, en la intención de estos versos con que comienza el cántico del *Purgatorio;* y tan lejos han estado de pensar en ello, que han supuesto equivocadamente que dicho cántico empieza al amanecer del *Lunes* de Pascua de Resurrección, siendo así que empieza el Domingo. Como esta observación que hacemos es nueva, debemos ampliarla.

Se recordará que Dante, perdido en la Selva de la Vida durante la noche del Jueves al Viernes, pasó este día en lucha consigo mismo y con las tres fieras, de las cuales le libró Virgilio. En la noche del Viernes entró en el Infierno; durante toda ella y el día del Sábado recorrió todos los círculos infernales, encontrándose al anochecer del Sábado en el fondo de la *Judesca*, donde le dice Virgilio: «Ya es de noche, y debemos partir; pues todo lo hemos visto». En seguida pasan el centro de la Tierra, y al poco tiempo empieza otro día. ¿Qué día es éste? Este día *es el mismo Sábado Santo*, que habiendo concluído en nuestro hemisferio, empieza en el hemisferio opuesto.

Musas!, pues que a vosotras pertenezco; y realce Calíope (726) mi canto, acompañándolo con aquella voz que
produjo tal efecto en las desgraciadas Urracas (727), que
desesperaron de alcanzar su perdón.

Un suave color de zafiro oriental (728), contenido en el
sereno aspecto del aire puro hasta el primer cielo (729),
reapareció delicioso a mi vista en cuanto salí de la atmósfera muerta, que me había contristado los ojos y el corazón.
El hermoso planeta que convida a amar hacía sonreír todo
el Oriente, desvaneciendo al signo de Piscis, que seguía en
pos de él (730).

Me volví a la derecha, y dirigiendo mi atención hacia
el otro polo, distinguí cuatro estrellas únicamente vistas por
los primeros humanos (731). El cielo parecía gozar con sus
resplandores. ¡Oh, Septentrión, sitio desolado, pues que te
ves privado de admirarlas! Cuando cesé en su contemplación,
volvíme un tanto hacia el otro polo, de donde el Carro (732)
había ya desaparecido, y vi cerca de mí un anciano solo y

Los poetas caminan todo el día y la noche siguiente por la caverna
subterránea, y vuelven a ver el cielo hora y media antes de amanecer. ¿De qué día? Del *Lunes*, dicen los comentadores, contando como
dos días el *doble Sábado*, y olvidándose de las explicaciones que
ha puesto en boca de Virgilio al atravesar el centro de la Tierra.
Ese día es, en el hemisferio austrooccidental, el *Domingo de Resurrección,* que empieza cuando acaba en Europa. Y por eso dice aquí
Dante: *Mai quila morta poesía risurga.* Resucite aquí como el Sal-
vador, al tercero día, saliendo de entre los muertos, de la mansión
del dolor eterno, donde estaba como muerta. No debe perderse de
vista que todo es alegórico y simbólico en la *Divina Comedia.*

(726) La Musa que preside a la poesía heroica.

(727) Las nueve hijas de Pieri, rey de Pella, en Macedonia, que
habiendo desafiado a las Musas, fueron vencidas y transformadas en
urracas. Las mismas Musas son llamadas Piérides.

(728) Es decir, de un vago color azulino.

(729) Hasta el cielo de la Luna.

(730) Estando el Sol en Aries, y los Peces delante de él, se veían
desvanecidos por la luz del planeta Venus, que a poca distancia
de aquéllos precedía al Sol.

(731) Esto es, hacia el Polo antártico, donde están las cuatro estrellas que forman la magnífica constelación de la Cruz del Sur. La geografía de los tiempos del poeta no conocía tierra alguna desde donde
se pudiesen descubrir. El primero de los europeos que las observó fué
Américo Vespuccio, según se lo escribió Francisco de Médicis a Lorenzo de Pier. Debe creerse, sin embargo, que antes las hubiese observado Marco Polo, el cual llegó hasta las islas de Java y de Madagas-
car, y que Dante hubiese tenido por su mediación noticia de dichas
estrellas. Otros creen que éstas representan las cuatro virtudes cardinales.

Dice que estas cuatro estrellas sólo habían sido vistas por Adán
y Eva; porque morando éstos en el Paraíso terrenal, situado, según
la ficción del poeta, en el hemisferio opuesto al nuestro, podían contemplar las estrellas del Polo antártico.

(732) La constelación llamada el Carro u Osa Mayor, próxima al
Polo ártico.

digno, por su aspecto, de tanta veneración que un padre no
puede inspirar más a su hijo. Llevaba una larga barba, canosa
como sus cabellos, que le caían hasta el pecho, dividida en dos
mechones. Los rayos de las cuatro luces santas (733) rodeaban de tal resplandor su rostro, que lo veía como si hubiese
tenido el Sol ante mis ojos. —¿Quiénes sois vosotros, que
contra el curso del tenebroso río, habéis huído de la prisión
eterna?, dijo el anciano, agitando su barba venerable.—¿Quién
os ha guiado, o quién os ha servido de antorcha para salir
de la profunda noche, que inunda en eternas tinieblas el valle
infernal? ¿Así se han quebrantado las leyes del abismo? ¿O
se ha dado quizá en el cielo un nuevo decreto, que os permite, a pesar de estar condenados, venir a mis grutas?

Entonces mi Guía me indicó por medio de sus palabras,
de sus gestos y de sus miradas, que debía mostrarme respetuoso, doblar la rodilla e inclinar la vista. Después le respondió: —No vine por voluntad mía, sino porque una mujer, descendida del cielo, me rogó que acompañara a éste y
le ayudara. Pero ya que es tu voluntad que te expliquemos
más ampliamente cuál sea nuestra verdadera condición, la
mía no puede rehusarte nada. Éste no ha visto aún su última
noche; pero por su locura estuvo tan cerca de ello, que le
quedaba poquísimo tiempo de vida. Así es que, según he dicho, fuí enviado a su encuentro para salvarle, y no había otro
camino más que éste, por el cual me he aventurado. Hele
dado a conocer todos los réprobos, y ahora pretendo mostrar-
le aquellos espíritus que se purifican bajo tu jurisdicción (734).
Sería largo de referir el modo como le he traído hasta aquí;
de lo Alto desciende la virtud que me ayuda a conducirle para
verte y oírte. Dígnate, pues, acoger su llegada benignamente;
va buscando la libertad, que es tan amada (735), como lo sabe
el que por ella desprecia la vida. Bien lo sabes tú, que por
ella no te pareció amarga la muerte de Útica (736), donde

(733) De las cuatro estrellas mencionadas, o de las virtudes que
simbolizan.
(734) «La tua *balia*.» Según la ficción del poeta, Catón es el cus-
todio, el *bayle* del Purgatorio.
(735) Busca los medios de librarse a sí mismo y a su patria de la
tiranía. El sentido continúa siendo aquí alegórico, y conviene conocer
cómo entendía Dante la libertad. «Libertad (dice él mismo en el *Convivio*) es el libre ejercicio de la voluntad; y el juicio es libre, cuando
él previene y mueve los deseos; pero de ningún modo si es mandado
(*prevenuto*) por ellos.»
(736) Virgilio da a conocer aquí que se dirige a Catón, el cual, no
queriendo sobrevivir a la pérdida de la libertad romana, después del
entronizamiento de Julio César, se suicidó en Útica, ciudad de África,
último baluarte de los defensores de la República. Algunos comenta-

dejaste tu cuerpo, que tanto brillará en el gran día (737). No han sido revocados por nosotros los eternos decretos, pues éste vive, y Minos no me tiene en su poder, sino que pertenezco al círculo donde están los castos ojos de tu Marcia (738), que parece rogarte aún, ¡oh, santo corazón!, que la quieras por compañera tuya. En nombre, pues, de su amor, accede a nuestra súplica, y déjanos pasar por tus siete reinos (739); le manifestaré mi agradecimiento hacia ti, si permites que allá abajo se pronuncie tu nombre.

—Marcia fué tan agradable a mis ojos mientras pertenecí a la tierra, dijo él entonces, que obtuvo de mí cuantas gracias quiso; ahora que habita a la otra parte del tenebroso río (740), no puede ya conmoverme a causa de la ley que se me impuso cuando abandoné mi cuerpo (741). Pero si una mujer del cielo te anima y te dirige, según dices, no tienes necesidad de tan laudatorios ruegos; me basta con que me supliques en su nombre. Ve, pues, y haz que ése se ciña con un junco sin hojas (742), y lávale el rostro de modo que quede borrada de él toda mancha; porque no conviene que se presente con la vista ofuscada ante el primer ministro, que es de los del Paraíso (743). Esa pequeña isla que ves allá abajo produce, en torno suyo y por donde la combaten las olas, juncos en su tierra blanda y limosa. Ninguna clase de plantas que eche hojas o que se endurezca puede existir ahí, porque le sería imposible doblegarse a los embates de las olas. Después no volváis por esa parte; el Sol naciente os indicará el modo de encontrar la más fácil subida del monte (744).

dores censuran al poeta porque puso al suicida Catón por conserje del Purgatorio; pero no consideran que Catón (como el mismo Dante en este poema) no es más que una figura alegórica, la cual representa el alma hecha libre de los apetitos sensuales por la aniquilación evangélica de la carne.

(737) En el del Juicio final.
(738) La esposa de Catón, que estaba en el Limbo, o primer círculo del Infierno. «Aún parece rogarte que la tengas por compañera tuya.» Marcia, cedida por Catón a Hortensio, muerto éste, volvió rogando a su primer marido que le recibiera, como lo hizo.
(739) Véase explicación en el «Resumen del Purgatorio», al frente de esta parte.
(740) El río Aqueronte.
(741) La ley que le fué impuesta de olvidar el afecto que tenía a Marcia, por no ser ésta del número de los elegidos.
(742). Emblema de la sencillez y de la humildad. (Véase San Pedro, Epíst., I, 2.)
(743) Cada círculo del Purgatorio está custodiado por un ángel, según veremos después.
(744) Quiere decir que deben ir siguiendo la dirección del Sol, de Oriente a Occidente.

Al decir esto desapareció. Me levanté sin hablar, me coloqué junto a mi Guía, y fijé en él los ojos. Entonces empezó a hablarme de este modo: —Hijo mío, sigue mis pasos; volvamos atrás, porque esta llanura va descendiendo siempre hasta su último límite.

El alba vencía ya al aura matutina, que huía delante de ella, y desde lejos pude distinguir las ondulaciones del mar. Íbamos por la llanura solitaria, como el que busca la senda perdida, y cree caminar en vano hasta que logra encontrarla. Cuando llegamos a un sitio en que el rocío resiste al calor del Sol, y protegido por la sombra se desvanece poco a poco, puso mi Maestro suavemente sus dos manos abiertas sobre la fresca hierba; y yo, comprendiendo su intento, le presenté mis mejillas cubiertas aún de lágrimas, y en las que por obra de él apareció de nuevo el color de que las había privado el Infierno.

Llegamos después a la playa desierta, que no vió nunca navegar por sus aguas a hombre alguno capaz de salir de ellas. Allí me hizo un cinturón, según la voluntad del otro (745); y, ¡oh, maravilla!, cuando arrancó la humilde planta, volvió otra a renacer al momento en el mismo sitio de donde había arrancado aquélla (746).

(745) Según la voluntad de Catón.
(746) Imitación de Virgilio, *Eneida,* lib. VI, 143.

CANTO II

Al salir el Sol, los dos poetas, estando aún a la orilla, ven desli-
zarse por el mar una barca llena de almas, conducidas hacia
el Purgatorio por un ángel. Entre dichas almas, Dante reco-
noce a Casella, músico ilustre. — Casella se olvida de sí mis-
mo, cantando, y Dante oyéndole cantar. — Catón reprende a
las almas por su lentitud en avanzar al sitio de purificación.

YA estaba el Sol tocando al horizonte, cuyo círculo meridiano cubre a Jerusalén con su punto más elevado (747); y ya la noche, formando un arco de oposición a él, salía fuera del Ganges con las Balanzas que se
desprenden de sus manos cuando supera en extensión al
día (748); de modo que allí, donde yo me encontraba, las
blancas y sonrosadas mejillas de la hermosa Aurora, según iba
creciendo, se tornaban de color de oro (749).

(747) Todas las indicaciones cosmográficas contenidas en los nueve
primeros versos de este canto sirven para expresar que la montaña
del Purgatorio es antípoda de Jerusalén. Como todo lugar, tiene su
horizonte y su meridiano, y este círculo pasa por el cenit y por los
polos, cortando en dos puntos al ecuador, perpendicularmente al horizonte; quiere aquí decir que el poeta que mientras el Sol salía donde
él estaba, se ponía en el horizonte de Jerusalén, cuyo meridiano es el
mismo que pasa sobre la montaña del Purgatorio.

(748) El espíritu observador de Dante había notado lo que no hemos visto escrito en ningún tratado astronómico, esto es: que, al ponerse el Sol, aparece la noche en Oriente, formando un cerco obscuro,
el cual no es otra cosa que la sombra de la Tierra proyectada en la
atmósfera. Por esto dice: «Y ya la noche, que opuesta al Sol *cerchia*
(forma un cerco), salía fuera del Ganges». Aquí comete Dante un
error, común a las ideas geográficas de su tiempo, suponiendo que los
meridianos de las bocas del Ganges y de Cádiz, o, si se quiere, de
Tenerife, son equidistantes al de Jerusalén y distan entre sí 180 grados: error disculpable por el estado de estos conocimientos en 1300.
«Sale la noche con las balanzas, etc.» Es decir, acompañada del signo
de Libra, que va con ella desde el solsticio de invierno hasta el de
verano, mientras se alargan los días; y lo pierde (se desprende de sus
manos) cuando empiezan a crecer las noches, de julio a diciembre.

(749) Aparecida ya la noche en Jerusalén, allí, donde estaba

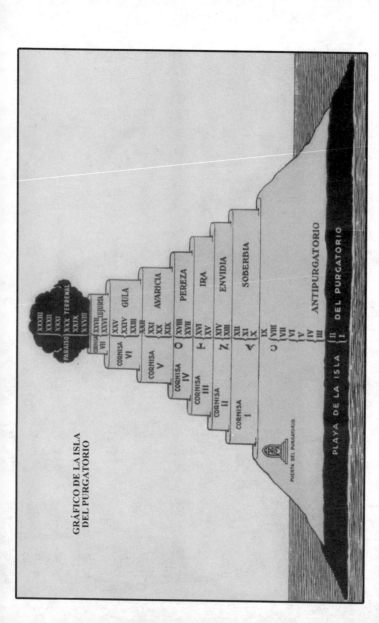

GRÁFICO DE LA ISLA DEL PURGATORIO

Estábamos aún en la orilla del mar, como quien piensa en el camino que debe seguir, y anda con el deseo, sin que el cuerpo se mueva. Cuando he aquí que, así como al amanecer, por efecto de los densos vapores, se ve a Marte enrojecido hacia Poniente sobre las aguas marinas (750), de igual modo se me apareció — y ¡ojalá pudiese verla otra vez! —, una luz, la cual venía tan rápidamente por el mar, que ningún vuelo sería comparable a su celeridad. Un solo momento aparté de ella la vista para interrogar a mi Guía, y al punto volví a verla mucho más voluminosa y brillante; distinguiendo luego a cada lado de la misma una cosa blanca, sin saber lo que era, debajo de la cual se descubría poco a poco otro objeto igualmente blanco (751).

Aún no había pronunciado una palabra mi Maestro, cuando se vió que las primeras formas blancas eran alas; y entonces, habiendo conocido bien al gondolero, exclamó: «Dobla, dobla pronto la rodilla: he aquí al ángel de Dios; junta las manos (752); nunca verás semejantes ministros del Señor. Mira cómo desdeña los medios humanos, pues no necesita remo ni otras velas que sus alas, entre tan apartadas orillas. Mira cómo las tiene elevadas hacia el cielo, agitando el aire con las eternas plumas, que no se mudan como el cabello de los mortales.

Cuanto más se acercaba a nosotros el ave divina, más brillante aparecía; de tal modo, que no pudiendo resistir su resplandor mis ojos, los incliné, mientras el ángel se acercaba a la orilla en un esquife tan ligero, que resbalaba sobre las aguas.

El celestial barquero estaba en la proa, y la bienaventuranza parecía escrita en su semblante. Más de cien espíritus, sentados en la barquilla, cantaban a coro: *In exitu Israel de Ægipto* (753), y todo lo demás que sigue de este salmo. El ángel les hizo la señal de la santa cruz, a cuya señal se arro-

Dante, la Aurora había pasado del color blanco al rosa, y de éste al de oro, que indica la próxima salida del Sol.

(750) Es cierto que el planeta Marte aparece más o menos rojo, según la mayor o menor densidad de los vapores atmosféricos; y aquí concurren tres circunstancias a producir este efecto: la hora de la madrugada, en que los vapores son más densos; el hallarse Marte sobre el horizonte del mar, donde es más abundante la evaporación; y el estar al Poniente, es decir, opuesto a la claridad del alba.

(751) Estas dos cosas blancas, que aparecían a los lados de la luz, eran las alas de un ángel, cuyo rostro irradiaba dicha luz; y el otro objeto blanco que aparecía debajo era su túnica.

(752) En ademán de orar.

(753) *Salm.* CXIII.

jaron todos a la playa, y él se alejó con la misma velocidad
con que había venido.

La turba que dejó allí parecía llena de estupor en tal
sitio, mirando y remirando en torno suyo, como el que descubre cosas que no ha visto nunca. El Sol, que había arrojado con sus brillantes saetas (754) al signo de Capricornio del centro del cielo (755), irradiaba por todas partes
cuando los recién llegados alzaron la frente hacia nosotros,
diciéndonos: —Si lo sabéis, indicadnos el camino que conduce a la montaña —. Y Virgilio les respondió: —¿Por ventura creéis que conocemos este sitio? Somos aquí tan nuevos
como vosotros, y hemos llegado a él poco antes por otro camino tan rudo y áspero, que el subir esta montaña será para
nosotros ahora cosa de juego.

Las almas, que se dieron cuenta, por mi respiración, de
que yo estaba aún vivo, palidecieron de asombro; y así
como se agolpa la gente en derredor del mensajero coronado
de olivo para oír sus noticias, sin temor de empujarse y pisarse unos a otros (756), así se agolparon en torno mío todas aquellas almas infortunadas, olvidando casi su deseo de
ir a embellecerse (757). Vi una de ellas, que se adelantó
para abrazarme con tales muestras de afecto, que me movió
a hacer lo mismo con ella; pero, ¡oh, sombras vanas, que
sólo la vista puede percibir! Tres veces quise rodearla con
mis brazos, y otras tantas volvieron éstos a caer sobre mi pecho sin abrazar nada (758).

Una viva admiración debió de pintarse en mi rostro,
porque la sombra sonrió y se retiró; y yo, siguiéndola, continué avanzando. Me dijo con voz suave que me detuviese,
conocí entonces quién era, y habiéndole rogado que se parase un momento para hablarme, me respondió: —Lo mismo
que te amaba con mi cuerpo mortal, te amo también desprendido de él; por eso me detengo; pero tú, ¿por qué vienes
aquí? —Casella (759) mío, hago este viaje para volver al

(754) Siendo, según la fábula, Apolo y el Sol una misma cosa,
el poeta toma en vez de los rayos del uno las saetas del otro.

(755) Estando el Sol en el signo de Aries, y habiendo pasado el
de Capricornio del centro del cielo, esto es, a la parte de allá del
meridiano, quiere decir que hacía dos horas que era de día.

(756) Los mensajeros de paz tuvieron la costumbre de coronarse
de olivo hasta los tiempos de Dante.

(757) A purificarse, a fin de hacerse dignas de subir al cielo.

(758) Imitación de Virgilio, *Eneida*, lib. VI, 700 y siguientes. Tasso,
en su *Jerusalén Libertada*, canto XIV, también lo ha imitado.

(759) Excelente músico florentino, muy amigo de Dante, que tenía
sumo placer en oírle.

mundo de los vivos, donde permanezco aún; pero a ti,
¿cómo es que te ha negado por tanto tiempo el venir a
este sitio?

Y me contestó él:

—Si Aquel que conduce a quien y como le place me ha
negado muchas veces este pasaje, no se ha cometido conmigo
ninguna injusticia; porque es justa la voluntad a quien obe-
dece (760). En verdad, de tres meses a esta parte ha recogido sin oposición a cuantos han querido entrar en su nave (761); así es que yo, que me encontraba en la playa
donde el Tíber se mezcla con las saladas ondas del mar, fuí
acogido benignamente por él. A la embocadura de aquel río
dirige ahora su vuelo, pues allí se reúnen siempre los que
no descienden hacia el Aqueronte (762).

Y yo dije: —Si alguna nueva ley no te quita la memoria
o el uso de aquellos cantos amorosos, que solían calmar todos mis deseos, dígnate consolar un poco mi alma, que viniendo aquí con su cuerpo se ha angustiado tanto.

Amor, que dentro de mi mente habla (763), empezó él
a cantar tan dulcemente, que su dulzura aún resuena en mi
corazón.

Mi Maestro y yo, y las sombras que allí estaban, parecía-
mos inundados de tanta dicha como si no tuviéramos otra
cosa en que pensar. Estábamos absortos y atentos a sus notas,
cuando apareció el venerable anciano (764), exclamando:
—¿Qué es esto, espíritus perezosos? ¿Qué negligencia, qué
demora es ésta? Corred al monte a purificaros de vuestros pecados, que no permiten que Dios se os manifieste.

Del mismo modo que las palomas, cuando están reunidas
en torno a su alimento, cogiendo el grano y quietas, sin hacer oír sus acostumbrados arrullos, si acontece algo que las
asuste, abandonan súbitamente la comida, porque las asalta
un cuidado mayor, así vi yo aquellas almas recién llegadas

(760) Se refiere al ángel.
(761) Es decir, de tres meses a esta parte, desde que comenzó el
jubileo, en diciembre de 1300, ha recibido sin obstáculo a cuantos
han querido embarcarse.
(762) Fingiendo el poeta que el embarcadero para el Purgatorio
está en la embocadura del Tíber, quiere significar que sólo hay salvación para los que mueren en el seno de la Iglesia católica.
(763) *Amor, che nella mente mi ragiona...* Así empieza una canción de Dante, según parece puesta en música por el propio Casella.
Dante introdujo, probablemente, esta canción en su poema en edad
avanzada, en una de las muchas adiciones que a diario hacía en el
mismo.
(764) Catón de Útica.

abandonar el canto y desbandarse por la costa (765), como quien corre sin rumbo fijo; y no menos rápidamente huímos también nosotros.

(765) Hacia el monte del Purgatorio.

CANTO III

*Los dos Poetas se preparan a subir la montaña del Purgatorio,
cuyo camino les parece áspero y penoso. — Almas de los excomulgados, entre las que se encuentra la de Manfredo, rey
de Pulla y de Sicilia.*

MIENTRAS la repentina fuga dispersaba por la campiña
aquellas almas, que aguijadas por la razón divina
volvían hacia la montaña (766), me acerqué a mi
fiel compañero; porque, ¿cómo hubiera podido sin él seguir
mi viaje? ¿quién me habría sostenido al subir por la montaña? Me pareció que mi Guía estaba por sí mismo arrepentido de su flaqueza (767). ¡Oh, conciencia digna y pura! ¡cómo la más pequeña falta te atormenta!

Cuando sus pies cesaron de caminar con aquella precipi-
tación que se aviene mal con la majestad de la persona, mi
mente, desechando el pensamiento que la inquietaba (768),
concentró su atención, como deseosa de recibir las nuevas
impresiones; y me puse a contemplar el monte más alto de
cuantos hacia el cielo se elevan sobre las aguas (769). El Sol,
que a mis espaldas derramaba su dorada luz, quedaba interceptado por mi cuerpo, en el que morían sus rayos; y cuando
vi que sólo delante de mí se obscurecía la tierra, volvíme de
lado, temeroso de haber sido abandonado (770). Mi Protec-

(766) ...ove ragion ne fruga. Del verbo latino frugare, palabra de
doble sentido, que significa castigar y estimular. Es decir, que la divina justicia estimula con el castigo a las almas a subir la montaña
para llegar a la perfección.

(767) Virgilio me parecía arrepentido por sí mismo (da se stesso),
sin estímulo de nadie, de haberse parado a escuchar el canto de Casella; y dice «por sí mismo», porque no hallándose en estado de
purgarse, nada tenía que ver con él la represión de Catón.

(768) El pensamiento de perder a Virgilio.

(769) El del Purgatorio.

(770) Es decir, cuando vió en la tierra proyectada su sombra, y no
la de Virgilio.

tor entonces, vuelto hacia mí, empezó a decirme: —¿Por qué
desconfías aún? ¿Crees que no estoy contigo y que ya no
te guío? Ahora es ya por la tarde allá donde está sepultado
el cuerpo, dentro del cual hacía yo sombra. Nápoles lo posee,
porque lo han quitado de Bríndis (771). Si, pues, ninguna
sombra se proyecta delante de mí, no debes admirarte de ello
más que de ver cómo los cielos no interceptaron unos a otros el
paso de sus luces (772). La Virtud Divina hace que semejantes cuerpos sean aptos para sufrir tormentos, calor y frío;
mas no ha querido revelarnos cómo opera tal maravilla. Insensato es el que espera que nuestra razón pueda recorrer las
infinitas vías de que dispone el que es una substancia en tres
personas (773). Seres humanos, contentaos con el *quia* (774);
pues si os fuera dable verlo todo, no habría sido necesario el
parto de María (775) y muchos son los que han pretendido
ver satisfecho el hombre de eternas torturas, pero en vano lo
pretendieron; me refiero a Aristóteles, a Platón y otros muchos —. En este punto, inclinó la frente sin decir nada más,
y quedó como turbado (776).

Llegamos en tanto al pie del monte, cuyas rocas encontra-

(771) «Ahora es ya por la tarde...» en Nápoles, adonde fué trasla-
dado el cuerpo de Virgilio, desde Bríndisi, ciudad de la Calabria, donde
murió. Se recordará que el Purgatorio es antípoda de Jerusalén. Siendo
allí dos horas después de salido el Sol, y hallándose Nápoles, según
Dante, a 45 grados al Occidente de Jerusalén, faltaba aproximadamente
una hora para ser de noche en aquella ciudad.

(772) Imaginábanse los antiguos que los cielos eran sólidos y diá-
fanos como el cristal; y por esto dice Virgilio a Dante que no debe
admirarse de que la luz pase a través de él como pasa a través de los
cielos.

(773) Algunos comentadores han incurrido en el grave error de creer
que Dante quiso aquí significar que es insensato el que presume conocer
cómo puede subsistir una misma substancia en tres distintas personas. El sentido es muy diferente, como se ve en el texto.

(774) Según Aristóteles, la demostración es de dos clases: una llamada *propter quod*, que es cuando los efectos se deducen de las causas, y otra llamada *quia*, y es cuando las causas se deducen de los
efectos, por lo cual este período debe interpretarse del modo siguiente:
Contentaos. ¡oh humanos! con las demostraciones que se pueden deducir de los efectos, por los cuales se viene en conocimiento de sus
causas, y no pretendáis conocer más de lo que los hechos os demuestran; que en las cosas que son superiores a la inteligencia humana
y a la fuerza de la razón, se ejercita la fe. Si lo hubieseis podido ver
todo con los sentidos naturales, no hubiera habido necesidad de que
el Hijo de María viniese a iluminarnos.

(775) Un comentador de Dante dice que si Adán y Eva hubiesen
podido tener idea de la gravedad de su pecado, no hubieran incurrido
en él y hubiera sido innecesario el martirio de Cristo.

(776) Inteligencias tan grandes como las de Aristóteles, Platón y
otros muchos, se han estrellado en el deseo de conocerlo todo; y ese
deseo, que nunca será satisfecho, les sirve ahora de eterna pena en
el Limbo. Por lo cual Virgilio, siendo uno de los condenados a esta
pena, inclina la frente con tristeza.

mos tan escarpadas, que las piernas más ágiles no hubieran podido subir por ellas. El camino más desierto, el más áspero
entre Lerici y Turbia (777) es, comparado con aquél, una
rampa suave y abierta.

—¿Quién sabe ahora, dijo mi Maestro, deteniendo sus
pasos, hacia qué mano es accesible la costa, de modo que pueda subir el que no tiene alas? (778).

Y mientras él tenía los ojos bajos, meditando qué camino
seguiríamos, y yo miraba hacia arriba entre las rocas, apareció por la izquierda una multitud de almas, que se dirigían
hacia nosotros, con tan pausada marcha, que costaba ver que
se movían.

—Levanta los ojos, dije a mi Maestro; he aquí quien nos
podrá aconsejar, si es que no puedes aconsejarte a ti mismo.

Miróme entonces, y con rostro franco, respondió: —Vamos allá, pues se acercan despacio; y tú no pierdas la esperanza, hijo querido.

Habíamos andado ya un gran trecho, y aún distaba de nosotros aquella muchedumbre tanto espacio cuanto podría recorrer una piedra lanzada por un buen hondero. cuando se arri-
maron todos a los duros peñascos de la escarpada orilla, y
permanecieron firmes y apretados entre sí, como aquel que
dudando en el camino, mira y se para (779).

—¡Oh, muertos en la gracia de Dios, espíritus ya elegidos!, empezó a decir Virgilio; por aquella paz que, según
creo, esperáis todos vosotros, decidme por qué parte declina
esta montaña, de modo que sea posible ascender a ella, pues
al que mejor conoce el valor del tiempo, le es más desagradable perderlo.

Como las ovejas que salen de su redil una a una, dos a dos
y tres a tres, mientras las otras se detienen tímidamente, incli-
nando hacia la tierra sus ojos y su hocico, y todas imitan en
todo a la primera, deteniéndose a su lado si se detiene, sencillas y tranquilas, y sin darse cuenta de por qué lo hacen, así
vi yo moverse para venir hacia nosotros las primeras almas de
aquella temerosa y afortunada grey, de rostro púdico y de honesto continente. Cuando vieron que la luz se interrumpía en
el suelo a mi mano derecha, de modo que se proyectaba la

(777) Dos aldeas en la costa de Génova, la cual está formada de
montes ásperos y escarpados.
(778) Esta pregunta de Dante envuelve una ironía.
(779) Dudaban aquellas almas de lo que veían, porque observaban
que los poetas iban en sentido contrario a la entrada del Purgatorio,
como se advierte luego.

sombra desde mí a la gruta (780), se detuvieron y aun retrocedieron algún tanto, y todos los que venían detrás, sin saber por qué, hicieron lo mismo.

—Sin que me lo preguntéis, os confieso que éste que aquí veis es un cuerpo humano; por cuya causa la luz del Sol aparece proyectada en el suelo. No os asombréis; pero creed que si pretende trepar esta escarpada costa, lo hace inducido por virtud celestial.

Así habló mi Maestro; y aquella noble multitud nos dijo: —Pues volveos atrás y caminad delante de nosotros. Y al mismo tiempo nos hacían señas con el dorso de las manos.

Uno de ellos exclamó: —Quienquiera que seas, andando como vas, vuelve el rostro hacia mí y procura recordar si me has visto en el mundo alguna vez.

Yo me volví hacia él y le miré fijamente; era rubio, hermoso y de gentil aspecto; pero tenía la ceja partida de un golpe. Cuando le manifesté humildemente que no le había visto nunca, me dijo él: —¡Mira, pues! — y enseñóme una herida en la parte superior de su pecho. Después añadió, sonriendo: —Yo soy Manfredo (781), nieto de la emperatriz Constanza, y te ruego que cuando vuelvas a la tierra vayas a visitar a mi graciosa hija, madre del honor de Sicilia y de Aragón (782), y le digas la verdad, si es que se ha dicho lo contrario. Después de tener atravesado mi cuerpo por dos heridas mortales (783), me volví llorando hacia Aquel en cuyas manos está el perdón. Mis pecados fueron horribles (784), pero la bondad infinita tiene tan largos los brazos, que recibe a todo el que se vuelve hacia ella. Si el Pastor de Cosenza (785), que fué enviado por Clemente para darme caza, hubiese leído bien en aquella página de Dios (786), mis huesos estarían aún en la

(780) Llama gruta a la quebrada falda del monte.
(781) Manfredo, hijo natural de Federico II, el cual era hijo de Enrique IV y de Constanza, emperadores de Alemania.
(782) Constanza, mujer de Pedro III de Aragón, y madre de Fadrique y de Jaime, el primero rey de Sicilia y el segundo de Aragón, ambos honor de sus reinos. «Dile que estoy en lugar de salvación, si es que se dice lo contrario en el mundo.»
(783) En la batalla de Ceperano, contra Carlos de Anjou, en 1266.
(784) No porque, según dicen algunos comentadores, la ambición de reinar le hubiese impelido a dar la muerte a su padre y a su hermano (que esto es una fábula inventada por sus adversarios), sino porque se mostró fiero enemigo de la Iglesia, por la cual fué excomulgado.
(785) El arzobispo de Cosenza, enviado por el Papa Clemente IV al rey Carlos de Anjou para inducirle a atacar a Manfredo.
(786) Es decir, si hubiera leído bien la página de la Sagrada Escritura donde se dice que Dios está siempre pronto a perdonar al pecador que se convierte a él.

cabeza del puente, cerca de Benevento, bajo la protección de las pesadas piedras (787). Ahora los moja la lluvia; el viento los impele fuera del reino, casi a la orilla del Verde (788), donde los hizo transportar con cirios apagados (789). Pero por su maldición (790) no se pierde el amor de Dios de tal modo que no vuelva nunca mientras reverdezca la flor de la esperanza. Es verdad que el que muere contumaz para con la santa Iglesia, por más que al fin se arrepienta, debe estar en la parte exterior de esta montaña (791) un espacio de tiempo treinta veces mayor del que vivió en contumacia, a menos que no se abrevie la duración de este decreto merced a eficaces oraciones. Calcula, pues, lo dichoso que puedes hacerme revelando a mi buena Constanza cómo me has visto y la prohibición que pesa sobre mí, que puede alzarse por los ruegos de los que existen allá arriba.

(787) Carlos de Anjou no quiso que el cadáver de Manfredo, muerto en la pelea, excomulgado por el Papa, fuese enterrado en sagrado, sino al pie del puente de Benevento; y habiendo arrojado cada uno de los enemigos una piedra sobre su fosa, se formó con aquéllas una gran pirámide. De este sitio fueron después exhumados los huesos de Manfredo por el mismo arzobispo de Cosenza y transportados a la orilla del río del Verde.

(788) Parece ser que se trata del Garellano.

(789) La traslación de los restos de los excomulgados se efectuaba llevando cirios apagados y vueltos los pabilos hacia abajo.

(790) Por la excomunión de los Papas.

(791) Debe estar fuera del Purgatorio, sin entrar en él, treinta veces tanto tiempo como vivió en contumacia.

CANTO IV

Dante, sostenido por Virgilio, alcanza con dificultad un rellano. —
En él están detenidos los Negligentes, o los que han esperado
hasta la muerte para arrepentirse.

CUANDO, por efecto del placer o del dolor de que se siente
afectada alguna de nuestras facultades, el alma entera se
concentra en esa facultad, parece que no atienda a ninguna otra; y esto demuestra el error de los que creen que en
nosotros arde un alma sobre otra alma (792).

Por eso mismo, cuando se oye o ve alguna cosa que ab-
sorbe fuertemente al alma en su contemplación, el tiempo se
desliza sin que el hombre se dé cuenta de ello; porque una es
la facultad que escucha y otra la que cautiva por completo el
alma: ésta se halla como atada; aquélla es libre.

Yo adquirí una prueba de esta verdad oyendo y admirando
a aquel espíritu, pues había el Sol ascendido cincuenta grados (793) sobre el horizonte sin que yo lo echase de ver,
cuando llegamos a un punto en que las almas exclamaron a
una voz: —Aquí está el objeto de vuestra demanda.

Cualquier portillo de los que suele tapar el aldeano con un
manojo de espinos cuando maduran las uvas, es mayor que el
sendero por donde subimos solos mi Maestro y yo, cuando la

(792) Lombardi opina que el poeta quiere aludir aquí a los sofistas, cuyo último concilio general ha señalado así, en su canon XI:
«Apparet quosdam in tan tum impietatis venisse, ut hominem duas
animas habere impudenter dogmatizen». Los maniqueos, singularmente,
pretendían que, además del alma razonadora, teníamos un alma sensitiva, de la cual emanaban los actos del apetito concupiscente. Dante
refuta este error general, que tiene su origen en Platón.

(793) Habiendo ascendido el Sol 50 grados sobre el horizonte, se
entiende que han pasado tres horas y un tercio desde su salida; o lo
que es lo mismo, son las 9 y 20 minutos de la mañana; pero no debe
entenderse que Dante pasase todo este tiempo hablando con Manfredo, pues eran ya las 8 cuando se marchó el Ángel.

multitud de almas se separó de nosotros. Bastan los pies para ir a San Leo, para bajar a Noli, para ascender hasta la elevada cumbre de Bismantua (794); pero aquí es preciso que el hombre vuele; quiero decir, como volaba yo, conducido por las ligeras alas y por las plumas de un gran deseo, detrás de Aquel que reanimaba mi esperanza y me iluminaba.

Íbamos subiendo por el sendero excavado en el peñasco, cuyas quebradas rocas nos estrechaban por ambos lados, y el suelo que pisábamos nos obligaba a ayudarnos con pies y manos. Cuando llegamos a sitio descubierto, sobre el rellano de la alta base del monte, dije: —Maestro mío, ¿qué camino seguiremos? —. Y él me contestó: —No des ningún paso hacia abajo; prosigue subiendo detrás de mí hacia la cima de este monte, hasta que se nos aparezca algún experto guía.

La cima era tan alta, que no podía alcanzarla la vista, y la subida mucho más empinada que la línea que divide en dos partes el cuadrante (795). Yo estaba ya cansado, y entonces exclamé: —¡Oh, amado Padre! Vuélvete, y mira que me quedo aquí solo si no te detienes. —Hijo mío, haz por llegar hasta aquel punto, respondió mostrándome una prominencia que rodeaba por aquel lado toda la montaña—. Sus palabras me aguijaron de tal modo, que me esforcé cuanto pude, trepando hasta donde él estaba, hasta que conseguí poner mis plantas sobre aquella especie de cornisa. Nos sentamos allí los dos, vueltos hacia Levante, por cuyo lado habíamos subido, pues suele agradar la contemplación del camino que uno ha recorrido con esfuerzo. Primeramente dirigí los ojos al fondo, después levanté hacia el sol, y me admiré de que éste nos iluminase por la izquierda (796).

Notó el Poeta mi asombro al contemplar el carro de la luz que iba a pasar entre nosotros y el Aquilón (797), por lo cual me dijo: —Si Cástor y Pólux (798) estuvieran en compañía

(794) San Leo, ciudad del ducado de Urbino; Noli, puerto entre Final y Savona; Bismantua, montaña del ducado de Módena.

(795) Viene a significar que la inclinación de aquella cuesta respecto al plano horizontal tenía bastante más de 45 grados.

(796) Es decir, que estaba asombrado de ver que, al dirigir su vista hacia Levante, tuviera el Sol a la izquierda, lo cual no sucede al que mira hacia el mismo Levante en las regiones que están más cerca del trópico de Cáncer.

(797) Siendo aquella montaña antípoda de Jerusalén, ciudad colocada más acá del trópico de Cáncer, el carro de la luz, esto es, el Sol, aparecía entre los poetas y el Aquilón, o el Norte; al contrario de lo que sucede en nuestro hemisferio, donde el Sol nace entre nosotros y el Austro, punto opuesto diametralmente a aquél.

(798) La constelación llamada Géminis, o los Gemelos.

de aquel espejo que ilumina al mundo tanto por arriba como
por abajo, verías al zodíaco refulgente girar más próximo aún
a las Osas, a no ser que saliese fuera de su antiguo camino (799). Y si quieres comprender cómo puede suceder esto,
reconcentra tu pensamiento y considera que el monte Sión
está situado sobre la tierra, relativamente a éste, de modo que
ambos tienen un mismo horizonte y diferentes hemisferios;
por lo cual, si tu inteligencia te permite discernir con claridad,
verás cómo el camino que por su mal no supo recorrer Faetón,
debe ir necesariamente por un lado de este monte, al paso que
va por el opuesto lado de aquel otro (800).

—En verdad, Maestro mío, le contesté, nunca había visto
tan claramente como ahora distingo estas cosas, para cuya comprensión no me parecía bastante apto mi ingenio. Por las razones que me has dado, entiendo que el círculo intermedio
del primer móvil, llamado Ecuador en alguna ciencia (801), y
que permanece siempre entre el sol y el invierno (802), dista
de aquí tanto hacia el Septentrión, cuanto los Hebreos (803)
lo veían hacia la parte cálida (804). Pero, si te place, quisiera
saber cuánto hemos de andar aún, pues el monte se eleva más
de lo que puede alcanzar mi vista.

—Esta montaña es tal, me respondió, que el empezar a
subirla resulta siempre fatigoso, pero la fatiga decrece a medida que uno se acerca a su cumbre. Cuando te parezca tan

(799) La constelación de Géminis está más próxima a las Osas que
la de Aries; por esto, si el Sol, al que llama *espejo*, hubiese estado
en Géminis, en vez de estar, como estaba, en Aries, se hubiera visto
aquel punto del Zodíaco, resplandeciente por los rayos solares, girar
más cerca de las Osas; pues para no ser así, sería menester que el
Sol saliera *fuera del camino antiguo*, esto es, fuera de la eclíptica.

(800) Debes figurarte con la imaginación que el monte Sión (sobre
el cual se halla fundada Jerusalén) y esta montaña del Purgatorio tienen un mismo horizonte en opuestos hemisferios; es decir, son antípodas; y, por consiguiente, que el camino donde Faetón cayó precipitado de su carro, esto es, la eclíptica, pasa mirando al lado Norte
de esta montaña y al lado Sur de Sión.

(801) La Astronomía, una de las cuatro artes liberales en la división escolástica.

(802) Llama *círculo intermedio* al Ecuador, porque está entre los
Trópicos; y se lo figura en el más alto cielo (*moto superno*), llamado *primer móvil* en la Cosmografía antigua, para expresar mejor su
idea. «Que permanece siempre entre el Sol y el invierno»; es decir,
entre el estío y el invierno; porque cuando el Sol se dirige a uno de
los dos trópicos, es invierno en el otro.

(803) Los que poseyeron el reino de la misma Jerusalén, o los
moradores de esta ciudad.

(804) Es decir: mirando al Ecuador desde la montaña del Purgatorio, se le encuentra a tanta distancia hacia el Norte, como lo veían
los hebreos de Jerusalén hacia el Sur. Dice lo *veían*, refiriéndose al
tiempo en que aquéllos tenían allí la capital de su reino.

suave que subas ligeramente por ella como van por el agua las naves, entonces habrás llegado al fin de este sendero; espera, pues, a conseguirlo para descansar de tu fatiga. Y no respondo más, pues sólo esto tengo por cierto (805).

Cuando hubo terminado de decir estas palabras, resonó cerca de nosotros una voz que decía: —Quizá te veas precisado antes a sentarte—. Al sonido de aquella voz, volvímonos, y vimos a la izquierda un gran peñasco, en el que no habíamos reparado antes ninguno de los dos. Nos dirigimos hacia allí, donde estaban algunas almas reposando a la sombra detrás del peñasco, como quien se deja vencer por la indolencia (806). Una de ellas, que me parecía cansada, estaba sentada con las rodillas abrazadas, reposando sobre ellas su cabeza.

—¡Oh, amado Señor mío!, dije entonces; contempla a ése, que se muestra más negligente que si fuese hermano de la pereza—. Entonces se volvió hacia nosotros y nos examinó, dirigiendo su mirada por encima de los muslos y diciendo: —Vé, pues, allá arriba tú que tan valiente te muestras—. Conocí entonces quién era, y aquella fatiga que agitaba todavía un poco mi respiración no me impidió acercarme a él. Cuando estuve a su lado, alzó apenas la cabeza, diciendo: —¿Has comprendido bien por qué el Sol dirige su carro por tu izquierda? —. Sus perezosos movimientos y sus lacónicas palabras hicieron asomar una sonrisa a mis labios; después dije: —«Belacqua (807), ahora ya no me conduelo de ti; pero dime, ¿por qué estás aquí sentado? ¿esperas algún guía, o es que has vuelto a tus antiguas costumbres? —. Y él me contestó: —¡Oh, hermano! ¿Para qué he de ir arriba, si no ha de permitirme llegar al sitio de la expiación el Ángel de Dios, que está sentado a su puerta? Antes que yo entre por ella, es necesario que el Cielo dé tantas vueltas en torno mío, cuantas dió en el transcurso de mi vida, por haber aplazado los sanos suspiros (808) hasta la hora de mi muerte, a no ser que me auxilie una plegaria que se eleve de un corazón que viva en la gracia. ¿De qué sirven las demás, si no han de ser oídas en el cielo?

(805) La contestación de Virgilio significa, en el sentido moral, que los primeros pasos en el camino de la virtud son arduos y fatigosos, y los siguientes son fáciles y placenteros; no debiendo el hombre detenerse hasta llegar al término de la perfección. «Y no respondo más», concluye, porque a esto sólo alcanza mi ciencia.
(806) Son éstas las almas de los que por negligencia dejaron de arrepentirse hasta el fin de su vida.
(807) Excelente fabricante de cítaras y otros instrumentos músicos, hombre sumamente perezoso. Se burla de Dante, porque ha tardado en comprender la causa de que el Sol le alumbre por la izquierda.
(808) El arrepentimiento de sus pecados.

Ya el Poeta subía delante de mí diciendo: —No te detengas más; mira que el Sol toca al Meridiano y la Noche cubre ya con su pie la costa de Marruecos (809).

---

(809) Ya es mediodía. En Jerusalén debía ser medianoche; y estando Marruecos en el extremo occidental de nuestro hemisferio, según las ideas de aquel tiempo, debía empezar allí la noche.

CANTO V

Llegados a un sitio más elevado, el Poeta encuentra a los que habiendo muerto violentamente tuvieron sin embargo tiempo de arrepentirse y de reconciliarse con Dios. — Dante refiere el fin trágico de algunos de ellos. — Pía.

ME había alejado ya de aquellas sombras y seguía las huellas de mi Guía, cuando detrás de mí, y señalándome con el dedo, gritó una de ellas: —Mirad; no se nota que el Sol brille a la izquierda de aquel de más abajo (810) que marcha al parecer como un vivo—. Al oír estas palabras volví la cabeza, y vi que las sombras miraban con admiración, no solamente a mí, sino también la luz interceptada por mi cuerpo.

—¿Por qué se turba tanto tu espíritu, dijo el Maestro, que así acortas el paso? ¿Qué te importa lo que allí murmuran? Sígueme, y déjales que hablen cuanto quieran. Sé firme como una torre, cuya cúspide no se doblega jamás al embate de los vientos; el hombre en quien bulle pensamiento sobre pensamiento, siempre aleja de sí el fin que se propone, porque el uno debilita la actividad del otro.

¿Qué había yo de responder sino que iba? Así lo hice, cubierto algún tanto de aquel color que hace a veces al hombre digno de que se le perdone (811).

En tanto, de través por la cuesta venían hacia nosotros algunas almas, entonando, versículo a versículo, el *Miserere* (812). Cuando observaron que yo no daba paso a través de mi cuerpo a los rayos solares, cambiaron su canto en un

---

(810) Reparan en la sombra de Dante, que va más abajo que Virgilio, siguiéndole, y a quien ahora da el Sol en la derecha, porque se ha vuelto hacia Poniente para subir la montaña.
(811) El color de la vergüenza, que algunas veces, no siempre, sirve de excusa a las faltas que comete el hombre.
(812) El Salmo *Miserere mei, Deus.*

¡oh! sordo y prolongado; y dos de ellas, a guisa de mensajeros, corrieron a nuestro encuentro, diciendo: —Hacednos sabedores de vuestra condición—. Mi Maestro contestó: —Podéis iros y referir a los que os han enviado, que el cuerpo de éste es de carne verdadera. Si se han detenido, según me figuro, por ver su sombra, básteles con esta respuesta, y hónrenle, pues puede serles grato (813).

Jamás he visto, a prima noche, los vapores encendidos (814), ni a la puesta del Sol, las exhalaciones de agosto hendir el cielo sereno tan rápidamente como corrieron aquellas almas hacia sus compañeras; y una vez allí, regresaron adonde estábamos, juntas con las demás, como escuadrón que corre a rienda suelta.

—Numerosa es la cohorte que se precipita hacia nosotros, dijo el Poeta, y vienen a dirigirte alguna súplica; tú, sin embargo, sigue adelante y escucha sin dejar de andar.

—¡Oh, alma, que, para llegar a la felicidad, vas con los miembros con que naciste, venían gritando, modera un poco tu paso! Repara si has conocido a alguno de nosotros, de quien puedas llevar allá noticias. ¡Ah! ¿Por qué te vas? ¿Por qué no te detienes? Todos hemos terminado nuestros días por muerte violenta, y fuimos pecadores hasta la última hora (815); entonces la luz del cielo iluminó nuestra razón de tal modo, que, arrepentidos y perdonados, abandonamos la vida en la gracia de Dios, que nos abrasa con el vivo deseo que tenemos de verle.

Y yo entonces les contesté: —Aun cuando no reconozco las desfiguradas facciones de ninguno de vosotros, no obstante, si deseáis de mí algo que me sea posible, espíritus bien nacidos, yo lo haré por aquella paz que se me hace buscar de mundo en mundo, siguiendo los pasos de este Guía.

Uno de ellos empezó diciendo (816): —Todos confia-

(813) Porque renovará su memoria en el mundo de los vivos, y hará que se ruegue a Dios por ellos.

(814) «Vapores encendidos.» Esto es, lo que el vulgo llama estrellas voladoras o erráticas, que los físicos han atribuído por mucho tiempo a la inflamación de los vapores que subían de la tierra a la región del fuego; y hoy se cree que sean partículas de materia cósmica, que caen atraídas por nuestro Globo, y que se inflan atravesando la atmósfera. Dante parece distinguir dos clases de estas exhalaciones, y llama a las segundas *nuvole d'Agosto*. En efecto, durante la estación calurosa suelen verse estas exhalaciones en forma de nubecillas estando el cielo sereno.

(815) Formaban otra especie de desidiosos, que debían permanecer fuera del Purgatorio tanto tiempo como habían tenido de vida.

(816) Jacobo del Cassero, de Fano, que es el que habla, tenía por implacable enemigo a Azzón III de Este, marqués de Ferrara. Cuan-

mos en tu benevolencia, sin necesidad de que lo jures, a no ser que tu buena voluntad haya de ceder a la impotencia. Yo, que hablo solo antes que los demás, te ruego que si ves alguna vez aquel país que se extiende entre la Romaña y el de Carlos (817), me concedas en Fano el don de tus preces: que los buenos rueguen por mí, de modo que pueda purgar mis graves pecados. De allí fuí yo; pero las profundas heridas por donde salió la sangre en la que me sustentaba (818), me fueron inferidas en el territorio de los Antenórides (819), donde creía encontrarme más seguro. El de Este lo ordenó, porque me odiaba mucho más de lo que lo permitía la justicia; pero si yo hubiese huído hacia la Mira, cuando llegué a Oriaco, aún estaría allá donde se respira; corrí al pantano, donde las cañas y el lodo me embarazaron tanto, que caí, y vi formarse en tierra un lago con la sangre de mis venas (820).

Después me dijo otro: —¡Ay! Así se cumpla el deseo que te conduce a esta elevada montaña, dígnate auxiliar al mío con obras de piedad. Yo fuí de Montefeltro, y soy Buonconte (821). Ni Juana ni los otros se preocupan por mí; por lo cual voy entre éstos con la cabeza baja. —¿Qué violencia o qué aventura, le pregunté yo, te sacó fuera de Campaldino, que no se supo nunca dónde está tu sepultura?

—¡Oh!, me respondió; al pie del Casentino corre un río llamado Archiano, que nace en el Apenino junto al Eremo (822). Allí donde pierde su nombre (823), llegué yo con el cuello atravesado, huyendo a pie y ensangrentando la llanura. Allí perdí la vista, y mi última palabra fué el nombre de María; allí caí, y no quedó más que mi carne. Te diré la

do se dirigía Cassero a Milán, donde había sido requerido por Maffeo Visconti, para ejercer el cargo de *podestà*, fué asaltado y asesinado en Oriaco, pueblo situado entre Venecia y Padua, por los sicarios de Azzón.

(817) La Marca de Ancona, que está entre la Romaña y el reino de Nápoles, gobernado por Carlos de Anjou.

(818) Alude a la opinión de los que creían que el alma tenía su asiento en la sangre. De esta opinión era Empédocles. (Véase *Levít...*, cap. XVII.)

(819) Padua, fundada por Antenor.

(820) Si hubiese huído hacia la Mira, en vez de ir hacia la laguna de Oriaco, aún estaría vivo; pero me embarcé entre las cañas y el fango, y allí me asesinaron los sicarios del marqués de Este.

(821) Hijo del conde Guido de Montefeltro y esposo de Juana. Combatió contra los güelfos en Campaldino, donde encontró la muerte; pero no pudo averiguarse su paradero, y lo que narra el poeta es lo más aproximado a la verosimilitud. En aquella batalla, en la cual se encontró Dante, vencieron los florentinos.

(822) Convento de Camaldulenses.

(823) Donde desemboca en el Arno.

verdad, y tú la referirás entre los vivos: el ángel de Dios me cogió y el del Infierno gritaba: «¡Oh, tú, venido del cielo! ¿Por qué me lo quitas? Te llevas la parte eterna de éste por una pequeña lágrima que me le arrebata; pero yo trataré de diferente modo la otra parte.» (824). Tú sabes bien cómo se condensa en el aire ese húmedo vapor, que se convierte en lluvia en cuanto sube hasta donde reina el frío; pues bien, el demonio, juntando a su entendimiento aquella malevolencia que sólo procura hacer daño, con el poder inherente a su naturaleza, agitó el vapor y el viento (825). En cuanto se extinguió el día, cubrió de nieblas el valle desde Prato-magno (826) hasta el Apenino e hizo tan denso aquel cielo, que el espeso aire se convirtió en agua; cayó la lluvia, y el agua que la tierra no pudo absorber fué a parar a los barrancos, y uniéndose a la de los torrentes, se precipitó hacia el río real (827) con tal rapidez. que nada podía contenerla. El Archiano, furioso, encontró mi cuerpo helado en su embocadura, lo arrastró hacia el Arno y separó mis brazos que había puesto en cruz sobre el pecho cuando me venció el dolor. Después de haberme volteado por sus orillas y su fondo, me cubrió y rodeó con la arena que había hecho desprenderse de los campos.

—¡Ah!, cuando vuelvas al mundo y hayas descansado de tu largo viaje, continuó un tercer espíritu, luego que hubo acabado de hablar el segundo, acuérdate de mí, que soy la Pía (828). Siena me hizo y las Marismas me deshicieron; bien lo sabe aquel que, siendo ya viuda, me puso en el dedo su anillo enriquecido de piedras preciosas.

(824) Este pasaje se asemeja un tanto a aquel otro en que Guido refiere su vida en el canto XXVII del *Infierno*.

(825) «Omnis trasformatio corporalium verum quae fieri potest per aliquam virtutem naturalem, per dæmonem fieri potest». (San Agustín.) Quiere decir que el diablo tiene potestad para hacer todo lo que puede ejecutarse por las leyes naturales.

(826) Lugar denominado hoy Prato-Vecchio, que separa el Arno del Casentino.

(827) El Arno.

(828) Noble dama de Siena: se casó con un Tolomei, de quien quedó viuda, y habiéndose desposado en segundas nupcias con un tal Nello o Paganello de Pannochieschi, señor del Castillo de Pietra, éste la condujo a las Marismas, y la hizo arrojar por una ventana. Se dijo que su marido cometió este acto tan bárbaro por sospechas de que Pía le fuese infiel; pero otros aseguran que lo hizo por casarse con una condesa, Margarita Aldobrandeschi, bella y rica, lo que no consiguió. Acaeció este trágico suceso en 1295.

CANTO VI

Continúa hablando de los Negligentes. — Habiendo preguntado Virgilio a un alma el sendero más fácil de la montaña, Dante reconoce en ella a Sordello de Mantua. — Apóstrofe contra las discordias de Florencia y contra toda la Italia.

C UANDO, acabado el juego de la zara (829), se desparten los jugadores, el que pierde se queda triste, pensando en las jugadas, y aprendiendo entonces con sentimiento el modo de que debió haberse valido para ganar; con el ganancioso se van los circunstantes, y uno por delante, otro por detrás y otro por el lado, procuran hacerse presentes al afortunado; éste no se detiene, y escucha a éste y promete a aquél, y acaba por dar algo al que más le importuna, y así logra evadirse de los que le cercan.

Así estaba yo en medio de aquella compacta muchedumbre de almas, volviendo a uno y otro lado el rostro, hasta que, merced a mis promesas, pude desprenderme de ellas. Allí estaban el Aretino (830) que recibió la muerte de los brazos crueles de Ghino di Tacco, y el otro que se ahogó al darle caza sus enemigos (831). Allí oraba, con los brazos extendidos, Federico Novello (832), y aquel de Pisa, que dió ocasión de demostrar la grandeza de su alma al buen Marzuc-

(829) Cierto juego en que se empleaban tres dados.
(830) M. Benincasa, aretino, el cual, siendo vicario del *podestà* en Siena, hizo morir a Tacco, hermano de Ghino de Tacco, juntamente con Turino de Turrita su sobrino. Ghino, por vengar a su hermano, fué a Roma, donde M. Benincasa era auditor de la Rota, y habiéndole ido a buscar al tribunal, le cortó la cabeza, huyendo con ella de dicha ciudad.
(831) Cione o Guccio Tarlati de Pietramala, huyendo de sus enemigos, después de la derrota que sufrieron los aretinos en Bibiena, se metió con su caballo en el Arno, y allí se ahogó.
(832) Hijo del conde de Batifolle, muerto por uno de los Bostoli, llamado *el Fornaiulo*.

co (833). Vi al conde Orso (834); y a aquella alma separada de su cuerpo por hastío y por envidia, como ella misma decía, y no por sus culpas; a Pedro de la Brosse (835), digo; y bien es menester que provea en ello la princesa de Brabante, mientras esté por acá, si no quiere verse colocada entre peores compañeros (836).

Cuando me vi libre de aquel gran número de sombras, que rogaban para que otros rogasen por ellas, a fin de abreviar el tiempo de su purificación, empecé a decir: —Paréceme recordar, ¡oh, luz que desvaneces mis dudas!, que niegas en algún texto tuyo que la oración aplaque los decretos del Cielo (837); y, sin embargo, esa gente ruega para conseguirlo. ¿Será, pues, vana esperanza? ¿O es que no he comprendido bien el sentido de lo que escribiste?

A lo que me contestó: —Lo que escribí es muy claro, y la esperanza de esos no se verá fallida si se examina con recto sentido. No se menoscaba el alto juicio divino porque el fuego amoroso de la caridad cumpla en un instante lo que deben satisfacer los que aquí están relegados; y allí, donde senté tal máxima (838), la oración no tenía la virtud de borrar las faltas, porque el objeto de aquélla estaba alejado de Dios. No te detenga, sin embargo, tan profunda duda, hasta que se te la desvanezca aquella que ha de iluminar tu entendimiento, mostrándote la verdad. No sé si me entiendes:

(833) Farinata de Scoringiani, de Pisa, que fué muerto por sus enemigos, y dió motivo a su padre, Marzucco, que era ya religioso, para mostrarse fuerte, por el gran valor con que soportó aquel golpe, exhortando a sus parientes a que no se enemistasen con el homicida; y aun dicen algunos que besó la mano a éste.
(834) Orso, hijo del conde Napoleón de Barbaja, fué muerto por el conde Alberto, su tío.
(835) Pedro de Labrosse fué barbero de san Luis, y después llegó a ser chambelán y favorito de Felipe *el Atrevido*. Cuéntase de varios modos la causa de su muerte. Unos refieren que, envidiosos de su privanza, los cortesanos, y con ellos María de Brabante, segunda mujer del Rey, le acusaron de haber revelado al rey de Castilla los secretos de Estado, y en consecuencia fué condenado a muerte. Otros dicen que la Reina le acusó falsamente de haber intentado seducirla, y esto parece ser la creencia de Dante. Otros, en fin, aseguran, que Labrosse acusó a María de haber envenenado a Luis, hijo del primer matrimonio de Felipe, y convicto de calumnia, y acusado a su vez de haber sido el envenenador, fué ahorcado en 1276.
(836) Esto es, en compañía de los condenados a las penas del Infierno. Dice Dante «por acá», en este mundo, refiriéndose al punto donde escribe.
(837) «Desine fata Deum flecti sperare precando». (*Eneida*, lib. VI.) «No esperes que tus ruegos doblequen los decretos de los dioses.»
(838) En el Infierno, donde yo senté esta máxima, no se puede redimir los pecados con oraciones, porque el pecador está separado de Dios para siempre.

hablo de Beatriz, a quien verás radiante y feliz sobre la cumbre de este monte.

Y yo le contesté: Mi buen Guía, caminemos más de prisa, pues ya no me canso como antes y la montaña proyecta su sombra hacia este lado. —Avanzaremos hoy tanto como podamos, me respondió; pero el camino es muy diferente de lo que te figuras. Antes que lleguemos arriba, verás volver a aquel que ahora se oculta tras de la cuesta y cuyos rayos no quiebran en este momento (839). Pero ve allí un alma que, inmóvil y completamente sola, dirige hacia nosotros sus miradas: ella nos enseñará el camino más corto.

Llegamos junto a ella. ¡Oh, alma lombarda, cuán altanera y desdeñosa estabas y cuán noble y grave era el movimiento de tus ojos! Ella no nos decía nada, pero dejaba que nos aproximásemos, mirando únicamente, como el león cuando reposa. Virgilio se le acercó, rogándole que nos enseñase la subida más fácil; pero ella, sin contestar a su pregunta, quiso informarse acerca de nuestro país y de nuestra vida; y apenas mi Guía hubo nombrado a Mantua, la sombra, que antes estaba como concentrada en sí misma, corrió hacia él desde el sitio en que se encontraba, diciendo: —¡Oh, mantuano!, yo soy Sordello (840), de tu misma tierra—. Y se abrazaron mutuamente.

¡Ah! Italia esclava, albergue de dolor, nave sin timonel en medio de una gran tempestad (841), no ya señora de provincias, sino de burdeles. Al dulce nombre de su país natal, aquella alma gentil se apresuró a festejar a su concicudadano; al paso que tus vivos no saben estar sin guerra y se destrozan entre sí aquellos a quienes guarda una misma muralla y un mismo foso. Busca, desgraciada, en derredor de tus costas, y después contempla en tu seno si alguna parte de ti misma

---

(839) Virgilio y Dante ascienden por la parte oriental de la montaña, y el Sol, como quiera que está por Poniente, no les ilumina con su luz.

(840) Sordello de Visconti, mantuano, fué un excelente poeta y docto literato del siglo XIII. Benvenuto de Imola le llama también «nobilis et prudens miles et curialis».

(841) Era este el grito de todos los verdaderos italianos, que comprendían que la patria perecía por efecto de sus divisiones. Grazolli, contemporáneo de Dante, decía:

> *Regno diviso mai non si difende*
> *Misera Italia! tu l' hai ben esperto*
> *Che in te non è Latino*
> *Che non struga il vicino*
> *Quando per forza e quando per mal' arte*

goza de paz. ¿Qué vale que Justiniano te enfrenara (842), si la silla está vacía? Tu vergüenza sería menor sin ese mismo freno. ¡Ah, gentes que debierais ser devotas (843) y dejar al César en su trono, si comprendierais bien lo que Dios ha prescrito (844); mirad cuán arisca se ha vuelto esa Italia, por no haber sido castigada a tiempo con las espuelas, desde que os apoderasteis de sus riendas! ¡Oh, alemán Alberto (845), que la abandonas, al verla tan indómita y salvaje, cuando debiste oprimir sus ijares! Caiga sobre tu sangre el justo castigo del Cielo, y sea éste tan nuevo y evidente, que sirva también de temeroso escarmiento a tu sucesor, ya que tú y tu padre, alejados de aquí por ambición (846), habéis tolerado que quede desierto el jardín del Imperio (847). Hombre indolente, ven a ver a los Montecchi y a los Cappuletti (848), a los Monaldi y Filippeschi (849), aquéllos ya tristes y éstos poseídos de amargos recelos. Ven, cruel, ven, y mira la opresión de tus nobles (850), y remedia sus males y verás cuán segura está Santaflora (851). Ven a ver a tu Roma, que llora, viuda y sola, exclamando día y noche: «¡César mío! ¿Por qué no estás en mi compañía?» Ven y contempla cuán grande es el mutuo amor de la gente; y si nada te mueve a compasión de nosotros, ven a avergonzarte de tu fama. Y, séame lícito

(842) Con las leyes que dió a Italia, después de libertarla del poder de los godos, en el siglo VI.
(843) Reprende a los güelfos, y particularmente a los de la Curia romana.
(844) Deberíais consagraros a las cosas de la religión, dejando al emperador el gobierno de las cosas temporales, si entendieseis lo que dijo Jesucristo: «Dad al César lo que es del César, y a Dios lo que es de Dios.»
(845) Alberto, hijo del emperador Rodolfo, fué el segundo que tuvo el título de Rey de Romanos; pero no quiso nunca ir a Italia. Quería Dante que el Imperio latino volviese a su antiguo esplendor, con él la Italia, que siendo el *jardín del Imperio*, y debiendo ser su cabeza, no sería sierva, sino señora de las naciones, aunque la autoridad del supremo imperante no recayese en un italiano. Debiendo estar en Roma la silla del Imperio, y siendo elegible el emperador, no podían los gibelinos considerarle extranjero, aunque fuese alemán, como los güelfos no consideraban tal a un papa español o francés. La idea sintética de Dante era dar unidad a las ciento y más partes en que entonces se hallaba dividida Italia, donde con pretexto de una libertad ficticia, que degeneraba en licencia popular o en tiranía, el desorden y las discordias devoraban las ciudades y repúblicas en la Edad Media.
(846) Por la ambición de extender sus estados en Alemania.
(847) Esto es, Italia, abandonado por los emperadores.
(848) Nobles familias gibelinas de Verona.
(849) Nobles familias gibelinas de Orvieto.
(850) De tus nobles gibelinos: los unos tristes por los daños recibidos; los otros recelosos de recibirlos.
(851) Condado del Estado de Siena. Dice esto irónicamente, porque aquel país estaba infestado de ladrones.

preguntarte, ¡oh, sumo Jove (852), que fuiste crucificado por nosotros en la tierra! ¿Están vueltos hacia otra parte tus justos ojos (853)? ¿O es que nos vas preparando de este modo, en lo profundo de tus pensamientos, para recibir algún gran bien que no puede prever nuestra inteligencia? Porque la tierra de Italia está llena de tiranos, y el hombre más ruin, al ingresar en un partido, se convierte en un Marcelo (854).

Florencia mía, bien puedes estar satisfecha de esta digresión, que no te atañe, gracias al inagotable ingenio de tu pueblo (855). Hay muchos que llevan la justicia en el corazón, pero son tardos en aplicarla, porque temen disparar el arco imprudentemente; mas tu pueblo la tiene en la punta de sus labios. Muchos rehusan los cargos públicos, pero tu pueblo responde solícito, sin que le llamen, y grita: «Yo los acepto.» Alégrate, puesto que motivo tienes para ello. Eres rica, disfrutas tranquilidad, tienes prudencia. Si digo la verdad, claramente lo demuestran los hechos. Atenas y Lacedemonia, que hicieron las antiguas leyes y fueron tan civilizadas, dieron un débil ejemplo de buen vivir comparadas contigo, pues dictas tan sutiles decretos, que los que expides en octubre no llegan a mediados de noviembre (856). ¿Cuántas veces, en el tiempo a que alcanza la memoria, has cambiado de leyes, de monedas, de oficios y de costumbres. y renovado tus habitantes? (857). Y si quieres recordarlo y ver la luz, conocerás que eres semejante a aquella enferma que no encuentra posición que le cuadre sobre la pluma, y procura hacer más llevadero su dolor revolviéndose sin cesar en el lecho.

---

(852) Llama a Jesucristo con el nombre de Jove (Giove), que según los antiguos, equivale al hebreo *Jehová*, con el cual se designa a Dios en la Sagrada Escritura.
(853) Quiere decir las miradas de la justicia.
(854) De este nombre hubo dos varones eminentes en Roma, uno de ellos se apoderó de Siracusa, y el otro combatió la tiranía de Julio César.
(855) Aquí habla Dante con acerba ironía.
(856) Aquí el poeta deja la ironía para prorrumpir en arranques de indignación.
(857) Por verse unos u otros desterrados, según que venciera este o aquel partido.

CANTO VII

Virgilio se da a conocer a Sordello, el cual manifiesta a los Poetas que no se puede subir de noche por la montaña del Purgatorio. — Después les enseña los Negligentes que, ofuscados por el poder y los honores, tardaron en arrepentirse. — Enrique de Inglaterra y el Marqués de Monferrato.

DESPUÉS de haber cambiado entre sí tres o cuatro veces corteses y halagüeños saludos, Sordello se hizo un poco atrás, y dijo: —¿Quiénes sois?

—Mis huesos fueron sepultados por mandato de Octavio (858), antes que se hubiesen dirigido hacia esta montaña las almas dignas de subir hasta Dios (859), respondió mi Guía; yo soy Virgilio, que perdí el cielo por no tener fe (860), y no por otra culpa.

Como aquel que de improviso ve una cosa que le asombra y a la que no sabe si dar o no crédito, diciendo: «es, no es», así se quedó aquél; después bajó los ojos, se adelantó humildemente hacia él y le abrazó en el sitio del cuerpo donde alcanza el pequeño (861). —¡Oh, gloria de los latinos, dijo, por quien nuestra lengua demostró cuánto podía! ¡Honor eterno del lugar donde nací! ¿Qué mérito o qué gracia permite que yo te vea? Si es que soy digno de oír tus palabras, dime si vienes del Infierno y de qué recinto.

—He llegado hasta aquí pasando por todos los círculos del reino del llanto, respondióle; la virtud del cielo me guía, y con ella vengo. No por lo que he hecho, sino por

---

(858) Virgilio murió bajo el reinado de Octavio Augusto.

(859) Antes de que el Redentor, sacando del Limbo las almas de los justos, les concediese que por aquel monte subieran al cielo

(860) Por no haber creído en el Mesías.

(861) Esto es, en las rodillas, adonde llega el niño cuando abraza al adulto, o bien donde los hombres de humilde condición solían abrazar por reverencia a los de alta estirpe.

lo que no he hecho, he perdido la facultad de contemplar
el alto Sol que tú deseas, y que conocí más tarde. Allá abajo
hay un lugar triste, no por los martirios, sino por las tinieblas, donde en vez de lamentos como gritos, sólo resuenan
suspiros. Allí estoy yo con los inocentes párvulos, devorados
por la muerte antes de que fueran lavados del pecado original. Allí estoy yo con aquellos que no se adornaron con las
tres virtudes santas (862), aunque exentos de vicios, conocieron y observaron las demás (863). Pero danos algún indicio, si es que puedes y sabes, a fin de que lleguemos más
pronto al sitio donde tiene verdadero principio el Purgatorio.

Sordello respondió: —Aquí no tenemos designado un
punto fijo, y a mí me es lícito subir andando alrededor por
la montaña; te serviré de guía por todos los parajes hasta
donde puedo llegar. Pero advierte que ya declina el día, y,
no siendo posible ir arriba de noche. convendrá que pense-
mos en buscar un cómodo refugio. Algo lejos de aquí, a la
derecha, hay algunas almas; si quieres, te conduciré adonde
están, seguro de que te agradará conocerlas.

—¿Cómo es esto?, le contestó. Quien quisiera subir de
noche, ¿se vería detenido por alguien? ¿O es, acaso, que no
podría subir?

El buen Sordello pasó su dedo por el suelo, diciendo:
—¿Ves esta sola línea? Pues no la atravesarás después de
haberse ocultado el Sol; no por otra causa, sino porque te
lo impedirán las tinieblas nocturnas, las cuales, con la impotencia que originan, contrarrestan la voluntad. Con ellas
podríase muy bien volver abajo y recorrer la cuesta vagan-
do en torno, mientras el día esté bajo el horizonte (864).

Entonces mi señor, como asombrado, repuso: —Condúcenos adonde dices que puede ser agradable permanecer —.
Nos habíamos alejado un poco de allí, cuando me di cuenta
de que el monte estaba hendido, como los valles que hay en
nuestro hemisferio. —Iremos, dijo aquella sombra, allá donde la cuesta forma una cavidad, y esperaremos en ella el
nuevo día.

Un sendero tortuoso, entre pendiente y llano, nos condujo a un lado de aquella cavidad, en donde las orillas que

(862) Las tres virtudes teologales: Fe, Esperanza y Caridad.
(863) Todas las que se relacionan con las leyes natural y civil.
(864) El Sol es aquí símbolo de la gracia: faltando ésta no se puede
dar un paso en el camino de la perfección, que está representado en
la montaña. Pero con las tinieblas se puede descender y andar va-
gando.

la circundan descienden más de la mitad de su altura. El oro
y la plata fina, la púrpura, el albayalde, el añil azul y brillante y las esmeraldas recientemente talladas en el momento en
que se desprenden sus trozos (865), serían vencidos en bri-
llantez por las hierbas y las flores de aquella cavidad, como
lo pequeño es vencido por lo grande. La Naturaleza no había
ostentado solamente allí sus adornos, sino que con la suavi-
dad de mil aromas había formado un olor indistinto y desconocido para nosotros.

Allí vi sentadas sobre la verdura y entre las flores algunas almas, que desde fuera no podían distinguirse, por ocul-
tarlas las laderas del valle, las cuales estaban cantando el
Salve Regina.

El Mantuano, que nos había conducido por el tortuoso
sendero, nos dijo: —No pretendáis que os guíe hasta donde
están ésos antes de que se oculte el poco sol que queda.
Desde esta altura veréis las acciones y los rostros de todos,
mejor que si estuvierais entre ellos en el mismo valle. Aquel
que está sentado en el puesto más alto, que en su actitud
parece haberse descuidado de hacer lo que debía, y cuya boca
no se mueve para cantar con los demás, fué el emperador
Rodolfo (866), que pudo curar las heridas que han dado
muerte a la Italia, de tal modo, que tarde le vendrá de otro
el remedio. El que con su presencia conforta al primero, gobernó la tierra donde nace el agua que el Moltava conduce al
Elba, y el Elba al mar (867). Llamóse Ottokar; ya en la infancia fué mucho mejor príncipe que su hijo Wenceslao cuando barbado, a quien enervaron el ocio y la lujuria. Y aquel
romo (868), que parece consultar con tanta intimidad al otro
de benigno aspecto (869), murió huyendo y marchitando la

(865) Cuando se parte una esmeralda, el color es bastante más
intenso en el corte que en el resto de la piedra.

(866) Rodolfo I de Habsburgo, padre de Alberto, a quien apostrofa
tan rudamente el poeta en el canto anterior. Le coloca en el lugar
más elevado por su dignidad de emperador; y dice que parece haberse descuidado de hacer lo que debía, porque, después de sus victorias
en Alemania, pudo haberse señoreado de Italia sin dificultad y acabar con sus disensiones intestinas.

(867) Ottokar u Otocar, rey de Bohemia, país donde nace el Mol-
dava: no quiso reconocer por emperador a Rodolfo, y le movió guerra; murió en una batalla contra aquél, en 1277.

(868) *E quel Nasetto... Nariguillas*, romo: Felipe III, de Francia,
el Atrevido, que tenía muy pequeña la nariz.

(869) Enrique III, rey de Navarra y consuegro de Felipe III de
Francia. Estando éste en guerra con Pedro III *el Grande*, de Aragón,
fué derrotado en un combate naval por Ruggiero Doria, almirante de
aquel reino; después de esta derrota, huyó a Perpiñán, donde murió
de dolor.

flor de lis; mirad cómo se golpea el pecho, y ved cómo el otro, suspirando, apoya su mejilla en la palma de la mano (870). Padre y suegro son del mal de Francia (871); saben que su vida es grosera y viciosa, y de ahí proviene el dolor que les aflige. Aquel que parece tan corpulento (872), y que canta acorde con el nariguado (873), llevó ceñida la cuerda de toda virtud, y si después de él hubiera reinado más tiempo el jovencito que a su espalda se sienta (874), bien habría pasado el valor de padre a hijo, lo cual no se puede decir de sus otros herederos. Jaime y Fadrique conservan los reinos. pero ninguno de ellos posee la mejor herencia (875). Raras veces renace por las ramas la humana probidad (876), pues así lo quiere Aquel que nos la da, para que se la pidamos. No menos se dirigen mis palabras al nariguado, que al otro, a Pedro, que canta con él; pues de su descendencia se lamentan ya la Pulla y la Provenza (877). La planta es inferior a su semilla, tanto cuanto más que Beatriz y Margarita se vanagloria Constanza aún de su marido (878). Ved ahí al rey de sencilla vida, sentado aparte y solo, a Enrique de Inglaterra (879), el cual ha

(870) El mismo Enrique de Navarra.
(871) Felipe III era padre, y Enrique III suegro de Felipe *el Hermoso,* a quien llama aquí el poeta *el mal de Francia:* esto es, el causante de sus males.
(872) Pedro III de Aragón, príncipe valeroso, robusto y de bella presencia, que ocupó la Sicilia después de las famosas *Vísperas,* reivindicando los derechos de su mujer Constanza, hija de Manfredo.
(873) *El Nariguado:* Carlos I, conde de Provenza y rey de Pulla. No a éste, como entiende algún comentador italiano, sino a Pedro, se refiere Dante al decir que *ciñó la cuerda* (estuvo revestido) de toda virtud.
(874) Este jovencito es don Alfonso III, primogénito de Pedro *el Grande,* que sucedió a su padre, y sólo reinó seis años, muriendo en 1291. Los otros hijos fueron Jaime y Fadrique, que reinaron respectivamente en Aragón y en Sicilia, y Pedro, que no tuvo parte en la herencia de su padre; algunos entienden que el poeta se refiere a este último.
(875) Ninguno de éstos posee las virtudes de su padre. Es singular que aquí hable así Dante de ellos, cuando poco antes, en el canto III del Purgatorio, los llama *l' onor di Cicilia e d' Aragona.* Verdad es que aquí los pone en comparación con su padre.
(876) Es decir: raras veces se transmiten las virtudes de padres a hijos; y es porque Dios quiere que le roguemos nos las conceda.
(877) Lo mismo que de Pedro, digo de Carlos I; pues ya la Provenza y la Pulla se lamentan del mal gobierno de su hijo Carlos II.
(878) Quiere decir: Tan inferior en virtud es Carlos II *(la planta)* a Carlos I *(la semilla),* cuanto fué superior a éste en virtudes domésticas el marido de Constanza, Pedro III. Beatriz y Margarita fueron mujeres de Carlos I; la primera, hija de Raimundo V de Provenza, y la segunda, de Eudo, duque de Borgoña.
(879) Enrique III de Inglaterra, hombre de buena fe y de sencillas costumbres; por lo cual el poeta pone *solo,* pues hay pocos reyes que se le parezcan. Habiéndosele rebelado sus barones, le vencieron y le hicieron prisionero; su hijo Eduardo lo libertó y volvió al trono,

producido mejores vástagos (880). Aquel que está en el suelo más abajo que los otros, mirando hacia arriba, es el marqués Guillermo (881), por quien Alejandría y sus guerreros hacen llorar hoy al Monferrato y al Canavés.

venciendo a los rebeldes; y por esto dice Dante que produjo mejores vástagos.

(880) Éste, Eduardo I, fué un gran rey, que agregó el principado de Gales a Inglaterra.

(881) Guillermo, marqués de Monferrato; se sienta más abajo, porque no es de estirpe real; fué muerto a traición por los de Alejandría de la Puglia, lo que originó una guerra entre aquéllos y los de Monferrato y el Canavés.

CANTO VIII

Llegada la noche, las almas de que habla el canto anterior ento-
nan un himno. — Dos ángeles, custodios del valle, descienden
armados de flamígeras espadas, y arrojan de allí a una ser-
piente que se aparece. — Malaspina predice a Dante su pró-
ximo destierro.

E RA ya la hora en que se conmueve el corazón de los nave-
gante y renace su deseo de abrazar a los caros amigos,
de quienes el mismo día se han despedido, y en que el
nuevo peregrino siente una nostalgia de amor si oye a lo
lejos alguna campana que parezca plañir al moribundo
día (882); cuando dejé de oír y comencé a mirar a una de
aquellas almas, que, puesta en pie, hacía señas con la mano
pidiendo que se la escuchase. Unió y levantó ambas palmas,
dirigiendo sus ojos hacia Oriente (883), como si dijese a Dios:
«Sólo en ti pienso»; y salió de su boca tan devotamente y
con tan dulces notas el *Te lucis ante* (884), que el placer me
enajenó la mente.

(882) La gradual desaparición de la luz del día, el silencio de todo
lo creado hace que se presenten a nuestra memoria las imágenes de
las cosas que nos son más queridas; por eso el poeta dice que empezaba la noche, la cual excita en el corazón de los navegantes el
deseo de volver a ver pronto a su familia y amigos; así como aflige
con recuerdos de cariño al caminante que ha emprendido recientemente
su viaje, sobre todo al oír el toque de *Oración*.

(883) Los antiguos cristianos, cuando oraban por la noche, volvían
el rostro hacia Levante, porque consideraban al Sol naciente como
símbolo de Jesucristo, restaurador de la naturaleza humana, corrompida por el pecado.

(884)   «Te lucis ante terminum
            rerum Creator, poscimus,
            ut pro tua clementia,
            sis prœsul et custodia».

Himno de san Ambrosio, que se canta en la última parte del Oficio
divino.

Aguza bien aquí la vista, ¡oh, lector!, para descubrir la verdad; porque el velo es ahora tan sutil, que te será, en efecto, sumamente fácil atravesarlo (885).

Vi luego a aquel ejército gentil, pálido y humilde, que en silencio contemplaba el cielo, como esperando algo; y vi salir de las alturas y descender al valle dos ángeles con dos espadas flamígeras, truncadas y privadas de sus puntas (886). Verdes como las tiernas hojas que acaban de brotar eran sus vestiduras, y agitadas por las plumas de sus alas, verdes también, flotaban por detrás a merced del viento. El uno se posó algo más arriba de donde estábamos; el otro descendió hacia el lado opuesto; de suerte que las almas quedaron entre ellos. Se distinguía perfectamente su blonda cabellera; pero al querer mirar sus facciones, se ofuscaba la vista, como se ofusca toda facultad, por la excesiva fuerza de las impresiones.

—Ambos vienen del seno de María, dijo Sordello, para guardar el valle contra la serpiente que acudirá a él en breve (887).

Y yo, que no sabía por qué sitio había de venir, miré en torno mío, y, helado de terror, me arrimé cuanto pude a las fieles espaldas (888). Sordello continuó: —Ahora descendamos entre las grandes sombras y hablaremos con ellas, pues les causará gozo vuestra vista.

Apenas habría dado tres pasos, cuando me encontré ya abajo y vi a uno que me miraba como tratando de reconocerme. El aire iba ya obscureciéndose, pero no tanto que entre sus ojos y los míos no permitiese ver lo que antes por la distancia se ocultaba. Vino hacia mí y yo me adelanté hacia él. ¡Noble juez! ¡Oh, Nino! (889). ¡Con cuánto placer vi que no estabas entre los condenados! No hubo amistoso saludo que no

(885) **Aguza aquí el entendimiento ¡oh lector! para comprender el verdadero significado de esta visión**; pues el velo alegórico es bastante sutil y transparente para que puedas penetrar su sentido. La alegoría contenida en lo que sigue parece ser ésta: las almas, al entonar el himno *Te lucis*, que concluye diciendo: «Hostemque nostrum comprime» (defiéndenos de nuestro enemigo), no ruegan por sí, estando ya libres de la corrupción de la carne, sino por los vivos, y en particular por los grandes que, entregados a los goces, se hallan más expuestos a los estímulos de los sentidos.

(886) Dice privadas de sus puntas para significar que la justicia divina, cuyo símbolo son estas espadas, no está nunca divorciada de la misericordia.

(887) «La serpiente — dice Grangier — es la tentación diabólica que, con extrema sutileza, trata de sorprendernos.»

(888) De Virgilio.

(889) Nino, de la casa Visconti de Pisa, juez de Gallura en Cerdeña, jefe del partido güelfo: era pariente del conde Ugolino.

nos dirigiésemos; después me preguntó: —¿Cuánto tiempo hace que has llegado al pie de este monte a través de las lejanas aguas? (890).

—¡Ah!, le dije, esta mañana he llegado pasando por tristes lugares, y estoy aún en la primera vida; aunque al hacer este viaje voy preparándome para la otra (891).

Apenas oyeron mi respuesta, cuando Sordello y él retrocedieron como hombres poseídos de un repentino espanto. El primero se volvió hacia Virgilio, y el otro hacia uno que estaba sentado, gritando: «Ven, Conrado (892), ven a ver lo que Dios por su gracia permite.» Después, dirigiéndose a mí, exclamó: —Por la singular gratitud que debes a Aquel que oculta de tal modo su primitivo origen, que no es posible penetrarlo, cuando estés más allá de las anchurosas aguas (893), di a mi Juana (894) que ruegue por mí allí donde se oyen las súplicas de los inocentes. No creo que su madre me ame ya (895), pues ha dejado las blancas tocas (896), que la desventurada echará de menos algún día. Por ella se comprende fácilmente cuánto dura en una mujer el fuego del amor, si la vista o el íntimo trato no lo alimenta. La víbora que campea en las armas del Milanés no le proporcionará tan hermosa sepultura como se la hubiera dado el gallo de Gallura (897).

Así decía, y en todo su aspecto se veía impreso el sello de aquel recto celo que arde con mesura en el corazón. Entre tanto, mis ojos se dirigían ávidos hacia la parte del cielo donde es más lento el curso de las estrellas (898), como sucede en los puntos de una rueda más próximos al eje. Mi Guía me preguntó: —Hijo mío, ¿qué miras allá arriba? —. Y yo le

(890) Es decir, desde la desembocadura del Tíber hasta la montaña del Purgatorio.

(891) En virtud de la enseñanza que aquel viaje le proporcionaba.

(892) De los Malaspina, marqués de Villafranca; nieto de Conrado el *Antiguo*, marqués de Lunigiana, y tío de aquel Moroello que dió hospitalidad a Dante.

(893) De las anchurosas aguas que rodean la montaña del Purgatorio, o lo que es lo mismo, en el mundo de los mortales.

(894) Juana, hija de Nino Visconti y esposa de Ricardo del Camino.

(895) Beatriz Marchesotta, mujer de Nino, y después de Galeas Visconti de Milán.

(896) Las viudas en aquel tiempo solían usar tocas blancas en señal de luto.

(897) No será tan honrosa su sepultura cuando muera enlazada a la casa de los Visconti de Milán, como lo sería si hubiera guardado fidelidad a la de los Visconti de Gallura. Los primeros tenían una víbora en su escudo; los segundos un gallo.

(898) Hacia el Polo antártico, donde la aparente revolución de las estrellas, efectuándose en menor espacio que en otras partes del cielo, parece más lenta.

contesté: —Aquellas tres antorchas (899), en cuya luz arde todo el Polo hacia esta parte—. Y él repuso: —Las cuatro estrellas brillantes (900) que viste esta mañana han descendido por aquel lado, y ésas han subido donde estaban aquéllas.

Mientras él hablaba, Sordello se le acercó, diciendo: —He ahí a nuestro adversario—; y extendió el dedo para que mirásemos hacia el sitio que indicaba. En la parte donde se abría el pequeño valle había una serpiente, tal vez aquella que dió a Eva el amargo manjar. Se adelantaba el maligno reptil por entre la hierba y las flores, volviendo de vez en cuando la cabeza, y lamiéndose el lomo como un animal que se alisa la piel. No puedo decir cómo se movieron los azores celestiales (901), pues no me fué posible distinguirlo; pero sí vi a entrambos en movimiento. Sintiendo que sus verdes alas hendían el aire, huyó la serpiente, y los ángeles se volvieron a su puesto con vuelo igual.

La sombra que se acercó al juez, cuando éste la llamó, no dejó un momento de mirarme en lo que duró la acometida (902) —Que la antorcha (903) que te conduce hacia arriba encuentre en tu voluntad tanta cera (904) cuanta se necesita para llegar al sumo esmalte (905), empezó a decir; si sabes alguna noticia cierta de Val di Madra o de su tierra circunvecina, dímela, pues yo era señor en aquel país: fuí llamado Conrado Malaspina, no el antiguo, sino un descendiente suyo, y tuve para con los míos un amor que aquí se purifica (906).

—¡Oh!, le contesté; no estuve nunca en vuestro país; pero, ¿a qué parte de Europa no habrá llegado su fama? La gloria que honra vuestra casa da tal renombre a sus señores y a la comarca entera, que tiene noticia de ella aun aquel que no la ha visitado. Y os juro, así pueda llegar a lo alto de este monte, que vuestra honrosa estirpe no pierde la prez

(899) Las constelaciones del Eridano, de la Nave y del Pez de Oro. Alegóricamente son las tres virtudes teologales.

(900) Las cuatro virtudes cardinales: Prudencia, Justicia, Fortaleza y Templanza.

(901) Llama así a los dos ángeles para demostrar la rapidez con que descendían a arrojar a la serpiente.

(902) Conrado Malaspina, señor de la Lunigiana.

(903) La divina gracia que ilumina.

(904) Tanto mérito.

(905) Al sumo Cielo.

(906) Grangier cree que Malaspina se halla en esta parte del Purgatorio por causa de que, habiéndose ocupado demasiado de sus Estados, había diferido su penitencia. Artaud de Montor opina que hay en este pasaje una alusión maligna contra Conrado.

que le han conquistado su bolsa y su espada (907). Sus buenas costumbres y excelente carácter la colocan en tan privilegiado puesto, que aunque el perverso jefe (908) aparte al mundo del verdadero camino, ella va por el recto sendero despreciando el torcido.

—Ve, pues, me replicó entonces él, que antes de que el Sol entre siete veces en el espacio que Aries con sus cuatro patas cubre y abarca (909), esa opinión cortés te será clavada en la cabeza con clavos más fuertes de lo que pueden ser las palabras de otro, si no se cambia el curso de lo dispuesto por la Providencia (910).

(907) Su liberalidad y sus proezas.
(908) Roma, cabeza del güelfismo.
(909) Antes de que pasen siete años.
(910) Con esta metáfora quiere significar que Dante mismo verá demostrada por los hechos la liberalidad de la casa de Malaspina, mejor que pudiera expresarse con palabras; aludiendo a la hospitalidad que, durante su destierro, había de recibir el poeta de Francisco de Mulazzo y de Moroello de Villafranca, primo el uno, y sobrino el otro de Conrado.

15

CANTO IX

Al rayar el alba se duerme Dante, y tiene una visión durante su sueño. Cuando despierta, se encuentra transportado al tercer rellano de la montaña, donde Virgilio le muestra la puerta del Purgatorio.— El ángel que guarda esta puerta se la abre, accediendo a sus ruegos.

La concubina del viejo Titón, desprendida de los brazos de su dulce amigo (911), alboreaba ya en los linderos orientales, reluciendo su frente de rica pedrería (912) colocada en la forma del frío animal que sacude a la gente con la cola (913); y ya por el lugar donde nos hallábamos había dado la noche dos de los pasos con que asciende, y el tercero inclinaba hacia abajo su vuelo (914), cuando yo, que arras-

---

(911) La *concubina,* o esposa, de Titón es la Aurora, que enamorada de él según la fábula, pidió a Júpiter que le concediese la inmortalidad, olvidándose de pedirle también la eterna juventud. Habiendo envejecido Titón, hasta el punto de tener que envolverle en mantillas, se anularon los desposorios. El amigo de la Aurora puede ser su esposo, o Céfalo, uno de sus numerosos amantes.

(912) Las estrellas.

(913) La Aurora aparecía coronada con las estrellas que forman el signo de *Piscis.* El pez, animal frío, que tiene gran fuerza en la cola y golpea o sacude (*percuote*) con ella a quien se le acerca. Estando el Sol en Aries, no puede ser otra que la constelación de Piscis la que aparece sobre el horizonte al rayar el alba.

(914) Este obscuro pasaje ha dado lugar a varias interpretaciones, suponiendo unos que *los pasos de la noche* son las horas, y otros las cuatro vigilias. La interpretación más acertada es la del profesor Massotti, que se refiere a los signos del Zodíaco. Si la noche asciende con tres pasos, con tres debe descender : estos seis pasos son la seis constelaciones que durante la noche recorren la bóveda celeste. Poniéndose a éste siguen los de Escorpión, Sagitario, Capricornio, Acuario, y el Sol en Aries, al anochecer aparece al Oriente el signo de Libra, y por último, Piscis, cuando empieza el crepúsculo matutino. El observador que esté, como Dante, en medio del hemisferio, verá pasar por el Meridiano y descender al Occidente los *dos primeros pasos,* Libra y Escorpión ; y el tercero, es decir, Sagitario, inclinarse más de la mitad hacia el mismo lado cuando viene el día. Los otros tres pasos, Capricornio, Acuario y Piscis estarán sobre el horizonte a la parte Oriental. Así se entiende que faltaba una hora para ser de día ; y esta interpretación concuerda perfectamente con lo que ha dicho antes el poeta y con lo que dice después.

traba conmigo lo que hemos heredado de Adán (915), vencido del sueño, me tendí en la hierba sobre que estábamos sentados los cinco (916).

A la hora del amanecer, cuando la golondrina empieza sus tristes endechas, quizá en memoria de sus primeros ayes (917), y cuando nuestro espíritu, más libre de los lazos de la carne y menos asediado de pensamientos, es casi divino en sus visiones (918), parecióme ver entre sueños un águila con plumas de oro suspendida del cielo, con las alas abiertas y preparada a bajar, y creía estar allí donde Ganimedes abandonó a los suyos, cuando fué arrebatado a la celestial asamblea (919). Yo pensaba entre mí: «Quizá esta águila tenga la costumbre de cazar aquí solamente, y puede ser que en otro sitio se desdeñe de levantar en alto la presa con sus garras.» Después me pareció que, dando algunas vueltas, descendía terrible como un rayo y me arrebataba hasta la esfera del fuego (920), donde parecía que ardiésemos los dos; y de tal modo me quemaba aquel incendio imaginario, que se interrumpió súbitamente mi sueño.

No de otra suerte se sobresaltó Aquiles revolviendo en torno suyo sus ojos desvelados y sin saber dónde se encontraba, cuando su madre, robándolo a Quirón, le transportó dormido en sus brazos a la isla de Sciros, de donde le sacaron después los griegos (921), como me sobresalté yo, apenas huyó el sueño de mi rostro; y me puse pálido como el hombre que es

(915) ...*che meco avea di quel d'Adamo.* Esto es, el cuerpo con todas sus necesidades naturales.

(916) Dante, Virgilio, Sordello, Nino y Conrado.

(917) Alude a la fábula de Progne, convertida por los dioses en golondrina. Quieren otros que se refiera a su hermana Filomena, o Filomela, convertida en ruiseñor.

(918) Debe suponerse que ha pasado algún tiempo, desde que el poeta se duerme, hasta el momento de su visión; y habla de la hora en que el alma, libre de las impresiones corporales y de los pensamientos que la ocupan de día, es como adivina en sus ensueños. Véase lo dicho sobre la opinión de los antiguos, en las notas al Canto XXVI del *Infierno.*

(919) En el monte Ida, donde Ganimedes abandonó a sus parientes, cuando Júpiter, transformado en águila, le arrebató y transportó al Consejo de los dioses. En el rapto de Ganimedes, la sabiduría de los antiguos quiso simbolizar el arrebato con que la Suma Verdad eleva tal vez las almas a la contemplación de sí misma.

(920) Según opinión de los antiguos, la esfera del fuego estaba sobre el cielo del aire e inmediatamente debajo de la de la Luna, con la que finge el poeta que confina la montaña del Purgatorio.

(921) Tetis, madre de Aquiles, para evitar que éste fuese a la guerra de Troya, lo substrajo de la custodia de su ayo Quirón y lo condujo dormido a la isla de Scyros, dejándolo disfrazado de mujer en la corte de Licomedes; de allí le sacaron después los griegos Ulises y Diómedes.

presa del espanto. A mi lado estaba únicamente mi Protector;
el Sol había salido hacía ya más de dos horas, y yo me hallaba con la cara vuelta hacia el mar.

—No temas, dijo mi Señor; tranquilízate, que estamos
en buen lugar. Demuestra aquí tu vigor; no lo reprimas,
pues has llegado ya junto al Purgatorio; mira allí el muro
que le cerca en derredor, y mira la entrada en aquel sitio donde parece abrirse una especie de brecha. Durante el alba que
precede al día, cuando tu alma dormía en tu cuerpo, sobre las
flores que allá abajo adornan el suelo, vino una dama y dijo:
«Yo soy Lucía (922); permite que me lleve al que duerme,
y haré que recorra más ágilmente su camino.» Sordello se
quedó con las otras nobles sombras; ella te cogió, y cuando
fué de día se vino hacia arriba y yo seguí sus huellas. Aquí te
dejó, habiéndome antes designado con sus hermosos ojos aquella entrada abierta; y después, ella y tu sueño desaparecieron
al mismo tiempo.

Me quedé como aquel que ve sus dudas convertidas en
certidumbre, y cuyo miedo se trueca en fortaleza, cuando le
han descubierto la verdad; y viéndome tranquilo mi Guía,
empezó a subir, por la calzada, y yo seguí tras él hacia lo
alto.

Bien ves, lector, cómo elevo el objeto de mis cantos; no te
admire, pues, que procure sostenerlo cada vez con más arte.
Nos aproximamos hasta llegar al sitio que antes me había parecido ser una rotura, semejante a la brecha que divide un
muro; y vi una puerta a la cual se subía por tres gradas de
diferentes colores (923), y un portero que aún no había proferido ninguna palabra. Y como yo abriese cada vez más los
ojos, le vi sentado sobre la grada superior, con tan luminoso
rostro, que no podía fijar en él mi vista. Tenía en la mano
una espada desnuda, que reflejaba sus brillantes rayos hacia
nosotros de tal modo, que en vano intenté fijar en ella mis miradas.

—Decidme desde ahí: ¿qué queréis?, empezó él. ¿Dónde está el que os acompaña? (924). Cuidad que vuestra llegada no os sea funesta.

—Una dama, una dama celestial, que sabe de estas cosas,

(922) Lucía, símbolo de la divina gracia. Es la misma que nombra
el poeta en el canto II del *Infierno*.
(923) El primero, símbolo de la sinceridad de la confesión; el
segundo, de la contrición, y el tercero, de la satisfacción.
(924) Esto es: ¿dónde está el Ángel que debe acompañar a los
que aquí entran?

!e respondió mi Maestro, nos ha dicho hace poco: «Id allí: aquélla es la puerta.»

—Ella guía felizmente vuestros pasos, replicó el cortés portero; llegad, pues, y subid nuestras gradas.

Nos adelantamos; el primer escalón era de mármol blanco, tan bruñido y terso, que me reflejé en él tal como soy; el segundo, más obscuro que el color turquí, era de una piedra calcinada y áspera, resquebrajada a lo largo y de través; el tercero, que gravita sobre los demás, me parecía de un pórfido tan rojo como la sangre que brota de las venas. Sobre este último tenía ambas plantas el Ángel de Dios, el cual estaba sentado en el umbral, que me pareció formado de diamante (925).

Mi Guía me condujo de buen grado por los tres escalones, diciendo: —Pide humildemente que se abra la cerradura—. Me postré devotamente a los pies santos; le pedí por misericordia que abriese, pero antes me di tres golpes en el pecho. Con la punta de su espada me trazó siete veces en la frente la letra P (926), y dijo: —Procura lavar estas manchas cuando estés dentro—. En seguida sacó de debajo de sus vestiduras, que eran de color de la ceniza o de la tierra seca, dos llaves, una de las cuales era de oro y la otra de plata; primero con la blanca, y luego con la amarilla, hizo en la puerta lo que yo deseaba (927).

—Cuando una de estas llaves falsea, y no gira con regularidad por la cerradura, nos dijo, esta entrada no se abre. Una de ellas es más preciosa; pero la otra requiere más arte e inteligencia antes de abrir, porque es la que mueve el resorte (928). Pedro me las dió, previniéndome que más bien me equivocara en abrir la puerta, que en tenerla cerrada (929), siempre que los pecadores se prosternen a mis pies.

Después empujó la puerta hacia el sagrado recinto, dicien-

(925) Quiere significar la solidez de las bases en que se halla establecida la Iglesia católica.
(926) Símbolo de los siete pecados capitales.
(927) Es decir, la abrió. El color de ceniza o tierra (polvo) significa la tristeza y compasión de que debe revestirse el sagrado ministerio para juzgar las flaquezas humanas. La llave de oro simboliza la autoridad del confesor; la de plata significa la ciencia que necesita para poder juzgar, como lo indica más abajo.
(928) La una es más preciosa, la de oro, porque es el fruto de la pasión y muerte del Redentor; pero la otra requiere más arte e inteligencia, porque sirve para iluminar la conciencia del pecador y sugerirle los medios de no reincidir en el pecado.
(929) Según el significado moral: «Me dijo que me equivocara más bien en absolver al pecador, que en tenerlo oprimido con los lazos del pecado; es decir, que sea más bien misericordioso que severo.»

do: —Entrad; mas debo advertiros que quien mira hacia atrás vuelve a salir (930)—. Entonces giraron en sus quicios los espigones de la sacra puerta (931), que son de metal, macizos y sonoros; y no produjo tanto fragor ni opuso más resistencia la de Tarpeya, cuando le fué arrebatado el buen Metelo y quedó vacía de su tesoro (932). Yo me volví atento al primer ruido, y me pareció oír voces que cantaban al son de dulces acordes: *Te Deum laudamus*. Tal impresión hizo en mí la armonía que oía como la que suele experimentarse cuando se oye el canto acompañado del órgano, que tan pronto se perciben como dejan de percibirse las palabras.

(930) Según el sentido moral: que incurre en desgracia de Dios quien peca nuevamente.
(931) Dice quicios y no goznes, porque antiguamente giraban las puertas por medio de espigones metidos en quicios, como todavía se usa en algunos pueblos.
(932) Alude a los versos en que Lucano describe el estridor de las puertas y el fragor que se sintió en la roca Tarpeya cuando Julio César se apoderó violentamente del Erario de Roma, a pesar de la oposición del tribuno Metelo. (Véase *Farsalia*, lib. III, págs. 155 y sigs.)

CANTO X

Habiendo entrado en el Purgatorio, los Poetas suben al primer círculo, donde se purga el pecado de la soberbia. — Ven desde luego grabados en sus muros muchos ejemplos de humildad. Después ven las almas de los orgullosos soportando penosamente pesados fardos.

CUANDO hubimos traspasado el umbral de la puerta que se abre raras veces, porque la mala inclinación de las pasiones lo impide, haciendo aparecer recta la vía tortuosa, conocí por el ruido que acababa de cerrarse; y si yo hubiese vuelto mis ojos hacia ella, ¿qué excusa hubiera sido digna de tal falta? (933).

Subíamos por la hendidura de una roca, la cual ondulaba tortuosamente, semejante a la ola que va y viene.

—Aquí, dijo mi Guía, es preciso que vayamos con precaución, acercándonos ya por un lado, ya por otro, a las ondulaciones de esta hendidura—. Y este cuidado hizo tan lentos nuestros pasos que la Luna (934) llegó a su lecho para reposar, antes que nosotros saliésemos de aquel angosto camino. Mas cuando estuvimos arriba, libres y al descubierto, en el paraje donde se adentra el monte, nos encontramos, yo fatigado y ambos inciertos de la dirección que debíamos seguir, en un rellano más solitario que sendero a través del desierto.

Desde el borde exterior hasta el pie del derrumbadero que se alza en la parte interior, tendría aquel rellano como tres cuerpos de hombre de anchura; y hasta donde mis ojos alcanzaban, tanto por la izquierda como por la derecha, aquella cornisa aparecía siempre igual a mis ojos.

(933) Alude a la advertencia que le hizo el Ángel de la puerta, diciéndole que el que mira atrás vuelve a salir.
(934) Transcurridos ya cuatro días después del plenilunio de marzo, la Luna está en menguante, y debía ponerse unas tres horas después de haber salido el Sol.

Aún no habíamos dado un paso por la nueva vía, cuando observé que el muro escarpado interior, por el que no había posibilidad de subir, era de mármol blanco, y adornado de tan preciosas entalladuras, que no ya Policleto (935), sino la Naturaleza en presencia de ellas, habría sido superada y vencida. El ángel que descendió a la Tierra con el decreto de la paz por tantos años suspirada, y abrió las puertas del cielo después de su prolongada clausura (936), se ofreció a nuestra vista con tanta verdad, y en tan dulce actitud esculpido, que no parecía una figura silenciosa. Hubiérase jurado que hablaba diciendo: *Ave*; porque también estaba allí representada la que dió vuelta a la llave para abrir al Amor supremo (937). En su actitud iban impresas las palabras: *Ecce ancilla Dei* (938), tan propiamente como aparece una figura sellada en la cera.

—No fijes tu atención en un solo punto, me dijo el querido Maestro, que me tenía cerca de sí en el lado del corazón; por lo cual volví el rostro, y hacia la parte donde se encontraba el que movía mis pasos, vi detrás de María otra historia esculpida en la roca; y para examinarla mejor, pasé al otro lado de Virgilio, y me aproximé a ella. Estaban tallados en el mismo mármol el carro y los bueyes conduciendo el Arca Santa, tan temible para el que intenta desempeñar cargos contra la voluntad de Dios (939). Delante de ella veíase alguna gente, dividida en siete coros, que a dos de mis sentidos hacía decir: a uno, «sí canta», y a otro. «no canta» (940). En igual discordancia ponía a mi vista y a mi olfato el humo del incienso que estaba allí representado. El humilde Salmista,

(935) Si el lector ha comprendido bien la descripción anterior, entenderá que en torno de la montaña hay un rellano, como una carretera, del ancho de tres veces la altura de un hombre; a la parte interior, opuesta a la orilla de esta vía, se alza la montaña como un tajo casi vertical, de mármol blanco, en el que hay entallados unos bajos relieves, tan admirables, que ni el célebre escultor de Sición, Policleto, ni la misma Naturaleza, que es maestra del arte, podrían igualarlos. Estos relieves representan ejemplos de humildad, virtud opuesta a la soberbia.
(936) El ángel Gabriel, que, anunciando a María que sería madre, llevó la paz al mundo y fué causa de que se abriesen las puertas del cielo, cerradas hacía mucho tiempo por el pecado.
(937) Que movió al Amor divino a tener misericordia del género humano, que había perdido el cielo por el primer pecado.
(938) Luc., I : «He aquí la sirvienta del Señor».
(939) Alude a la repentina muerte del levita Oza, con la que le castigó Dios por haber tocado el Arca de la alianza cuando iba a caer. Toda esta descripción está tomada del lib. II de los Reyes, cap. 6.
(940) Estaba tan maravillosamente esculpido el acto de cantar, que si el oído me decía: «no cantan», los ojos me decían lo contrario.

danzando y saltando, precedía al vaso bendito; y en aquella ocasión era más y menos que rey (941). Desde lo alto de un gran palacio que había enfrente, Micol (942) lo contemplaba como mujer despechada y mohína.

Moví mis pies más allá del sitio en que me encontraba, para examinar de cerca otra historia que resaltaba después de Micol. Allí estaba escrita, en piedra, la alta gloria del príncipe romano, cuya insigne virtud movió a Gregorio para alcanzar su gran victoria (943); hablo del emperador Trajano. Asida al freno de su caballo se veía a una viuda, penetrada de dolor y deshecha en lágrimas (944); en torno suyo aparecía una considerable multitud de caballeros, sobre cuyas cabezas volaban al viento las águilas de oro. La desventurada, metida entre todos ellos, parecía decir: «Señor, véngame de la muerte de mi hijo, que me ha traspasado el corazón»; y él responderle: «Espérate a que yo vuelva»; y ella replicar, como persona a quien impacienta su mismo dolor: «Señor mío, ¿y si no vuelves?» Y él: «Quien ocupe mi lugar te vengará.» Y ella: «¿Qué te importa el bien que pueda hacer otro, si te olvidas del que puedes hacer tú?» Y él por último: «Tranquilízate; preciso es que cumpla con mi deber antes de ponerme en marcha: la justicia lo quiere, y la piedad me detiene.»

Aquel que no vió jamás cosa nueva (945) produjo este hablar visible, nuevo para nosotros, porque no se encuentra en la Tierra nada parecido. Mientras yo me deleitaba contemplando aquellas imágenes de tanta humildad, más que por su belleza, gratas a la vista por ser quien era su Artífice, el Poeta murmuraba: —Mira cuántas almas se dirigen hacia acá con paso lento; ellas nos conducirán a las gradas superiores —.

(941) David era en aquel momento más que rey, por estar completamente absorto en Dios, y menos que rey, por la humildad que en él aparecía.

(942) Hija de Saúl, a quien dejó el Señor estéril en castigo de haberse burlado de David cuando iba éste danzando delante del arca.

(943) La virtud del emperador Trajano hizo que el papa Gregorio el Grande consiguiera con sus oraciones tan gran victoria, librando del Infierno el alma de aquel emperador. Santo Tomás de Aquino, llevado de la autoridad de algunos escritores, supone cierto este suceso; pero otros, y en especial los críticos modernos, lo niegan.

(944) Una viuda, a cuyo hijo habían dado la muerte, se acercó al emperador Trajano cuando éste iba a la cabeza de su ejército, para pedirle justicia. El emperador procuró descubrir al homicida, y habiendo sabido que era su propio hijo, se lo ofreció a la viuda, preguntándole si le agradaría recibirlo en lugar del muerto, con lo cual ella se retiró satisfecha.

(945) Dios. «Produjo este hablar visible»; estas imágenes que hablan sin voz; que se las oye *con la vista*, de lo cual no hay ejemplo en la tierra.

Mis ojos, atentos a mirar para ver las novedades de que se mostraban tan ávidos, no fueron tardos en volverse hacia él.

No quisiera, ¡oh, lector!, que te apartaras de tus buenas disposiciones, para oír cómo Dios quiere que sean satisfechas las deudas. No prestes atención a la forma de estas penas, sino a lo que en pos de ellas vendrá; piensa que en el último y peor resultado no pueden prolongarse más allá de la gran sentencia (946).

Yo empecé a decir: —Maestro, lo que veo dirigirse hacia nosotros no me parecen personas, ni sé lo que es, pues se desvanece a mi vista —. Y él me contestó: —La abrumadora condición de sus tormentos con dificultad puede al principio distinguirlos; pero mira allí fijamente, descubre con tu vista lo que viene debajo de aquellas peñas, y podrás juzgar cuál es el tormento de cada uno de ellos.

¡Oh, cristianos soberbios, miserables y débiles, que enfermos de la vista del entendimiento os fiáis de los pasos que os hacen retroceder! (947). ¿No advertís que somos gusanos nacidos para formar la angelical mariposa (948), que dirige su vuelo sin impedimento hacia la justicia de Dios? ¿Por qué se engríe soberbio vuestro ánimo, cuando sólo sois defectuosos insectos, como crisálidas que no llegan a desarrollarse?

Así como, para sostener un piso o un techo, se ve a veces por ménsula (949) una figura cuyas rodillas se doblan hasta el pecho, la cual, con ser fingido su esfuerzo, produce verdadera aflicción en quien la mira, del mismo modo vi yo a aquellas almas cuando las examiné con cuidado. Es cierto que estaban más o menos contraídas, según era mayor o menor el peso que soportaban; pero aun la que más paciente y aliviada se mostraba en sus movimientos, parecía decir llorando: «No puedo más.»

---

(946) Por grandes y aflictivas que te parezcan estas penas, lector, no te arredren: piensa que la mayor de ellas no puede prolongarse más allá del día del Juicio final, y en pos de ellas está la felicidad eterna.

(947) ¡Oh, cristianos soberbios, que teniendo ciega la inteligencia, creéis caminar hacia delante, marchar a buen fin, cuando vuestros pasos son retrógrados, esto es, se encaminan todos a malos fines!

(948) El alma espiritual, cuyo símbolo era la mariposa, y así se ve representada en los antiguos monumentos.

(949) Piedra que sobresale del plano en que está puesta, y sirve para recibir o sostener alguna cosa. También una cariátide, un atlante o un telamón.

CANTO XI

Oración de los soberbios. — Virgilio les pregunta cuál es el sendero más fácil para subir. — Dante reconoce, entre otras almas, al pintor Oderisi de Gubbio, que le cuenta la historia de los pintores italianos y le habla de la vanidad de la fama mundana.

OH, Padre nuestro, que estás en los cielos, aunque no circunscrito a ellos, sino por el mayor amor que arriba sientes hacia los primeros efectos (950); alabado sea Tu nombre y Tu poder por todas las criaturas, así como se deben dar gracias a las dulces emanaciones de tu bondad. Venga a nos la paz de tu reino, a la que no podemos llegar por nosotros mismos, a pesar de toda nuestra inteligencia, si ella no desciende hasta nosotros. Así como los ángeles te sacrifican su voluntad cantando Hosanna, deben sacrificar la suya los hombres. Danos hoy el pan cotidiano, sin el cual retrocede por este áspero desierto aquel que más se afana por avanzar. Y así como nosotros perdonamos a cada cual el mal que nos ha hecho padecer, perdónanos Tú, benigno, sin mirar a nuestros méritos. No pongas a prueba nuestra virtud que tan fácilmente se abate contra el antiguo adversario, sino líbranos de él, que la instiga de tantos modos. No hacemos, ¡oh, Señor amado!, esta última súplica por nosotros, pues ya no tenemos necesidad de ella, sino por los que tras de nosotros quedan.»

De esta suerte, pidiendo para ellas y para nosotros un feliz viaje, iban aquellas almas soportando su carga, semejante a la que a veces cree uno llevar cuando sueña. Desigualmente cargadas y desfallecidas caminaban alrededor del primer círculo,

(950) No limitado, por cuanto el infinito no tiene límites, sino que estás en los cielos, porque allí se difunde mayormente tu amor hacia los primeros seres de la Creación, el cielo y los ángeles.

a fin de purificarse de las vanidades del mundo. Si desde allí
se ruega eternamente por nosotros, ¿qué no podrán decir y
hacer por ellas desde aquí los que a su voluntad reúnen la gracia divina? Es preciso ayudarles a lavarse las manchas que
del mundo llevaron, para que puedan llegar limpias y ágiles,
hasta las estrelladas esferas.

—¡Ah! que la justicia y la piedad (951) os alivien de
vuestro peso, de modo que podáis desplegar las alas y elevaros
según vuestro deseo; mostradnos por qué lado se va más pronto hacia la escala; y si hay más de un camino, enseñadnos
cuál es el menos escarpado, pues el que me acompaña es tardo
para subir a causa de la carne de Adán de que va revestido.

No pudimos averiguar de quién procedían las palabras
que respondieron a éstas que había proferido aquel a quien
yo seguía; pero contestaron: —Venid con nosotros a mano
derecha, por la orilla, y encontraréis un sendero, por donde
puede subir una persona viva. Y si no me lo impidiera este
peñasco, que doma mi soberbia cerviz (952) y me obliga a
llevar la cabeza baja, miraría a ese que vive aún y no se nombra, para ver si le conozco, y para excitar su piedad por mi
suplicio. Yo fuí latino (953) e hijo de un gran toscano; mi
padre fué Guillermo Aldobrandeschi; no sé si habréis oído
alguna vez su nombre. La antigua nobleza y las brillantes
acciones de mis antepasados me hicieron tan arrogante, que no
pensando en nuestra madre común (954), tuve tanto desprecio
hacia los demás hombres, que este desprecio causó mi muerte,
como saben los sieneses y como sabe en Campagnático todo
el que habla. Yo soy Umberto, y no sólo a mí castigó de este
modo la soberbia, sino que también ha acarreado la desgracia de todos mis parientes. Por mis pecados me veo en la precisión de soportar aquí este peso hasta dejar a Dios satisfecho;
ya que no lo hice entre los vivos, debo hacerlo ahora entre
los muertos —. Al oírle bajé la cabeza, y uno de ellos (no el
que me había hablado) se volvió bajo el peso que lo agobia-

(951) Quien habla es Virgilio, que lo hace con las almas que
están allí.
(952) El recinto del Purgatorio está compuesto por siete círculos
situados uno sobre otro alrededor de la montaña. En cada uno de
estos círculos se purifica un pecado capital. En el primero se purga
el orgullo.
(953) Umberto, hijo de Guillermo Aldobrandeschi, de los condes
de Santaflora, poderosa familia de las Marismas de Siena. Fué muerto
por los sieneses, que le odiaban a causa de su orgullo, en Campagnático
(954) En el origen común a todos los hombres.

ba; me vió, conocióme y me llamó teniendo los ojos fijos con gran trabajo en mí, que caminaba inclinado junto a ellos.

—¡Oh!, le dije; ¿no eres tú Oderisi, honor de Agob-bio (955) y de aquel arte que llaman de iluminar en París? —Hermano, me dijo, más agradan los dibujos que ilumina Francisco Bolognese (956); ahora todo el honor es suyo, si bien yo participo de él. No hubiera yo sido en vida tan gene-roso, a causa del gran deseo de sobresalir en mi arte que dominaba mi corazón. De tal soberbia aquí se paga la pena y estoy aquí, gracias a que, cuando aún podía pecar, volví mi alma a Dios. ¡Oh, vanagloria del ingenio humano! ¡Cuán poco dura tu lozano verdor cuando no alcanza épocas de igno-rancia! Creía Cimabue (957) ser árbitro en el campo de la pintura y ahora es Giotto (958) al que se aclama, de modo que ha quedado obscurecida la fama de aquél; de igual suerte un Guido ha despojado a otro de la gloria de la lengua (959), y acaso ha nacido ya quien arroje a los dos de su nido. El rumor del mundo no es más que un soplo que tan pronto viene de un lado como de otro, y cambia de nombres por lo mismo que cambia de sitios. ¡Qué mayor fama será la tuya, de aquí a mil años, separado de ti tu cuerpo envejecido, que si hubieses muerto antes de dejar el *pappo* y el *dindi* (960). Ese espacio de tiempo, comparado con la eternidad, es mucho más corto que un abrir y cerrar de ojos respecto al círculo que más lentamente se mueva en el cielo (961). En toda la Tos-cana resonó el nombre del que camina lentamente delante de mí, y ahora apenas se le menciona en Siena, de donde era señor cuando fué destruída la ira de Florencia, tan soberbia en

(955) Oderisi de Gubbio, ciudad del ducado de Urbino, excelente miniaturista, de la escuela de Cimabue. Debió de morir en 1300. Bonifacio VIII le empleó en miniar libros juntamente con Giotto.
(956) Es decir, Francisco de Bolonia, discípulo de Oderisi, que superó a su maestro.
(957) El florentino Juan Cimabue fué uno de los restauradores de la pintura en Italia. Nació en 1240 y murió en 1300, fecha en que se supone efectuado el viaje de Dante.
(958) Giotto, pintor florentino, muerto en 1336. Fué muy amigo de Dante, cuyo retrato hizo y se conserva en la capilla del palacio del *Podestà* de Florencia.
(959) Guido Guinicelli, poeta de Bolonia, y Guido Cavalcanti, otro célebre poeta florentino, hijo de Cavalcante; éste hizo olvidar la fama del primero; murió en 1301.
(960) Voces con las que designaban los niños al pan y al dinero. Quiere decir: Al cabo de mil años, que son nada comparados con la eternidad, tu fama no será mayor si mueres viejo que si hubieses muerto en la infancia.
(961) Según la opinión de Dante en otra de sus obras (*Il Convivio*), el cielo de las estrellas fijas, que es al que aquí alude, tarda 36.000 años en hacer su revolución completa.

aquel tiempo (962) y ahora tan prostituída. Vuestra fama es semejante al color de la hierba, que viene y va, y el que la descolora es el mismo que hace brotar sus tiernos tallos (963).

—Tus verídicas palabras, le contesté yo, infunden en mi
corazón una santa humildad y abaten mi hinchado orgullo;
pero, ¿quién es ese del cual hablabas?

—Es, me respondió, Provenzano Salvani (964); está aquí
porque tuvo la presunción de reunir en su mano todo el gobierno de Siena. Ha marchado y continúa marchando sin reposo desde que murió, pues con tal moneda paga quien allá
se ha mostrado demasiado audaz.

Y yo le repliqué: —Si un espíritu que, para arrepentirse,
aguarda llegar al límite de la vida, permanece en la parte inferior de la montaña, y a no ser que le ayude una ferviente oración, no sube a este sitio hasta haber transcurrido un espacio
de tiempo igual al que vivió (965), ¿cómo es que se le ha
permitido a ése venir aquí?

—Cuando vivía en medio de su mayor gloria, repuso él,
se presentó en la plaza de Siena (966) deponiendo toda vanidad y allí, para librar a un amigo suyo (967) del cautiverio
que sufriera en la prisión de Carlos (968), se portó de modo
que temblaban todas sus venas. No te diré más; sé que te
hablo en términos obscuros (969); pero no transcurrirá mucho
tiempo sin que tus conciudadanos obren de modo que te per-
mitirán penetrar el sentido de mis palabras. Esta acción le ha
valido traspasar los límites del Purgatorio.

(962) En la famosa batalla de Monteaperto, ganada por los sieneses contra los güelfos de Florencia.
(963) Es decir: el tiempo, que dió origen a la fama, la destruye;
así como el Sol hace perder su color a la hierba que ha hecho
brotar.
(964) Sienés, tan valiente en la guerra como en la paz, pero orgulloso y audaz en demasía. Destrozó a los florentinos en el Arbia, mas
después fué derrotado y muerto por Giambertoldo, delegado de Carlos I, rey de Pulla y jefe de los güelfos. Su cabeza, clavada en la
punta de una lanza, fué paseada por el campo de batalla: 1269.
(965) Dante recuerda aquí lo que le dijo Belacqua (*Purgatorio*,
canto IV).
(966) Esta plaza se llama Campo.
(967) Para librar a un amigo suyo, un tal Vigna, que sólo mediante
la suma de diez mil florines de oro podía salir de la cárcel, donde
lo tenía Carlos I, rey de Pulla, se presentó en la plaza de Siena a
pedir limosna, tembloroso y angustiado.
(968) Carlos I, del que ya se ha hecho mención.
(969) Alusión al estado de proscripción y de pobreza en que algún
día iba Dante a verse.

CANTO XII

*Después de haberse separado de Oderisi, los Poetas continúan
viendo esculpidos en el pavimento de aquel círculo muchos
ejemplos de soberbia castigada. — Se adelantan, conducidos
por un ángel, que, con un movimiento de sus alas, purifica
a Dante del pecado de la soberbia, y suben al segundo círculo.*

UNIDOS, como bueyes bajo el yugo (970), íbamos yo y
aquella alma abrumada bajo su carga, mientras lo permitió mi amado Maestro; pero cuando dijo: —Déjale
y sigue, que aquí conviene que cada cual dé cuanto impulso
pueda a su barca con la vela y con los remos (971), erguí mi
cuerpo para andar con brío, por más que mis pensamientos
continuaran siendo sencillos y humildes.

Ya estaba yo en marcha, siguiendo gustoso los pasos de
mi Maestro, y ambos hacíamos alarde de nuestra agilidad,
cuando él me dijo: —Mira hacia abajo; pues para que sea
menos penoso el camino te convendrá ver el suelo en que se
asientan tus plantas.

Del modo que las sepulturas tienen esculpido en signos
emblemáticos lo que fueron los muertos enterrados en ellas,
para perpetuar su memoria, por lo cual muchas veces arranca
lágrimas allí el aguijón del recuerdo, que sólo punza a las
almas piadosas, de igual suerte, pero con más propiedad y
perfecto artificio, vi yo cubierto de figuras todo el plano de
aquella vía que avanza fuera del monte.

Veía, por una parte, a aquel que fué creado más noble
que las demás criaturas, precipitado desde el cielo como un

(970) Oderigio y Dante caminaban con la cabeza baja; Oderigio,
curvado bajo el peso abrumador que sobre él gravitaba, y el poeta, en
actitud inclinada con el fin de poder oír mejor sus palabras.
(971) La metáfora significa: «Aquí es menester que cada uno se
apresure cuanto pueda para ganar tiempo y mérito».

rayo (972). Veía en otro lado a Briareo (973), herido por el
dardo celestial, yaciendo en el suelo y oprimiéndole con el
peso de su helado cuerpo. Veía a Timbreo (974), a Palas y a
Marte, armados aún y en derredor de su padre contemplando
los esparcidos miembros de los Gigantes. Veía a Nemrod al
pie de su gran obra (975), mirando con ojos extraviados a
los que fueron en Senaar (976) soberbios como él.

¡Oh, Niobe! (977). ¡Con cuán desolados ojos te veía representada en el camino entre tus siete y siete hijos exánimes!
¡Oh, Saúl! ¡Cómo te me aparecías allí, atravesado con tu propia espada y muerto en Gelboé, que desde entonces no volvió
a recibir la lluvia ni el rocío! (978). Con igual evidencia te
veía, ¡oh, loca Aracnea!, ya medio convertida en araña y triste
sobre los rotos pedazos de la obra que labraste por desgracia
tuya (979). ¡Oh, Roboam! (980). Allí no estabas ya representado con aspecto amenazador, sino lleno de espanto y conducido en un carro, huyendo antes que otros te expulsasen de
tu reino.

Mostrábase, además, en aquel duro pavimento de qué cruel
manera hizo Alcmeón pagar a su madre el desastroso adorno (981); cómo los hijos de Sennaquerib se arrojaron sobre

(972) Las historias que finge el poeta esculpidas en el pavimento
del camino, como los signos o emblemas que se ven figurados en las
lápidas de las sepulturas antiguas, representan castigos de la soberbia. Esta primera figura es la de Lucifer. Dante mezcla la Mitología
con los hechos verdaderos, porque considera a aquélla como símbolo
o vestigio de la Historia.

(973) Uno de los Gigantes, hijo de la Tierra.

(974) Timbreo, nombre dado a Apolo por un templo edificado en
su honor en Timbria.

(975) Nemrod fué el que aconsejó la construcción de la torre de
Babel.

(976) En la llanura de Senaar, donde se elevaba dicha torre.

(977) Hija de Tántalo y esposa de Amphión, madre de siete hijos
y siete hijas. Orgullosa de su fecundidad, insultó a Latona, que sólo
tenía dos hijos, por cuya causa Apolo y Diana mataron a flechazos a
los de Niobe, siendo ésta convertida por Júpiter en una piedra que
manaba lágrimas.

(978) David, elegido rey después de Saúl, maldijo el monte Gelboé,
por lo cual no volvió a caer sobre este monte lluvia ni rocío. (*Reyes*,
lib. II, cap. I, v. 21.)

(979) Aracnea, joven que venció a Minerva en el tejido, por lo
cual, irritada la diosa, le dió un golpe con su lanzadera, causando
esto tal sentimiento a aquélla, que se ahorcó y fué convertida en araña. Se hace mención de ella en el canto XVII del *Infierno*.

(980) Roboam, hijo de Salomón, rey soberbio y tirano. El pueblo
de Israel le rogó que disminuyese las contribuciones impuestas por
su padre; pero él le respondió tiránicamente: «Yo las aumentaré;
mi padre os hirió con azotes, mas yo os heriré con escorpiones».
Por tal soberbia, de las doce tribus que con él estaban, se le rebela-
ron once, y Roboam, presa del terror, huyó a Jerusalén.

(981) Seducida por el regalo de un collar que le dió Polinice, Eri-

su padre dentro del templo, dejándole allí muerto (982); la destrucción y el cruel estrago que hizo Tomiris, cuando dijo a Ciro: «Tuviste sed de sangre; pues bien, yo te harto de ella (983); y la derrota de los asirios, después de la muerte de Holofernes, y el destrozo de sus restos fugitivos.

Veíase a Troya· convertida en cenizas y en ruinas. ¡Oh, Ilión! ¡Cuán abatida y despreciable te representaba la escultura que allí se distinguía! ¿Quién fué el maestro cuyo pincel o buril trazó tales sombras y actitudes, que causarí_n admiración al más agudo ingenio? Allí los muertos parecían muertos y los vivos realmente vivos. El que presenció los hechos no vió mejor que yo la verdad de cuanto fuí pisando mientras anduve inclinado. Así, pues, hijos de Eva, ensoberbecidos, marchad con la mirada altiva y no inclinéis el rostro de modo que podáis ver el mal sendero.

Habíamos dado ya una gran vuelta por el monte, y el Sol ⸍ estaba mucho más adelantado en su camino de lo que nuestro absorto espíritu creyera, cuando mi Guía, que siempre andaba cuidadoso, empezó a decir: —Levanta la cabeza; no es tiempo de ir tan pensativo. He allí un ángel, que se prepara a venir hacia nosotros, y ve también que se retira del servicio del día la sexta esclava (984). Reviste de reverencia tu rostro y tu actitud, a fin de que le plazca conducirnos más arriba; piensa en que este día no volverá jamás a lucir.

Estaba yo tan acostumbrado por sus amonestaciones a no desperdiciar el tiempo, que su lenguaje, con respecto a este punto, no podía parecerme obscuro. La hermosa criatura venía en nuestra dirección, vestida de blanco, y centelleando su rostro como la estrella matutina. Abrió los brazos y después las alas, diciendo: —Venid; cerca de aquí están las gradas, y

fila descubrió a éste dónde se hallaba oculto su marido Anfiarao, para no ir a la guerra de Tebas, donde sabía ella que había de morir. Alcmeón, su hijo, la mató para vengar la muerte de su padre.

(982) Sennaquerib, rey altanero de Asiria, que fué muerto por sus propios hijos mientras oraba al pie de un ídolo.

(983) Cuenta Heródoto que Ciro, rey de los persas, a quien pinta cruel y feroz, fué derrotado y hecho prisionero por Tomiris, reina de los masagetas, la cual, en venganza de la muerte dada por aquél a un hijo suyo, le cortó la cabeza y la sumergió en una vasija llena de sangre, diciendo: «Bárbaro, sediento de sangre, hártate de ella.» Este hecho ha sido puesto en duda. Ctesias refiere que Ciro murió de resultas de las heridas que recibió en Hircania; y Jenofonte, después de pintarlo como el más humano y sabio de los reyes, dice que murió en su lecho, al cabo de treinta años de reinado. Se cree que esto sea lo más verídico, aunque, por otra parte, no se niegue la derrota referida.

(984) La hora de sexta. Quiere decir que es más de mediodía.

16

puede subirse fácilmente por ellas. ¡Qué pocos acuden a esta invitación (985)! ¡Oh, raza humana, nacida para remontar el vuelo! ¿por qué el menor soplo de viento te hace caer? — Nos condujo hacia donde la roca estaba cortada; y allí agitó sus alas sobre mi frente (986), permitiéndome luego seguir con seguridad mi camino.

Así como, para subir al monte donde está la iglesia que, a mano derecha y más arriba del Rubaconte, domina a la bien gobernada ciudad (987), se modera la rápida pendiente por medio de las escaleras hechas en otro tiempo, cuando estaban seguros los registros y las marcas oficiales (988), así también aquí, de un modo semejante, se templa la aspereza de la escarpada cuesta que desciende casi a plomo desde el otro círculo; pero es preciso pasar rasando por ambos lados las altas rocas. Mientras nos internábamos en aquella angostura, oímos voces que cantaban: *Beati pauperes spiritu*, de tal manera, que no podría expresarse con palabras.

¡Ah! ¡Cuán diferentes de los del Infierno son estos desfiladeros! Aquí se entra oyendo cánticos, y allá horribles lamentos.

Subíamos ya por la escalera santa, y me parecía ir más ligero por ella, que antes iba por el camino llano; lo que me obligó a exclamar: —Maestro, dime, ¿de qué peso me han aliviado, pues ando sin sentir apenas cansancio alguno? — Y me contestó él: —Cuando las P, que aún quedan en tu frente casi borradas, hayan desaparecido enteramente, como una de ellas (989), tus pies obedecerán tan sumisos a tu voluntad,

(985) Alusión a las palabras del Evangelio: «Muchos son los llamados y pocos los elegidos».

(986) Para borrar una de las P trazadas en ella, la del pecado de la Soberbia. Como este pecado es la raíz de los demás, las otras P quedaban también casi borradas al desaparecer aquélla, como se verá luego. A continuación se lee en algunas ediciones italianas: *Poi mi 'promise' sicura l'andata*, en lugar de *mi permise*.

(987) Florencia, *la bien gobernada* (por ironía). Para subir al monte donde está la iglesia de San Miniato, que domina a Florencia, hay unas escaleras abiertas en la roca. El Rubaconte es un puente sobre el Arno, que se llamó así por haberlo mandado construir un *podestà* de este nombre; hoy se llama *de las Gracias*.

(988) Alude a dos fraudes cometidos en su tiempo: uno de ellos por Nicolás Acciajuoli, que arrancó una hoja del registro público para destruir la prueba de cierta injusticia, y otro por Durante de Chermontesi, aduanero de la sal, que redujo la medida de madera en que estaba la marca oficial, para engañar así a los compradores y quedarse con el provecho.

(989) Al borrar el Ángel la P de la soberbia, casi se han borrado las otras; por lo cual Dante se siente más ligero; mas él ignora que haya desaparecido aquella P; y de aquí la sorpresa que le causan las palabras de Virgilio, y el que se toque la frente con la mano, como quien lleva una cosa en la cabeza y no lo sabe.

que lejos de sentir el menor cansancio, hallarán placer en moverse.

Al oír esto, hice como los que llevan algo en la cabeza y no lo saben, pero lo sospechan por los ademanes de los otros; que procuran acertarlo con ayuda de la mano, la cual busca y encuentra, y desempeña el oficio que no es posible encomendar a la vista; extendí los dedos de la mano derecha, y sólo encontré seis de las letras que el Ángel de las llaves había grabado en mi frente; y al ver lo que yo hacía, se sonrió mi Maestro.

CANTO XIII

Suben los Poetas al segundo círculo, donde se purga el pecado de la Envidia, y oyen voces de espíritus invisibles, que recomiendan la Caridad. — Ven después las almas de los envidiosos recitando las letanías de los Santos; están cubiertas de un cilicio, y tienen los párpados cosidos con alambre.

HABÍAMOS llegado a lo alto de la escala, donde por segunda vez se adelgazaba la montaña (990) destinada a purificación de los que suben por ella. También allí la ciñe en derredor un rellano como el primero, sólo que el arco de su circunferencia se repliega más pronto; en él no hay esculturas ni nada parecido, y así el ribazo interior como el camino presentan al desnudo el color lívido de la piedra (991).

—Si esperamos aquí a alguien para preguntarle hacia qué lado hemos de seguir, dijo el Poeta, temo que tardaremos demasiado en decidirnos (992) —. Dirigió luego la vista fijamente hacia el Sol; afirmó en el pie derecho el centro de rotación, e hizo girar su costado izquierdo (993). —¡Oh, dulce luz, en quien confío al entrar por el nuevo camino! condúcenos, decía, como conviene ser conducido por este lugar. Tú das calor al mundo, tú le iluminas; tus rayos, pues, deben servir siempre de guía, a menos que otra razón disponga lo contrario.

(990) Segunda división o segundo círculo del Purgatorio.
(991) En la piedra de color lívido está simbolizada la Envidia; y aquí no hay figuras porque, siendo ciegos los envidiosos, no podrían ver los ejemplos esculpidos representando la virtud contraria a su pecado.
(992) Dice esto Virgilio previniendo que las almas relegadas en este círculo no deben andar por él.
(993) Estando los poetas en lo alto de la escala, vuelto el rostro a la montaña, tienen el Oriente a su izquierda. Virgilio, en su indecisión, mira al Sol para que le sirva de guía, y gira dando un cuarto de vuelta a la derecha, para seguir hacia Occidente. Aquí marchan siempre al contrario que en el Infierno, donde iban hacia la izquierda.

Ya habíamos recorrido en poco tiempo, y merced a nuestra activa voluntad, un trayecto como el que acá se cuenta por una milla, cuando sentimos volar hacia nosotros, pero sin verlos, algunos espíritus que, hablando, invitaban cortésmente a tomar asiento en la mesa de amor (994). La primera voz que pasó volando, decía distintamente: —*Vinum non haben* (995) —; y se alejó, repitiéndolo por detrás de nosotros. Antes que dejara de percibirse enteramente a causa de la distancia, pasó otra gritando: —Yo soy Orestes (996) —; y tampoco se detuvo.

—¡Oh, Padre!, dije yo, ¿qué voces son ésas? —. Y mientras esto preguntaba, oímos una tercera que decía: —Amad a los que os han hecho daño (997). El buen Maestro dijo entonces: —En este círculo se castiga la culpa de la envidia; pero las cuerdas del azote son movidas por el amor (998). El freno de ese pecado debe producir diferente sonido; y creo que lo oirás, según me parece, antes de que llegues al paso del perdón (999). Pero fija bien tus miradas a través del aire y verás algunas almas sentadas delante de nosotros, apoyándose todas a lo largo de la roca.

Entonces abrí los ojos más que antes; miré frente a mí, y vi sombras con mantos, cuyo color se confundía con el de la piedra. Y luego que hubimos avanzado algo más, oí exclamar: —«¡María, ruega por nosotros! ¡Miguel, y Pedro, y todos los santos, rogad por nosotros!» —No creo que hoy exista en la Tierra un hombre tan duro que no se sintiese mo-

(994) Amor en el sentido de caridad.
(995) Palabras de la Virgen María, dichas por caridad en las bodas de Caná, para impetrar de su Divino Hijo que convirtiese el agua en vino.
(996) Estas palabras son de Pílades, que para salvar a su amigo Orestes, a quien Egisto iba a condenar a muerte, sin conocerlo, se presentó en el tribunal, gritando: —*¡Yo soy Orestes!*
(997) «Diligite inimicos vestros»..., palabras de Jesucristo en el Evangelio de San Mateo, V, 44; las cuales encierran toda la filosofía necesaria para hacer feliz al género humano. Dante distingue aquí tres grados de caridad: socorrer al necesitado de auxilio, expresándolo con las palabras de María: «Vinum non habent»; sacrificar la propia vida por salvar la de otro, como hizo Pílades, y, por último, lo más difícil: devolver bien por mal, que es lo que enseñan las palabras de Jesucristo.
(998) Las cuerdas del azote son movidas por el amor; es decir, que los ejemplos con que se estimula a estos pecadores a corregirse de la envidia están deducidos de la virtud contraria.
(999) Es decir: el freno para retener a los envidiosos de incurrir en este vicio debe consistir en avisaros de amenaza y no de amor o bien de los males que ocasiona la envidia. Estos avisos serán oídos antes de llegar al pie de la escalera que conduce del segundo al tercer círculo, donde está el ángel que perdona tal pecado.

vido de compasión hacia lo que vi en seguida; pues cuando
llegué junto a las almas, y pude observar sus actos claramente,
brotaron de mis ojos lágrimas de dolor. Me parecían cubiertas de vil cilicio; cada cual sostenía a otra con la espalda,
y todas lo estaban a su vez, por la roca, como los ciegos a
quienes falta el pan se colocan en los Perdones (1000), y
solicitan el socorro de sus necesidades, apoyando cada uno su
cabeza sobre la del otro, para excitar más pronto la compasión,
no sólo con el acento de sus palabras, sino con su aspecto que
no contrista menos. Y del mismo modo que el sol no llega
hasta los ciegos, así también la luz del cielo no quiere mostrarse a las sombras de que hablo; pues todas tienen sus párpados atravesados y cosidos por un alambre, como los gavila-
nes salvajes a los que el hombre quiere domesticar.

Me parecía, mientras andaba, inferir una ofensa con mirar
a los que no podían a mí mirarme; por lo cual me volví
hacia mi prudente Consejero. Bien sabía él lo que quería significar mi silencio; así es que no esperó mi pregunta, sino
que me dijo: —Habla, y sé breve y sensato—. Virgilio caminaba a mi lado por aquella parte de la calzada desde donde
podía precipitarse en el abismo, pues no estaba resguardada por
ningún pretil; hacia mi otro lado estaban las devotas sombras, de cuyos ojos brotaban con tanta fuerza las lágrimas a
través de su horrible costura, que sus mejillas aparecían
inundadas en llanto. Me dirigí a ellas y les dije:

—¡Oh, gente que poseéis la certeza de ver la más alta luz
del cielo, único fin a que aspira vuestro deseo! Así la gracia
divina disipe pronto las impurezas de vuestra conciencia, de
tal suerte que descienda por ella puro y claro el río de vuestra mente (1001), decidme (que me será muy dulce y grato
el saberlo) si entre vosotras hay algún alma que sea latina,
a quien quizá podrá serle útil que yo la conozca.

—¡Oh, hermano mío! Todas nosotras somos cuidadanas
de una verdadera ciudad (1002); pero tú querrás decir si
hay alguna que haya peregrinado en vida por Italia.

Estas palabras creí percibir en respuesta a las mías, algo
más adelante del sitio en que me encontraba; por lo cual
me hice oír de nuevo más allá. Entre las demás sombras vi
una que parecía prestar más atención a mis palabras; y si

(1000) En las iglesias donde está el perdón, la indulgencia.
(1001) Que la luz intelectual descienda pura y clara a vuestra conciencia. En la Sagrada Escritura se halla significada esta luz bajo
la alegoría de un ancho río.
(1002) La verdadera patria de las almas es la ciudad de Dios.

alguien me pregunta cómo pude verlo, le diré que por tener
ella levantada en alto la barba, como hacen los ciegos.

—Espíritu, le dije, que te abates para subir, si eres aquel
que me ha respondido, dame cuenta de tu país y de tu nombre. —Yo fuí sienesa, me respondió, y estoy aquí con estos
otros purificando mi vida culpable, y suplicando con lágrimas
a Aquél que debe concedérsenos. No fuí sabia, por más que
me llamaran *Sapia* (1003), y me alegraron más los males
ajenos que mis propias venturas. Y porque no creas que te
engaño, oye si fuí tan necia como te digo. Descendía ya por
la pendiente de mis años, cuando mis conciudadanos se encontraron cerca de Colle a la vista de sus adversarios, y yo
rogaba a Dios lo mismo que Él quería. Fueron destrozados,
y reducidos en aquel sitio al paso amargo de la fuga; y fué
tanto mi gozo, ante aquella carnicería. que ningún otro puede
igualársele. Mientras tanto elevaba al Cielo mi atrevida faz
gritando a Dios: «Ahora ya no te temo», como hizo el mirlo
engañado en invierno por un día de bonanza (1004). Hacia
el fin de mi vida quise reconciliarme con Dios, y aún no
habría comenzado a pagar mi deuda por medio de la penitencia, si no fuera porque me tuvo presente en sus santas
oraciones Pedro Pettinagno (1005), que se apiadó de mí movido de su caridad. Pero ¿quién eres tú, que vas informándote
de nuestra condición, con los ojos libres, según creo, y que
hablas respirando?

—También estarán mis ojos cosidos aquí, le dije, pero
por poco tiempo; pues el delito que cometí mirando con
ellos envidiosamente, ha sido pequeño. Mucho más miedo
infunde a mi alma el castigo de abajo (1006); pues ya
siento gravitar sobre mí el peso de que van cargados los que
allí están.

Ella me preguntó: —¿Quién te ha conducido, pues, aquí
arriba entre nosotros, si crees que has de volver abajo? —.

(1003) Noble dama sienesa, que habiendo sido relegada a Colle,
odió tanto a sus conciudadanos, que tuvo una gran alegría cuando
éstos fueron derrotados por los florentinos. El poeta juega con las
palabras *Sabia* y *Sapia*, que significan lo mismo.
(1004) Las palabras históricas que se atribuyen a Sapia fueron
éstas: «Ahora, ¡oh Dios!, hazme todo el mal que puedas; pues yo
viviré y moriré contenta». Un antiguo cuento popular refiere que un
mirlo, creyendo que había llegado el verano, porque en enero había
templado el frío, se escapó de su dueño diciendo: «Señor, ya no te
necesito, que se fué el invierno»; pero pronto se arrepintió, porque
volvió el frío, y conoció que aún necesitaba a su dueño.
(1005) Pedro Pettinagno, eremita siénés. Otros lo creen florentino.
(1006) Es decir, del círculo donde son castigados los orgullosos.

Y yo le contesté: —Ése que está conmigo y guarda silencio. Vivo estoy; por lo cual dime, espíritu elegido, si quieres que allá mueva en tu favor aún los pies mortales (1007). — Cosa nueva de oír es ésta que me dices, y en ella está la señal manifiesta de que Dios te ama; ruégote, por tanto, que me auxilies con tus oraciones: y te suplico, por aquello que más desees, que si vuelves a pisar la tierra de Toscana, reivindiques mi fama entre mis parientes (1008). Los verás entre aquella gente vana, que confía en Talamone (1009); y esa esperanza, que es más descabellada que la de encontrar la Diana (1010), los perderá; pero los capitanes de mar perderán más aún (1011).

(1007) Que haga por ti algo en el mundo de los vivos.
(1008) Asegúrales que estoy en el Purgatorio, y no en el Infierno.
(1009) Esto es: que esperaban, por haber comprado el puerto y castillo de Talamone, poder repoblarlo, y hacer de aquel punto un emporio del comercio y por este medio llegar a ser potencia marítima; pero hallándose Talamone situado en las Marismas, y en uno de los puntos más castigados por las fiebres, las esperanzas de los sieneses eran vanas. Hoy mismo permanece aquel lugar despoblado y desierto, como preveía Dante que había de suceder.
(1010) La Diana era un copioso manantial subterráneo, que la Municipalidad de Siena buscó durante muchos años y a costa de grandes dispendios. Al cabo fué encontrado, y el pozo profundísimo, que se abrió al efecto, se considera hoy como una maravilla, no menos que la abundancia de sus aguas. Está situado en el convento del Carmen, sobre uno de los puntos más elevados de la ciudad, y lleva el nombre de *Pozo de Diana*.
(1011) Porque dejarán en dicho puerto la vida, a causa de lo nocivo de su clima.

CANTO XIV

Continúa el círculo de los Envidiosos. — Los Poetas se detie-
nen para oír a Guido del Duca y Rinieri de Calboli. — Cen-
sura que dirige el primero contra las costumbres de la Tos-
cana y de la Romaña. — Continuando su camino, oyen voces
que recuerdan ejemplos de la envidia castigada.

QUIÉN es ése que gira en torno de nuestro monte, antes
de que la muerte le haya hecho emprender su vuelo,
y abre y cierra los ojos según su voluntad? — Ignoro
quién sea; pero sé que no va solo; pregúntale tú, que estás
más próximo a él, y acógele con dulzura, de modo que le
obliges a hablar.

Así razonaban a mi derecha dos espíritus (1012), apoyado uno contra otro; después levantaron la cabeza para di-
rigirme la palabra, y dijo uno de ellos: —¡Oh, alma que,
encerrada aún en tu cuerpo, te encaminas hacia el cielo! con-
suélanos, por caridad, y dinos de dónde vienes y quién eres;
pues la gracia que de Dios has recibido nos causa el asombro
que produce una cosa que no ha existido jamás.

Yo le contesté: —Por en medio de la Toscana serpen-
tea un riachuelo, que nace en Falterona (1013) y al que no
le bastan cien millas de curso; a orillas de ese río he recibido el ser; deciros quién soy sería hablar en vano, porque
mi nombre es todavía poco conocido.

—Si he penetrado bien tu entendimiento con el mío, me
respondió el que me había preguntado, hablas del Arno—.
Y el otro le dijo: —¿Por qué ocultas el nombre de aquel
río, como se hace con una cosa horrible? —. Y la sombra
interrogada, le contestó así: —No lo sé; pero digno es, en

(1012) Guido del Duca, de Bertinoro, y Rinieri de Calboli, de Forli.
(1013) Falterona, monte del Apenino, situado cerca de la Romaña, donde nace el Arno. Este río, a causa de su curso tortuoso, recorre casi 150 millas.

verdad, de desaparecer el nombre de tal valle; porque desde
su origen (donde la alpestre cordillera de que está desprendido el Peloro (1014) es tan copiosa de aguas, que en pocos
sitios lo será más), hasta el punto en que restituye lo que el
cielo ha sacado del mar, a quien deben los ríos el caudal de
sus aguas, todos sus pobladores, enemistados con la virtud, la
persiguen como a una serpiente, ya sea por desventura del
país, ya por una perversa inclinación que los arrastra; por
lo cual tienen los habitantes de aquel mísero valle tan per-
vertida su naturaleza, que parece que Circe los haya apacen-
tado (1015). Aquel río lleva primero su débil curso por entre
sucios puercos (1016), más dignos de bellotas que de otro
alimento condimentado para uso de los hombres. Llegando
abajo, encuentra viles gozquecillos, más rabiosos de lo que
permite su fuerza (1017), y a quienes tuerce con desdén el
hocico. Va descendiendo, y cuanto más acrecienta su caudal,
tanto más encuentra los perros convertidos en lobos (1018)
la maldecida y desdichada fosa (1019); bajando luego por
entre profundas gargantas, tropieza con las engañosas zo-
rras (1020), que no temen lazo que pueda cogerlas. No he
de dejar de decirlo, aunque haya quien me oiga (1021); y
le convendrá a ése, con tal que se acuerde de lo que un

(1014) La *alpestre cordillera* es la de los Apeninos, que se extiende a lo largo de la península itálica. Dice el poeta que de ella está
desprendido el *Peloro*, promontorio de Sicilia, porque, en efecto, se
cree que antiguamente formaba parte de dicha cordillera, antes que,
por una de las revoluciones del Globo, se formase el estrecho de
Mesina. Propónese Dante significar en este pasaje que la virtud era
odiada en todo el valle del Arno, desde el nacimiento de este río en
el Apenino, hasta su desembocadura en el mar.
(1015) Circe, hija del Día y de la Noche. Tras de haber envenenado a su marido, el rey de los sármatas, estableció su morada en la isla
de Æda, aunque algunos dicen que en un promontorio de la Campania, llamado, de su nombre, Circeum, donde convirtió a Escila en
monstruo marino. Habiendo recibido a Ulises, con el fin de retenerle
transformó a sus compañeros en osos y panteras, mediante un licor que
les dió a beber y del que Ulises no gustó. Otros dicen que Minerva le
enseñó una raíz que le sirvió de antídoto.
(1016) Los habitantes del Casentino.
(1017) Los Aretinos. Dice que el Arno tuerce con desprecio su curso,
desdeñándose de entrar en Arezzo.
(1018) Los florentinos, ávidos y avaros.
(1019) Cuando el río baja por el llano del Valdarno superior, entra
en la provincia de Florencia, y allí le llama Dante *maladetta e sven-*
turata fossa. En este punto el río no encuentra ya perros, sino *lobos*,
por alusión a los güelfos florentinos. Véase lo dicho en una de las
notas al Canto XXXIII del *Infierno*.
(1020) Los Pisanos, tenidos entonces por maliciosos y fraudulentos.
(1021) Guido del Duca de Bertinoro es el que está hablando con
Rinieri de Calboli, de Forlì, y los que le están oyendo son los dos
poetas.

espíritu de verdad me revela. Veo a tu sobrino (1022), que,
convertido en cazador cruel de aquellos lobos, en las orillas
del terrible río, siembra entre ellos el terror. Vende por dinero su carne, aun estando viva (1023); después los mata
como si fuesen bueyes viejos, y quita a muchos la vida y a
sí mismo el honor. Ensangrentado sale de la triste selva (1024), dejándola de tal modo, que ni de aquí a mil
años ha de volver a verse como estaba.

Como al anuncio de futuros males se turba el rostro del
que lo escucha, venga de dondequiera el peligro que le ame-
nace, así vi yo turbarse y entristecerse a la otra alma, que
estaba vuelta escuchando, apenas hubo recapacitado aquellas
palabras. El lenguaje de la una y el rostro de la otra excitaban en mí el deseo de saber sus nombres; por lo cual, di-
rígiles con ruegos la pregunta, y el espíritu que había hablado me dijo así: —Quieres que yo condescienda en hacer
por ti lo que tú no quieres hacer por mí; pero pues Dios
permite que se trasluzca tanto su gracia en tu persona, no
dejaré de satisfacerte. Sabe, pues, que yo soy Guido del Duca:
de tal modo abrasó la envidia mi sangre (1025), que cuando veía un hombre feliz, hubieras podido contemplar la livi-
dez de mi rostro. Por eso ahora siego la mies de mi simiente (1026). ¡Oh, raza humana! ¿por qué pones tu corazón en
lo que requiere una posesión exclusiva? (1027). Éste es Rinieri, honra y prez de la casa de Calboli, la cual no ha tenido
después ningún heredero de sus virtudes. Y no es sólo su descendencia la que, entre el Po y los montes, y el mar y el
Reno, se encuentra hoy despojada de los bienes que entrañan
la verdad y subliman el ánimo (1028); pues dentro de esos

(1022) Fulcieri de Calboli, que siendo en 1302 *podestà* de Florencia
fué inducido por los Negros a perseguir a los Blancos.
(1023) Fulcieri entregó por dinero a muchos de los Blancos en manos de sus enemigos.
(1024) De Florencia.
(1025) No se dicen los motivos por los cuales Guido del Duca mereció hallarse en este círculo.
(1026) Esto es: ahora recojo el fruto de mis malas obras. «Quo
seminaver homo, hœc metet». (San Pablo.)
(1027) Es decir: ¿por qué deseáis aquellos bienes que no pueden
disfrutarse por todos, sino por uno sólo con exclusión de los demás?
(1028) El Po, los montes Apeninos, el mar Adriático y el río Reno
forman los límites de la Romaña: por consiguiente, quiere decir el
Poeta: «En la Romaña, no sólo la descendencia de Rinieri se halla
despojada de los bienes morales y científicos, sino todos sus pobladores; pues aquel país está plagado de vicios y torpezas.» Dante dice
que aquella familia ha venido a quedar privada *del ben richiesto al
vero ed al trastullo;* esto es: del bien que constituye lo verdadero,

límites, todo el terreno está cubierto de plantas venenosas, de tal modo que tarde podrá volvérsele a poner en cultivo.

« ¿Dónde están el buen Lucio (1029) y Enrique Manardi (1030), Pedro Traversaro (1031) y Guido de Carpigna? (1032). ¡Oh, romañoles, raza bastardeada! ¿Cuándo nacerá en Bolonia un nuevo Fabbro? ¿Cuándo en Faenza echará raíces otro Bernardino de Fosco, hermosa planta salida de una insignificante semilla? (1033). No te asombres, Toscano, si ves que lloro al recordar a Guido de Prata (1034), y a Ugolino de Azzo (1035), que vivió entre nosotros; a Federico Tignoso (1036) y a todos los suyos; a la familia Traversara y los Anastagi (1037), casas ambas que están hoy desheredadas de la virtud de sus mayores; no te asombre mi duelo al recordar las damas y los caballeros, los afanes y agasajos que inspiraban amor y cortesía (1038), allí donde han llegado a ser tan depravados los corazones. ¡Oh, Brettinoro! (1039), ¿por qué no desapareciste cuando tu antigua familia (1040) y muchos de tus habitantes huyeron para no hacerse cómplices de un crimen? Bien hace Bagnacavallo (1041) en no repro-

la rectitud y el ejercicio de las virtudes morales; y del bien de lo científico y de lo bello (trastullo), ciencias y artes.

El Reno es un río que nace en los Apeninos de Toscana, sigue un curso de 150 kilómetros por las provincias de Bolonia y Ferrara, y desemboca en el *Po di Primaro*. En una isleta de este río se formó (43 años antes de J.-C.) la coalición de Octavio, Antonio y Lépido, conocida con el nombre de Segundo Triunvirato.

(1029) Lucio de Valbona, hombre de bien y caballero.

(1030) Enrique Manardi, según algunos, nació en Faenza, y fué hombre prudente, magnánimo y liberal.

(1031) Señor de Ravena, virtuoso y espléndido, que casó a su hija con Esteban, rey de Hungría.

(1032) Noble de Montefeltro, sumamente liberal.

(1033) Lamentándose de la decadencia de los romañones, recuerda el tiempo en que salían entre ellos grandes hombres de las clases más humildes; y cita a Meser Fabbro de Lambertazzi, que desde su estado llano se elevó tanto por sus virtudes, que casi llegó a ser señor de Bolonia; y a Meser Bernardino, hijo de Fosco o Foldo, de baja extracción, que también por sus actos dió esplendor a Faenza, su patria.

(1034) Valeroso y liberal señor de Prata, villa entre Faenza y Forli.

(1035) De la familia de los Ubaldini de Toscana; pero vivió en la Romaña, y por eso dice de él: «que vivió entre nosotros».

(1036) Noble de Rímini, de buenas costumbres.

(1037) Nobles familias de Ravena.

(1038) Este pasaje ha sido imitado por Ariosto. (*Orlando furioso*, canto I.)

(1039) Pequeña ciudad de Romaña, patria de Guido del Duca.

(1040) La familia de dicho Guido, que gobernaba a Bertinoro, y la abandonó con otras muchas familias.

(1041) Bagnacavallo, Conio y Castrocaro son castillos de la Romaña; el Poeta los nombra en lugar de sus señores, de quienes dice que hacen bien unos en no procrear, y otros mal en procrear hijos. Luego

ducirse; y por el contrario, hace mal Castrocaro y peor Conio, que se empeñan en procrear tales condes. Los Pagani se portarán bien cuando huya el demonio; pero no tanto que consigan dejar de sí un recuerdo puro (1042). ¡Oh, Ugolino de Fantoli!, tu nombre está bien seguro; pues no es de esperar que haya quien, degenerando, pueda obscurecerlo. Pero déjame, ¡oh, Toscano!; que ahora me son más gratas las lágrimas que las palabras; tanto es lo que me ha oprimido la mente nuestra conversación.

Sabíamos que aquellas almas queridas nos oían andar; y pues que callaban, debíamos de estar seguros del camino que seguíamos. Luego que andando nos encontramos solos, llegó directamente a nosotros una voz, que hendió el aire como un rayo, diciendo: —El que me encuentre debe darme la muerte (1043)—; y huyó como el trueno que se aleja, cuando de pronto se desgarra la nube. Apenas cesamos de oírla, percibimos otra, la cual retumbó con gran estrépito, semejante al trueno que sigue inmediatamente al relámpago: —Yo soy Aglauro, que me convertí en piedra (1044)—. Entonces, para unirme más al Poeta, dejé de avanzar y retrocedí.

Ya se había calmado el aire por todas partes, cuando él me dijo: —Aquel fué el duro freno que debería contener al hombre en sus límites (1045); pero mordéis tan fácilmente el cebo, que os atrae con su anzuelo el antiguo adversario, sirviéndoos de poco el freno o el reclamo. El Cielo os llama y gira en torno vuestro mostrándoos sus eternas bellezas (1046) y, sin embargo, vuestras miradas se dirigen hacia la tierra; por lo cual os castiga Aquel que lo ve todo.

felicita por no tenerlos a Ugolino de Fantoli, virtuoso caballero de Faenza, porque así no tendrá quien deshonre su nombre.
(1042) Es decir, que regirán las ciudades de Imola y Faenza los hijos de Mainardo Pagani, en cuanto muera éste, que fué hombre de pésimas cualidades y llamado, por ello, *el Diablo;* pero no quedará de ellos buena memoria, a causa de la maldad de su padre.
(1043) «Omnis qui inveniet me, occidet me» (Génesis, IV, 14). Son las palabras de Caín después que por envidia mató a su hermano Abel. Estas voces se supone que son proferidas por ángeles, y no por los mismos a quienes se atribuyen, sirviendo para recordar ejemplos que representan los funestos efectos de la envidia. A estas voces aludía Virgilio, en el canto precedente, al decir que «el freno de los envidiosos producía diferente sonido que el de los ejemplos de caridad».
(1044) Hija de Eriteo (otros dicen de Cecrops), rey de Atenas, que envidiosa de su hermana, a quien amaba Mercurio, puso obstáculos a sus amores y fué convertida por el dios en piedra.
(1045) El estruendo de aquellas palabras que acababan de oír.
(1046) Petrarca ha imitado este pasaje en una de sus «canciones»:

Or ti solleta a più beata speme
Mirando il ciel che ti si volve intorno...

CANTO XV

Tercer recinto, donde se purga el pecado de la Ira. — *Los Poetas llegan a él por el camino que un ángel les indica.* — *Dante ve algunos ejemplos de Mansedumbre.* — *Los dos Poetas se encuentran luego rodeados por un espeso humo, que les impide distinguir los objetos.*

CAMINANDO ya el Sol hacia la noche, parecía quedarle por recorrer tanto espacio como el que media entre el principio del día y el punto donde aquél señala el término de la hora de tercia en la esfera, que, cual niño inquieto, se mueve continuamente (1047); allí era ya la tarde, y aquí medianoche (1048). Los rayos solares nos herían de lleno en el rostro, porque habíamos dado la vuelta en derredor de la montaña, e íbamos directamente hacia el Ocaso, cuando sentí que el resplandor deslumbraba mis ojos mucho más que antes; y siéndome desconocida la causa, me quedé estupefacto; levanté las manos, y me las puse encima de las cejas para preservarme del exceso de luz.

(1047) Quiere decir que serían las tres de la tarde. La distancia desde que sale el Sol hasta la hora tercia son 45 grados, o tres horas; esto es, la mitad del espacio que media desde el plano del horizonte hasta el meridiano; faltándole por recorrer otro tanto espacio hacia la noche (es decir, hacia el Ocaso), compréndese que había avanzado 45 grados desde el mediodía. Compara el Poeta la esfera celeste a un niño inquieto, porque, según el sistema de Tolomeo, debía girar continuamente. Opina Venturi que el poeta emplea aquí una «pobre similitud.» El comentarista de Dante, Rosa Morando, uno de los más entusiastas, dice a este respecto: ¿Por qué cree Venturi que hay en este símil una pobre similitud? Según mi opinión, solamente por la gran diferencia de magnitud que existe entre el niño y el astro solar. Pero Plutarco, en sus *Reflexiones sobre el genio y la vida de Homero*, hace observar que aquel divino poeta lograba a veces sus comparaciones tomándolas de los objetos más insignificantes.»

(1048) Conforme con lo dicho en la nota anterior, en el Purgatorio era ya la tarde; en el monte Sión, su antípoda, debían de ser las tres de la madrugada; y en Italia (situada, según el Poeta, a 45 grados al occidente de Palestina) era medianoche.

Como cuando en el agua o un espejo rebota el rayo luminoso, elevándose al lado opuesto de idéntica manera que desciende, y desviándose por ambas partes a igual distancia de la caída de la piedra (1049), según demuestran la experiencia y el arte, así me pareció ser herido por una luz que delante de mí se reflejaba (1050); por lo cual aparté de ella presurosamente los ojos.

—¿Qué es aquello, amado Padre, de que no puedo, por más que haga, resguardar mi vista, dije, y que parece venir hacia nosotros?

—No te asombres si la familia del Cielo te deslumbra todavía, me respondió; es un mensajero, que viene a invitar a un hombre a que suba. En breve, no sólo podrás contemplar estas cosas sin molestia, sino que te serán tanto más deleitables cuanto mejor dispuesta se halle tu naturaleza a sentirlas (1051).

Luego que llegamos cerca del Ángel bendito, nos dijo éste con dulce voz: —Entrad por aquí, que encontraréis una escalera de más suave pendiente que las otras—. Subíamos ya, dejando en pos de nosotros aquel círculo, cuando oímos cantar a nuestra espalda: *Beati misericordes* (1052), y *Regocíjate tú que eres vencedor*. Mi Maestro y yo ascendíamos solos, y yo pensaba, entre tanto, sacar provecho de sus palabras; por lo que, dirigiéndome a él, le pregunté: —¿Qué quiso decir el espíritu de la Romaña (1053) al hablar de lo que requiere una posesión exclusiva? —. Y me contestó él:

(1049) Explica la ley física de la reflexión de la luz, ya conocida por Euclides. Cuando el rayo es reflejado en el agua o en un espejo, se eleva en dirección contraria del mismo modo que ha caído, formando un ángulo de reflexión igual al de incidencia, y desviándose de la línea perpendicular el rayo reflejo tanto como se desvía el directo. La *perpendicular* fué llamada por Alberto Magno *la caída de la piedra*.

(1050) Sobre si la luz que deslumbraba a Dante obraba por refracción o por reflexión, se ha discutido mucho. Opinan unos que la luz del Ángel era destello de la de Dios; otros que el Ángel iluminaba la tierra y que el resplandor de ésta era lo que tanto ofendía a la vista del poeta. Esto último parece lo más conforme con el fenómeno de la reflexión que antes se describe.

(1051) A medida que Dante (el hombre alegórico) asciende por la montaña va quedando purificado de las reliquias del pecado. Por eso le dice Virgilio: «Todavía te causa molestia la contemplación de la verdad; a medida que tu espíritu se purifique, te será cada vez más deleitable».

(1052) Palabras de Jesucristo (Math., cap. V). Las profiere el Ángel en alabanza del amor al prójimo. Las siguientes son también palabras de la Sagrada Escritura, que invitan a regocijarse, con la esperanza de los Eternos goces, a los que han vencido sus pasiones y amado al prójimo como a sí mismos.

(1053) Guido del Duca, de quien se hace mención en el canto anterior.

—Ahora conoce el daño que causa su principal pecado (1054);
así, pues, no debes admirarte si le condena, a fin de que haya
menos que llorar por él; porque si vuestros deseos se cifran
en bienes que puedan disminuirse dando a otros participación
en ellos, la envidia excita vuestro pecho a suspirar; pero si
el amor de la suprema esfera dirigiese hacia el cielo vuestros
deseos, no abrigaríais tal temor (1055) en vuestro corazón;
pues cuanto más se dice allí *lo nuestro* (1056), tanto mayor
es el bien que posee cada cual, y mayor caridad arde en aquel
recinto.

—Menos contento estoy que si hubieses guardado silencio,
y más dudas asaltan ahora mi mente. ¿Cómo puede ser que
un bien distribuído entre muchos haga más ricos a sus po-
seedores que poseyéndolo unos pocos? —. A lo que me contestó: —Por fijar siempre tu pensamiento en las cosas terrenales deduces obscuridades y error de las claras verdades que
te demuestro. Aquel bien infinito e inefable que está arriba,
se lanza hacia el amor, como un rayo de luz a un cuerpo
fúlgido, comunicándose tanto más cuanto mayor es el ardor
que encuentra; de modo que la eterna virtud crece sobre la
caridad a medida que ésta se aumenta; por lo cual, cuanto
mayor número de almas se dirigen a él, tanto más amor hay
allá arriba, y más allí se ama, reflejándose este amor de una
a otra alma como la luz entre dos espejos. Si no te satisfacen
mis razones, ya verás a Beatriz (1057), y ella te sabrá satisfacer por completo ese deseo y cualquier otro que te asalte.
Avanza, pues, para que pronto desaparezca, como ya han
desaparecido dos, esas cinco señales, que sólo se borran por
medio de las lágrimas (1058).

Iba yo a decir: «Tus palabras me han satisfecho», cuando observé que habíamos llegado al otro círculo (1059);
por lo cual, ocupado en pasear por él mis anhelantes miradas,
guardé silencio. Allí me pareció que era súbitamente arrebatado en éxtasis, y que veía un templo con infinita concu-
rrencia (1060), y una mujer (1061) a la entrada, en la

(1054) La envidia.
(1055) El temor de compartirlo con los demás.
(1056) En el cielo no se dice *mío*, sino *nuestro*.
(1057) El poeta comienza a prepararnos para la aparición de Beatriz.
(1058) Esto es, los cinco pecados que le quedaban después de bo-
rrados el de la envidia y el de la soberbia.
(1059) Al tercero, el de los iracundos.
(1060) El templo de Jerusalén. El poeta ve en su éxtasis algunos
ejemplos de mansedumbre, virtud contraria al pecado de la ira.
(1061) La Virgen María, que habiendo perdido a su hijo, lo encon-

dulçe actitud de una madre exclamando: —Hijo mío, ¿por qué has obrado así con nosotros? Tu Padre y yo te buscábamos angustiados—. Y apenas cesó de hablar desapareció cuanto se había presentado a mi vista. Después se ofreció ante mí otra mujer (1062), por cuyas mejillas se deslizaba aquella agua que destila el dolor cuando procede de un gran despecho contra uno, y decía así: —Si eres señor de la ciudad cuyo nombre originó tanta contienda entre los dioses (1063), y en la que toda ciencia destella, véngate de los atrevidos brazos que abrazaron a nuestra hija, ¡oh, Pisístrato! —. Aquel bondadoso y clemente señor me parecía responderle con rostro sereno: «¿Qué haremos con el que nos quiere mal, si condenamos al que nos ama?»

Después vi a varios hombres abrasados por la ira, matando a pedradas a un joven (1064), y diciéndose a grandes gritos unos a otros: —¡Martirízale, martirízale! — Y le contemplé ya encorvado hacia el suelo bajo el peso de la muerte que le derribaba; pero haciendo de sus ojos puertas para llegar al Cielo, y rogando al Señor en medio de su martirio y con aquel aspecto que excitaba a la piedad, que perdonase a sus perseguidores.

Cuando mi alma volvió a las cosas que fuera de ella son verdaderas, reconocí que había soñado, aunque no había engaño en mis sueños (1065).

Mi Guía, que me veía comportarme como un hombre que sale del sueño, me dijo: —¿Qué tienes, que no puedes sostenerte? Has andado más de media legua con los ojos cerrados y con paso vacilante, como el que está dominado por el vino o por el sueño. —¡Oh, amado Padre mío!, dije yo; si me prestas atención, te diré lo que se me ha aparecido cuando mis piernas vacilaban. — Y él a su vez me contestó: —Aunque tuvieras cien máscaras que ocultaran tu rostro, adivinaría yo hasta tus menores pensamientos. Lo que has visto

tró después de tres días en el Templo, y le dijo, según San Lucas, c. 2: «¡Fili, quid fecisti nobis sic? Ecce pater tuus et ego dolentes quoerebamos te.»

(1062) La mujer de Pisístrato, bondadoso príncipe de Atenas, que pidió venganza contra un joven que, enamorado de una hija suya, la besó públicamente.

(1063) Para dar nombre a Atenas sostuvieron una gran contienda Neptuno y Minerva.

(1064) San Esteban, que murió apedreado.

(1065) Es decir: cuando mi alma, que estaba fuera del mundo real a causa de mi éxtasis, volvió, bajo el ministerio de los sentidos, a la percepción de las cosas exteriores, las cuales existen verdaderamente, reconocí que las que había visto eran sueños, pero no fantásticos, sino referentes a sucesos en que se ocupa la Historia.

te ha sido revelado para que no te excuses de abrir el corazón al agua de la paz (1066), que mana de la fuente eterna. Te he preguntado, «¿qué tienes?», no porque me dijeras lo que hace el que tiene los ojos entornados cuando se ha apoderado algún sopor de su cuerpo, sino para que tus piernas recobrasen bríos; es preciso estimular así a los perezosos, demasiado lentos en emplear el tiempo de sus vigilias, cuando, una vez despiertos, recobran el imperio de su voluntad.

Seguíamos nuestro camino, cuando ya obscurecía, mirando atentamente lo más allá que podían nuestros ojos por entre los luminosos rayos vespertinos, cuando vimos adelantarse poco a poco hacia nosotros una humareda obscura como la noche, sin que hubiese allí sitio donde refugiarse de ella, y que nos privó del uso de la vista y del aire puro.

(1066) De abrir el corazón a los sentimientos de paz y caridad, que, a semejanza del agua que apaga el fuego, extinguen la ira.

CANTO XVI

*Dante, siguiendo a Virgilio, oye entre el denso humo las almas
de los iracundos, que ruegan fervientemente al Cordero celestial. — Una de ellas, Marco-Lombardo, demuestra a Dante
que las influencias del Cielo no son las que deciden de las
acciones de los hombres.*

L A obscuridad del Infierno, y la de la noche privada de
estrellas (1067) bajo un mezquino cielo, totalmente
obscurecidos por las nubes, no echarían sobre mi vista
un velo tan denso como el humo que allí nos envolvió (1068);
era tal la sensación de su punzante aspereza, que no podían
los ojos permanecer abiertos; por lo cual, mi sabio y fiel
Acompañante se acercó a mí, ofreciéndome su hombro. Como
va el ciego detrás de su lazarillo, para no extraviarse ni tro-
pezar en cosa que le ofenda o acaso le origine la muerte, así
caminaba yo a través de aquel aire espeso y acre, atento a la
voz de mi Guía, que no hacía más que repetirme: —Cuida
de no separarte de mí.

Oía yo voces, cada una de las cuales parecía rogar a fin
de obtener paz y misericordia del Cordero de Dios, que borra
los pecados (1069). El principio de su oración era solamente
Agnus Dei; todos pronunciaban estas palabras a un tiempo
y con tan igual tono, que parecía existir entre ellos una perfecta concordia.

—Maestro, dije: ¿son espíritus esos que oigo? —Lo has
acertado, contestó; van desatando el nudo de la ira (1070).

(1067) *Privata d'ogni pianeta.*
(1068) Han entrado en el cuarto círculo, donde se castiga la cólera.
El humo indica el carácter de esta pasión.
(1069) Todas aquellas voces clamaban: «Agnus Dei, qui tollis peccata mundi, dona nobis pacem». El cordero de Dios representa la mansedumbre de Jesucristo, y estas almas le invocan en oposición al vicio
contrario, la ira. Véase Juan, I, 29.
(1070) Van purificándose del pecado de la ira.

—¿Quién eres tú, que hiendes nuestro humo, y hablas de nosotros como si contaras aún el tiempo por calendas? (1071). De esta suerte habló una voz; por lo cual el Maestro me dijo: —Responde, y pregúntale si por aquí se va a lo alto.

Entonces dije yo: —¡Oh, criatura, que te purificas para volver a presentarte hermosa ante Aquél que te hizo! Oirás cosas maravillosas si quieres seguirme. —Te seguiré cuanto me está permitido, me contestó; y si el humo nos priva de vernos, el oído nos aproximará.

Empecé, pues, de esta manera: —Me dirijo hacia arriba con este cuerpo que destruye la muerte (1072), y he llegado aquí a través de las penas del Infierno. Si Dios me ha acogido en su gracia de tal modo que permite que vea su celeste Corte por un medio tan distinto de lo usual, no me ocultes quién fuiste antes de morir, sino dímelo; dime también si voy bien por aquí hacia la subida, y tus palabras nos servirán de guía. —Fuí lombardo, y me llamé Marco (1073); conocí el mundo; y amé aquella virtud hacia la cual nadie dirige hoy su mira. Para llegar a lo alto, sigue en derechura por donde vas—. Así respondió, añadiendo después: —Te suplico que ruegues por mí cuando estés arriba—. A lo cual le contesté yo: —Por mi fe te prometo que haré lo que me pides; pero me veo envuelto en una duda, que no me es dado aclarar. Primeramente era sencilla, mas ahora se ha duplicado con tus palabras, que unidas a las que he oído en otra parte, me certifican un mismo hecho (1074). El mundo está, pues, exhausto de toda virtud, como me indicas, y sembrado y cubierto de maldad; pero te ruego que me digas la causa, de modo que yo pueda entenderla y mostrarla a los demás; pues unos la hacen depender del cielo, y otros de aquí abajo (1075).

(1071) Es decir, que si vivieses aún en el mundo, donde el tiempo se mide por calendas, por períodos más o menos largos; no como aquí, que no tiene medida, porque estamos en la eternidad.

(1072) Con el cuerpo mortal.

(1073) Veneciano, llamado Lombardo, amigo de Dante. Fué un hombre valeroso, conocedor de las cosas de la Corte, pero dominado fácilmente por la ira. Boccaccio dice que fué de la *Casa Lombardi de Venecia;* pero otros creen que la voz *lombardo* sea sinónimo de *italiano.*

(1074) Guido del Duca, en el círculo anterior, había dicho al Poeta que los hombres, siendo buenos, se habían vuelto malos. Oyó esta misma sentencia de los labios de Marco, y por eso dice: Mi duda acerca de la causa del extravío de los hombres era sencilla, porque sólo la acusaban las palabras de Guido; pero ahora con las de Marco ha aumentado doblemente, dándome la certeza de la verdad del hecho que denuncian.

(1075) Unos creen que sea efecto del influjo de los astros; otros, de la libre voluntad de los hombres.

Antes de contestar exhaló un profundo suspiro, que terlos vivos, hacéis estribar toda causa en el Cielo, como si él mundo es ciego, y se conoce que tú vienes de él. Vosotros, los vivos, hacéis estribar toda causa en el cielo, como si él imprimiera por necesidad su movimiento a todas las cosas. Si así fuese, quedaría destruído en vosotros el libre albedrío, y no sería justo que se retribuyera el bien con goces y alegrías, y el mal con llanto y luto. El Cielo da inicio a vuestros impulsos (1076); no quiero decir todos, pero, aunque así lo dijese, os ha dado luz para distinguir el bien y el mal. Os ha dado también el libre albedrío, que aun cuando se fatigue luchando en los primeros combates con el Cielo, después lo vence todo, si persevera en el buen propósito. A mayor fuerza (1077) y a naturaleza mejor estáis sometidos, sin dejar de ser libres; y ella crea vuestro espíritu, que no está bajo el dominio del Cielo. Así, pues, si el mundo se aparta del verdadero camino, vuestra es la culpa y en vosotros debe buscarse, lo cual te probaré con toda verdad.

Sale el alma de manos de su Creador. que la acaricia antes de que exista, semejante al niño que entre el llanto y la risa balbucea; y es el alma sencilla que nada sabe; solamente movida por el instinto de la felicidad se inclina gustosa hacia lo que la contenta y regocija. Desde luego siente placer en los bienes más mezquinos; pero en esto se engaña, y corre tras ellos, si no tiene guía o freno que tuerza su inclinación (1078). Por eso es necesario establecer leyes que sirvan de freno, y tener un rey que sepa discernir al menos la torre de la verdadera ciudad (1079). Las leyes existen;

(1076) Dice: El Cielo influye en vuestros primeros deseos inocentes, aunque no en todos; pues algunos se originan de la ocasión y de los hábitos: pero aun cuando yo afirmase que todos esos primeros movimientos provinieran de aquel influjo, nada importaría; porque se os ha dado la luz de la razón para discernir lo bueno y lo malo, y además el libre albedrío para elegir lo que más os plazca; y este albedrío, si bien tiene que luchar con los primeros impulsos de las pasiones, en que influye el Cielo, después vence toda mala inclinación, si persiste y se nutre de buena doctrina. Esta es la opinión de santo Tomás, de san Agustín y de los escolásticos, según los cuales *los astros influyen, pero no fuerzan.*

(1077) A Dios.

(1078) Es decir: El alma sencilla, en un principio, sólo desea la felicidad. Atraída por los bienes caducos del mundo, se engaña, y se precipita en el mal, si la educación o el freno de la ley no la vuelven hacia la virtud y el verdadero bien.

(1079) Son precisas leyes que contengan las pasiones humanas. Dante, en su obra *Il Convivio,* anuncia que él cree que la vida humana debe dividirse en dos géneros de ciudades: la ciudad de la vida honrada, *vera cittade,* y la ciudad de la vida maleante. Por lo que respecta a la torre, Lombardi opina que se refiere a los princi-

pero ¿quién se cuida de su cumplimiento?: nadie; porque
el pastor que precede a las almas puede rumiar, pero no tiene
la pezuña hendida (1080); por lo cual, viendo todo el rebaño a su pastor cebarse únicamente en aquellos bienes de
que él es tan codicioso (1081), se apacienta de lo mismo y
no pide más. Bien puedes ver por esto, que en el mal gobierno estriba la causa de que el mundo sea culpable, y no
en que vuestra naturaleza esté corrompida. Roma, que hizo
bueno al mundo (1082), solía tener dos soles (1083), que
hacían ver uno y otro camino, el del mundo y el de Dios.
Uno de los dos soles ha obscurecido al otro, y la espada se
ha unido al báculo pastoral; así juntos, por fuerza deben
ir mal las cosas; porque estando unidos, no se temen mutuamente (1084). Si no me prestas crédito, repara bien en la
espiga; pues toda hierba se conoce por su semilla (1085).
En el país que bañan el Po y el Adigio (1086) solía encontrarse valor y cortesía, antes de que Federico tuviese contiendas (1087). Hoy, todo aquel que dejara de acercarse a aquellas provincias, por vergüenza de hablar con hombres probos,
puede pasar por ellas seguro de que no hallará ninguno. Bien
es verdad que aún existen allí tres ancianos en quienes la
edad antigua reprende a la moderna y les parece que Dios
tarda en llamarlos a mejor vida; son éstos: Conrado de Pa-

pales deberes de la sociedad. Biagioli, por su parte, cree que el poeta
alude a las cosas más necesarias a la vida.

(1080) Dios ordenó a los hebreos que no se alimentaran de carne
de animales que no rumiaran y no tuvieran la pezuña hendida. Los
intérpretes del místico significado del precepto divino dicen que por
rumiar debe entenderse la sabiduría, y por la pezuña hendida, las
obras. El Poeta se vale de esta imagen para demostrar que el sucesor
de Pedro, *che precede,* que teniendo el más noble encargo, el de las
almas, está provisto de mayor dignidad que el emperador, puede pre-
parar el alimento espiritual a la cristiana República, *ruminar può, ma
non ha l'unghie fesse,* pero no tiene las pezuñas hendidas; esto es,
no tiene en sí dos potestades distintas. Véase *Levít.,* XI.

(1081) Los bienes materiales.

(1082) La Roma cristiana.

(1083) Dos autoridades, una temporal y otra espiritual. El Papa y el
Emperador.

(1084) Unidos los dos poderes, resulta un gobierno mixto y confuso,
que necesariamente ha de proceder mal; porque ninguno de ellos teme
al otro, y carecen de freno.

(1085) El poeta alude a la confusión de ambas potestades, y dice:
Repara en el fruto que da, que consiste en la perversión de las costumbres, resultado del desorden del gobierno civil. Palabras de Jesucristo: «Ex fructibus cognoscetis eos».

(1086) La Marca Trevigiana, la Lombardía y la Romaña.

(1087) Antes que Federico II tuviese reyertas con el Pontífice, y que
empezasen las animosas luchas entre el sacerdocio y el Imperio, las
cuales fueron acompañadas de vituperables excesos de una y otra parte
y fomentaron las discordias entre los pueblos italianos.

lazzo, el buen Gerardo y Guido de Castel, a quien mejor le llaman, al estilo francés, el lombardo sencillo (1088). En el día, la Iglesia de Roma, por confundir en sí dos gobiernos, ha caído en el lodo, mancillándose a sí misma y mancillando su propio gobierno.

—¡Oh, Marco mío!, dije yo, ¡cuán bien razonas!; y ahora comprendo por qué fueron excluídos de la herencia los hijos de Leví (1089). Pero ¿qué Gerardo es ése a quien tienes por sabio, ese resto de una raza extinguida, que es un reproche para este siglo salvaje? —O tus palabras me engañan, o me tientan, respondióme; ¿es posible que hables en toscano y no sepas nada del buen Gerardo? (1090). Yo no le conozco ningún sobrenombre, a no ser que lo tome de su hija Gaya (1091). Dios sea con vosotros, que no puedo seguiros más. Mira el albor que ya clarea, brillando a través del humo; me es preciso partir antes de que aparezca el Ángel que está allí.

Así dijo, y no quiso escuchar más.

(1088) Conrado de Palazzo, caballero de Brescia, que fué Capitán del pueblo de Florencia, en 1277; Gerardo de Treviso, señor de Camino, llamado *el Bueno* por sus virtudes; Guido de Castello, caballero de Regio, que, según algunos dicen, hospedó a Dante. «El lombardo, al estilo francés.» — Los franceses solían llamar lombardos a todos los italianos.

(1089) Los hijos de Leví, los levitas o sacerdotes, fueron excluídos en el reparto de la tierra de Canaán hecho entre las doce tribus de Israel. Se les dieron tierras solamente «ad habitandum, non ad possidendum», para que los intereses del mundo no los distrajesen del servicio divino.

(1090) O me engañas, o quieres hacerme hablar; pues siendo toscano, parece mentira que no conozcas a Gerardo.

(1091) *Gaya,* hija de Gerardo: unos dicen que fué notable por su belleza y virtud; otros, por su hermosura y disolución; y en verdad, parece que a esto último alude la frase de Dante, que tiene visos de irónica.

CANTO XVII

*Después de haber salido con Virgilio de entre la espesa huma-
reda, Dante ve en su imaginación numerosos ejemplos de ira.
— Los dos Poetas, guiados por un ángel, suben las gradas
que conducen al cuarto círculo. — Se detienen por haberse
hecho de noche. — Virgilio manifiesta a Dante que en aquel
círculo se purifica el pecado de la Pereza.*

LECTOR, si alguna vez te sorprendió la niebla en los Alpes,
de modo que no vieses a través de ella sino como el
topo a través de la membrana que cubre sus ojos (1092),
recuerda cuán débilmente penetra el globo solar por entre
los húmedos y densos vapores, cuando éstos empiezan a en-
rarecerse, y tu imaginación podrá fácilmente figurarse cómo
volví yo a ver el sol, que estaba ya próximo a su ocaso.

Así, pues, caminando junto a mí mi fiel Maestro, salimos fuera de la nube de humo a los rayos luminosos, que
ya se habían extinguido en la falda del monte.

¡Oh, fantasía, que de tal modo nos arrebatas a veces fuera
de nosotros mismos, que nada siente el hombre aunque sue-
nen mil trompetas en torno suyo! ¿Quién te anima cuando
no recibes impresión alguna de los sentidos? Sin duda te
anima una luz que se forma en el cielo, y que desciende por
sí misma o por voluntad divina que nos la envía (1093).
En mi imaginación aparecieron las huellas de la impiedad
de aquella que se transformó en el pájaro que más se deleita
cantando (1094). Entonces mi espíritu se reconcentró tanto

(1092) Creían los antiguos que había una película que recubría la
piel del topo. (Véase Aristóteles, *Hist. anim.*, pág. 20.)
(1093) Según Dante, las imágenes que se representan a la fantasía,
cuando no media la intervención de los sentidos, provienen de Dios,
ya sea por gracia gratuita, ya por méritos de la humana voluntad que
las atrae hacia sí.
(1094) Progne, mujer de Tereo, y Filomela, su hermana, por vengarse de una injuria que habían recibido de aquél, hicieron pedazos

en sí mismo, que no llegaba hasta él nada del exterior. Después imprimióse en mi exaltada fantasía la imagen de un crucificado (1095), de aspecto orgulloso y despreciador que, por serlo tanto, moría de aquel modo. Junto a él estaban el grande Asuero, Ester, su esposa, y el justo Mardoqueo, que fué tan recto en sus obras y en sus palabras. Cuando se desvaneció aquella visión, como una burbuja a la que falta el agua de que estaba formada, surgió en mi imaginación una doncella (1096) que, llorando desconsolada, decía: —¡Oh, reina! ¿Por qué en tu cólera te has destruído a ti misma? Te has dado muerte por no perder a Lavinia; sin embargo, me has perdido; y yo soy la que lloro, madre, tu pérdida antes que la de otro alguno (1097).

Así como se interrumpe el sueño, cuando una nueva luz hiere de improviso nuestros ojos cerrados, y, aunque interrumpido, se agita antes de morir enteramente, así terminaron mis visiones, tan pronto como me dió en el rostro una claridad más fuerte que aquella a que estamos acostumbrados. Me volví a uno y otro lado para examinar el sitio en que me encontraba, cuando oí una voz que decía: —Por aquí se sube—. Me olvidé de todo al oírla, y despertó en mí tan vivo deseo de mirar quién era el que hablaba, que no habría descansado hasta averiguarlo; pero como sucede cuando el Sol nos deslumbra y se vela a nuestros ojos con el esplendor de sus rayos, me faltó allí la facultad de ver.

—Éste, me dijo mi Maestro, es un espíritu divino, que se oculta en su propia luz, y que nos indica la vía para ir a lo alto, sin que se lo roguemos. Hace con nosotros lo que el hombre consigo mismo (1098); pues el que ve una necesidad

a un hijo suyo llamado Itis, y se lo presentaron cocido en la comida, por cuyo delito Progne fué convertida en golondrina y Filomela en ruiseñor. A esta última se refiere aquí el Poeta.

(1095) Amán, ministro de Asuero, rey de Persia, a quien éste hizo sufrir el mismo suplicio que aquél preparaba a Mardoqueo, tío de la reina Esther. Le veía morir desdeñoso y fiero.

(1096) Lavinia, hija del rey Latino y de Amata. Ésta se mató por haber creído que Turno, a quien habían prometido por esposa a Lavinia, había sido muerto por Eneas.

(1097) Es decir: habiéndote suicidado, me has perdido realmente; y heme aquí llorando tu muerte antes que la de Turno, que aún está vivo. Véase *Eneida*, lib. XII, ver. 601 y sigs.

(1098) Procede respecto a nosotros como el hombre consigo mismo; que para ayudarse no aguarda que nadie se lo ruegue. Con esta reticencia da a entender el Poeta que la verdadera caridad consiste en obrar para con los demás como deseamos para con nosotros mismos; por eso añade en seguida que el que ve una necesidad y aguarda que le rueguen para socorrerla está ya malignamente dispuesto a negarse a ello según la sentencia de Séneca. (*Benef.*, II,1): «Tarde velle nolentis est: qui distulit diu, noluit.»

y aguarda que le supliquen, ya se prepara malignamente a rehusar su auxilio. Ahora nuestros pies deben aprestarse a obedecer tan cortés invitación; apresurémonos, pues, a subir antes que obscurezca, porque después no podríamos hacerlo hasta la nueva aurora.

Así dijo mi Guía, y ambos dirigimos nuestros pasos hacia una escalera; en cuanto estuve en la primera grada, sentí junto a mí como un movimiento de alas, que acariciaba mi rostro, y oí decir: —*Beati pacifici*, que no conocen la ira pecaminosa (1099).

Estaban ya tan elevados sobre nosotros los últimos rayos a quienes sigue la noche, que las estrellas aparecían por todas partes. «¡Oh, valor mío! ¿por qué así me abandonas?», decía yo entre mí, sintiendo flaquear mis piernas. Nos encontrábamos donde concluía la escalera, y estábamos parados, como la nave que llega a la playa; escuché un momento por si oía algo en el nuevo círculo (1100); y después, dirigiéndome hacia mi Maestro, le dije: —Dulce Padre mío, ¿qué ofensa se purifica en el círculo en que estamos? Ya que se detienen nuestros pies, no detengas tus palabras.

Y él me contestó: —El amor del bien, que no ha cumplido su deber, aquí se reintegra; aquí se castiga al tardo remero (1101). Para que lo entiendas más claramente, dirige tu pensamiento hacia mí, y recogerás algún buen fruto de nuestra detención. Hijo mío, siguió diciendo, ni el Criador (1102) ni criatura alguna carecieron jamás de amor, bien sea natural o racional, según te consta. El natural no se equivocó nunca; el otro puede errar, por dirigirse a un mal objeto, por exceso o por falta de fervor (1103). Mientras se dirige a los principales bienes (1104), y se modera en su afecto a los secundarios, no puede ser causa de censurable

(1099) El Ángel, con el movimiento de sus alas, borra la tercera P, que representa el pecado de la ira, y dice las palabras de san Mateo: «Beati pacifici, quoniam filii dei vocabuntur». Diciendo que carece de ira pecaminosa, distingue ésta de la noble indignación, hija de un justo celo, como se lee en el Salmo IV: «Irascimini et nolite peccare».

(1100) El cuarto.

(1101) Al que fué tardo, lento, perezoso en hacer obras de caridad.

(1102) Dice: «ni el Criador», porque Dios es amor, *Deus charitas est.*

(1103) El amor natural es aquel por el que apetecemos los bienes necesarios a nuestra conservación, el cual no yerra. El racional, que depende del libre albedrío, puede equivocarse de tres modos: cuando se dirige al mal bajo pretetxo del bien; cuando traspasa la solicitud que se debe a las cosas creadas, y cuando carece del fervor debido proporcionalmente a diversos objetos, como son: los parientes, los amigos, el prójimo, la patria y Dios.

(1104) A Dios y a la virtud.

deleite; pero cuando se inclina al mal, o se lanza al bien con mayor o menor solicitud de la que debe, entonces la criatura se vuelve contra su Criador. De aquí puedes deducir que el amor es en vosotros la semilla de toda virtud y de toda acción reprobable (1105). Ahora bien, como el amor no puede nunca renunciar a la dicha del sujeto en quien reside, todas las cosas están preservadas de su propio odio; y como no se concibe que ningún ser creado pueda existir por sí solo, ni separado del Ser primero, es imposible todo sentimiento que tienda a odiar a éste (1106). Resulta, pues, si mi deducción es lógica, que el mal que se desea es contra el prójimo; y este amor nace de tres modos en vuestro frágil barro. Hay quien espera elevarse sobre la ruina de su vecino, y sólo por esto desea que se derrumbe desde la altura de su grandeza; hay quien teme perder mando, gracia, honor y fama ante la elevación de otro, y esto le causa tal disgusto, que anhela lo contrario; y, en fin, hay quien, por haber recibido alguna injuria, se irrita de tal suerte que arde en sed de venganza, y únicamente piensa en hacer daño a su contrario. Este triforme amor es el que hemos visto llorar en los círculos inferiores. Ahora quiero que conozcas el otro amor que corre al bien sin orden ni medida. Cada cual concibe confusamente y desea un bien en el que se recrea el alma; y por eso se esfuerzan todos para alcanzarlo. Si vuestro amor es lento en dirigirse o en adquirir aquel bien, este círculo os da el debido castigo, aun después de vuestro arrepentimiento en vida. Existe otro bien que no hace al hombre dichoso, que no es la felicidad, no es la buena esencia, el fruto y la raíz de todo bien. El amor que se entrega demasiado a ese bien (1107), se castiga en los tres círculos superiores a éste; pero no te diré el modo cómo está hecha esta división, para que la averigües por ti mismo.

(1105) Dice el poeta que el amor puede ser el origen de toda acción buena o mala, conforme a la sentencia de San Agustín: «Boni aut mali mores, sunt boni aut mali amores».

(1106) El sujeto en quien reside el amor no puede odiarse a sí mismo, querer su propio daño; y como no se concibe a la criatura existente por sí ni independiente de su primera causa, por eso dice que tampoco puede odiar a Dios: puede el hombre blasfemar de Dios y negar su existencia; pero no puede odiarlo. Hecha esta doble deducción, dice Virgilio que todo el mal que desea el hombre es contra el prójimo; y este amor del mal se manifiesta de tres modos en la naturaleza humana: por soberbia o ambición, por envidia, o por ira que excita el deseo de venganza.

(1107) El amor que se abandona demasiado a otro bien distinto del supremo, de Dios, se castiga en los tres círculos superiores, donde se purifican los pecados de la avaricia, de la gula y de la lujuria.

CANTO XVIII

Virgilio, como complemento de su anterior discurso, demuestra lo que son el Amor y la Libertad humanos. — Las almas de los perezosos van por el círculo corriendo. — Los dos que van a la cabeza de los demás citan ejemplos de celeridad, y los dos últimos de pereza. — Dante es vencido por el sueño.

HABÍA el sublime Doctor terminado su razonamiento, y miraba atentamente a mis ojos para ver si me dejaba satisfecho; y yo, que me sentía excitado por una nueva sed, callaba exteriormente, pero decía en mi interior: «Quizá le canse con tantas preguntas.» Mas aquel Padre veraz, que adivinó el tímido deseo que no me atrevía a descubrir, hablando, me dió aliento para hablar; por lo que le dije: —Maestro, mi vista se aviva de tal modo con tu luz, que discierne claramente cuanto tu razón abarca o describe; por eso te ruego, dulce y querido Padre, que me definas el Amor al que atribuyes toda buena y mala acción.

—Dirige hacia mí, me dijo, las penetrantes miradas de tu inteligencia, y verás manifiesto el error de los ciegos que se convierten en guías (1108). El alma, que ha sido creada con predisposición al amor, se lanza hacia todo lo agradable, tan pronto como, por el placer, es incitada a la acción. Vuestra facultad aprehensiva (1109) recibe la imagen o la especie de un objeto exterior y la desenvuelve dentro de vosotros, de tal modo, que induce a vuestro ánimo a dirigirse hacia dicho objeto; y si al hacerlo se abandona a él, ese abandono es el amor, y ese amor es la Naturaleza que de nuevo se

---

(1108) Alude a los filósofos que enseñan que todo amor es laudable por sí mismo.

(1109) La facultad de percibir mentalmente, de concebir las especies de las cosas, sin hacer juicio de ellas, o sin afirmar ni **negar**.

une a vosotros por efecto del placer (1110). Después, así como el fuego se dirige hacia lo alto, a causa de su forma (1111), que ha sido hecha para subir allá donde mejor se conserva en su primitiva materia (1112), así también el alma apasionada se entrega al deseo, que es el impulso espiritual, y no sosiega hasta que goza de la cosa amada. Por lo dicho, puedes comprender cuánto se oculta la verdad a los que afirman que todo amor tiene en sí algo de laudable, quizá porque creen que su materia es siempre buena; pero no todos los sellos estampados en cera son buenos, por más que la cera lo sea (1113).

—Tus palabras y mi inteligencia que las ha seguido, le respondí, me han descubierto lo que es el amor; pero eso mismo me ha llenado de nuevas dudas; porque si el amor nace en nosotros por efecto de las cosas exteriores, sin que el alma proceda de otro modo, ésta no tendrá ningún mérito en seguir un camino recto o tortuoso.

Y me contestó él: —Puedo decirte todo cuanto en ello ve nuestra razón; respecto a lo demás, espera llegar hasta Beatriz (1114), porque esto es materia de fe. Toda forma substancial, que es distinta de la materia y que, sin embargo, está unida a ella, contiene una virtud que le es peculiar (1115); la cual, sin las obras, no se siente, ni se demuestra sino por los efectos, como la vida de la planta por su verde follaje. El hombre ignora de dónde proceden el conocimiento de las ideas primarias y el afecto a las cosas que primeramente apetece, los cuales existen en vosotros, como

(1110) El primer vínculo que el alma tiene con la Naturaleza es la predisposición al amor; el segundo la acción de amar, uniéndose de nuevo entonces la naturaleza con el alma.

(1111) *Forma* llamaban los antiguos filósofos a lo que da el ser a las cosas. Creían los mismos que el fuego tendía naturalmente a subir, porque no sabían que el aire pesaba, y que siendo específicamente más pesado que la llama, la elevase hacia lo alto.

(1112) Esto es, bajo la concavidad del cielo de la Luna. La antigüedad creía que allí estaba la esfera conservadora del fuego.

(1113) Por *materia de amor* entiende, al modo de los escolásticos, la *materia determinable,* o sea el amor *in genere;* y de éste dice que puede ser siempre bueno; pero no siempre es buena la *forma determinante,* o sea el amor *in specie,* como puede no ser bueno el sello que se imprime en la cera, por más que ésta lo sea.

(1114) Virgilio (la Filosofía) puede explicar en esta materia todo lo que alcanza la razón humana; pero deja a Beatriz (la Teología) la explicación de lo demás que concierne a la fe.

(1115) *Forma substancial* llamaron los escolásticos a toda substancia espiritual que unida a la materia prima, común a todos los cuerpos, determina las diversas especies de éstos: cada una tiene su *virtud especial,* que se revela por los hechos exteriores, y a la que Dante llama, en el *Convivio,* «el apetito de ánimo natural».

en las abejas la inclinación a fabricar la miel; en estos primeros deseos no cabe alabanza ni censura. Mas por cuanto
a ellos se agregan todos los demás deseos, es innata en vosotros la virtud que aconseja y que debe custodiar los um-
brales del consentimiento (1116). Ella es el principio de
donde sacáis la ocasión de contraer méritos, según que acoja
o rechace los buenos o los malos amores. Los que razonando
llegaron al fondo de las cosas, han reconocido esa libertad
innata y han dejado al mundo doctrinas morales. Suponga-
mos, pues, que nazca por fuerza necesaria todo amor que se
enciende en vosotros; siempre tenéis la potestad de contenerlo. Esa noble virtud es lo que Beatriz entiende por libre
albedrío; y debes procurar tenerlo presente, si acaso te habla de ello.

La Luna, que salió tarde y casi a medianoche, hacía que
nos parecieran más escasas las estrellas; como un caldero ardiendo, corría contra el Cielo por aquel camino que inflama
el Sol cuando el habitante de Roma le ve caer entre Córcega
y Cerdeña (1117); y la Sombra gentil, por quien Piéto-
la (1118) goza de más fama que cualquier otra villa mantuana, libre se hallaba ya del peso de mi continuo preguntar; por lo cual yo, que había recibido claras y sólidas razones a todas mis preguntas, estaba como el hombre que,
rendido por dulce ensoñación, deja vagar sin objeto su mente. Pero de esta somnolencia sacóme de improviso un tropel
de gente que avanzaba ya detrás de nosotros; y así como en
otro tiempo el Ismeno y el Asopo (1119) vieron correr de
noche por sus orillas una muchedumbre furiosa de tebanos
para tener propicio a Baco, así avanzaban por aquel círculo,
según pude ver, los que eran estimulados por una buena voluntad y un justo amor. En breve llegaron hasta nosotros,
porque toda aquella gran turba venía corriendo, y los dos

    (1116) Esto es, la razón.
    (1117) Siendo ya el quinto día después del plenilunio, la Luna debía
salir dos horas antes de medianoche. En unas ediciones se lee «como
un *scheggion* (tizón) encendido»; en otras, «como un *secchione* (caldero)», pudiéndose entender así por la forma de la Luna antes de llegar
al cuarto menguante. Dice que corría *contra* el cielo; esto es, en dirección contraria al movimiento aparente de los astros; y estaba en el
signo de Escorpión, en el que se encuentra el Sol cuando los habitantes de Roma lo ven trasponer por aquella parte del cielo que cae
entre Córcega y Cerdeña.
    (1118) La Sombra gentil es Virgilio, que nació en Piétola, pueble-
cito llamado *Andes* por los antiguos, y situado cerca de Mantua.
    (1119) Ismeno y Asopo, ríos de Beocia, por cuyas orillas corrían los
tebanos con antorchas encendidas, cuando necesitaban invocar el numen de Baco.

de delante gritaban llorando: —María se dirigió con suma celeridad a la montaña (1120), y César, por subyugar a Ilerda, voló a Marsella, y después pasó a España— (1121). —Pronto, pronto, exclamaban otros en pos de ellos; que el tiempo no se pierda por poco amor, a fin de que el anhelo de las buenas obras haga reverdecer la gracia.

—¡Oh, almas, en quienes un fervor ardiente compensa ahora, quizá, la negligencia y la tardanza, que por tibieza empleasteis para el bien! Éste, que vive aún (y no os engaño), quiere ascender a lo alto en cuanto el Sol brille de nuevo; decidnos, pues, dónde está la subida—. Tales fueron las palabras de mi Guía, y uno de aquellos espíritus dijo: —Ven tras de nosotros y la encontrarás. Nos impele un tan vivo deseo de avanzar, que no podemos detenernos; perdona, pues, si lo que hacemos por justo castigo te parece una descortesía. Yo fuí abad (1122) en San Zenón de Verona, durante el imperio del buen Barbarroja, de quien todavía se lamenta Milán (1123). Hay quien tiene ya un pie en la fosa (1124), que pronto llorará por aquel monasterio, entris- verdadero pastor, ha puesto en él a un hijo suyo, contra- teciéndole el poder que allí tuvo; porque en lugar de su hecho de cuerpo, más contrahecho aún de espíritu, y nacido de indigno consorcio (1125).

No sé si dijo más, o si se calló; tan lejos se encontraba ya de nosotros; pero esto es lo que oí, y lo que juzgué digno de recuerdo. Y Aquél que era el socorro de todas mis necesidades, dijo: —Vuélvete hacia aquí; mira dos que vienen mordiendo a la Pereza— (1126). Éstos iban detrás

(1120) María Virgen corrió a visitar a Isabel con suma celeridad, por sitios montuosos. Recuerdan los espíritus estos ejemplos como estímulo a los perezosos. (Lucas, I, 39.)

(1121) César partió de Roma con suma celeridad, llegó a Marsella y la sitió, y en seguida corrió a España, donde venció a Petreyo Afranio y a un hijo de Pompeyo, y subyugó a Lérida, llamada *Ilerda* por los latinos.

(1122) Don Gerardo segundo. Créese que se llamaba Alberto.

(1123) Alude al sitio y ruina de Milán, ocasionada en 1152 por el emperador Federico Barbarroja. Le llama *el Bueno* quizá por ironía; otros entienden que es porque murió en la conquista de Tierra Santa.

(1124) Alberto de la Scala, señor de Verona, ya viejo, el cual hizo por fuerza abad de San Zenón a un hijo natural suyo, contrahecho y perverso.

(1125) Alude sin duda a José Scalígero, que era bastardo. Tuvo un hijo natural, llamado Bartolomé, que murió de mano airada, siendo obispo de Verona.

(1126) Esto es: vienen hostigando a los perezosos con ejemplos de los tristes efectos de la pereza.

de todos diciendo: —La nación por quien se abrió el mar, murió antes de que sus descendientes viesen el Jordán (1127); y aquella gente que no quiso compartir hasta el fin las fatigas del hijo de Anquises (1128), se ofreció por sí misma a una vida sin gloria.

En seguida, cuando aquellas sombras se alejaron tanto de nosotros que ya no podíamos verlas, me asaltó una nueva idea, de la que nacieron otras varias, y mi imaginación empezó a divagar de tal modo de una a otra, que cerré los ojos, como alucinado, y mi pensamiento fué desvaneciéndose en el sueño (1129).

(1127) Se refiere al pueblo hebreo, que después de haber pasado el Mar Rojo, pereció todo (se entiende, los varones adultos) antes que sus herederos llegasen a la Tierra prometida. (Josué, c. V, 6.)

(1128) Los troyanos conducidos por Eneas, hijo de Anquises, que extenuados por el cansancio del viaje, se quedaron sin gloria con Acestes, rey de Sicilia.

(1129) Por dos veces dice Dante, en este canto, que le da sueño, hasta que al fin se duerme, acaso para significar los efectos de la pereza, que se castiga en el círculo por donde anda.

CANTO XIX

Quinto círculo, donde se purifica el pecado de Avaricia. — Dante cuenta una visión que se le aparece en sueños. — Habiendo salido el Sol, los Poetas prosiguen su viaje, y pasan a aquel círculo. — Los avaros están llorando y tendidos en el suelo. — El papa Adriano V.

A la hora en que el calor del día, vencido por la Tierra y por Saturno acaso, no puede ya templar el frío de la Luna (1130); cuando los geománticos ven, antes del alba, elevarse en Oriente *su mayor fortuna* (1131) por aquel camino que para ella permanece poco tiempo obscuro, se me apareció en sueños una mujer tartamuda, bizca, con los pies torcidos, manca y de amarillento color (1132). Yo la miraba, y así como el Sol reanima los miembros entorpecidos por el frío de la noche, de igual suerte mi mirada hacía expedita su lengua, erguía su cuerpo prestamente, y el marchito rostro, como requiere el amor, lo coloraba.

Cuando tuvo libre la lengua, empezó a cantar de tal modo, que con trabajo hubiera podido separar mi atención de ella. —Yo soy, cantaba, yo soy dulce Sirena, que dis-

(1130) Es decir: en la última hora de la noche, cuando el calor diurno ha desaparecido enteramente por efecto de la frialdad de la Tierra, y *a veces* por la de Saturno. Era opinión de los antiguos astrólogos que, cuando este planeta estaba de noche sobre el hemisferio, causaba frío. Dice *acaso*, porque no siempre está Saturno sobre el horizonte.

(1131) Los *geománticos* eran aquellos adivinos que presumían leer el porvenir valiéndose de la tierra. Solían trazar figuras de puntos hechos a la ventura en la arena con una varita; y si la disposición de los puntos se asemejaba a la de las estrellas que componen el fin del signo de Acuario y el principio de Piscis, llaman a la figura *su mayor fortuna*.

(1132) Esta visión representa la seducción de los falsos goces mundanos, especialmente los que el hombre busca en el abuso de las riquezas, de las comidas y bebidas y de los placeres carnales.

traigo a los marineros en medio del mar; tan dulce es el
goce que despierto. Con mi canto aparté a Ulises de su camino inseguro (1133), y el que conmigo se aviene, rara vez
se va; de tal modo le fascino.

Aún no se había cerrado su boca, cuando apareció a
mi lado una mujer santa (1134), pronta a confundirla:
—¡Oh. Virgilio, Virgilio! ¿Quién es ésta?, decía con altivez. Y él se acercaba con los ojos fijos solamente en aquella honesta mujer. Cogió a la otra (1135) y, desgarrando
sus vestiduras, la descubrió por delante y me mostró su vientre. La pestilencia que de él emanaba me despertó.

Volví los ojos, y el buen Virgilio me dijo: —Tres veces te he llamado al menos; levántate y ven; busquemos la
abertura por donde has de entrar —. Me levanté; todos los
círculos del sagrado monte estaban ya inundados por la luz
del día, y continuamos caminando teniendo el Sol a nuestra
espalda. Mientras le seguía, llevaba yo la frente como aquel
a quien abruman los pensamientos, que de sí mismo hace un
arco de puente, cuando oí decir: —Venid, por aquí se pasa —. Estas palabras fueron pronunciadas con un tono tan
suave y benigno, como no se oye en esta región mortal. Con
las alas abiertas, que parecían de cisne, el que nos había
hablado así nos dirigió hacia arriba por entre las dos laderas
del áspero peñasco. Movió después sus plumas y acarició mi
frente, afirmando que son bienaventurados *qui lugent* (1136),
porque sus almas serán ricas de consuelo.

—¿Qué tienes, que sólo miras hacia el suelo? — me preguntó mi Guía, cuando estuvimos poco más arriba del Ángel.
Y yo le contesté: —Me hace ir de este modo, suspenso y
caviloso, una visión reciente, la cual me atrae hacia sí, de
suerte que no puedo eximirme de pensar en ella. —¿Has

(1133) Ulises, para resistir a la seducción del canto de las sirenas,
se tapó los oídos con cera y se hizo atar a un mástil de su nave. (*Odi-
sea.*) Como todas estas alegorías representan una misma cosa, es decir,
la seducción de los placeres sensuales, Dante las resume indistintamente en su Sirena, y por eso le hace decir que apartó a Ulises de su
camino.

(1134) En esta figura ven unos la Filosofía moral o la Prudencia;
otros la Verdad; otros, en fin, a Lucía, o la Gracia que ilumina.

(1135) *L'altra prendera*... Los intérpretes de Dante dudan acerca de
lo que quiso decir en este pasaje. No se sabe si la mujer honesta cogió
a la otra, o si la cogió Virgilio, aunque parece entenderse esto último.

(1136) El Ángel borra otra P, que representa el pecado de la Pereza, afirmando que son bienaventurados los que lloran las propias
culpas y los males ajenos, porque sus almas serán consoladas, según
las palabras del Evangelio: «Beati qui lugent, quoniam ipsi consola-
buntur». (Mat., V, 5.)

visto, me dijo, la antigua hechicera, causante única del llanto que más arriba de donde estamos se vierte? (1137). ¿Has visto cómo el hombre puede desprenderse de ella? Bástete, pues, eso, y apresura el paso; vuelve tus ojos al reclamo de las magníficas esferas que hace girar el Rey eterno (1138).

Como el halcón que, mirando primero sus patas, acude al grito del cazador y tiende el vuelo, atraído por el deseo de la presa, así hice yo, recorriendo la hendidura de la roca destinada a dar paso a los que suben, sin detenerme hasta llegar al punto donde empezaba la curva. Cuando hube salido al quinto círculo, vi algunas almas, que lloraban tendidas en el suelo boca abajo, y las oí exclamar con tan fuertes suspiros que apenas se entendían las palabras: *Adhæsit pavimento anima mea* (1139).

—¡Oh, elegidos de Dios, cuyos padecimientos son suavizados por la resignación y la esperanza! (1140). Dirigidnos hacia las altas gradas. —Si venís ya libres y seguras de poder permanecer con nosotros, y queréis encontrar más pronto la subida, caminad siempre llevando vuestra derecha hacia fuera del círculo —. Tal fué la súplica del Poeta, y tal la contestación que le dieron algo más adelante de nosotros, pudiendo yo conocer por el sonido de las palabras cuál era el que había hablado; volví entonces los ojos hacia mi Señor, quien con un gesto complaciente consintió en lo que pedía la expresión de mi deseo. Cuando pude obrar a mi gusto, me acerqué a aquella criatura, que había llamado mi atención con sus palabras, diciéndole: —Espíritu, en quien el llanto madura la expiación, sin la cual no se puede llegar hasta Dios, suspende un momento por mí tu mayor cuidado. Dime quién fuiste, y por qué tenéis todos la espalda vuelta hacia arriba y si quieres que pida por ti alguna cosa en el mundo de donde salí vivo —. Y me contestó él: —Sabrás por qué ordena el Cielo que tengamos la espalda vuelta ha-

(1137) La antigua hechicera; esto es, la falsa felicidad mundana, antigua como el mundo, cuyos tristes efectos se purgan en los tres círculos superiores, a saber: la avaricia, la gula y la lujuria.

(1138) Válese aquí el Poeta de una metáfora, diciendo que Dios llama a sí nuestras almas con el espectáculo de los cielos que giran (aparentemente) en torno de nosotros, como el cazador atrae a los halcones con el reclamo *(logoro)*.

(1139) Palabras del Salmo 118, con las que aquellas almas expresan el apego que tuvieron a las cosas de la tierra.

(1140) El Poeta dice: *Giustizia è speranza;* pero aquí la palabra *justicia* debe entenderse por la resignación que produce la idea de un justo fallo en las almas que sufren la pena impuesta.

cia él; pero antes *scias quod ego fui successor Petri* (1141).
Entre Sesti y Chiavari se interna un hermoso río (1142),
de cuyo nombre toma origen el título de mi sangre. Un mes
y poco más pude experimentar cuán pesado es el gran manto al que le preserva del lodo; pues cualquier otra carga parece una pluma. Mi conversión, ¡ay de mí!, fué tardía;
pero cuando fuí elegido Pastor romano, conocí lo engañosa
que es la vida. Allí pude ver que no había reposo para el
corazón, que en la vida mortal no se podía subir más arriba; y me sentí inflamado de amor de la eterna. Hasta entonces fuí un alma miserable, alejada de Dios y entregada
del todo a la avaricia. por lo cual sufro el castigo que ves.
Lo que hace la avaricia, se manifiesta aquí con la pena que
sufren las almas echadas boca abajo; pena más amarga que
ninguna otra. Así como nuestros ojos, fijos en las cosas terrenales, no miraron nunca hacia arriba, del mismo modo
la justicia los sumerge aquí en el suelo. Así como la avaricia extinguió en nosotros el amor hacia todo verdadero bien,
por lo cual fueron vanas nuestras obras, así también la justicia nos tiene aquí oprimidos, atados de pies y manos, e
inmóviles y extendidos mientras plazca al justo Señor.

Yo me había arrodillado, y quise hablar; pero cuando
empezaba, el espíritu se dió cuenta, con sólo escuchar, de este
acto de reverencia, y me dijo: —¿Por qué te inclinas al
suelo de ese modo? —. Y yo le contesté: —Mi recta conciencia me obliga a respetar vuestra dignidad. —Endereza tus
piernas, y levántate, hermano, repuso; no te engañes: como
tú y los demás, soy servidor de la misma potestad. Si has
podido comprender aquellas palabras evangélicas que dicen
naque nubent (1143), bien puedes ver por qué hablo así.
Vete ya; no quiero que te detengas por más tiempo, que
tu permanencia aquí da treguas a mi llanto, con el que acelero
lo que tú has dicho antes. Tengo allá abajo una sobrina, que

(1141) «Sabe que yo fuí sucesor de Pedro.» Éste es Ottobón de Fieschi, conde de Lavagna, pontífice con el nombre de Adriano V, que
reinó un mes y nueve días; murió en 1276.
(1142) Dos tierras del Estado de Génova, en la costa de Levante.
El río de que habla es el Lavagna, de cuyo nombre tomaron su título
los condes de la familia de Fieschi.
(1143) Palabras de Jesucristo a los saduceos para sacarlos del error
en que estaban de que en la vida eterna había matrimonios. Aquí el
Pontífice quiere dar a comprender que, habiendo muerto, no era ya
esposo de la Iglesia En el Apocalipsis (XIX, 10), arrodillándose san
Juan delante del Angel, éste se lo veda, diciéndole: «Vide ne feceris
conservus tuus sum et fratum tuorum».

se llama Alagia (1144), naturalmente buena, a no ser que nuestra casa la haya pervertido con su ejemplo. Ella sola me queda ya en el mundo (1145).

CANTO XX

Continuando los Poetas por el quinto círculo, oyen a un alma que recuerda ejemplos de virtud contrarios a la avaricia. — Dante se le acerca, y habiéndole preguntado su nombre, aquella alma declara ser Hugo Capeto, y lanza una dura invectiva contra las usurpaciones e iniquidades de sus propios descendientes. — La montaña tiembla, y todas las almas entonan: "Gloria in excelsis".

MAL resiste un deseo contra otro mejor; por esto, para complacer a aquel espíritu, retiré del agua, contra mi gusto, la esponja de la curiosidad no saturada (1146). Púseme en marcha, y mi Guía se encaminó por los únicos parajes que había expeditos a lo largo de la escarpa del monte, andando como quien va por una muralla pegado a los merlones; porque aquellas almas que vierten gota a gota por sus ojos el mal que se apodera del mundo entero (1147), se acercan demasiado de la otra parte hacia fuera.

—¡Maldita seas, antigua loba, que con tu hambre profunda e insaciable haces más presas que todas las demás fieras! ¡Oh, Cielo, en cuyas revoluciones ven algunos la causa de los cambios que sufren las cosas y las condiciones humanas!, ¿cuándo vendrá aquél (1148), por quien la loba sea expulsada? (1149).

(1146) En el ánimo de Dante luchaban dos deseos: el de seguir hablando con el papa Adriano, y el de obedecer a éste, que le dice que se vaya. Como este deseo es el mejor y el más discreto, vence al primero; y por eso dice el Poeta que, contra su gusto de quedarse, por complacer a Adriano, «retiró la esponja no saturada»; esto es, se marchó sin acabar de satisfacer su curiosidad.

(1147) La avaricia; antigua loba la llama luego, porque vino al mundo después del pecado de Adán.

(1148) Las alegorías de este poema tienen a veces muchos sentidos. Aquí la *loba* es a un tiempo símbolo de la avaricia y de la facción güelfa. Por eso dice: «¿Cuándo vendrá el héroe por quien sea expulsada?»

(1149) El movimiento celeste por cuya influencia la loba maldita será arrojada del mundo.

Íbamos caminando con pasos lentos y contados, y yo ponía toda mi atención en las sombras, escuchándolas piadosamente llorar y lamentarse; cuando por ventura oí exclamar con dolorida voz, semejante a la de una mujer próxima a su alumbramiento: —¡Dulce María! — (1150). Y en seguida: —Fuiste tan pobre como se puede ver por aquel establo donde depusiste tu santo fruto —. A continuación oí: —¡Oh, buen Fabricio!, preferiste ser pobre y virtuoso, antes que poseer grandes riquezas cayendo en el vicio — (1151). Tan gratas me eran tales palabras que me adelanté para conocer al espíritu de quien al parecer procedían. Éste seguía hablando de los donativos que hizo Nicolás (1152) a las doncellas para conducir su juventud por la senda del honor.

—¡Oh, alma, que recuerdas tan benéficas acciones! Dime quién fuiste, le pregunté, y por qué eres la única que reitera esas dignas alabanzas. Tus palabras no quedarán sin recompensa, si vuelvo al mundo para concluir el corto camino de aquella vida que vuela a su término. —Te lo diré, me contestó, no porque espere consuelo alguno que proceda de allá, sino porque brilla en ti tanta gracia antes de haber muerto. Yo fuí raíz de la mala planta que arroja hoy sobre toda la tierra cristiana tan nociva sombra que apenas se coge en ella ningún fruto bueno (1153). Pero si Douay, Gante, Lila y Brujas pudieran, pronto tomarían venganza; y yo se la pido a Aquél que lo juzga todo (1154). En el mundo me llamé Hugo Ciapetta; de mí descienden los Felipes y los Luises que en estos últimos tiempos rigen la Francia. Hijo fuí de un carnicero de París (1155). Cuando faltaron

(1150) Invoca a María por su pobreza.

(1151) Fabricio, virtuoso cónsul romano; aunque pobre, rechazó con indignación las riquezas que le ofrecía el rey Pirro para corromper su integridad.

(1152) San Nicolás, obispo de Mira, dotó a tres doncellas que por su gran pobreza se veían en peligro de llevar una vida deshonesta.

(1153) Este que aquí habla parece ser Hugo *el Grande,* duque de Francia y conde de París, padre de Hugo Capeto, fundador de la dinastía de su nombre, y no el mismo Capeto, o Ciapetta, como le llama Dante. Véase nota 1155.

(1154) Las ciudades de Flandes que aquí cita fueron ocupadas, unas violentamente y otras con falsas promesas, por Felipe *el Hermoso,* en 1299.

(1155) Dante padece aquí algunos errores históricos. Hugo Capeto fué así llamado porque, como abad lego del monasterio de San Martín, llevaba la famosa capa del Santo. Su padre, Hugo *el Grande,* que es quien aquí habla, no fué Capeto, ni de él pudo decirse que fuese hijo de un carnicero de París: esto se ha dicho de su abuelo Roberto *el Fuerte,* primer conde de París y de la Marca Angevina. Este Roberto era hijo, según unos, del sajón Witikind; según otros, de Childe-

los antiguos reyes, salvo uno que se revistió de paños grises (1156), empuñé las riendas del gobierno del reino, y en mi nueva posición adquirí tal poder y tantos amigos, que la corona vacante pasó después a mi hijo (1157), en quien comienza la estirpe consagrada de los nuevos reyes. Mientras la gran adquisición de los Estados provenzales (1158) no quitó la vergüenza a mi familia, ésta valió poco, mas en cambio no hizo daño; pero allí dió principio a sus rapiñas. empleando la fuerza y la mentira; luego, para enmendarse, usurpó el Pontiheu, la Normandía y la Gascuña. Carlos fué a Italia, y para enmendarse hizo una víctima de Conradino. y después envió al Cielo a Tomás, también para enmendarse (1159). Veo un tiempo, no muy lejano, en que saldrá de Francia otro Carlos (1160), para darse a conocer mejor a sí mismo y a los suyos. Sale de ella sin armas, y sólo con la lanza con que luchó Judas (1161), y la maneja de modo que abre con ella y vacia el vientre de Florencia. En esta ocasión no adquirirá comarcas, sino pecados y oprobios, tanto más gravoso para él, cuanto más leve le parezca el daño (1162). Veo al otro que ya salió, y cayó prisionero en un

brando, hermano de Carlos Martel; y según otros, de un simple carnicero o marchante de bestias.

(1156) Excepto uno que se hizo monje. Parece referirse a Carlos *el Simple,* que si bien no se hizo monje, renunció a las grandezas del mundo, retirándose a vivir y morir solitario en el castillo de Perona. Otros dicen que se refiere a Rodolfo, el cual, por su santa vida, fué hecho arzobispo de Reims.

(1157) Su hijo, Hugo Capeto, elevado al trono a la muerte de Luis V, último rey carlovingio.

(1158) Quiere significar que los reyes de Francia, pobres y sin poder, no empezaron a dedicarse al mal hasta que se hicieron ricos y poderosos por la unión de la Provenza a la corona francesa, en 1245.

(1159) Carlos, duque de Anjou, que pasó a Italia y se apoderó de los reinos de Pulla y Sicilia; y para enmendarse, como dice el Poeta, con acerba ironía, hizo morir a Conradino, víctima de su ambición; y después, según se cuenta, mandó envenenar a santo Tomás de Aquino, por temor de que contrariara sus deseos en el Concilio de Lyón.

(1160) Se refiere a Carlos de Valois, que fué a Italia en 1301. Llevó consigo 500 caballeros y un numeroso séquito de baronés y condes. Fué enviado por el papa Bonifacio VIII a Florencia en calidad de mediador entre los dos partidos en que estaba dividida la ciudad; pero no hizo otra cosa que cometer en ella los mayores excesos, dejándola medio saqueada y destruída. El destierro de Dante provino principalmente de la ida de Carlos de Valois a Florencia.

(1161) La traición.

(1162) Dice que no adquirirá sino pecados y vituperios, por las iniquidades que cometió en Florencia. Carlos de Valois fué apellidado *Sin Tierra,* porque no pudo nunca señorearse de ningún país. Un antiguo escritor italiano dice de él: «Carlos fué a Toscana por la paz, y dejó en ella gran guerra; pasó a Sicilia por la guerra, y reportó de allí una paz ignominiosa.»

bajel, vender a su hija, regateando el precio, como hacen los corsarios con sus esclavas (1163).

¡Oh, avaricia! ¿Qué más puedes hacer, cuando te has apoderado de mi estirpe hasta el punto de haberse olvidado de su propia carne? Y a fin de que parezca menor el mal futuro y el pasado, veo a la flor de lis entrar en Alagna, y a Cristo prisionero en la persona de su vicario (1163*). Véole otra vez entregado al ludibrio; veo renovar la hiel y vinagre, y le veo morir entre otros dos ladrones (1164). Veo tan cruel al nuevo Pilatos, que no bastándole eso, y sin dictar sentencia, lleva hasta el templo sus codiciosos deseos (1165).

¡Oh, Señor mío! ¿Cuándo tendré la dicha de contemplar la venganza que, oculta en tus arcanos, te hace agradable tu ira? (1166). En cuanto a lo que decía yo de la única Esposa del Espíritu Santo (1167), lo cual hizo que te volvieses hacia mí para obtener alguna explicación, te diré que esto forma parte de nuestras oraciones durante el día; mas luego que anochece, recitamos en su lugar ejemplos contrarios (1168). Entonces recordamos a Pigmalión, a quien su pasión por el oro hizo traidor, ladrón y parricida (1169), y la miseria del avaro Midas, consecuencia de su petición desmesurada, que será siempre motivo de burla (1170). Re-

(1163) Carlos II, hijo del de Anjou, rey de Pulla y de Sicilia, que fué hecho prisionero por Roger de Lauria, almirante de Pedro III de Aragón, en el combate naval de 1283. Vendió una hija suya, llamada Beatriz, a Azón VI de Este, por 30.000 florines, según unos, o por 50.000, según otros.

(1163*) Alude a la prisión de Bonifacio VIII, efectuada el 7 de septiembre de 1303, en Anagni *(Alagna)*, por Sciarra Colonna y Nogareto, que entraron por traición con gente armada y banderas de la corona de Francia. Dante, aunque no era amigo de Bonifacio, deplora aquel ultraje cometido contra la persona del Pontífice por orden de Felipe *el Hermoso;* y dice que murió entre dos ladrones, porque un mes después de aquel acontecimiento falleció Bonifacio a consecuencia de los malos tratos de los dos citados capitanes franceses.

(1164) Sus nombres fueron Sciarra Colonna y Nogareto.

(1165) *El nuevo Pilatos.* Así llama a Felipe *el Hermoso,* y alude a la destrucción de los Templarios, llevada a cabo por él mismo sin forma de proceso y apoderándose de sus bienes.

(1166) Para la recta inteligencia del concepto expresado aquí por el Poeta, deben tenerse presentes estas palabras de santo Tomás: «Dios no se complace en las penas por el dolor que causan a sus criaturas, sino por cuanto satisfacen su justicia».

(1167) La Virgen María.

(1168) El espíritu recuerda aquí a Dante la segunda parte de su pregunta, y le dice que los que están con él repiten de día en sus oraciones ejemplos de liberalidad y pobreza, y de noche refieren diferentes castigos de la avaricia.

(1169) Pigmalión, rey de Tiro, hizo asesinar alevosamente a su tío Siqueo, esposo de su hermana Dido, por apoderarse de sus riquezas.

(1170) Midas, rey de Frigia, que habiendo obtenido de Baco la

cuérdase también al insensato Acham (1171), y cómo robó
los despojos del enemigo, de suerte que aun aquí parece que
le persiga la ira de Josué. Después acusamos a Safira y a su
marido (1172); alabamos los pies que pisotearon a Heliodoro (1173), y por todo el monte circula infamado el nombre
de Polinéstor, que mató a Polidoro (1174). Por último, gritamos: «¡Oh, Craso! Dinos, pues no lo ignoras, qué sabor
tiene el oro.» (1175). A veces hablamos unos en alta voz,
otros en voz baja, según el impulso que nos estimula a hablar más de prisa o más despacio. Tampoco era yo solo quien
antes recordaba los buenos ejemplos en que nos ocupamos
durante el día; pero no había cerca de aquí otro que levan-
tara la voz.

Nos habíamos separado ya de aquel espíritu, y procurá-
bamos avanzar por el camino cuanto nos era posible, cuando
sentí retemblar el monte como si se hundiera; por lo cual
me sobrecogió un frío sólo comparable al que siente aquel
que va a morir. No se estremeció en verdad tan fuertemente
Delos, antes que Latona anidase en ella para dar a luz los
dos ojos del Cielo (1176). Después resonó por todos los
ámbitos de la montaña tal grito, que el Maestro se acercó a
mí, diciendo: —No vaciles, mientras yo te guíe. —*Gloria in
excelsis Deo,* decían todos, según comprendí por las voces
que salían de los puntos cercanos, desde donde era posible
oírlas. Nos quedamos inmóviles y suspensos, como los pasto-

gracia de que se convirtiera en oro todo cuanto tocase, tuvo que
implorar lo contrario para no morirse de hambre, porque los alimentos
se le convertían en aquel metal.

(1171) Acham, hebreo, que habiéndose apropiado parte del botín de
Jericó, fué apedreado por mandato de Josué.

(1172) Safira y Ananías, su marido, retuvieron, contra el voto de
pobreza, parte del precio de un campo vendido, y queriendo hacer
creer a san Pedro que le ofrecían la suma entera, el Santo les repren-
dió, y cayeron muertos en su presencia.

(1173) Heliodoro fué enviado por Seleuco, rey de Siria, a Jerusalén,
para robar los tesoros del Templo, pero al pisar el umbral se le apareció un hombre armado a caballo, que lo atropelló obligándole a huir
con las manos vacías.

(1174) Polinéstor, rey de Tracia, mató a Polidoro, hijo del rey
Príamo, que se le había confiado con parte del tesoro real durante
el sitio de Troya, por apoderarse de dicho tesoro.

(1175) Marco Craso, senador y general romano, famoso por sus riquezas y su avaricia. Murió en una expedición contra los partos; y habiéndole encontrado éstos en el campo, le cortaron la cabeza, y le
vertieron en la boca oro derretido, diciendo por escarnio: «Bebe oro,
ya que tuviste tanta sed de él.»

(1176) Cuéntase que la isla de Delos, en el Archipiélago, temblaba
y se movía, hasta que Latona, refugiándose en ella, dió a luz a Apolo
y Diana, representados por la Mitología en el Sol y la Luna, que Dante
llama aquí los dos ojos del Cielo.

res que por primera vez oyeron aquel canto (1177), hasta que cesó el temblor y acabó el himno.

Emprendimos nuevamente nuestro santo camino, mirando las sombras que yacían por el suelo vueltas boca abajo y exhalando su acostumbrado llanto. Si la memoria no me es infiel, jamás la ignorancia de una cosa incitó con tanto empeño mi deseo de saber, como entonces, pensando en lo ocurrido; y como, por la premura de nuestra marcha no me atrevía a preguntar, ni por mí mismo podía comprender nada, caminaba tímido y pensativo (1178).

(1177) Ver Lucas, cap. II.
(1178) Lo que le inquietaba era el deseo de averiguar la causa por que había temblado el monte.

CANTO XXI

*Los Poetas preguntan a un espíritu la causa de la conmoción de
la montaña y la de aquel himno de gloria. — El espíritu les
responde que esto sucede cada vez que un alma termina su
purificación, y se da a conocer, diciendo que es el poeta
Stacio.*

M E atormentaba la sed natural, que no se sacia nunca
sino con aquella agua que pidió como gracia la joven Samaritana (1179); excitábame la prisa de seguir a mi Jefe por el obstruido sendero, y me afligía el espectáculo del justo castigo (1180). En esto, como refiere Lucas (1181) que se apareció Cristo a dos hombres en el camino, después de haber salido del sepulcro (1182), así se
nos apareció una sombra, que venía en pos de nosotros, mirando a sus plantas las almas tendidas; aún no habíamos
reparado en ella, cuando nos dirigió la palabra, diciéndonos:
—Hermanos míos, la paz de Dios sea con vosotros —. Nos
volvimos presurosamente, y Virgilio le hizo la demostración
que convenía a aquel saludo. Después le dijo: —¡Que en el
concilio bienaventurado te admita en paz el tribunal de verdad que me relega a mí a un destierro perpetuo!

—¡Cómo!, exclamó el Espíritu; ¿pues por qué vais
tan de prisa, si sois sombras que Dios no se digne admitir
allá arriba? ¿Quién os ha guiado hasta aquí por su escala? —.

(1179) Esta *sed natural* es el natural deseo de saber; y dice el
Poeta que únicamente puede saciarse con aquella agua simbólica que
la Samaritana pidió a Jesucristo; esto es, la divina gracia. Las palabras de Jesús fueron éstas: «Qui biberit ex aqua, puam ego dabo ei,
non sitiet in æternum». Y la mujer contestó: «Domine, da mihi hanc
aquam, ut non sitiam». (Joan., IV, 13-15.)

(1180) El camino estaba obstruido por las almas, y Dante se con-
dolía de sus penas.

(1181) Lucas, XXIV.

(1182) Es sabido que Jesucristo, después de su resurrección, se apareció a los dos discípulos que encontró en el camino de Emmaús.

Y contestó mi Guía: —Si miras las señales (1183) que lleva él en la frente y fueron trazadas por el Ángel, podrás ver que tiene el derecho de reinar con los buenos; pero como aquella que hila noche y día (1184) no había terminado aún la husada que le corresponde, y que Clotho (1185) prepara e impone a cada uno de nosotros, su alma, que es hermana de la tuya y de la mía (1186), viniendo aquí, no podía venir sola, porque no puede ver como nosotros. Por esta razón fuí yo sacado de la vasta garganta del Infierno (1187) para enseñarle el camino, y se lo enseñaré hasta donde mi ciencia pueda guiarle. Pero dime, si es que lo sabes, ¿por qué antes dió el monte tales sacudidas, y por qué hasta en sus húmedos fundamentos parecían gritar a la vez todas las almas?

Haciendo esta pregunta, Virgilio acertó como en una aguja con el ojo de mi deseo, de tal suerte, que bastó la esperanza para mitigar mi sed de saber. El Espíritu empezó entonces de esta manera:

—Nada sucede en la religiosa montaña que esté fuera del orden o del uso establecido. Este sitio está libre de toda conmoción, y la que habéis sentido sólo puede proceder de aquello que el Cielo recibe digno de sí mismo (1188), y no de otra causa. Porque no llueve, ni graniza, ni nieva, ni cae escarcha, ni rocío más acá de la puerta de las tres pequeñas gradas (1189). No aparecen nubes densas ni enrarecidas, ni se ven relámpagos, ni a la hija de Taumante, que allá abajo cambia con frecuencia de sitio (1190). No hay seco vapor, que se eleve a mayor altura de la de aquellas tres gradas de que he hablado, donde tiene sus plantas el vicario de Pe-

(1183) Las P que llevaba Dante en la frente.
(1184) Una de las Parcas, llamada Laquesis, la cual, según la Mitología, está encargada de hilar el estambre de la vida humana.
(1185) Otra de las Parcas, que al nacer un hombre, pone en la rueca de Laquesis el copo de estambre, que ésta se encarga de hilar mientras dura la vida de aquél, hasta que cortándolo la tercera Parca, llamada Atropos, termina dicha existencia.
(1186) Su alma, que, como de poeta, es semejante a la nuestra que lo hemos sido. O bien en nuestra hermana, porque todas son hijas de Dios.
(1187) El Limbo.
(1188) Lo que el Cielo recibe son las almas que, una vez purificadas, van a la beatitud eterna. Los comentadores italianos interpretan de varios modos estos pasajes.
(1189) La puerta del Purgatorio, donde estaba el Angel de las llaves.
(1190) El Arco Iris. Según los poetas, la ninfa Iris, hija de Taumante, fué salvada por Juno, en recompensa de los buenos servicios que había prestado a esta diosa, del diluvio decretado por Júpiter, a cuyo fin la colocó en el aire, rodeándola de brillantes colores.

dro (1191). Quizá temblará el monte poco o mucho más abajo de allí; pero por más viento que se esconda en la tierra (1192), no sé en qué consiste, que aquí no ha temblado nunca. Únicamente se estremece cuando algún alma, sintiéndose purificada, se levanta o se mueve para subir, acompañada de aquel cántico. La prueba de la purificación es la voluntad que excita al alma, libre ya, a mudar de sitio, ayudándole en su mismo deseo. No por eso deja de sentir antes de tiempo el anhelo ineficaz de subir al cielo, pero sin que tampoco la abandone el de satisfacer a la Justicia Divina, pues ésta le impone por el castigo el mismo afán que tuvo por el pecado. Yo, que he yacido en esta mansión de dolor más de quinientos años, no he tenido hasta este momento la libre voluntad de pasar a otra mejor (1193); por eso has sentido temblar el monte, y a los piadosos espíritus alabando por su recinto a aquel Señor que los admira pronto en su seno.

Así habló; y como el hombre goza tanto más en beber, cuanto mayor sed tiene, no podría decir el contento que en mí despertó. Mi sabio Guía le dijo: —Ahora veo la red en que estáis prendidos, y de qué manera os libráis de ella; la causa del temblor del monte y la de que os congratuléis. Hazme saber ahora, si lo tienes a bien, quién fuiste y por qué has estado tendido durante tantos siglos; permíteme que lo sepa por tus palabras.

—En aquel tiempo en que el buen Tito, con la ayuda del supremo Rey, vengó las heridas de donde brotó la sangre que había vendido Judas (1194), respondió aquel espíritu, estaba yo allá abajo llevando el nombre que más dura y honra más (1195), bastante famoso, pero todavía sin fe (1196).

(1191) El Angel que, haciendo las veces de san Pedro, tiene las llaves. *Vapor seco.* Aristóteles distingue el vapor húmedo del seco, atribuyendo al húmedo la lluvia, la nieve, el granizo, el rocío y la escarcha, y al seco el viento, si es vapor sutil, y si es muy denso, los terremotos.

(1192) Creían los antiguos que el viento subterráneo ocasionaba los terremotos.

(1193) Este que habla es, como dirá más adelante, Papinio Stacio, poeta napolitano muy celebrado en su tiempo, · hijo de otro poeta y orador del mismo nombre, que fué preceptor de Domiciano. Papinio dejó, entre otras obras, un notable poema titulado *La Tebaida;* murió hacia el año 96 de nuestra Era. Diciendo que había pasado más de 500 años en el Círculo de la Avaricia, y más de 400 en el de la Pereza (Canto siguiente), debe entenderse que pasó los 300 restantes en otro círculo inferior.

(1194) Tito, que destruyó a Jerusalén, vengando así la muerte de Jesucristo.

(1195) El nombre del poeta.

(1196) Pero sin la fe cristiana.

Fué tan dulce mi canto que, a pesar de ser tolosano (1197), me atrajo a sí Roma, donde merecí que coronaran de mirto mis sienes. Aún me llama Stacio la gente que allí vive; canté a Tebas y después al gran Aquiles; pero caí en el camino llevando mi segunda carga (1198). Encendieron mi ardor las chispas de la divina llama que han inflamado a más de mil. Hablo de *La Eneida,* la cual fué mi madre y mi nodriza en poesía; nada escribí sin ella que tuviera el menor peso, y pasaría gustoso un año más en este destierro, con tal de haber vivido en el mundo cuando vivió Virgilio.

Estas palabras hicieron que Virgilio se volviera hacia mí, con un ademán en que me decía: «Cállate»; pero la voluntad no lo puede todo; porque la risa y el llanto siguen de tal modo a la pasión de que proceden, que en los hombres más sinceros se manifiestan sin querer; así es que yo me sonreí, como quien muestra estar en inteligencia con otro; por lo cual la sombra se calló y me miró a los ojos, que es donde más se refleja el pensamiento.

—¡Ah! ¡Ojalá puedas llevar a buen término tu grande obra! (1199), dijo; mas ¿por qué tu rostro me ha mostrado ahora ese relámpago de sonrisa? —. Vime entonces apurado entre ambos: el uno me obligaba a callar, el otro me pedía que hablase; por lo cual suspiré, y fuí comprendido.

—Puedes hablar sin temor, me dijo mi Maestro; habla y dile lo que pregunta con tanto empeño —. Oído lo cual, le contesté: —Quizá te asombres, antiguo Espíritu, de mi sonrisa; pero quiero causarte mayor admiración. Este, que guía mis ojos hacia arriba, es aquel Virgilio de quien aprendiste a cantar en sublimes versos los actos de los hombres y de los dioses. Si creíste que mi sonrisa tenía otra causa, deséchala, porque es error, y cree que sólo procedía de las palabras que pronunciaste con respecto a él.

Stacio se inclinaba ya para abrazar las rodillas de mi Señor; pero éste le dijo: —Hermano, no lo hagas; que tú eres sombra, y ves ante ti a otra sombra —. Y él, levantándose, contestó: —Tú puedes comprender ahora la magnitud del amor que por ti me inflama, cuando olvido nuestra vanidad tratando a una sombra como a un cuerpo sólido.

(1197) Dice Dante que Stacio era de Toulouse, porque en su tiempo no se habían descubierto *Las Selvas,* obra de aquél, en que manifiesta que Nápoles fué su patria. Hubo otro Stacio tolosano, llamado Úrsulo, diferente de *Papinio.*
(1198) Murió sin haber concluído su segunda obra, *La Aqueleida.*
(1199) La de visitar en vida aquellos sitios.

CANTO XXII

Stacio explica a Virgilio por qué ha permanecido tanto tiempo entre los avarientos, después de haber estado entre los perezosos. — Mientras hablan, suben al sexto círculo, donde se purifica el pecado de la Gula. — Los Poetas descubren en él un árbol maravilloso, cubierto de olorosas frutas, y regado por un agua cristalina que sale de la montaña. — Entre las ramas del árbol una voz cita ejemplos de Templanza.

YA el Ángel se había quedado detrás de nosotros; el Ángel que nos dirigió hacia el sexto círculo, después de haber borrado una de las manchas de mi frente (1200), y nos había dicho que son bienaventurados los que cifran sus deseos en la justicia; pero su voz expresó esta sentencia con la palabra *sitiunt*, sin pronunciar la otra (1201). Yo andaba allí más ligero que por las otras aberturas, de modo que sin ningún trabajo seguía hacia arriba a los veloces espíritus (1202). Entonces Virgilio empezó a decir:

—El amor que nace de la virtud inflama siempre otros amores, con tal que su llama brille exteriormente. Desde la hora en que Juvenal bajó entre nosotros al Limbo del Infierno (1203), y me manifestó tu afecto hacia mí, mi bene-

(1200) Dante sale del quinto círculo y el Ángel guardián del sexto borra de la frente del poeta una de las P.

(1201) Dante omite aquí la descripción de su entrada en la escalera que conduce del quinto al sexto círculo, y habla de ella como de cosa ya sucedida. Cuenta que el Ángel borró de su frente la mancha de la Avaricia y recitó la sentencia del Evangelio: «Beati qui esuriunt et sitiunt justitiam»; pero omitiendo la palabra «esuriunt», acaso porque a los espíritus debía bastarles tener sed, siendo el hambre una necesidad más grosera y propia de los vivos; o bien por conmiseración a los hambrientos, que están en el círculo inmediato. (Véase *Math.*, V, 6.)

(1202) Los de Virgilio y Stacio.

(1203) Juvenal floreció poco después de Stacio, y elogió *La Tebaida*, poema en que éste muestra grande afición a Virgilio.

volencia para contigo fué la mayor que sentirse puede por
una persona a quien no se ha visto nunca; así es que ahora
me parece breve este camino (1204). Pero dime y, como
amigo, perdona si la demasiada confianza afloja el freno de
mi lengua, en el concepto de que también deseo que como
amigo me hables: ¿cómo pudo encontrar la avaricia un lugar en tu corazón, a pesar del recto sentido que con tu dili-
gencia y estudio llegaste a poseer en tanto grado?

Sonrióse primero Estacio ante mis palabras; después respondió: —Todo cuanto me digas es para mí una prueba
de cariño. Muchas veces, en efecto, aparecen las cosas de
manera que dan motivo a falsas presunciones, porque las
verdaderas causas están ocultas. Tú crees, según me prueba
tu pregunta, que yo fuí avaro en la otra vida, quizá por haberme visto en el círculo en que me encontraba. Sabe, pues,
que la avaricia estuvo muy lejos de mí, y que mis excesos
en contrario han sido castigados por millares de lunas. Y si
no hubiera sido porque me apliqué el oportuno remedio,
cuando medité los versos en que exclamas, casi irritado contra la humana naturaleza: «¡Oh, execrable sed del oro!
¿adónde no conduces al insaciable apetito de los mortales?»,
me vería dando vueltas por el círculo donde se lanzan pesos
los condenados (1205). Entonces calculé que, por abrir demasiado las alas (1206), podían llegar a gastarse mis manos, y me arrepentí tanto de aquél como de los otros males.
¡Cuántos resucitarán con los cabellos rapados (1207), por
la ignorancia en que están de que la prodigalidad sea un
pecado, y que les impide arrepentirse, ya durante su vida,
ya al término de ella! Y sabe que la culpa, diametralmente opuesta a cada pecado, se expía aquí juntamente con
el mismo pecado; así es que si he permanecido purificán-
dome entre los que lloran su avaricia, ha sido precisamente
por el vicio contrario.

(1204) Porque, si fuese más largo el camino, podría estar más tiempo en compañía de Stacio.
(1205) Estaría en el cuarto círculo del Infierno, donde los avaros
y los pródigos se arrojan mutuamente grandes pesos, si no se hubiese
corregido de su prodigalidad cuando leyó en el libro III de *La Eneida*
esta exclamación: «Quid non mortalia pectora cogis, Auri sacra fames!»
Considera Dante que, tanto el avaro como el pródigo, tienen sed de
oro, aunque con diversos fines; y por obtenerlo, pueden cometer toda
clase de excesos.
(1206) *Aprir l'ali;* esto es, abrir las manos; derrochar.
(1207) Véase el canto VII del *Infierno*, donde dice que los pródigos
resucitarán con los cabellos rapados.

El Cantor de *Las Bucólicas* (1208) dijo entonces:
—Cuando cantaste las crueles contiendas de la doble tristeza
de Yocasta (1209), no creo, a juzgar por los acentos en que
Clío (1210) te hizo prorrumpir, que te contase entre los
suyos la Fe (1211), sin la cual no basta obrar bien. Si así
es, ¿qué sol o qué luz ha disipado tus tinieblas de tal modo
que te permitiera elevar tus velas hacia el Pescador?

Y el otro contestó: —Tú me enviaste primero a beber
en las grutas del Parnaso, y luego me iluminaste para que
conociese al verdadero Dios. Hiciste como el que camina
de noche llevando tras de sí una luz, que a él no le sirve,
pero alumbra a las personas que le siguen, cuando dijiste:
«El siglo se renueva, vuelve la justicia con los primeros
tiempos del género humano, y una nueva progenie desciende
del Cielo» (1212). Por ti fuí poeta, por ti cristiano; mas
para que veas mejor lo que te pinto, extenderé las manos a
fin de darle más color (1213). Ya estaba el mundo lleno
de la verdadera creencia, sembrada por los mensajeros del
eterno reino, y tus palabras, antes citadas, concordaban con
la doctrina de los nuevos apóstoles; por lo cual yo me acos-
tumbré a visitarlos. Después me parecieron rodeados de
tal santidad, que cuando Domiciano (1214) los persiguió,
corrieron mis lágrimas mezcladas con las suyas. Mientras viví,
les socorrí; sus rectas costumbres me hicieron despreciar
todas las otras sectas, y antes que, en mi poema, condujese
a los griegos ante los ríos de Tebas, había recibido el bautismo; pero por miedo fuí cristiano en secreto, y durante

---

(1208)　Uno de los poemas de Virgilio.
(1209)　La doble tristeza de Yocasta llama el Poeta a los dos hijos
de ésta, Etéocles y Polinice, que se mataron por su inmoderado deseo
de reinar.
(1210)　En *La Tebaida,* de Estacio (I, 4) se lee: «Quam prius heroum
Clio dabis?»
(1211)　La fe cristiana.
(1212)　Virgilio, en su *Égloga* IV, dice:
　　　　«Magnus ab integro sæculorum nascitur ordo.
　Jam redit et Virgo, redeunt Saturnia regna;
　Jam nova progenies cœlo demititur algo.»
　　Esta profecía, sacada de los libros sibilinos, fué aplicada por Virgilio al nacimiento del hijo de Polión; pero varios escritores cristianos
(entre ellos san Agustín) opinaron que fuese una señal de la venida
del Redentor; y Dante imagina aquí que Stacio la entendió en este
sentido.
(1213)　Habiendo dicho anteriormente *lo que te pinto,* en vez de
decir *lo que te explico,* prosigue la metáfora diciendo que *extenderá
las manos para darle más colorido,* en lugar de decir que continuará
la narración con más amplitud.
(1214)　Emperador romano, que ordenó la segunda persecución contra los cristianos.

largo tiempo me mostré pagano. Esta falta de valor me ha hecho recorrer el cuarto círculo (1215) durante más de cuatro
siglos. Y ahora, pues tenemos más tiempo del que necesitamos para subir por nuestro camino, dime tú, que has descorrido el velo que me ocultaba el soberano bien (1216),
dónde están nuestros antiguos Terencio, Cecilio, Plauto y Va-
rrón (1217), si es que lo sabes. Dime si están condenados y
en qué círculo.

—Todos ellos, y Persio, y yo, y otros muchos, respondió
mi Guía, estamos en el primer círculo de la ciega prisión
con aquel Griego (1218) a quien lactaron las Musas más
que a otro alguno, y muchas veces hablamos juntos del monte donde residen aún nuestras nodrizas. Allí están con nosotros Eurípides, Anacreonte, Simónides, Agathón, y otros muchos griegos que vieron ya sus frentes coronadas de laurel.
De los que tú cantaste, se ven allí a Antígona, a Deifila, a
Argía e Ismene, tan triste como antes (1219). Está también
la que enseñó la Langía, la hija de Tiresias, y Tetis, y Deidamia con sus hermanas (1220).

Los dos Poetas habían guardado silencio, mirando de
nuevo con atención en torno suyo, por haber terminado la
escalera por donde ascendíamos y sus paredes (1221); ya
las cuatro esclavas del día (1222) habían quedado atrás, y la
quinta estaba en el timón del carro solar, dirigiendo hacia

(1215) Donde se purga el pecado de la Pereza. Véase lo dicho en las
notas al canto anterior.
(1216) Stacio, refiriéndose a los versos citados de Virgilio, se dirige
a él diciéndole que ha levantado el velo que cubría los ojos de su
inteligencia y que le impedía conocer la verdad de la fe cristiana.
(1217) Célebres escritores romanos.
(1218) Homero.
(1219) Antígona, hija de Edipo, rey de Tebas. Deifila, hija de Adrasto, rey de Argos, uno de los siete reyes que sitiaron a Tebas. Argía,
otra hija de Adrasto y mujer de Polinice, hijo de Edipo, la cual fué
célebre por su ternura conyugal. Ismene, hija de Edipo, condenada
a muerte por Creón, vencedor de Tebas, y en su consecuencia, enterrada viva, por haber dado sepultura al cadáver de su hermano Polinice a pesar de la prohibición de Creón.
(1220) Hipsípila, hija de Thoas, rey de Lemnos, ya citada en el
canto XVIII del Infierno. Vendida por unos corsarios a Licurgo de
Nerea, se vió obligada a criar un hijo de éste. Un día que había salido de la ciudad con el niño, encontró a Adrasto que, atormentado
por la sed, le rogó que le guiara hacia una fuente, y ella corrió a
enseñar a aquel rey la fuente de Langía. Al regresar, encontró al
niño muerto por la mordedura de una serpiente. — La hija de Tiresias
es Dafne, poetisa, y no, según otros, la adivina Manto, de quien ya se
ha hablado en el canto XX del Infierno. — Deidamia o Hipodamia,
hija de Adrasto y mujer de Piritoo. Sus bodas dieron lugar a la célebre
pelea entre los centauros y los lapitas.
(1221) Habían llegado al sexto círculo.
(1222) Las cuatro primeras horas.

arriba su luminosa punta, cuando mi Guía dijo: —Creo conveniente que volvamos nuestro hombro derecho hacia la orilla del círculo, para dar la vuelta a la montaña, como hemos hecho hasta ahora—. Y con esta razón por guía, emprendimos el camino sin titubear, una vez que a ello asintió la otra alma virtuosa (1223). Ellos iban delante y yo detrás solo, escuchando sus palabras, que me comunicaban la inteligencia de la poesía. Pero pronto interrumpió tan dulce coloquio la vista de un árbol, que encontramos en medio del camino, cargado de manzanas olorosas, y así como el abeto, elevándose hacia el Cielo, va disminuyendo de rama en rama, aquél iba disminuyendo por su parte inferior, con objeto, según creo, de que nadie se subiese a él. Por el lado en que estaba cerrado nuestro camino caía de la alta roca una agua cristalina, que se esparcía por las hojas superiores.

Los dos Poetas se acercaron al árbol, cuando exclamó una voz entre el follaje: —Os puede costar caro este manjar (1224). Y añadió después: —María pensaba más en que las bodas fuesen honrosas y cumplidas que en su boca que ahora intercede por vosotros (1225). Las antiguas romanas se contentaron con el agua por toda bebida, y Daniel despreció los manjares y adquirió la ciencia (1226). El primer siglo fué tan bello como el oro; el hambre hacía más sabrosas las bellotas, y la sed convertía en néctar cualquier arroyuelo. En miel y langostas consistió el alimento del Bautista en el desierto; esto le da más gloria y le hace tan grande como lo patentiza el Evangelio (1227).

(1223) La de Stacio.

(1224) Esta voz es la encargada de recordar la sobriedad debida. Las antiguas romanas no bebían más que agua. «Vini usus olim Romanis fœminis ignotus fuit, ne scilicet in aliquod dedecus prolaberentur». (*Valer. Maxim.*, lib. II, cap. I.)

(1225) Es decir: la Virgen María, pidiendo vino a su Hijo, no pensaba en su propio regalo, sino en que las bodas de Caná fuesen honrosas y cumplidas.

(1226) Daniel, con tres jóvenes compañeros suyos, consiguió alimentarse de legumbres, en vez de los exquisitos manjares que le ofrecía Nabucodonosor, y por esta causa Dios le concedió la ciencia.

(1227) Alusión a las palabras siguientes de Jesucristo: «Inter natos mulierum nullus major Joane Baptista».

CANTO XXIII

Los tres Poetas encuentran las almas de los glotones, los cuales, extenuados de hambre y sed, mascan el aire. — Buonagiunta de Luca, Bonifacio, meser Marchese, Forese. — Apóstrofe de este último contra los inmodestos trajes de las damas florentinas.

MIENTRAS tenía mi vista fija en el verde follaje, como suele hacer quien pierde el tiempo persiguiendo a un pájaro, el que era para mí más que un padre decía: —Hijo mío, ven ahora, porque el tiempo que se nos concede debe emplearse más útilmente—. Volví el rostro con presteza y con no menos mis pasos hacia los sabios, los cuales hablaban tan divinamente que escuchándolos no sentía en el andar cansancio alguno; cuando se oyó cantar llorando: *Labia mea, Dómine* (1228), de un modo que hizo nacer en mí placer y dolor.

—¡Oh, dulce Padre! ¿qué es lo que oigo?, empecé a decir—. Y él dijo: —Son las sombras, que van quizá deshaciendo el nudo de sus deudas—. Cual peregrinos pensativos, que al encontrar en su camino gente a quien no conocen, se vuelven a mirarla sin detenerse, así venía tras de nosotros, pero con paso más rápido, una turba de espíritus, callados y piadosos, que pasaban adelante mirándonos (1229). Todos ellos tenían los ojos hundidos y apagados, la faz pálida, y tan demacrada, que a través de la piel se notaba la forma de los huesos. No creo que Erisictón se viese reducido a un tal enflaquecimiento cuando más tuvo que temer al ham-

---

(1228) Palabras del salmo L de David : «Domine labia mea aperies». Conviene a las almas de aquellos que fueron glotones, a fin de purificarse de su pecado, abrir en alabanza del Altísimo los labios que sólo se abrieron en el mundo para satisfacer su gula.
(1229) Eran los que purgaban el vicio de la Gula.

bre (1230). Yo decía, pensando entre mí: —He aquí cómo
debía de estar la nación que perdió a Jerusalén, cuando María llegó a devorar a su propio hijo (1231)—. Sus ojos
parecían anillos sin piedras; los que en el rostro del hombre
leen OMO, hubieran conocido allí con facilidad la M (1232).
¿Quién creería, ignorando la causa, que el olor de una fruta
y aquel salto de agua, excitando su deseo, pudiera reducirlos
a tal extremo?

Yo estaba asombrado al verles tan hambrientos, porque
aún no conocía la causa de su demacración y de la sequedad
de su piel; cuando desde la profunda cavidad de su cabeza
dirigió hacia mí sus ojos una sombra. y me miró fijamente;
después de lo cual exclamó en alta voz: —¿Qué gracia es
ésta que se me concede? —. Nunca le hubiera conocido por
su rostro; pero su voz me recordó todo lo que sus facciones
habían absorbido en sí mismas; esta chispa encendió en mí
la idea de su desfigurado semblante, y vi ante mí la fisono-
mía de Forese (1233).

—¡Ah!, me dijo; no fijes tu atención en esta lepra ári-

<hr />

(1230) Erisictón o Eresichthón, hijo de Triopas, rey de Tesalia:
profanó un bosque consagrado a Ceres, e impidió que se le ofrecieran
sacrificios; por lo cual la diosa le condenó a padecer un hambre insaciable, que le obligó a consumir toda su hacienda y devorar sus propios miembros, muriendo en medio de horribles tormentos. (Ovidio,
Metamorfosis, VIII, fab. II.)

(1231) He aquí cómo debía de estar el pueblo hebreo, durante el
sitio de Jerusalén por el emperador Tito, cuando María, noble dama
de aquella ciudad, enloquecida por el hambre, devoró a su propio hijo.
Flavio Josefo refiere este hecho; pero muchos lo tienen por fabuloso.
(*De bello judaico,* lib. VII, cap. XV.)

(1232) Según algunos fisonomistas, dice Portirelli, opinan que en
el rostro humano se halla la letra M, teniendo a ambos lados dos oes,
de manera que pueda leerse (ômô). Las dos oes son los ojos y la M se
forma por la nariz, las mejillas y las orejas. El poeta quiere, pues,
decir que los fisonomistas hubieran podido reconocer la letra M sobre
el rostro de aquellas tan esecuálidas sombras. Volpi, por su parte, dice
que la poesía debe sentir horror de tales cosas, y remite al lector a
un precepto de Horacio, en su *Arte Poética.* Venturi, a su vez, califica
esto de ridículo y dice que algún comentador y traductor de Dante se
ha negado a traducirlo.

En la *Vita di Dante,* del conde César Balbo (Turín, 1839, T. II,
página 300), se lee el siguiente notable pasaje, acerca de los ángeles de
Dante: «Al leer el *Purgatorio* se echa de ver todas esas numerosas y
maravillosas figuras de ángeles que han sido introducidas en el poema.
Dichas figuras ya fueron observadas y elogiadas por M. Ginguené,
pero tal vez no todo lo que merecían. Todo el mundo sabe que la
creencia en los ángeles es una de las más agradables y poéticas de
nuestra fe y una de las que mejor demuestran lo unidas que están la
Belleza y la Verdad. Hasta hoy ningún otro poeta cristiano, sin excep-
tuar ni a Moore ni a Byron, ha logrado los efectos poéticos tan com-
pletos como Dante.»

(1233) Florentin, de la familia de los Donati, amigo y pariente de
Dante.

da, que me descolora la piel, ni en la carne que me falta. Pero dime la verdad con respecto a ti, y dime quiénes son esas dos almas que te guían; no cejaré hasta que me lo digas.

—Tu rostro que, muerto tú, me hizo llorar, excita ahora en mí nuevos deseos de llanto, le respondí, viéndole tan desfigurado; pero dime, por Dios, por qué causas estáis tan demacrados; y no me hagas hablar de otra cosa mientras dura mi asombro, porque mal puede hablar el que está poseído de otro deseo (1234).

Y él me contestó: «Desde el Eterno Tribunal desciende una virtud sobre el agua y la planta que hemos dejado más atrás; virtud que me extenúa de esta suerte (1235). Todas esas almas que cantan llorando por haberse entregado desenfrenadamente al vicio de la gula, deben santificarse aquí por medio del hambre y de la sed. El olor que se exhala de la fruta y el agua que se extiende sobre ese follaje, excitan en nosotros el deseo de comer y beber, y una y otra vez se renueva nuestra pena mientras damos la vuelta a este círculo; he dicho pena, debiendo decir consuelo; porque el deseo que nos conduce hacia ese árbol es el mismo que condujo a Jesucristo a decir, lleno de gozo: *Eli* (1236), cuando nos redimió con la sangre de sus venas.

—Forese, repliqué, desde aquel día en que dejaste el mundo por mejor vida, no han transcurrido aún cinco años. Si la facultad de pecar concluyó en ti antes de que sobreviniera la hora del saludable dolor que nos reconcilia con Dios, ¿cómo es que has venido aquí arriba? (1237). Creía encontrarte abajo, donde el tiempo con el tiempo se repara. Y él me contestó: —Mi Nella (1238) es la que, con sus constantes ruegos, me ha conducido a beber el dulce ajenjo del dolor (1239). Con sus devotas oraciones y sus suspiros me ha sacado del

(1234) No me digas que hable. Y él me contestó: Deseo que me expliques la causa de esa demacración.

(1235) Es decir: Dios infunde a esas frutas la hermosura y el aroma, y a esa agua la frescura que las hace apetecibles, y excitando mi deseo, me consumen.

(1236) «Eli, Eli!, lamma sabachtai?» ¡Dios mío, Dios mío!, ¿por qué me has abandonado?

(1237) Quiere decir: si no te arrepentiste ni volviste a Dios hasta el fin de tu vida, cuando ya no podías pecar, ¿cómo has podido venir tan pronto a este lugar, y no estás en el Antepurgatorio con los negligentes?

(1238) Palabra de cariño, con la que nombra a su esposa *Gemma*, mujer muy honrada, así en su matrimonio como en su viudez, la cual hizo multitud de buenas obras en sufragio del alma de su marido.

(1239) Las penas del Purgatorio, que si son amargas por sí mismas, son dulces porque nos conducen a la bienaventuranza.

lugar donde se espera, y me ha librado de los otros círculos. Mi viuda, a quien amé con toda el alma, es tanto más querida y agradable a Dios, cuanto más sola es en obrar bien; pues la Barbagia de Cerdeña tiene mujeres mucho más púdicas que la Barbagia donde la he dejado (1240). ¡Oh, caro hermano! ¿qué quieres que diga? Ante mi vista se presenta un tiempo futuro, del que no dista mucho el presente, en el cual se prohibirá desde el púlpito a las descaradas florentinas ir enseñando los pechos. ¿Qué mujeres bárbaras ni sarracenas ha habido jamás, contra las que se debiera apelar a penas espirituales o a otras restricciones para obligarlas a ir cubiertas? Pero si las impúdicas estuvieran seguras de lo que el Cielo les prepara para muy pronto, tendrían ya la boca abierta para aullar; porque si mi previsión no me engaña, serán entristecidas antes de que salga el bozo al niño que ahora se consuela con la *nana* (1241). ¡Ah, hermano!, no te me ocultes más; estás viendo que, no yo solo, sino todas esas almas miran el sitio donde interceptas la luz del Sol.

Entonces le dije: —Si recuerdas lo que tú y yo fuimos, aun el mencionarlo ahora deberá serte doloroso (1242). De aquella vida me sacó no hace mucho el que va delante de mí, cuando se ostentaba redonda la hermana de aquél (y le designé el Sol). Ése es el sabio que me ha guiado a través de la profunda noche por entre los verdaderos muertos, y con mi verdadera carne le voy siguiendo. Su auxilio me ha sostenido hasta aquí en las cuestas y recodos del monte, que hace que seáis rectos vosotros a quienes tan torcidos hizo el mundo. Me ha dicho que me acompañaría hasta dejarme donde está Beatriz (1243); allí es preciso que me quede sin él. Virgilio es ese que me habló así (y se lo indiqué con el dedo); el otro es aquella sombra por quien hubo hace poco tales sacudimientos en todos los ámbitos de vuestro monte, que de sí la despide (1244).

(1240) Barbagia, país de la Cerdeña, cuyas mujeres eran muy deshonestas. La otra Barbagia es Florencia. Quiere decir, que su viuda tiene tanto más mérito, cuanto que es la única mujer virtuosa de Florencia y no se deja corromper por el mal ejemplo de las demás.
(1241) Con la cantilena con que suelen adormecer las madres a sus hijos. Equivale a decir que las damas florentinas se arrepentirán de su deshonestidad antes de que pasen dieciséis o dieciocho años.
(1242) Por la vida viciosa que llevaron.
(1243) Como puede apreciarse, el poeta no escatima la intervención de Beatriz.
(1244) La aleja de sí, dejándola subir al Cielo.

CANTO XXIV

*Los tres Poetas, alejándose de Forese, llegan cerca de otro árbol,
de donde sale una voz que recuerda diferentes ejemplos de
gula. — Un ángel les indica por fin las gradas del séptimo y
último círculo.*

N I la conversación detenía nuestra marcha, ni ésta a
aquélla, sino que, a pesar de ir hablando, caminábamos de prisa, como la nave impelida por un viento
propicio. Las sombras, que parecían cosas doblemente muertas (1245), noticiosas de que yo estaba vivo, mostraban su
admiración por las hondas cavidades de sus ojos.

Continuando yo mi discurso (1246), dije: —Esa sombra, quizá por causa del otro, se dirige arriba más lentamente
de lo que lo haría (1247). Pero dime, si acaso lo sabes,
dónde está Piccarda (1248), y si entre esta gente que así me
mira veo alguna persona notable. —Mi hermana, que no sé
lo que fué más, si hermosa o buena, ostenta ya su triunfal
corona en el alto Olimpo (1249)—. Esto dijo primero, y
luego añadió: —Aquí no está prohibido nombrar a nadie,
puesto que el ayuno nos deja a todos desconocidos. Ése (y lo
señaló con el dedo) es Buonagiunta, Buonagiunta el de Luca (1250); y aquel de más allá, más apergaminado que los

(1245) *Rimorte,* doblemente o dos veces muertas: lo dice por su
estado de consunción.
(1246) Continuando su interrumpida conversación con Forese a propósito de Stacio.
(1247) Es decir, no va de prisa, por detenerse a hablar con Virgilio.
(1248) Piccarda Donati, hermana de Forese y de Corso, joven belli-
sima, que siendo monja fué sacada por fuerza del convento por su
hermano Corso Donati, *podestà* de Bolonia, para casarla con un tal
Roselino, y que poco después enfermó y murió.
(1249) Esto es, en el Cielo empíreo. *Olympus* significa *todo esplendente.*
(1250) Buonagiunta, de Luca; poeta mediano, contemporáneo de
Dante.

otros, tuvo en sus brazos la Santa Iglesia; fué natural de
Tours, y ahora expía con el ayuno las anguilas del Bolsena
y la garnacha (1251).

Otros muchos más me fué citando uno a uno, y todos
parecían contentos de que se les nombrase; pues no reparé
en ellos ningún gesto de desagrado. Vi mover las mandíbulas
mascando en vacío por efecto del hambre, a Ubaldino de la
Pila, y a Bonifacio, que apacentó a muchos revestidos con el
roquete (1252). Vi a meser Marchese, que, habiendo tenido
tiempo para beber en Forlì con menos sed, fué tal que nunca
se sintió saciado (1253). Pero, como aquel que mira, y después simpatiza más con uno que con otro, así me pasó con
el de Luca, que parecía querer decirme algo. Murmuraba
entre dientes; y yo le oía no sé qué de Gentucca (1254)
donde él sentía el castigo que tanto le devoraba.

—¡Oh, alma, le dije, que tan deseosa pareces de hablar
conmigo! Haz de modo que yo te entienda, y satisfácenos a
los dos con tu conversación.

Él empezó a decir: —Existe una mujer, que no lleva el
velo todavía, la cual hará que te agrade mi ciudad, aunque
alguno hable mal de ella (1255). Tú irás allá con esta predicción, y si acaso no has entendido bien lo que murmuro,
los hechos te lo aclararán. Pero dime: ¿no estoy viendo al
que ha dado a luz las nueve rimas, que comienzan así:
Donne, ch' avete intelletto d' amore? (1256). —Yo soy uno
le contesté, que voy notando lo que Amor inspira, y luego lo

(1251) El papa Martín IV, natural de Tours (*dal Torso*, dice Dante).
Fué hombre de bien y muy amigo de la casa de Francia. Dado a la
gula, hacía morir las anguilas del lago de Bolsena ahogándolas en
vino blanco generoso y dulce (*garnacha*), comiéndolas después adere-
zadas con sabrosas salsas.

(1252) Ubaldino de los Ubaldini *de la Pila*, castillo no lejos de Florencia; fué hermano del cardenal Octaviano, colocado en el *Infierno*,
canto X.

Bonifacio de Fieschi, conde de Lavagna y arzobispo de Ravena.

(1253) Meser Marchese de Rigogliosi, caballero de Forlì, gran be-
bedor. *Marchese*, aquí es nombre propio, como Forese, Cortese y otros.
Cuéntase que le decía un día su mayordomo: «Señor, por la ciudad se
dice que siempre estáis bebiendo.» «Y tú, añadió él, ¿no respondes que
es porque siempre tengo sed?»

(1254) La oía en la boca, donde él sentía el hambre, cierto sonido
que parecía decir *Gentucca*. Esta era una joven de Luca, de quien se
enamoró Dante cuando estuvo en aquella ciudad en 1314, la cual parece que casó con Bernardo Morla degli Antelminelli. Aquí finge el
Poeta que Buonagiunta le predice aquellos amores.

(1255) Una mujer que todavía no lleva el velo de desposada. «Aunque alguno hable mal de ella», de Luca. Este *alguno* es Dante mismo,
que habla mal de aquella ciudad en el canto XXI del *Infierno*.

(1256) Así empieza una bellísima canción del Dante, que puede verse en la *Vita Nuova*.

expreso tal como él me dicta dentro del alma. —¡Oh, hermano!, exclamó. Ahora veo el nudo que al Notario, a Guittone (1257) y a mí nos impidió llegar al dulce y nuevo estilo que oigo. Bien veo que vuestras plumas (1258) siguen fielmente al que les dicta, lo cual no han hecho en verdad las nuestras; y que quien se propone remontarse a mayor altura, no ve la diferencia del uno al otro estilo —. Y calló como quien se sentía ya satisfecho.

Así como las grullas que pasan el invierno a orillas del Nilo forman a veces una bandada en el aire, y luego vuelan rápidamente marchando en hilera, de igual suerte todas las almas que allí estaban, volviendo el rostro, aceleraron el paso, ligeras por su demacración y por su deseo; y al modo que un hombre cansado de correr deja ir delante a sus compañeros, y sigue lentamente hasta que cesa la agitación de su pecho, así Forese dejó pasar a la grey santa, y continuó conmigo su camino, diciéndome: —¿Cuándo te volveré a ver? —No sé cuánto he de vivir, le respondí; pero no será tan pronto mi regreso, que antes no llegue yo con el deseo a la orilla (1259); porque el sitio donde fuí colocado para vivir se despoja de día en día y cada vez más del bien, y parece destinado a una triste ruina. —Ve, pues, repuso; que ya estoy viendo al que tiene la mayor culpa de esa ruina, arrastrado a la cola de un animal hacia el valle (1260) donde nadie se excusa de sus faltas (1261). El animal a cada paso va más rápido, aumentando siempre su celeridad, hasta que lo arroja y abandona el cuerpo vilmente destrozado. Esas esferas no darán muchas vueltas — y dirigió sus ojos al cielo — sin que se te manifieste claramente lo que mis palabras no pueden aclararte más (1262). Ahora te dejo; porque el

(1257) Jacobo de Lentino, llamado el Notario, y Guittone de Arezzo, poetas medianos.

(1258) *Vuestras* plumas siguen fielmente lo que dicta el Amor. Dice vuestras, porque no alude sólo a las poesías de Dante, sino también a las de Guido Cavalcanti y Cino de Pistoya, poetas de su misma escuela.

(1259) Es decir: por muy pronto que yo muera, primero lo desearé, o será tarde, según mi deseo de dejar la vida y venir al Purgatorio.

(1260) El Infierno.

(1261) Corso Donati, hermano del mismo Forese, jefe de los Negros y principal causante de los males de Florencia. Amotinado el pueblo contra él, en 1308, se defendió con los suyos; pero tuvo que huir: perseguido por soldados catalanes al servicio de la República, intentó arrojarse del caballo, y, quedando enganchado en un estribo, fué arrastrado por aquél hasta que lo alcanzaron sus enemigos y acabaron de darle muerte.

(1262) Forese no nombra a Corso, porque es su hermano: la muerte de éste acaeció ocho años después de esta supuesta profecía.

tiempo es caro en este reino, y yo pierdo mucho caminando a tu lado.

Cual jinete que se adelanta al galope de entre el escuadrón que avanza, a fin de alcanzar el honor del primer choque, del mismo modo y a grandes pasos se apartó de nosotros aquel espíritu y yo quedé en el camino con aquellos dos que tan grandes fueron en el mundo (1263). Cuando estuvo tan lejos de nosotros, que mis ojos no podían seguirle, así como tampoco podía mi mente alcanzar el sentido de sus palabras, observé no muy lejos las ramas frescas y cargadas de frutas de otro manzano, por haberme vuelto entonces hacia aquel lado.

Y vi delante de él muchas almas que alzaban las manos y gritaban no sé en qué dirección del follaje, como los niños que, codiciando impotentes alguna cosa, la piden sin que aquel a quien ruegan les responda, y antes al contrario, para excitar más sus deseos, tiene elevado y sin ocultar lo que causa su anhelo. Se marcharon al fin como desengañadas, y nosotros nos acercamos entonces al gran árbol, que rechaza tantos ruegos y tantas lágrimas.

—Pasad adelante sin aproximaros; más arriba existe otro árbol, cuyo fruto fué mordido por Eva (1264), y éste es un retoño de aquél—. Así decía no sé quién entre las ramas; por lo cual Virgilio, Stacio y yo seguimos adelante, estrechándonos cuanto pudimos hacia el lado en que se elevaba el monte. —Acordaos, decía la voz, de los malditos formados en las nubes que, repletos de vino, combatieron a Teseo con sus dobles pechos (1265). Acordaos de los hebreos, que mostraron al beber su molicie (1266), por lo que Gedeón no los quiso por compañeros cuando descendió las colinas cerca de Madián.

De este modo, arrimados a una de las orillas, pasamos

(1263) *Si gran maliscalchi*, dice el texto, porque así como el mariscal gobierna o dirige los ejércitos, aquí se toma dicha palabra por el que dirige o enseña la vida civil, como Virgilio y Stacio y todos los verdaderos poetas épicos.

(1264) Se refiere al árbol que se halla en el Paraíso terrenal, vástago del árbol del fruto prohibido.

(1265) Los Centauros, engendrados por el consorcio de Ixión con una nube, llenos de vino, intentaron robar la esposa de Piritoo en medio del convite nupcial, por lo cual Teseo los mató. Combatieron con sus dobles pechos, de hombres y de caballo.

(1266) Cuando Gedeón fué contra los madianitas, no quiso por compañeros, según el mandato de Dios, a los que por demasiada avidez de beber se tendieron en el suelo al lado de la fuente de Arad, sino a los que había alcanzado el agua estando en pie y así la habían bebido.

adelante, oyendo diferentes ejemplos del pecado de la gula.
seguidos de las miserables consecuencias de aquel vicio. Después, entrando nuevamente en medio del camino, desierto,
nos adelantamos mil pasos y aún más, reflexionando cada cual
y sin hablar. —¿Qué vais pensando vosotros tres solos?, dijo
de improviso una voz; y yo, al oírla, como animal tímido y
asustadizo, me estremecí. Levanté la cabeza para ver quién
fuese, y jamás se vieron en un horno vidrios o metales tan
luminosos y rojos como lo estaba uno que decía: —Si queréis llegar hasta arriba, es preciso que deis aquí la vuelta;
por aquí va el que quiere ir en paz —. Su aspecto me había
deslumbrado la vista; por lo cual me volví, siguiendo a mis
Maestros a la manera de quien se guía por lo que escucha (1267). Y cual brisa de mayo, mensajera del alba, que
impregnada con el aroma de plantas y flores embalsama el
ambiente, así sentí yo un viento suave que me daba en medio de la frente, y sentí muy bien agitarse las plumas que
producían el aura de ambrosía (1268); y sentí aún que decían: —Bienaventurados aquellos a quienes ilumine tanta
gracia, que la inclinación a comer no enciende en sus corazones desmesurados deseos, y sólo tienen el hambre que deben
tener en razón.

(1267) Seguía detrás de Virgilio y Stacio, guiándose por el sonido
de su voz, como haría un hombre privado de la vista.
(1268) Sintió un aire perfumado de ambrosía y el movimiento de
las alas del Angel, que le borraba la P del pecado de la Gula.

CANTO XXV

*Mientras suben los Poetas del sexto al séptimo círculo, pregun-
ta Dante cómo pueden aparecer tan demacrados unos seres
que no necesitan comer. Le responde primero Virgilio y luego Stacio, el cual explica la obra maravillosa de la generación, y cómo revisten las almas una forma visible. — Los
espíritus de los lujuriosos, en medio de las llamas, recuerdan ejemplos de castidad.*

ERA la hora en que no debía demorarse nuestra subida,
pues el Sol había dejado el círculo meridional al Tauro, y la noche al Escorpión (1269); por lo cual, así
como el hombre a quien estimula el aguijón de la necesidad
no se detiene por nada que encuentre, sino que sigue su camino, de igual suerte entramos nosotros por la abertura del
peñasco, uno delante de otro, tomando la escalera, que por su
angostura obliga a caminar separados a los que la suben.
Y como la joven cigüeña que extiende sus alas deseosa de
volar, y no atreviéndose a abandonar el nido las pliega nuevamente, lo mismo hacía yo llevado de un ardiente deseo de
preguntar, que se inflamaba y se extinguía, hasta que llegué
a hacer el ademán del que se dispone a hablar. A pesar de
lo rápido de nuestra marcha, mi amado Padre no dejó de
decirme: —Dispara el arco de la palabra, que tienes tirante
hasta el hierro (1270).

(1269) El signo de Aries había pasado ya del Meridiano, en el cual
estaba el de Tauro. Por consiguiente, en el hemisferio opuesto, ocupaba el mismo Meridiano el signo de Escorpión que sigue al de la
Libra ; y como cada signo emplea dos horas en su paso, quiere decir
el Poeta que en la montaña del Purgatorio eran las dos de la tarde
y en sus antípodas las dos de la madrugada.
(1270) Es decir : suelta la palabra que tienes ya en la punta de
los labios. La metáfora está tomada del acto de disparar la flecha,
cuando el arco está armado, y la punta de aquélla (el hierro) toca a
su centro. La usa Jeremías, IX, 3.

Entonces abrí la boca con seguridad y empecé a decir:
—¿Cómo es posible enflaquecer donde no hay necesidad de
alimentarse? —Si te acordaras de cómo se consumió Meleagro al consumirse un tizón (1271), respondió, no te sería
ahora tan difícil comprender esto; y si considerases cómo,
al moveros, se mueve vuestra imaginación dentro del espejo,
te parecería blando lo que te parece duro (1272). Mas para
que tu deseo quede satisfecho, aquí tienes a Stacio, a quien
pido y suplico que sea el médico de tus heridas.

—Si estando tú presente le descubro los arcanos de la
eterna justicia, respondió Stacio, sírvame de disculpa el no
poder negarte nada —. Luego siguió diciendo: —Hijo, si
tu mente recibe y guarda mis palabras, ellas te darán luz sobre el punto de que hablas. La sangre más pura que nunca
es absorbida por las sedientes venas, y que sobra, como el
resto de los alimentos que se retiran de la mesa, adquiere en
el corazón una virtud tan apta para formar (1273) todos
los miembros humanos, como la que tiene para transfor-
marse en ellos la que va por las venas. Todavía más depu-
rada, desciende a un punto que es mejor callar que nombrar (1274), de donde se destila después sobre la sangre de
otro ser (1275) en vaso natural. Aquí se mezclan las dos,
la una dispuesta a recibir la impresión, la otra a producirla
por efecto de la perfección del lugar de que procede; y apenas están juntas, la sangre viril empieza, desde luego, a ope-
rar, coagulando primero, y vivificando en seguida lo que ha
hecho unírsele como materia propia. Convertida la virtud
activa en alma (1276), como la de una planta, pero con la

(1271) Cuando nació Meleagro, hijo de Œneo, rey de Calidonia, los
hados decidieron que su vida durase hasta que quedara consumida por
el fuego una rama de árbol. Pero después que Meleagro hubo dado
muerte a dos hermanos de Altea, ésta se enfureció tanto que arrojó
al fuego aquel tizón, por lo cual el joven perdió la vida.
(1272) Lo que te parece difícil de comprender, te parecería fácil
si considerases cómo la imagen representada en el espejo reproduce
todas las actitudes de su original; porque si un ser humano está afligido, igualmente debe aparecer afligida su imagen.
(1273) Virtud informativa llama Dante a esta función.
(1274) A los órganos de la generación. Stacio explica al modo de
los Escolásticos el acto de la generación humana, y considera la substancia espermática como la parte más pura de la sangre, que queda
remanente en el corazón, y se destina a la reproducción de nuevos
seres. Esta sangre en el padre tiene virtud activa; la de la madre
es pasiva; y aquélla por su virtud se asimila todo lo que puede
producir el nuevo ser, coagulándolo y vivificándolo en seguida.
(1275) La mujer.
(1276) Opinaban algunos aristotélicos que en la formación del feto
sobrevenía primero un alma vegetativa, o sea un elemento vital semejante al que sostiene a las plantas: después provenía el alma sensi-

diferencia de que aquélla está en vías de formación, mientras
que la otra ha llegado ya a su término, continúa obrando de
tal modo, que luego se mueve y siente como la esponja marina, y en seguida emprende la organización de las potencias, de la cual es el germen (1277). Hijo mío, la virtud que
procede del corazón del padre y desde la cual atiende la' naturaleza a todos los miembros, ora se ensancha, y ora se prolonga; mas no ves todavía cómo el feto, de animal pasa a
ser racional; este punto es tal que uno más sabio que tú incurrió con su doctrina en el error de separar del alma el
intelecto posible, porque no vió que éste tuviese ningún órgano especial adecuado a sus funciones (1278). Abre tu corazón a la verdad que te presento, y sabe que, en cuanto está
concluído el organismo del cerebro del feto, el Primer Motor
se dirige placentero hacia aquella obra maestra de la Naturaleza, y le infunde un nuevo espíritu, lleno de virtud, que
atrae a su substancia lo que allí encuentra de activo, y se convierte en un alma sola, que vive, y siente, y se refleja sobre
sí misma; a fin de que te causen menos admiración mis palabras, considera el calor del Sol, que se transforma en vino,
uniéndose al humor que produce la vid (1279). Cuando Laquesis no tiene ya lino (1280), el alma se separa del cuerpo,

tiva, y por último la intelectual. Pero Dante no dice que el alma
sensitiva se transforma en inteligencia, sino que Dios infunde luego
al feto un espíritu nuevo.

(1277) Entiéndase que la virtud activa de la sangre empieza la
formación de los órganos del cuerpo humano, que corresponden a las
potencias del alma, o si se quiere, a los sentidos de la vista, el oído, etc.,
de cuyos órganos es germen dicha virtud. Dice el Poeta que antes el
feto se mueve y siente como la esponja marina; esto es, como los
zoófitos, que participan de las condiciones propias de la planta y del
animal.

(1278) Se refiere al filósofo Averroes, comentador de Aristóteles, que
en su tratado *De Anima* afirmó que el *intelecto posible,* o sea la
facultad de entender, era cosa ajena del alma. Según los escolásticos,
el intelecto *posible* o *pasible* era la facultad que recibía las especies
inteligibles, a diferencia del *intelecto agente,* que las recibía de los
objetos materiales para presentarlas al otro y hacerle entender. Scoto
dice (Distinc., IV, 45) : «Nullus intellectus intelligit, nisi intellectus pos-
sibilis, quia agens non intelligit». Averroes, combatido por santo Tomás y Scoto, afirmó erróneamente que existía una inteligencia universal, única para todos los hombres, no informante, sino asistente.

(1279) Fué opinión de los antiguos, hasta Galileo, que el vino fuese
un compuesto del jugo de la vid y del calor o la luz del Sol; y Dante
se vale de esta idea material para explicar cómo se infunde el espíritu
en el cuerpo humano. Cicerón dice hablando de la uva : «Quae et succo
terrae et calore solis dugescens maturata dulcescit».

(1280) Cuando se acaba la vida. Laquesis, una de las Parcas, de
que se ha hablado en el canto XXI del *Purgatorio.* Dice que, al separarse el alma del cuerpo, se lleva consigo sus facultades corporales
e intelectuales; y llama divinas a éstas, porque el alma intelectual ha
sido inspirada directamente por Dios.

llevándose virtualmente consigo sus potencias divinas y humanas; todas las facultades sensitivas quedan como mudas; pero la memoria, el entendimiento y la voluntad son en su acción mucho más sutiles que antes. Sin detenerse, el alma llega maravillosamente por sí misma a una de las orillas (1281), donde conoce el camino que le está reservado. En cuanto se encuentra circunscrita en él, la virtud informativa irradia en torno (1282), del mismo modo que cuando vivía en sus miembros; y así como el aire, cuando el tiempo está lluvioso, se presenta adornado de distintos colores por los rayos del Sol que en él se reflejan, de igual suerte el aire de alrededor toma la forma que le imprime virtualmente el alma que está detenida (1283); y semejante después a la llama que sigue en todos sus movimientos al fuego, la nueva forma va siguiendo al espíritu. Por fin, como al alma toma de esto su apariencia, se le llama sombra, y en esa forma organiza luego cada uno de sus sentimientos, hasta el de la vista. En virtud de ese cuerpo aéreo hablamos, reímos, derramamos lágrimas y suspiramos, como habrás podido observar por el monte. Según cómo los deseos y los demás afectos nos impresionan, la sombra toma diferentes figuras; tal es la causa de lo que te admira.

Habíamos llegado ya al círculo de la última tortura (1284), y nos dirigíamos hacia la derecha, cuando llamó nuestra atención otro cuidado. Allí la ladera de la montaña lanza llamas con ímpetu hacia el exterior, y la orilla opuesta del camino da paso a un viento que, dirigiéndose hacia arriba, la rechazaba y alejaba de sí. Por esta razón nos era preciso caminar de uno en uno por el otro lado descubierto del camino, de modo que si, por una parte, me causaba temor el fuego, por otra temía despeñarme.

Mi Maestro decía: —En este sitio es preciso refrenar bien los ojos porque muy poco bastaría para dar un mal paso (1285)—. Entonces oí cantar en el seno de aquel gran

(1281) A la orilla del Aqueronte o a la del mar donde desemboca el Tíber, como queda dicho en otra parte. (*Purgatorio*, cant. II.)
(1282) Esparce por el aire que la rodea la misma actividad.
(1283) La teoría de rodearse el alma de un sutil velo, formada por el aire que la circunda, no es imaginada por el Poeta, pues creyeron en ella algunos PP. adeptos a las doctrinas de Orígenes. San Agustín dejó como problemática semejante opinión.
(1284) El séptimo y último círculo, el de los lujuriosos.
(1285) Sería muy fácil caer en el fuego, o despeñarse en el precipicio. Alegóricamente quiere decir que era necesario refrenar la vista, para no caer en el pecado de la concupiscencia.

ardor: —*Summœ Deus clementiœ* (1286); lo cual excitó en mí un deseo no menos ardiente de volverme, y vi a varios espíritus andando por la llama; yo les miraba, pero fijando alternativamente la vista ya en sus pasos ya en los míos. Después de la última estrofa de aquel himno, gritaron en voz alta: —*Virum non cognosco* (1287); y en seguida volvieron a entonarlo en voz baja. Terminado el himno, gritaron aún: —Diana corrió al bosque, y arrojó de él a Hélice, que había gustado el veneno de Venus (1288)—. Repetían luego su canto, y citaban después ejemplos de mujeres y maridos que fueron castos, como lo exigen la virtud y el matrimonio. Y de este modo, según creo, continuarán durante todo el tiempo que los abrase el fuego; pues con tal remedio y tales ejercicios ha de cicatrizarse la última llaga.

(1286) Principio del himno que la Iglesia recita en los maitines del sábado, y que cantan las almas que se purifican del vicio de la lujuria, porque en él se pide a Dios la pureza.

(1287) Proferían en alta voz las palabras dichas por María al arcángel san Gabriel. Dante continúa haciendo citar a las almas ejemplos contrarios a los vicios de que se purifican. Enumeran los ejemplos en alta voz, porque con ellos las almas se reprenden a sí mismas; el himno lo cantan en voz baja, como una oración que dirigen a Dios.

(1288) Diana cazadora, que se mantuvo siempre virgen, habiendo sabido que una de sus ninfas, llamada Calisto, seducida por Júpiter, había probado los placeres amorosos, la arrojó del bosque donde la había dejado, convirtiéndola en osa. Su amante la trasladó al cielo, donde representa la constelación de *Hélice,* o sea la Osa Mayor.

CANTO XXVI

Los Poetas ven nuevas almas de lujuriosos que a través de las llamas se dirigen hacia las primeras, abrazándose mutuamente y citando diferentes ejemplos de lujuria. — Dante entabla conversación con Guido Guinicelli, de Bolonia, y Daniel Arnaud, de Provenza.

M IENTRAS que uno tras otro íbamos por el borde del camino, el buen Maestro decía muchas veces:
—Mira, y ten cuidado, pues ya estás advertido (1289).

Daba mi hombro derecho al Sol, que irradiando por todo el Occidente, cambiaba en blanco su color azulado. Con mi sombra hacía parecer más roja la llama, y aquí también vi gran número de almas que, andando, fijaban su atención en ello. Con este motivo se pusieron a hablar de mí, y empezaron a decir: —Parece que éste no tenga un cuerpo ficticio (1290)—. Después se cercioraron, aproximándose a mí cuanto podían, pero siempre con el cuidado de no salir adonde no ardieran.

—¡Oh tú, que vas en pos de los otros, no por ser el más lento, sino quizá por mayor respeto!, respóndeme a mí, a quien abrasan la sed y el fuego. No soy yo el único que necesita tu respuesta, pues todos los que conmigo están tienen mayor sed que deseo de agua fresca el indio y el etíope. Dinos: ¿cómo es que formas con tu cuerpo un muro que se antepone al Sol, cual si no hubieras caído aún en las redes de la muerte?—. Así me hablaba una de aquellas sombras, y yo me habría explicado en el acto, si no hubiese atraído mi atención otra novedad que apareció en aquel momento. Por el centro del camino cubierto de llamas venía una multitud de

(1289) Los Poetas tenían, por una parte, las llamas en que se purificaban las almas, y por la otra el precipicio.
(1290) Véase lo que ha dicho el Poeta a este respecto. Cant. XXV del *Purgatorio*.

almas con el rostro vuelto hacia las primeras, lo cual me llenó de admiración. Por ambas partes vi apresurarse todas las sombras, y besarse unas a otras, sin detenerse, satisfechas con tan breve agasajo; así las hormigas apiñadas en pardas hileras van encontrándose cara a cara, quizá para darse noticias de su viaje o de su botín.

Una vez terminado el amistoso saludo, y antes de dar el primer paso, cada una de ellas se ponía a gritar con todas sus fuerzas: las recién llegadas — Sodoma y Gomorra — (1291) y las otras: —En la vaca entró Pasifae, para que el toro acudiera a su lujuria —. Después, como grullas que dirigiesen su vuelo, parte hacia los montes Rifeos (1292) y parte hacia las ardientes arenas, huyendo éstas del hielo, y aquéllas del Sol, así unas almas se iban y otras venían, volviendo a entonar entre lágrimas sus primeros cantos y a decir a gritos lo que más necesitaban (1293).

Como anteriormente, se acercaron a mí las mismas almas que me habían preguntado, atentas y prontas a escucharme. Yo, que dos veces había visto su deseo, empecé a decir: —¡Oh, almas seguras de llegar algún día al estado de paz! Mis miembros no han quedado allá verdes ni maduros, sino que están aquí conmigo, con su sangre y con sus coyunturas. De este modo voy arriba, a fin de no ser ciego nunca más; sobre nosotros existe una mujer (1294), que alcanza para mí esta gracia, por la cual llevo por vuestro mundo mi cuerpo mortal. Pero decidme, ¡así se logre en breve vuestro mayor deseo, y os acoja el Cielo que está más lleno de amor y por más ancho espacio se dilata! Decidme, a fin de que yo pueda ponerlo por escrito, ¿quiénes sois, y quién es aquella turba que se aleja en dirección contraria a la vuestra?

No de otra suerte se turba estupefacto el montañés y enmudece absorto, cuando, rudo y salvaje, entra en una ciudad, de cómo pareció turbarse cada una de aquellas sombras; pero repuestas de su estupor, el cual se calma pronto en los corazones elevados, empezó a decirme la que anteriormente me había preguntado:

—¡Dichoso tú, que sacas de nuestra actual mansión ex-

(1291) Sodoma y Gomorra, ciudades de la Palestina, que fueron castigadas por la cólera celeste.
(1292) Con este nombre designaban los antiguos a una cadena de montañas, que se cree sean las que hoy forman las cordilleras del Balcán o los Cárpatos.
(1293) A citar ejemplos de castidad, según la diversidad de sus culpas.
(1294) Beatriz.

periencia para vivir mejor! Las almas que no vienen con nosotros cometieron el pecado por el que César, en medio de
su triunfo, oyó que se burlaban de él y le llamaban reina (1295). Por esto se alejan gritando «Sodoma», y repren-
diéndose a sí mismas, como has oído, añaden al fuego que
les abrasa el que les produce su vergüenza. Nuestro pecado
fué hermafrodita (1296); pero no habiendo observado la
ley humana, y sí seguido nuestro apetito al modo de las
bestias, por eso, al separarnos de los otros, gritamos para
oprobio nuestro el nombre de aquella que se bestializó en
una envoltura bestial. Ya conoces nuestras acciones y el delito que cometimos; si por nuestros nombres quieres conocer
quiénes somos, no sabré decírtelos, ni tengo tiempo para ello.
Satisfaré, sin embargo, tu deseo diciéndote el mío: soy Guido
Guinicelli (1297), que me purifico ya por haberme arrepentido antes de mi última hora.

Como corrieron hacia su madre los dos hijos, viéndola
bajo la ira de Licurgo (1298), así me lancé yo, aunque sin
alcanzar a mi deseo, cuando escuché nombrarse a sí mismo a
mi padre, y al mejor de todos los míos que jamás hicieron
rimas de amor dulces y floridas (1299); y sin oír ni hablar,
anduve pensativo largo trecho, contemplándole, aunque sin
poder acercarme a causa del fuego. Cuando me harté de mi-
rarle, me ofrecí de todo corazón a su servicio con aquellos
juramentos que hacen válidas las promesas. Me contestó:
—Dejas en mí, con tus palabras, una huella tan profunda y
clara, que el Leteo no puede borrarla ni obscurecerla; pero
si tus juramentos dicen verdad, dime, ¿cuál es la causa del
cariño que me demuestras en tus frases y en tus miradas? —.

(1295) César, sujetas las Galias, oyó que sus licenciosos soldados
le daban el nombre de *reina*. Dícese que el rey Nicomedes abusó de
la juventud de César, y que los soldados gritaban en el triunfo: «César
dominó la Galia, pero Nicomedes dominó a César».
(1296) *Hermafrodita*. No quiere decir el Poeta, como entienden algunos, que éstos hubiesen cometido el pecado de bestialidad, sino
que su pecado fué de varón con hembra, y por eso le llaman hermafrodita; pero que fué bestial por exceso, y ésta es la causa de que
recuerden a Pasifae, cuya lujuria la condujo a encerrarse en la figura
de una vaca para tener comercio con un toro.
(1297) Célebre poeta boloñés, uno de los primeros que cultivaron
la lengua italiana. Fué gibelino y estuvo desterrado en 1268.
(1298) Alude a los dos hijos de Hipsipila, Thoas y Eumenes, que,
yendo en busca de su madre, la encontraron en el momento en que
Licurgo, rey de Nemea, se disponía a matarla, irritado y triste por la
muerte de su hijo, que aquélla abandonó y fué picado por una serpiente. Véase lo dicho en el canto XXII del *Purgatorio*. Dante dice
que se lanzó hacia Guido como aquellos hijos hacia su madre, pero
sin atreverse a llegar hasta él por impedírselo el fuego.
(1299) Llama padre a Guido, porque fué su maestro en poesía.

Y yo le contesté: —Vuestras dulces rimas, que harán preciosos hasta los caracteres en que están escritas mientras dure el lenguaje moderno. —¡Oh, hermano!, replicó; éste que-te señalo con el dedo (1300) — e indicó un espíritu que iba delante de él —, fué mejor obrero en su lengua materna. En sus versos amorosos y en la prosa de sus novelas sobrepujó a todos, y deja hablar a los necios, que creen que el Lemosín (1301) es mejor que él. Los que tal dicen atienden más al ruido (1302) que a la verdad, y forman su juicio antes de dar oídos al arte o la razón. Lo mismo hicieron muchos de los antiguos con respecto a Guittone (1303), colocándole, merced a sus gritos, en el primer lugar, hasta que lo ha vencido la verdad con los méritos adquiridos por otras personas. Ahora, si tienes el alto privilegio de poder penetrar en el claustro donde Cristo es abad del colegio (1304), dile por mí del *Padre nuestro* todo lo que necesitamos nosotros los habitantes de este mundo, en el que ya no tenemos el poder de pecar.

Luego, tal vez para hacer sitio a otro que venía en pos de él, desapareció entre el fuego, como desaparece el pez en el fondo del agua. Yo me adelanté un poco hacia el que me había designado, y le dije que mi deseo preparaba a su nombre una grata acogida; él empezó a decir donosamente:

Tan m'abellis vostre cortés deman,
Qu, ieu nom me puesc, nim' vueil a vos cobrire:
Jeu sui Arnaut, que ploro é vai cantan:
Consirós vei la passada folor,
E vei iauzen lo jorn qu'esper, deman.
Ara vos préc per aquella valor,
Que vos guida al som de l' escalina,
Sovenha vos a temps de ma dolor (1305).

Después se ocultó en el fuego que los purifica.

(1300) Arnaldo Daniel, o Daniel Arnaud, célebre poeta provenzal del siglo XII, celebrado por Petrarca como *gran maestro de amor* y como el primer poeta en lengua vulgar. Escribió novelas caballerescas en prosa.

(1301) Gerault o Gerardo de Berneil, poeta de Limoges.

(1302) O a las declamaciones del vulgo.

(1303) Guittone, antiguo poeta de Arezzo.

(1304) El Paraíso. Dile por mí un «Pater noster», exceptuando las últimas palabras, que no necesitamos los que ya no podemos pecar; esto es: «Et ne nos inducas in tentationem», etc.

(1305) «Me complace tanto vuestra cortés pregunta, que ni puedo ni quiere ocultarme a vos: yo soy Arnaldo, que lloro y voy cantando; veo, triste, mis pasadas locuras, y veo, contento, el día que en adelante me espera. Ahora os ruego, por esa virtud que os conduce a lo más alto de la escalera, que os acordéis de endulzar mi dolor.»

CANTO XXVII

Aconsejados por un ángel, los Poetas atraviesan las llamas, y llegan a las últimas gradas. — La noche los detiene en la cima de la montaña. — Nueva visión de Dante. — Al rayar la aurora, los tres Poetas llegan a la cumbre de la montaña del Purgatorio. Una vez allí, Virgilio deja a Dante en libertad de hacer lo que quiera sin pedirle su parecer.

EL Sol estaba ya en aquel punto desde donde lanza sus primeros rayos sobre la ciudad en que se derramó la sangre de su Hacedor (1306); el Ebro caía bajo el alto signo de Libra, y las ondas del Ganges eran caldeadas al empezar la hora nona; de modo que donde estábamos terminaba el día, cuando se nos apareció placentero el Ángel de Dios, que, apartado de la llama, se puso en la orilla a cantar: *Beati mundo corde* (1307), en voz mucho más clara que la nuestra. Después dijo: —No se sigue adelante, almas santas, si no se pasa antes por el fuego: entrad en él, y no permanezcáis sordas al cántico que llegará hasta vosotros.

Así habló cuando estuvimos cerca de él, por lo que me quedé, al oírle, como aquel que es metido en la fosa (1308). Elevé mis manos entrelazadas, mirando al fuego, y se representaron vivamente en mi imaginación los cuerpos humanos que había visto arder (1309). Mis buenos Guías se volvieron hacia mí y Virgilio me dijo: —Hijo mío, aquí puedes

---

(1306) Salía el Sol en Jerusalén, y se ponía en la montaña del Purgatorio. Por consiguiente, según la antigua geografía, debía ser medianoche en España, estando en su Meridiano el signo de Libra, y mediodía en la India, o sea en las bocas del Ganges. Véase lo dicho en las notas a los cantos II y IV del *Purgatorio*.

(1307) Bienaventurados los limpios de corazón. (San Mateo, V, 8.)

(1308) Se quedó contenrado como el que, condenado a morir, fuese metido en la fosa cabeza abajo. Véase *Infierno*, canto XIX

(1309) Los cuerpos de los criminales que había visto quemar en Italia.

encontrar un tormento; pero no la muerte. Acuérdate, acuér-.
date... y si te guié sano y salvo sobre Gerión (1310), ¿qué
no haré ahora que estoy más cerca de Dios? Ten por cierto
que, aunque estuvieras mil años en medio de esa llama, no
perderías un solo cabello; y si acaso crees que te engaño,
ponte cerca de ella, y como prueba, aproxima con tus manos
al fuego la orla de tu ropaje. Depón, pues, depón todo temor;
vuélvete hacia aquí y pasa adelante con seguridad —. Yo,
sin embargo, permanecía inmóvil, aun en contra de mi conciencia.

Cuando vió que me estaba quieto y reacio, repuso algo
turbado: —Hijo mío, repara que entre Beatriz y tú sólo
existe ese obstáculo.

Así como al oír el nombre de Tisbe, Píramo, cercano a
la muerte, abrió los ojos y la contempló bajo la morera, que
desde entonces echó frutos rojos (1311), así yo, vencida mi
obstinación, me dirigí hacia mi sabio Guía, al oír el nombre
que no se borra nunca de mi mente. Entonces él, moviendo
la cabeza, dijo: —¡Cómo! ¿Queremos permanecer aquí? —.
Y se sonrió, como se sonríe al niño a quien se conquista con
una fruta. Después se metió en el fuego el primero, rogando
a Stacio, que durante todo el camino se había interpuesto entre ambos, que viniese detrás de mí. Cuando estuve dentro,
habríame arrojado, para refrescarme, en medio del vidrio hirviendo; tan desmesurado era el ardor que allí se sentía.

Mi dulce Padre, para animarme, continuaba hablando de
Beatriz, y diciendo: —Ya me parece ver sus ojos —. Nos
guiaba una voz que cantaba al otro lado; y nosotros, atentos
solamente a ella, salimos del fuego por el lado donde estaba
la subida. —*Venite, benedicti Patris mei* (1312), se oyó en
medio de una luz que allí había, tan resplandeciente, que me
ofuscó y no la pude mirar. —El Sol se va, añadió, y viene la

(1310) Debía recordar también las terribles expresiones de la sentencia lanzada contra él: «Igne comburatur sic quod moriatur». Esta
sentencia aparece citada por Tiraboschi, y lleva fecha de 10 de marzo
de 1301, lo que quiere decir hoy 10 de marzo de 1302, porque entonces,
para los florentinos, el año comenzaba el 25 de marzo. (Véase *Hist. de
Dante*, pág. 125, y Canto XX del *Purgatorio*.)

(1311) Creyendo Píramo que su amante Tisbe había sido despeda-
zada por una fiera, a causa de haber encontrado su velo ensangrentado, se atravesó con su espada; pero reconoció, próximo a la muerte,
su fatal error, cuando acudió Tisbe adonde él estaba; y la doncella,
viendo a Píramo moribundo, se dió muerte con el mismo acero, tiñendo con su sangre una morera blanca, al pie de la cual murieron; la
morera echó desde entonces frutos rojos.

(1312) Palabras de Jesucristo en San Mateo, cap. XXV.

noche; no os detengáis, sino acelerad el paso antes que el horizonte se obscurezca.

El sendero subía recto a través de la peña hacia el Oriente, y yo interrumpía delante de mí los rayos del Sol, que ya estaba muy bajo. Habíamos subido pocos escalones, cuando mis sabios Guías y yo, por mi sombra que se desvanecía, nos dimos cuenta de que tras de nosotros se ocultaba el Sol; y antes de que en toda su inmensa extensión tomara el horizonte el mismo aspecto, y de que la noche se esparciera por todas partes, cada uno de nosotros hizo de un escalón su lecho; porque la naturaleza del monte, más bien que nuestro deseo, nos impedía subir.

Como las cabras que, antes de haber satisfecho su apetito, van veloces y atrevidas por los picos de los montes, y una vez saciadas, se quedan rumiando tranquilas a la sombra, mientras el Sol quema, guardadas por el pastor, que apoyado en su cayado, cuida de ellas; y como el pastor que se queda fuera y pernocta cerca de su rebaño, para evitar que lo disperse alguna bestia feroz, así estábamos entonces nosotros tres, yo como cabra, y ellos como pastores, estrechados por los dos lados de aquella abertura. Poco alcanzaba nuestra vista de las cosas que había fuera de allí; pero por aquel reducido espacio veía yo las estrellas más claras y mayores de lo acostumbrado. Rumiando de esta suerte (1313) y contemplándolas me sorprendió el sueño; el sueño que muchas veces predice lo que ha de sobrevenir.

En la hora, según creo, en que Citerea (1314), que parece siempre abrasada por el fuego del amor, lanzaba desde Oriente sus primeros rayos sobre la montaña, me parecía ver entre sueños una mujer joven y bella, que iba cogiendo flores por una pradera, y decía, cantando: —Sepa todo aquel que pregunte mi nombre, que yo soy Lía (1315), y voy extendiendo en torno mis bellas manos para formarme una guirnalda. Para agradarme delante del espejo, me adorno aquí (1316); pero mi hermana Raquel (1317) no se separa jamás del suyo, y permanece todo el día sentada ante él. A ella le gusta contemplar sus hermosos ojos, como a mí

(1313) Meditando en las cosas que había visto.
(1314) El planeta Venus. Es decir, que son dos horas del día.
(1315) Lía, mujer de Jacob, símbolo de la vida activa.
(1316) Para agradarme a mí misma, cuando me mire en Dios.
(1317) Raquel, otra mujer de Jacob, símbolo de la vida contemplativa.

adornarme con mis propias manos; ella se satisface con mirar, yo con obrar.

Ya, ante los esplendores que preceden al día, tanto más gratos a los peregrinos, cuanto más cerca de su patria se albergan al volver a ella, huían por todas partes las tinieblas, y con ellas mi sueño; por lo cual me levanté, y vi a mis grandes Maestros levantados también. —La dulce fruta que por tantas ramas va buscando la solicitud de los mortales (1318), hoy calmará tu hambre —. Tales fueron las palabras que me dirigió Virgilio; palabras que me causaron un placer como no lo ha causado jamás regalo alguno.

Acrecentóse tanto en mí el deseo de llegar a la cima del monte, que a cada paso que daba sentía crecer alas para mi vuelo. Cuando, recorrida toda la escalera, estuvimos en la última grada, Virgilio fijó en mí sus ojos y dijo: —Has visto el fuego temporal y el eterno, hijo mío, y has llegado a un sitio donde no puedo ver nada más por mí mismo (1319). Con ingenio y con arte te he conducido hasta aquí; en adelante sírvate de guía tu voluntad; fuera estás de los caminos escarpados y de las estrechuras; mira el Sol que brilla en tu frente; mira la hierba, las flores, los arbustos, que se producen solamente en esta tierra. Mientras no vengan radiantes de alegría los hermosos ojos que, entre lágrimas, me hicieron acudir en tu socorro, puedes sentarte, y puedes pasear entre esas flores. No esperes ya mis palabras ni mis consejos; tú albedrío es ya libre, recto y sano, y sería una falta no obrar según lo que él te dicte. Así, pues, ensalzándote sobre ti mismo, te ciño corona y mitra (1320).

(1318) El sumo y verdadero bien, la felicidad que los hombres buscan inútilmente por tan diversos medios.

(1319) Según el sentido moral, significa que ha llegado a un sitio donde no puede alcanzar la razón humana, y donde es necesaria la revelación divina y la Teología, que tiene su base en la revelación.

(1320) Tu albedrío es ya libre, recto y sano, por el esclarecimiento de tu razón y el dominio de tus pasiones: por lo tanto, te hago señor de ti mismo, en lo tocante a la dirección civil (corona), y a la espiritual (mitra).

CANTO XXVIII

Llegados a la cumbre de la montaña del Purgatorio, los tres Poetas se adelantan hacia la selva del Paraíso terrenal, donde se ven detenidos por el Leteo. En la orilla opuesta se les aparece una hermosísima doncella que aclara a Dante ciertas dudas.

DESEOSO ya de observar en su interior y en sus contornos la divina (1321) floresta espesa y viva, que amortiguaba la luz del nuevo día, dejé sin esperar más el borde del monte y marché lentamente a través del campo, cuyo suelo por todas partes despedía gratos aromas (1322). Un aura blanda e invariable me oreaba la frente con no mayor fuerza que la de un viento suave; a su impulso, todas las verdes frondas se inclinaban trémulas hacia el lado a que proyecta su primera sombra el sagrado monte (1323); pero sin separarse tanto de su derechura que las avecillas dejaran por esta causa de ejercitar su arte sobre las copas de los árboles; pues antes bien, llenas de alegría, saludaban a las pri-

(1321) Divina, porque la formó Dios para morada del género humano antes del pecado de Adán. Véase la nota siguiente.

(1322) Para la mejor inteligencia de lo que sigue, conviene recordar aquí algunas particularidades acerca de la montaña del Purgatorio. Esta montaña, según se ha dicho en otro lugar, es altísima y se compone de tres partes: la primera o más inferior forma tres giros o círculos en espiral, que constituyen el Antepurgatorio, donde se detienen los que en vida tardaron en arrepentirse de sus pecados. La elevación de esta primera parte, según Dante, es la misma de nuestra *Atmósfera*, llamada Esfera del aire, conforme al sistema tolemaico y aristotélico. Sigue luego el Purgatorio propiamente dicho, dividido en siete círculos: su puerta está situada a la entrada de la segunda Esfera, llamada *del Fuego* por Dante, y *del Éter* por los aristotélicos (V. *Purgat.*, cant. IX). Viene ahora la parte superior de la montaña, Postpurgatorio, según Landino, que es una planicie, donde imagina Dante el Paraíso terrenal, donde habitaron Adán y Eva en su primer estado de inocencia. Este lugar se halla situado sobre la Esfera del fuego y, por lo tanto, confina con el primer Cielo, que es el de la Luna.

(1323) Hacia el Occidente.

meras auras, cantando entre las hojas, que acompañaban a
sus ritmos haciendo el bajo con un susurro semejante al que,
de rama en rama, va creciendo en los pinares del llano de
Chiassi, cuando Eolo deja escapar el Sirocco (1324).

Me habían ya transportado tanto mis lentos pasos adentro de la antigua selva, que no podía distinguir el sitio por
donde había entrado, cuando vi interceptado mi camino por
un riachuelo, que corriendo hacia la izquierda, doblegaba bajo
el peso de pequeñas linfas las hierbas que brotaban en sus
orillas. Las aguas que en la tierra se tienen por más puras,
parecían turbias comparadas con aquéllas, que no ocultan nada (1325), aunque corran obscurecidas bajo una perpetua
sombra, que no da paso nunca a los rayos del Sol ni de la
Luna.

Detuve mis pasos, y atravesé con la vista aquel riachuelo,
para admirar la gran variedad de sus frescas arboledas, cuando se me apareció, como aparece súbitamente una cosa maravillosa que desvía de nuestra mente todo otro pensamiento,
una mujer que sola (1326) iba cantando y cogiendo flores de
las muchas de que estaba esmaltado todo su camino.

—¡Ah! hermosa dama, que te abrasas en los rayos de
Amor, si te he de dar crédito al semblante, que suele ser testigo
del corazón; dígnate adelantarte, le dije, hacia este riachuelo,
lo bastante para que pueda oír lo que canta. Tú traes a mi
memoria el sitio donde estaba Proserpina, y cómo era cuando
la perdió su madre y ella perdió sus lozanas flores (1327).

Así como se vuelve una mujer que está danzando, con los
pies juntos y sin levantarlos del suelo, poniendo apenas uno
delante del otro, de igual suerte se volvió aquélla hacia mí
sobre las florecitas rojas y amarillas, semejante a una virgen
que inclina sus modestos ojos, y satisfizo mis súplicas aproximándose tanto, que llegaba hasta mí la dulce armonía de su
canto, y sus palabras claras y distintas. Luego que se detuvo
en el sitio donde las hierbas bañadas por las ondas del lindo
riachuelo, me concedió el favor de levantar sus ojos. No res-
plandecían con tanta luz los de Venus, cuando la diosa se

(1324) Viento del Sudeste. *Chiassi*, lugar hoy destruído, a orillas
del Adriático, cerca de Ravena.
(1325) Que permiten ver distintamente su lecho.
(1326) Matilde, como se verá en el Canto XXXIII.
(1327) Plutón, dios de los Infiernos, robó a Proserpina, hija de la
diosa Ceres, mientras cogía flores en un valle de Sicilia. Véase *Metamorfosis*, de Ovidio, lib. V.

sintió herida inesperadamente por su hijo (1328). Ella se sonreía desde la orilla derecha, entrelazando con sus manos las flores que aquella elevada tierra produce sin semilla.

Tres pasos de distancia nos separaba la corriente; pero el Helesponto, por donde pasó Jerjes, cuyo ejemplo sirve aún de freno a todo orgullo humano (1329), no fué tan odioso a Leandro, por el impetuoso movimiento de sus aguas entre Sestos y Abydos (1330), como lo era aquél para mí por no franquearme el paso.

—Sois recién llegados, dijo ella, y quizá porque me sonrío en este sitio escogido para nido de la humana naturaleza, os causo asombro y hasta alguna sospecha; pero el salmo *Delectasti* (1331) esparce una luz que puede disipar las nubes de vuestro entendimiento. Y tú, que te vas delante y me has rogado que hable, dime si quieres oír otra cosa, que yo responderé con presteza a todas tus preguntas hasta dejarte satisfecho. —El agua, le dije, y el rumor de esta floresta combaten dentro de mí la nueva creencia que tenía de que aquí había de ver algo contrario a lo que veo (1332) —. A lo que ella contestó: —Te diré la causa de que procede lo que tanto te admira y disiparé la nube que te ciega. El Sumo Bien, que se complace sólo en sí mismo, hizo al hombre bueno y apto para el bien, y le dió este sitio como arras en señal de eterna paz. El hombre, por sus culpas, permaneció aquí poco tiempo (1333): por sus culpas, cambió su honesta risa y su dulce pasatiempo en llanto y tristeza. A fin de que todas las conmociones producidas más

---

(1328) Porque una vez, al besarla, la hirió con una de sus flechas, y ella, en aquel momento, se sintió enamorada de Adonis.

(1329) El Helesponto; en el día, estrecho de los Dardanelos. Jerjes, rey de Persia, lo pasó con un numeroso ejército sobre un puente de barcas; pero derrotado por Temístocles, y habiendo los griegos destruído el puente, volvió a pasarlo fugitivo en la barquilla de un pescador.

(1330) Leahdro, desde su patria Abydos, pasaba a nado el Helesponto para llegar a Sestos, donde estaba Hero, su amante, y el continuo movimiento de las aguas excitaba su cólera.

(1331) Pero el versículo 5 del Salmo 91, que dice: «Me deleitaste, Señor, en tu hechura, y me regocijaré en las obras de tus manos», puede ilustrar vuestro entendimiento, y haceros comprender que mi sonrisa y mi gozo son puros y santos, como inspirados por la belleza de este lugar.

(1332) El agua del río, y el viento que mueve los árboles, combaten la nueva creencia adquirida por Dante de que no había vientos ni lluvias más arriba de la puerta del Purgatorio, según lo dicho por Stacio en el canto XXI.

(1333) Según los expositores, y Dante afirma lo mismo en el canto XXVI del *Paraíso*, Adán y Eva sólo permanecieron siete horas allí, desde el alba hasta el mediodía.

abajo por las exhalaciones del agua y de la tierra, que se
dirigen con toda su fuerza (1334) tras del calor, no moles-
tasen al hombre, se elevó este monte hacia el cielo tanto
como has visto y está libre de todas ellas desde el punto
donde se cierra su puerta (1335). Ahora bien, como el aire
gira en torno de la tierra (1336) con la primera bóveda mo-
vible del cielo, si el círculo no es interrumpido por algún
punto (1337), un movimiento semejante viene a repercu-
tir en esta altura, que está libre de toda perturbación en
medio del aire puro, produciendo este ruido en la selva, porque es espesa; y la planta sacudida comunica su propia virtud generativa al aire, el cual girando en torno deposita dicha
virtud en el suelo; y la otra tierra (1338), según que es
apta por sí misma o por su cielo, concibe y produce diversos
árboles de diferentes especies. Una vez oído esto, no te parecerá ya maravilloso que haya plantas que broten sin semillas aparentes. Deben saber, además, que la santa campiña en
que te encuentras está llena de toda clase de semillas, y que
encierra frutos que allá abajo no se producen (1339). El
agua que ves no brota de ninguna vena que sea renovada
por los vapores que el frío del cielo convierte en lluvia, como
un río que adquiere o pierde caudal, sino que nace de una
fuente invariable y segura, que recibe de la voluntad de
Dios cuanto derrama por dos partes (1340). Por ésta desciende con una virtud que borra la memoria del pecado;
por la otra renueva la de toda buena acción. Aquí se llama
Leteo; en el otro lado, Eunoe (1341); no produce sus
efectos si no se bebe aquí primero que allí, y su sabor su-

(1334) Los antiguos, ignorando que la menor gravedad de los vapores relativamente a la del aire fuese la causa de que se eleven a
las altas regiones de la atmósfera, creían que aquéllos tendiesen naturalmente hacia el Sol.
(1335) La puerta del Purgatorio.
(1336) Falsa opinión de los antiguos.
(1337) Si alguna nube no se interpone.
(1338) El hemisferio habitado por los hombres. La esfera del Éter,
quiere decir, en su movimiento de rotación, agita las plantas del
Paraíso terrenal, y se impregna de toda clase de semillas (virtud generativa), y siguiendo su revolución, las deposita luego en el otro
hemisferio.
(1339) El fruto del árbol de la vida, del que se dice en la Escritura «que aquel que come de él es inmortal».
(1340) Es decir, toda el agua que forma los dos ríos, el Leteo y
el Eunoe.
(1341) Leté, que nosotros decimos Leteo, significa en griego olvido.
Eunoe, a su vez, equivale, en griego, a buenamente, o buen discurso. Inútil resulta tratar de explicar el dogmatismo de todas estas
alegorías.

pera a todos los demás. Aunque tu sed esté ya bastante miti-
gada sin necesidad de más explicaciones mías, por una gracia especial, aún te daré un corolario (1342); y no creo que
mis palabras te sean menos gratas si por ti exceden a mis
promesas. Los que antiguamente fingieron la Edad de Oro y
su estado feliz, quizá la imaginaran en el Parnaso (1343).
Aquí tuvo la raza humana su inocente origen (1344); aquí
reina una eterna primavera y eternos son sus frutos, y esta
agua es el néctar de que todos hablan.

Entonces me volví completamente hacia mis Poetas, y vi
que habían acogido con una sonrisa esta última explicación;
después dirigí mis ojos de nuevo hacia la hermosa dama.

(1342) Una verdad, que se deduce de las anteriores.
(1343) Es decir : soñaron el Paraíso en su poética fantasía.
(1344) Adán y Eva.

CANTO XXIX

El Poeta refiere que, siguiendo con aquella dama las orillas del Leteo, vió en la selva una luz viva, y oyó en el aire una suave melodía; después apareció una procesión, en donde iba un carro triunfal, arrastrado por un grifo, que se detuvo frente a Dante.

DESPUÉS de aquellas últimas palabras, continuó cantando cual mujer enamorada: —*Beati quorum tecta sunt peccata* (1345); y a la manera de las ninfas, que andaban solas por las umbrías selvas, complaciéndose unas en huir del Sol, y otras en verle, púsose a caminar por la orilla contra la corriente del río; y yo, a par de ella, la fuí siguiendo con cortos pasos. Entre los dos no habíamos aún adelantado ciento, cuando las dos riberas equidistantes presentaron una curva, de tal modo que me encontré vuelto hacia Oriente. A poco de andar así, volvióse la Dama enteramente a mí, diciendo: —Hermano mío, mira y escucha —. Y he aquí que por todas partes iluminó la selva un resplandor tan súbito, que dudé si había sido un relámpago; mas como éste desaparece en cuanto brilla, y aquél duraba cada vez más resplandeciente, decía yo entre mí: «¿Qué será esto?» Difundíase por el aire luminoso una dulce melodía, por lo cual mi buen celo me hizo censurar el atrevimiento de Eva; pues que allí, donde obedecían la tierra y el cielo (1346), una mujer sola y apenas formada, no pudo sufrir el permanecer bajo ningún velo (1347); cuando si hubiera

(1345) «Beati, quorum remissœ sunt iniquitates, et quorum tecta sunt peccata»: palabras del segundo Salmo penitencial, con las cuales la Dama congratula a Dante por verle limpio de las manchas de los siete pecados. Como se dice en el canto XXXIII, esta dama es Matilde, y representa, según algunos comentadores, la Iglesia católica.

(1346) A Dios, se sobrentiende; o bien, allí donde el cielo y la tierra, obedientes a Dios, producían tantas maravillas.

(1347) Es decir, ella sola no fué obediente: el velo se pone a la mujer en señal de honestidad y obediencia.

permanecido resignada bajo él, habría yo gozado más pronto, y luego eternamente, aquellas inefables delicias.

Mientras andaba yo embebecido en la contemplación de tantas primicias del placer eterno, y deseoso todavía de más dichas, el aire, semejante a un gran fuego, pareció ante nosotros inflamado bajo las verdes ramas, y la dulce armonía que habíamos percibido se convirtió en un canto claro y distinto.

¡Oh, sacrosantas Vírgenes! (1348). Si alguna vez he soportado por vosotras el hambre, el frío y las vigilias, prestadme, en cambio, la ayuda, que la necesidad me obliga a demandaros. Es preciso que Helicona (1349) derrame para mí sus aguas, y que el coro de Urania (1350) me ayude a decir en versos cosas apenas concebibles.

Parecióme ver algo más allá siete árboles de oro (1351), engañado por la gran distancia que todavía mediaba entre nosotros y ellos; mas cuando me hube aproximado tanto que la semejanza engañadora del sentido no perdía ya por la distancia ninguno de sus rasgos distintivos, la facultad que prepara materia al raciocinio (1352) me hizo conocer que eran candelabros, y que las voces cantaban *Hosanna* (1353). Brillaban por encima, en hermosas hileras y despedían una luz tan clara como la de Luna en medianoche, cuando está en su lleno.

Me volví, lleno de admiración, al buen Virgilio, y el me respondió con una mirada no menos llena de asombro. Después fijé de nuevo mi atención en los altos candelabros, los cuales avanzaban en nuestra dirección tan lentamente que una recién desposada los habría vencido en celeridad. La Dama me gritó: —¿Por qué contemplas con tanto ardor esas vívidas luces, y no reparas en lo que viene tras de ellas? —. Entonces vi venir detrás de las luces, y como guiados por éstas, gran número de personas (1354), vestidas de

(1348) Invocación a las Musas.
(1349) Monte de Beocia, donde nacía la fuente Hipocrene, consagrada a las Musas, y aquí tomado por la misma fuente.
(1350) Musa de la Astronomía, invocada aquí por el Poeta para que le ayude a cantar las cosas celestes.
(1351) Estos siete árboles de oro, que luego reconoce ser candelabros, son, según casi todos los comentadores, los siete dones del Espíritu Santo; y según algunos, los siete sacramentos.
(1352) La facultad aprehensiva o estimativa, que ayuda al raciocinio.
(1353) Palabra hebrea que quiere decir Salve.
(1354) Los Patriarcas, Profetas y otros santos varones, que creyeron en la venida de Cristo.

un blanco tan puro como no ha brillado jamás en el mundo.
A la izquierda resplandecía el agua, y reflejaba la parte izquierda de mi cuerpo; de modo que podía mirarme en ella
como en un espejo.

Cuando desde mi orilla llegué a un punto en que únicamente el río me separaba de los que se acercaban, me detuve
para mirar mejor, y vi las llamas caminando hacia delante,
dejando tras de sí pintado el aire con rasgos semejantes a
banderolas extendidas; de modo que sobre ellas se veían
claramente siete listas formadas de los colores de que el Sol
hace su arco y Delia su cinturón (1355). Aquellas listas se
extendían por el Cielo más allá de lo que alcanzaba mi vista,
y según me pareció, las de los extremos distaban entre sí
diez pasos una de otra (1356).

Bajo el hermoso cielo que describo, se adelantaban de dos
en dos veinticuatro ancianos coronados de azucenas (1357).
Todos cantaban: —Bendita tú eres entre las hijas de Adán,
y benditas sean eternamente tus bellezas (1358)—. Después
que las flores y las frescas hierbecillas que había en la otra
ribera frente a mí se vieron libres de aquellos espíritus elegidos, así como en el cielo siguen unas a otras las estrellas,
en pos de los ancianos vinieron cuatro animales, todos ellos
coronados de verdes hojas (1359). Cada uno tenía seis alas,
con las plumas llenas de ojos, como serían los de Argos si
viviesen (1360). No emplearé, lector, mis rimas en descri-
bírtelos, pues otro objeto me llama cuya importancia no
consiente ya dilaciones; pero puedes leer a Ezequiel, que
los pinta cómo los vió venir de las frías regiones, con el
viento, con las nubes y con el fuego; y del mismo modo

(1355) *Delia*, la Luna. Las listas luminosas representan los siete
sacramentos.
(1356) Estos diez pasos figuran, según todos los comentadores, los
diez mandamientos, cuya observancia conduce a obtener los dones del
Espíritu Santo.
(1357) Los veinticuatro ancianos, que para algunos expositores son
los escritores, patriarcas y santos del Antiguo Testamento, y para
otros los veinticuatro libros de que consta éste, pues aunque hay
quien advierte que el de los Macabeos no se introdujo hasta el Concilio de Trento, otros recuerdan que fué ya admitido en el tercer Concilio de Cartago.
(1358) Palabras del arcángel Gabriel a la Virgen María.
(1359) Símbolos de los cuatro Evangelistas. La corona de verdes
hojas suele significar la duración de las doctrinas evangélicas, que
nunca envejecen.
(1360) Las alas son símbolo de la prontitud con que el Evangelio
recorrió el mundo. Los ojos, semejantes a los de Argos, lo son de
la vigilancia que es necesaria para mantener pura la verdad evangélica contra los sofismas de que se valen contra ella las pasiones.

que los encontrarás en sus libros (1361), así se presentaban
aquí, salvo en lo que se refiere a las plumas, en lo cual Juan
está conforme conmigo y se separa de él (1362).

El espacio que quedaba entre los cuatro lo ocupaba un
carro triunfal sobre dos ruedas, que iba tirado por un grifo (1363). Éste extendía sus alas entre la lista de en medio
y las tres de ambos lados, sin que interceptara ninguna de
ellas al hendir el espacio entre las mismas comprendidas. Se
elevaban tanto, que se les perdía de vista; la parte superior
de su cuerpo, que era de ave, tenía los miembros de oro,
y los de la otra parte eran blancos manchados de rojo. Ni
Escipión *el Africano*, ni aun Augusto, hicieron jamás re-
crearse a Roma en la contemplación de un carro tan bello,
y aun comparado con él, sería pobre aquel carro del Sol,
que desviándose de su camino, fué abrasado, por los ruegos
de la Tierra suplicante, cuando fué Júpiter justo en sus arcanos (1364).

Al lado de la rueda derecha venían tres mujeres en corro,
danzando (1365); una de ellas tan encarnada, que apenas
se la hubiera distinguido dentro del fuego; la otra era como
si su carne y sus huesos fuesen de esmeralda; la tercera parecía nieve recién caída. Tan pronto iba a la cabeza la blanca como la encarnada; y según el canto de ésta, así las demás ajustaban el paso, avanzando lentas o rápidas.

Hacia la izquierda del carro se solazaban otras cuatro
vestidas de púrpura (1366), ajustando sus movimientos al
de una de ellas, que ostentaba tres ojos en su cabeza (1367).
En pos de estos grupos de que acabo de hablar, vi dos ancia-

(1361) *Ezequiel*, c. I.
(1362) Si se exceptúa que san Juan está conmigo describiendo a
los cuatro animales con seis alas, cuando Ezequiel les supone sólo
cuatro.
(1363) Animal biforme, imaginado por los poetas y los pintores. Su
mitad anterior es *de águila*, y la posterior *de león*. Se supone que
alude a Jesucristo, por la naturaleza mitad divina y mitad humana
del Redentor.
(1364) Alude a la fábula de Faetón, que por haber querido orgu-
llosamente guiar el carro del Sol, lo desvió tanto de su camino, que
abrasó una gran parte de la Tierra, por lo cual, y movido por las
súplicas de ésta, despidió Júpiter un rayo que mató a Faetón.
(1365) Las tres Virtudes teologales: la Fe, color de nieve; la Esperanza, color de esmeralda, y la Caridad, color de fuego.
(1366) Las cuatro Virtudes cardinales: Prudencia, Justicia, Fortaleza y Templanza.
(1367) Se suponen tres ojos a la Prudencia: con uno mira al pasado, para sacar un recuerdo provechoso; con el otro al presente, para
no equivocarse al tomar una determinación; y con el otro al porvenir,
para evitar a tiempo el mal y prepararse al bien.

nos, con diferentes vestiduras, pero iguales en su actitud, venerable y reposada. Uno de ellos parecía ser de los discípulos de aquel gran Hipócrates, a quien hizo la Naturaleza en favor de los seres animados que le son más queridos (1368); el otro, por el contrario, empuñaba una espada tan aguda y resplandeciente, que aun a través del río me infundió pavor (1369). Después vi otros cuatro de humilde apariencia (1370); y detrás de todos venía un viejo solo y durmiendo, pero con la faz inspirada (1371). Estos siete estaban vestidos como los veinticuatro primeros; pero no iban coronados de azucenas, sino de rosas y de otras flores coloradas; de tal modo, que vistos desde lejos, habríase jurado que ardía una llama sobre sus sienes.

En el momento en que el carro estuvo frente a mí, resonó un trueno; y los dignos varones, como si se les hubiera prohibido seguir adelante, se detuvieron allí con sus enseñas (1371*).

(1368) Dicen los comentadores que éste es san Lucas, que, según la tradición, fué médico.
(1369) San Pablo.
(1370) Los apóstoles Santiago, Pedro, Juan y Judas, escritores de las Epístolas canónicas; y dice de humilde apariencia, porque sus escritos son breves. Según otros comentadores, se refiere a san Gregorio Magno, san Jerónimo, san Ambrosio y san Agustín.
(1371) San Juan Apóstol, que cuando escribió el Apocalipsis estaba cercano a los 90 años. El sueño de este anciano con la faz inspirada se refiere a su estado mientras tuvo en Patmos las visiones que describió en el Apocalipsis.
(1371*) Los candelabros, que servían como de estandartes.

CANTO XXX

*Beatriz desciende del Cielo. — A su vista, Virgilio desaparece.
— Sentada sobre el carro triunfal, Beatriz reprende a Dante;
después, volviéndose hacia los ángeles, se lamenta de la vida
que ha tenido el Poeta, abusando de los dones de la Naturaleza y de la gracia.*

CUANDO se detuvo el septentrión del primer cielo (1372),
que no conoció nunca orto ni ocaso, ni más niebla
que el velo que sobre él corrió el pecado (1373), y
que allí enseñaba a cada cual su deber, como el septentrión
más bajo lo enseña al que dirige el timón para llegar a puerto, los sabios varones (1374) que iban entre el Grifo y los
siete candelabros, se volvieron hacia el carro, como hacia el
fin de sus deseos; y uno de ellos, como enviado del Cielo,
exclamó tres veces cantando: *Veni, sponsa, de Libano* (1375),
y todos los demás cantaron lo mismo después de él.

Así como los bienaventurados, cuando llegue la hora del
juicio final, se levantarán con presteza de sus tumbas, cantando *Aleluya,* con su voz recobrada por fin, del mismo modo
se elevaron sobre el carro divino, *ad vocem tanti senis* (1376),
cien ministros y mensajeros de la vida eterna. Todos decían:
Benedictus qui venis; y después, esparciendo flores por encima y alrededor, añadían: *Manibus o date lilia plenis* (1377).

(1372) Los siete candelabros del cielo empíreo. Los llama septentrión, como nosotros llamamos a las siete estrellas de la Osa
Mayor.
(1373) De nuestros primeros padres.
(1374) Los veinticuatro ancianos que representaban el Antiguo Testamento.
(1375) *Uno de ellos,* Salomón: el Poeta le hace repetir tres veces
el versículo del *Cantar de los Cantares,* cap. IV, que dice: «Veni de
Libano, sponsa mea; veni de Libano, veni».
(1376) A la voz de tan grande anciano, Salomón, se levantaron cien
ángeles.
(1377) «Bendito tú que vienes»; lo dicen probablemente al Grifo,

Yo he visto, al romper el día, la región oriental toda de rosa, el resto del Cielo adornado de una hermosa serenidad, y la faz del Sol naciente cubierta de sombras, de suerte que a través de los vapores que amortiguaban su resplandor, podía contemplarla el ojo por largo tiempo; del mismo modo, a través de una nube de flores, salidas de manos de ángeles y que caían sobre el carro a su alrededor, se me apareció una dama; traía una corona de olivo sobre un cándido velo; y bajo un verde manto, vestida de color de llama viva (1378). Mi espíritu, que en otro tiempo (1379) había quedado abatido, temblando de estupor en su presencia, aun no reconociéndola mis ojos, sintió, no obstante, el gran poder del antiguo amor, a causa de la oculta influencia que de ella emanaba.

En cuanto hirió mis ojos la alta virtud que me había avasallado antes de que yo saliera de la infancia, me volví hacia la izquierda, con el mismo respeto con que corre el niño hacia su madre cuando tiene miedo o cuando está afligido, para decir a Virgilio: —No ha quedado en mi cuerpo una sola gota de sangre que no tiemble; reconozco las señales de mi antigua llama —. Pero Virgilio nos había privado de sí (1380); Virgilio, el dulcísimo padre; Virgilio, que me había sido enviado por aquélla para mi salvación. Ni aun todo lo que perdió la antigua madre (1381) pudo impedir que mis mejillas enjutas se bañaran en triste llanto.

símbolo de Jesús, como a su entrada en Jerusalén cantaban los Hebreos, según san Mateo, XXI, 9; y añadían: «Esparcid flores a manos llenas». (*Eneida*, lib. VI, V, 884.)

(1378) El velo blanco, el manto verde y el vestido color de fuego, que adornan a Beatriz, indican las tres Virtudes teologales; la corona de olivo indica la Sabiduría. Beatriz, según ya se ha dicho, simboliza la ciencia de las cosas divinas. Al final de la *Vita Nuova*, dice el mismo Dante hablando de ella: «Vi cosas que me obligaron a proponerme no decir nada más de esta bendita mujer hasta tanto que yo pudiese tratar de ella más dignamente; y para ello estudio cuanto puedo. Así es que, si place a Aquél por quien viven todas las cosas conservar mi vida por algunos años, espero decir de ella lo que jamás se ha dicho de ninguna otra.»

(1379) El espacio de diez años que habían pasado desde el día de la muerte de Beatriz hasta aquel en que Dante supone esta visión. Conoció a Beatriz a la edad de nueve años, y dice en la *Vita Nuova*: «En aquel momento (de verla) digo en verdad que el espíritu de la vida, que reside en la secretísima cámara del corazón, comenzó a temblar tan fuertemente, que aparecía de un modo horrible en las vibraciones del pulso».

(1380) La Filosofía o la ciencia humana queda eclipsada y cede el puesto a la Teología. Esta desaparición repentina de Virgilio es, además, un artificio poético para evitar la despedida, que desvirtuaría la interesante escena que aquí se describe.

(1381) El Paraíso terrenal, perdido por Eva, donde se encontraba Dante.

—¡Dante (1382), no llores todavía; no llores todavía porque Virgilio se vaya, pues es preciso que llores por otra herida!

Como el almirante que va de popa a proa examinando la gente que presta su servicio en los otros buques, y la anima a portarse bien, del mismo modo sobre el borde izquierdo del carro vi yo, cuando me volví al oír mi nombre, que aquí se consigna por necesidad, a la Dama que se me apareció anteriormente velada por la angélica fiesta (1383), dirigiendo sus ojos hacia mí de la parte opuesta del río. Aunque el velo que descendía de su cabeza, rodeado de las hojas de Minerva (1384), no permitiese que se distinguieran sus facciones, con su actitud regia y altiva continuó de esta suerte, como aquel que al hablar reserva las palabras más calurosas para lo último: —Mírame bien, soy yo; soy, en efecto, Beatriz. ¿Cómo te has dignado subir a este monte? ¿No sabías que el hombre es aquí dichoso? (1385).

Mis ojos se inclinaron hacia las limpias ondas; pero viéndome reflejado en ellas, los dirigí hacia la hierba; tanta fué la vergüenza que abatió mi frente. Parecióme Beatriz tan terrible como una madre irritada a su hijo, porque amarga el sabor de la piedad acerba. Ella guardó silencio, y los ángeles cantaron de improviso: *In te Domine speravi;* pero no pasaron de *pedes meos* (1386). Así como la nieve se congela y endurece al soplo de los vientos de Esclavonia, entre los árboles que crecen sobre el dorso (1387) de Italia; y se licua luego por sí misma, apenas la tierra que pierde la sombra (1388) envía su aliento, semejante al fuego que derrite una vela, así me quedé sin lágrimas ni suspiros antes que cantasen los seres cuyas notas responden siempre a la armo-

(1382) Hace observar su comentador que, si por casualidad se hubiese perdido el nombre del autor de la *Divina Comedia,* esta indicación serviría para identificarlo.

(1383) Por la nube de flores que esparcían sobre ella los ángeles.

(1384) El olivo, árbol consagrado a Minerva.

(1385) Reconvención llena de fina ironía, como diciendo: «¿Es posible que te hayas dignado subir a este monte, sabiendo que aquí está la felicidad?»

(1386) Salmo 30. Después de este versículo sigue otro que dice: «Conturbatus est in ira oculus meus», y quizá para no nombrar la ira en un lugar de paz eterna, limitan su cántico a las palabras «pedes meos».

(1387) Llama dorso de Italia a los Apeninos.

(1388) El África: en la parte de ella comprendida entre los Trópicos, los cuerpos no proyectan sombra en determinadas épocas y a las horas del mediodía, porque el Sol cae sobre ellos perpendicularmente.

nía de las esferas celestiales; mas cuando comprendí por sus dulces palabras que se compadecían de mí más que si hubiesen dicho: «Mujer, ¿por qué así le maltratas?», el hielo que oprimía mi corazón se deshizo en suspiros y lágrimas, y junto con mi angustia salieron de mi pecho por mis ojos y por mis labios.

Estando Ella, sin embargo, inmóvil sobre el costado izquierdo del carro, dirigió de este modo sus palabras a las compasivas substancias (1389): —Vosotros veláis en el eterno día, de modo que ni la noche ni el sueño os roban ninguno de los pasos que da el siglo en su camino; así, pues, responderé con más cuidado, a fin de que me comprenda el que así llora, y su dolor se corresponde con su falta. No solamente por influencia de las grandes esferas que dirigen cada semilla hacia algún fin, según la virtud de la estrella que la acompaña, sino también por la abundancia de la gracia di-

---

(1389) Las compasivas substancias son los ángeles. Con referencia al amor que Dante sintió por Beatriz, nos creemos en la obligación de dar algunos detalles extractados de Boccaccio y de otros comentadores del poeta. Hacia la primavera del año 1274, Dante, de edad de nueve años, y Beatriz, de ocho, se vieron por vez primera en una fiesta infantil. Beatriz tenía gracias singulares que cautivaron la imaginación del futuro poeta; sus palabras eran graves y serias. Alighieri experimentó al punto una intensa pasión, a pesar de tan temprana edad, pasión que fué en aumento con el tiempo. Dante no hallaba otro placer ni otro reposo que el de contemplar incesantemente a Bice, como la llama con frecuencia. Pronto abandonó toda ocupación, para hallarse siempre en los lugares donde creía poder verla. El mismo ha confesado: «En ocasiones la pasión me asaltaba tan violentamente, que no quedaba en mí otro síntoma de vida que un pensamiento que me hablaba de mi «Donna». Cierto día, Beatriz, ataviada con un blanco vestido, pasaba por una calle de Florencia, donde encontró a Dante, al que miró y saludó; y el poeta, con este saludo, se sintió levantado a la más alta felicidad. En otra ocasión, en una iglesia, hallóse Dante en situación de poder contemplar de lejos a Beatriz. Una dama que entre ellos se interponía, creyendo que iban dirigidas a ella las ardientes miradas del joven toscano, respondió a dichas miradas con dulces promesas. Entonces Dante dirigió algunos versos a dicha dama, con el fin de poder ocultar mejor su pasión por Beatriz. No obstante, tuvo el atrevimiento de componer una epístola en honor de las sesenta mujeres más bellas de Florencia, entre las cuales Beatriz ocupaba el noveno lugar, lo que le ponía casi en trance de descubrir su pasión. Por segunda vez encontráronse Dante y Beatriz y ésta última ya no saludó al joven poeta. Éste, entonces, se quiso decidir a descubrir a Beatriz todo el fuego de su amor, pues temía que la muchacha estuviese enojada con él. Nuevos versos, a Beatriz dirigidos, explicaron a ésta los tormentos que sufría el poeta. Una mujer, más clarividente que las demás, adivinó el gran secreto y dijo a Dante: «Mas, ¿qué amor es el tuyo por Beatriz, cuya presencia no puedes soportar...? ¡Dínoslo, pues, a fe que debe ser un nuevo género de amor». Dante respondió que la embriaguez de todos sus deseos consistía en el dulce saludo que Beatriz le había dirigido. Beatriz, en suma, murió el 9 de junio de 1290, a la edad de veinticuatro años.

vina (cuya lluvia desciende de tan altos vapores, que no puede alcanzarlos nuestra vista), fué tal ése en su edad temprana por natural disposición que todos los buenos hábitos habrían producido en él admirables efectos (1390); pero el terreno mal sembrado e inculto se hace tanto más maligno y salvaje cuanto mayor vigor terrestre hay en él. Por algún tiempo le sostuve con mi presencia; mostrándole mis ojos juveniles, le llevaba conmigo en dirección del camino recto; pero tan pronto como estuve en el umbral de la segunda edad y cambié de vida, él se separó de mí y se entregó a otros amores (1391). Cuando subí desde la carne al espíritu y hube crecido en belleza y en virtud, fuí para él menos querida y menos agradable. Encaminó sus pasos por una vía falsa, siguiendo tras engañosas imágenes del bien, que no cumplen totalmente ninguna promesa; ni siquiera me ha valido impetrar para él inspiraciones, por medio de las cuales le llamaba en sueños o de otros modos, según el poco caso que de ellas ha hecho. Tan abajo cayó, que todos mis medios eran ya insuficientes para salvarle si no le mostraba las razas condenadas. Por él he visitado el umbral de los muertos (1392), y dirigí mis ruegos y mis lágrimas al que le ha conducido hasta aquí. Se hubiera violado el alto decreto de Dios, si pasara el Leteo y gustara tales manjares sin haber pagado alguna parte de la penitencia que hace verter lágrimas.

(1390) Señala cuatro influencias a las inclinaciones humanas: de los cielos, de las constelaciones, la gracia divina y finalmente los hábitos a que se acostumbra el alma.

Los vapores son el origen de la lluvia, y por eso, hablando metafóricamente de la gracia divina, la llama *lluvia* que cae de los más altos vapores.

(1391) Dante refiere en la *Vita Nuova* que la presencia de Beatriz destruía en él todo apetito depravado, y alimentaba en su pecho una llama de caridad y de humildad. En una canción dice de ella: *Chi veder vuol la salute, faccia che gli occhi d'esta donna miri* («El que quiera ver la salvación, haga por mirar los ojos de esta mujer»). Beatriz murió, como se ha dicho, a la edad de veinticuatro años y tres meses, y según Dante (*Convivio*), la primera edad es la adolescencia, que dura hasta los veinticinco años. «Se entregó a otros amores.» Quiere decir: Puso su afecto en los empleos públicos, en los honores y en las mujeres.

(1392) *Uscío d' morti*, es decir, el Limbo, puesto a la entrada del Infierno, adonde bajó Beatriz para rogar a Virgilio que acompañase a Dante.

CANTO XXXI

Nuevas reconvenciones de Beatriz, a las que Dante responde con la confesión de todas sus culpas, después de lo cual cae desvanecido. — Matilde sumerge a Dante en el Leteo y le hace beber de sus aguas.

OH, tú, que estás a la otra parte del sagrado río, empezó a decir, continuando sin demora y dirigiéndome de punta sus palabras, que aun de filo me habían parecido tan acerbas (1393); di, di si esto es verdad; a tal acusación es preciso que tu confesión corresponda.

Estaba yo tan confuso, que mi voz conmovida se extinguió antes de salir de mis labios. Ella esperó un momento y después dijo: —¿En qué piensas? Respóndeme, pues todavía las aguas del Leteo no han borrado tus tristes recuerdos.

La confusión y el miedo reunidos me arrancaron de la boca un *sí* tan débil, que fué menester el auxilio de la vista para entenderlo. Así como se rompe una ballesta por estar demasiado tirante la cuerda y el arco, de modo que la flecha da con menos fuerza en el blanco, así yo, quebrantado bajo el peso de tan grave cargo, prorrumpí en lágrimas y suspiros, y la voz enflaquecida vino a expirar entre mis labios.

Entonces Ella me dijo: —Entre los saludables deseos emanados de mí, que te impulsaban a amar el bien, más allá del cual no hay nada a qué aspirar, ¿qué fosos insuperables o qué cadenas has encontrado para perder de tal modo la esperanza de pasar adelante? ¿Y qué ventajas o atractivos descubriste en el aspecto de los otros bienes, para que debieras rondar en torno de ellos?

Exhalé un amargo suspiro, y apenas tuve aliento para

(1393) *Punta y filo* de la palabra. Usa de esta metáfora para expresar que primero le había herido indirectamente, y ahora lo hace de frente dirigiéndose a él.

responder; con dificultad modularon mis labios las palabras, y, llorando, le dije: —Las cosas presentes con sus falsos placeres desviaron mis pasos apenas se ocultó para mí vuestro rostro.

Y ella me respondió: —Aunque callases o negases lo mismo que ahora confiesas, no por eso tu falta sería menos conocida; ¡tal es el Juez que la sabe! Pero cuando la confesión del pecado sale de la propia boca del pecador, la rueda, en nuestro tribunal, no afila ya, sino que embota el filo de la espada (1394). Sin embargo, para que más te aproveche la vergüenza de tu error y para que otra vez seas más fuerte al oír las sirenas, depón la causa de tu llanto (1395) y escucha; de este modo sabrás que mi carne sepultada (1396) debía encaminarte en una dirección totalmente contraria. El arte o la Naturaleza no te presentaron jamás cosa tan agradable como los bellos miembros que me sostuvieron en vida, y que ahora son polvo de la tierra. Y si el sumo placer de verme te faltó por mi muerte, ¿qué cosa mortal debía excitar después tus deseos? A la primera herida que te causaron las cosas falaces del mundo, debiste elevar tus ojos al cielo, siguiéndome a mí, que no era ya como ellas. No debían abatirse tus alas para esperar allí nuevos golpes, o correr tras cualquier jovencita u otra cualquiera vanidad de tan breve dura. El tierno pajarillo cae a la segunda o bien a la tercera asechanza; pero ante los ojos de los ya cubiertos de pluma en vano se despliegan las redes, en vano se lanzan flechas.

Yo estaba como los niños que, mudos de vergüenza y con los ojos fijos en el suelo, escuchan en pie, reconociendo sus faltas y arrepentidos. Ella continuó: —Ya que te duele tanto oírme, alza la barba, para que mirándome sea más vivo tu dolor.

Con menos resistencia se desarraiga la robusta encina, bien al embate de los vientos boreales, o bien al de aquel que viene del país de Jarba (1397), de la que, al oír su orden, opuse yo en levantar la cabeza, pues cuando en vez de rostro dijo barba entendí al punto toda la malicia de su alusión (1398). Cuando por fin alcé la faz, advertí que las

---

(1394) Es decir, que la justicia divina se desarma por la confesión del pecador.
(1395) La confusión y el miedo.
(1396) Mi muerte.
(1397) El África, donde reinó Jarba, célebre rey de Numidia.
(1398) Comprendió que le acusaba de falta de juicio; pues obraba como un niño, siendo hombre barbado.

primeras criaturas (1399) habían cesado de esparcir flores,
y mis miradas, poco seguras aún, vieron a Beatriz vuelta hacia la fiera que es una sola persona con dos naturalezas (1400).
Cubierta con su velo y al otro lado de la verde orilla,
parecióme que se vencía a sí misma en su primitiva belleza, mucho más de lo que vencía a las demás mujeres cuando vivía en el mundo. Me hirió entonces tan vivamente la
espina del arrepentimiento, que de todas las cosas mortales,
la que más me desvió de su amor me fué la más odiosa. El
remordimiento me oprimió de tal modo el corazón, que caí
sin sentido. Lo que me sucedió entonces lo sabe aquélla que
fué la causa de ello.

Cuando el corazón me restituyó la facultad de percibir
las cosas exteriores, vi por encima de mí a la Dama que
antes había encontrado sola (1401) y la oí decir: —¡Sosténte en mí, sosténte en mí! —. Habíame sumergido en el río
hasta la garganta y arrastrándome tras ella, iba avanzando
sobre el agua con la ligereza de una lanzadera. Cuando estuve
cerca de la feliz orilla oí tan dulcemente *Asperges me* (1402),
que no sabría recordarlo, cuanto menos escribirlo. La hermosa Dama abrió sus brazos, rodeó con ellos mi cabeza y me
sumergió de modo que hube de beber el agua. Después me
sacó fuera, y mojado como estaba me presentó a las cuatro
bellas danzarinas (1403), cada una de las cuales extendió
sobre mí su brazo.

—Aquí somos ninfas y en el Cielo estrellas; antes de que
Beatriz descendiese al mundo fuimos designadas como siervas suyas. Te conduciremos ante sus ojos; pero las tres (1404)
del otro lado, que ven más a fondo, aguzarán los tuyos para
que percibas la plácida luz que hay dentro de ellos.

Así me dijeron cantando y después me llevaron hacia
el pecho del Grifo donde estaba Beatriz vuelta hacia nosotros. En seguida añadieron: —Puedes mirar sin temor; te

---

(1399) Los ángeles, creados primero que el hombre.
(1400) Hacia el Grifo, personificación de Jesucristo.
(1401) Matilde.
(1402) Palabras del Salmo L.
(1403) Las cuatro Virtudes cardinales, que formaban grupo a uno
de los lados del carro. Dicen cantando que antes que Beatriz viniese
al mundo, estaban ellas destinadas a su servicio. Alegóricamente quiere
decir que antes de la revelación hecha por Jesucristo, estas virtudes suplieron a las teologales y prepararon a los hombres para
recibirla.
(1404) Las tres Virtudes teologales, que ven más a fondo, porque
profundizan más en la esencia divina, aguzarán tu vista para penetrar
hasta la luz interior que encierran los ojos de Beatriz.

hemos puesto delante de las esmeraldas desde donde Amor
te lanzó un día sus dardos.

Mil deseos más ardorosos que la llama atrajeron mis ojos
hacia aquellos ojos brillantes, que aún estaban fijos en el Grifo. Como el Sol en un espejo, la fiera de doble naturaleza
se reflejaba en ellos, ya de un modo, ya de otro (1405).
Piensa, lector, si yo estaría maravillado al ver tal objeto permanecer inalterable en sí mismo y transformándose en su
imagen reflejada. Mientras que, llena de estupor y gozosa, mi
alma gustaba de aquel alimento que, a la vez la satisfacía y
hacía más vivo su deseo, las tres damas que demostraban en
su actitud ser de una jerarquía más elevada se adelantaron
danzando al compás de sus angélicos cantares.

—Vuelve, Beatriz, vuelve tus ojos santos —tal era su
canción—hacia tu fiel amigo, que ha dado tantos pasos
para verte. Por gracia, haznos la gracia de descubrirle tu faz,
de modo que contemple la nueva belleza que le ocultas.

¡Oh, esplendor de viva luz eterna! ¿Quién es el que
habiendo palidecido a la sombra del Parnaso o bebido en su
fuente no tendría la mente ofuscada, al intentar representarte
tal cual apareciste allí donde el Cielo te circundaba, resonan-
do con su acostumbrada armonía cuando al aire libre te descubriste?

(1405) Ya con los rasgos propios de la naturaleza humana, ya con
los de la naturaleza divina.

CANTO XXXII

*El Poeta sigue, en compañía de Matilde y Stacio, la gloriosa pro-
cesión; y llega al pie de un árbol altísimo, despojado de todo
verdor. — Mientras los bienaventurados entonan un himno,
Dante sucumbe al sueño. — Cuando despierta, se ofrecen al
Poeta varias extraordinarias visiones.*

ESTABAN mis ojos tan fijos y atentos para calmar su sed
de diez años (1406), que tenía embotados los otros
sentidos; mi vista, descuidada de todo, levantaba muros por doquier, y sólo la celestial sonrisa la atraía con sus
antiguas redes. Pero por fuerza me obligaron las tres diosas (1407) a volver la cabeza hacia la izquierda, porque les
oía decir: —Miras demasiado fijamente—. Y la disposición
en que se encuentran los ojos cuando acaban de ser heridos
por los rayos del Sol, me dejó por algún tiempo sin vista;
mas cuando se repusieron los míos ante otro pequeño resplandor (y digo pequeño, comparándolo con la gran luz de
que me había separado forzosamente), vi que el glorioso ejército (1408) se había vuelto hacia la derecha, recibiendo en
el rostro los rayos del Sol y los de las siete llamas. Así como
para salvarse una cohorte se retira cobijada bajo los escudos,
y se vuelve con su estandarte antes de que haya terminado
por completo su evolución, así la milicia del reino celestial,
que precedía al carro, desfiló toda antes de que éste hubiera
vuelto su lanza. En seguida las mujeres se volvieron a colocar
cerca de las ruedas, y el Grifo puso en movimiento el carro
bendito, de tal modo, que no se agitó ninguna de sus plumas.

(1406) Tiempo que había transcurrido desde la muerte de Beatriz.
(1407) Las tres Virtudes teologales, que estaban a la derecha del
carro; por eso Dante, que está enfrente de él, oyéndolas, se vuelve
a su izquierda.
(1408) El glorioso ejército era el cortejo que seguía a los candelabros.

La hermosa Dama, que me hizo vadear el río, Stacio y yo seguíamos a la rueda, que describió, al girar, el arco menor (1409).

Caminando de esta suerte a través de la alta selva deshabitada por culpa de aquélla que creyó a la serpiente, ajustaba
mis pasos al cántico de los ángeles. Una flecha despedida del
arco recorre quizá en tres veces el espacio que habíamos
avanzado cuando bajó Beatriz. Oí que todos murmuraban:
—¡Adán!—. En seguida rodearon un árbol (1410) enteramente despojado de hojas y flores en todas sus ramas. Su
copa, que se extendía a medida que el árbol se elevaba, sería,
por su altura, admiración incluso de los indios en sus hermosas selvas.

—¡Bendito seas, oh, Grifo, que con tu pico no arran-
caste nada de ese tronco dulce al gusto, después que por haberlo probado se inclinó al mal el apetito humano! (1411).
Así exclamaron todos en derredor del árbol robusto, y el
animal de doble naturaleza respondió: —De ese modo se
conserva el germen de toda justicia (1412)—. Y volviéndose al timón de que había tirado, lo condujo al pie de la planta viuda de sus hojas, y dejó atado a ella el carro hecho de
su misma madera (1413).

Así como nuestras plantas se ponen turgentes cuando la

(1409) Es decir, se colocaron junto a la rueda de la derecha del
carro, la cual, girando éste hacia el mismo lado, debía describir una
órbita menor que la otra rueda. En el sentido moral puede significar
que el Nuevo Testamento avanza más en menos tiempo.

(1410) Todas estas imágenes tienen significación simbólica, y se
refieren al establecimiento de Sede Apostólica en Roma. La suavi-
dad majestuosa con que el Grifo conduce el carro significa el poder
sin violencia de la religión cristiana, la paz y la fuerza. La selva
deshabitada (vuota) es la tierra, que al advenimiento del Cristianís-
mo no albergaba ninguna virtud, habiendo sólo en ella desorden y
degradación de la especie humana. El nombre de Adán, pronunciado en voz baja, es el lamento de los justos, por la rebelión del primer hombre. El árbol despojado de hojas y flores representa al Imperio romano, despojado de toda virtud en tiempo de los Apóstoles,
y cuya fama tanto se dilata cuanto más se remonta a la antigüedad.

(1411) Bendice al Grifo (Jesucristo), porque no tocó al árbol del
Imperio, aconsejando por el contrario que se diese al César lo que es
del César. Llama al árbol dulce al gusto, porque la codicia humana
apetece el mando y la dominación; de lo que provino la desmembra-
ción del imperio latino.

(1412) No tocando el poder sagrado al profano, se conserva la justicia. Algunos expositores simbolizan en el árbol la obediencia debida
a la revelación, que viene de Dios, y la obediencia al Imperio ordenada por Dios, reuniendo así dos símbolos en uno.

(1413) Dejó unido a la Monarquía romana el carro que le estaba
destinado, esto es, la Iglesia militante. Une la Iglesia al Imperio,
diciendo que era suya, pero sin confundirlos.

gran luz desciende mezclada con aquella que irradia detras de los celestes Peces (1414), y luego se reviste cada una con su propio color antes que el Sol guíe sus caballos bajo otra estrella, de igual modo se renovó el árbol cuyas ramas estaban antes tan desnudas, adquiriendo colores menos vivos que los de la rosa, pero más que los de la violeta (1415). Yo no pude entender, ni aquí abajo se canta, el himno que se entonó allí en aquel momento; ni tampoco pude oír el canto hasta el fin. Si me fuera posible describir cómo se adormecieron aquellos desapiadados ojos (1416) que tan cara pagaron su excesiva vigilancia oyendo las aventuras de Siringa (1417), representaría como un pintor que copia un modelo el modo como me dormí; pero hágalo quienquiera que sepa figurar bien el sueño.

Paso, pues, al momento en que me desperté, y digo que un resplandor desgarró el velo de mi sueño, al mismo tiempo que me gritaba una voz: —Levántate; ¿qué haces? —. Como Pedro, Juan y Jacobo, conducidos a ver las florecitas del manzano (1418), que hace a los ángeles codiciosos de su fruta y perpetúa las bodas en el Cielo, y aterrados por el esplendor divino, volvieron en sí al oír la palabra que interrumpiera sueños mayores (1419) y vieron su compañía

(1414) Cuando el Sol está en Aries, constelación que sigue a la de Piscis, los botones de las plantas se ponen turgentes, se hinchan, y en seguida cada planta se cubre del color de sus hojas y flores.

(1415) Alusión a las siguientes palabras de San Bernardo: «Inspice lateris aperturam, quia nec illa caret rosa, quamvis ipsa subruvea sit, propter mixturam aquae». (Lib. I de *Pass. Dom.*, cap. XLI.)

(1416) Los ojos de Argos. Según la fábula, Júpiter envió a la Tierra a Mercurio para que se apoderara de la ninfa Io, a quien, por encargo de la celosa Juno, guardaba Argos, vigilándola por sus cien ojos. El divino mensajero se puso a referir a Argos la historia de Siringa, con tan dulce canto, que le adormeció, y dándole muerte, se apoderó de la ninfa.

(1417) Ninfa de Arcadia, compañera de Diana. Perseguida por el dios Pan y a punto ya de caer en sus manos, suplicó a su padre, el río Ladón, que la convirtiese en caña, a lo que éste accedió. Pan, deseoso de conservar una memoria de su amante, cortó algunos pedazos de aquella caña, y con ellos hizo una flauta de siete tubos.

(1418) La esposa del *Cantar de los Cantares* compara con el manzano a su amado esposo, que, según todos los intérpretes, es Jesucristo. («Sicut malus inter ligna silvarum, sic dilectus meus.») De igual suerte toma el Poeta el manzano por símbolo del mismo Jesucristo.

(1419) En esta larga comparación se refiere el Poeta a la Transfiguración del Señor (*Math.* XVII). Conducidos los discípulos Pedro, Jacobo y Juan a un elevado monte, se transfiguró Jesús delante de ellos; y resplandeció como el Sol, apareciendo en su compañía Moisés y Elías. Oyóse una voz que decía: «Éste es mi Hijo amado...» y los discípulos cayeron asombrados. Pero a la voz de Jesús, «que ha interrumpido sueños mayores» (el sueño de la muerte de

mermada por la ausencia de Moisés y Elías, y cambiada la
túnica de su Maestro, así desperté yo, viendo inclinada sobre
mí a aquella compasiva mujer que había guiado anteriormente mis pasos por el río; y lleno de inquietud pregunté:
—¿Dónde está Beatriz? — A lo que me contestó: —Mírala
sentada sobre las raíces y bajo el nuevo follaje de ese árbol.
Mira la compañía que la rodea; los otros se van hacia arriba
tras el Grifo entonando cánticos más dulces y más miste-
riosos que los que entonaba aquí.

Ignoro si fué más extensa su respuesta; porque se hallaba
otra vez ante mis ojos aquélla que me impedía fijar la atención en ninguna otra cosa. Estaba sentada ella sola en la tierra verdadera (1420), como dejada allí para custodiar el carro que vi atar a la biforme fiera. En torno suyo formaban un
círculo las siete Ninfas, teniendo en las manos aquellas luces que no puede apagar el Aquilón ni el Austro (1421).
—Poco tiempo habitarás esta selva, y serás eternamente conmigo ciudadano de aquella Roma donde Cristo es romano (1422). Por lo tanto, fija tus ojos en este carro para
bien del mundo que vive mal, y cuando vuelvas a él escribe lo
que has visto—. Así habló Beatriz; y yo, enteramente su-
miso a sus órdenes, puse mi mente y mis ojos donde ella
quiso que los pusiera.

Nunca tan velozmente partió el rayo de condensada nube, cuando cae del más remoto confín del aire, como vi yo
al ave de Júpiter precipitarse y bajar por el árbol, rompiendo
su corteza ya que no las flores y hojas nuevas; y con toda su
fuerza hirió al carro y le hizo vacilar, como nave combatida
por la tempestad que las olas derriban, ora a babor, ora a
estribor (1423).

Lázaro y de la hija de Jairo), se levantaron, y vieron que Moisés
y Elías habían desaparecido, y que ya la túnica de su Maestro no
tenía el mismo esplendor de antes. (Véase San Juan, XI, 11.)
(1420) En la tierra pura, no contaminada por el pecado. Y alegóricamente, en su verdadero y propio asiento.
(1421) Las siete Ninfas: esto es, las siete Virtudes, llevando en
las manos los siete candelabros, cuya luz no puede apagar ningún
viento.
(1422) Alegóricamente: «Habitarás poco tiempo en el mundo, y serás eternamente conmigo ciudadano de la Roma celestial, en la que
Cristo, según la humanidad, es el primer ciudadano, y según la divinidad, el sumo imperante.»
(1423) Con más velocidad que el rayo cuando baja de los confines
de la atmósfera, esto es, de la esfera del fuego, descendió el ave de
Júpiter, el águila, símbolo del poder imperial, sobre el árbol y sobre
el carro de la Iglesia. La imagen está tomada de Ezequiel, capítulo 17: «Aquila grandis... venit ad Libanum», etc. Significa el furor
con que los emperadores gentiles persiguieron las virtudes cristianas

Vi luego introducirse en el carro triunfal una zorra que parecía no haberse alimentado jamás de comida sana (1424); pero reprendiéndole mi Dama sus feas culpas, la obligó a huir tan precipitadamente como lo permitieron sus descarnados huesos.

En seguida, por el mismo lugar por donde había venido antes, vi al águila descender a la caja del carro y dejarla cubierta de sus plumas, y semejante a la voz que sale de un corazón contristado, salió del Cielo una voz que dijo: —¡Ay, navecilla mía, cuán mal cargada estás! (1425).

Después, me pareció que se abría la tierra entre las dos ruedas y vi salir un dragón que hincó su maligna cola en el carro, y retirándola luego como la avispa su aguijón, se llevó consigo una parte del fondo y se alejó tambaleando. Lo que quedó del carro, como la tierra fértil que se cubre de grama, se cubrió de la pluma ofrecida por el águila, quizá con intención casta y benigna, y de ella se cubrieron una y otra rueda y la lanza en menos tiempo del que se necesita para exhalar un suspiro (1426). Transformado de esta suerte el edificio santo, salieron de sus diversas partes varias cabezas, tres de ellas sobre la lanza, y las restantes una en cada ángulo. Las primeras tenían cuernos como los bueyes; pero las otras sólo tenían un cuerno en la frente; jamás se han visto monstruos semejantes (1427).

Tan segura como una fortaleza sobre una alta montaña,

(*flores y nuevas hojas*), destrozando hasta los cuerpos (*la corteza*), pero sin poder vencer los ánimos. E hirieron el carro, esto es, la Sede pontificia, persiguiendo y matando a los primeros pontífices, de modo que la Iglesia pareció *como nave en borrasca*.

(1424) Luego vino una zorra, el cismático Novaciano con sus secuaces, e intentó usurpar el pontificado fraudulentamente. Por comida sana se entiende la sana doctrina. Beatriz, la Teología, reprende a la zorra y la hace huir : alude al Concilio de Roma, en que fueron refutados y condenados los errores de aquel cismático.

(1425) Este pasaje alude a la donación hecha a la Iglesia por el emperador Constantino de su patrimonio, que el Poeta compara a las plumas, porque éstas son cosa vana, como los bienes terrenales. La voz que sale del cielo es la de san Pedro, que se lamenta de ver su barca, pobre antes de riquezas y rica de virtudes, cargada de bienes mundanos.

(1426) El dragón simboliza al cismático Focio, patriarca de Constantinopla, que ocasionó la separación de la Iglesia griega de la latina; por esto dice que se llevó parte del fondo del carro.

(1427) Transformada la Iglesia de este modo, y por el mal uso de las riquezas, aparecieron en ella siete cabezas bestiales: la soberbia, la ira y la avaricia, que siendo nocivas al que las tiene y al prójimo, llevan dos cuernos como los bueyes; y se colocan en la lanza del carro, porque son las más ofensivas; y la gula, la envidia, la pereza y la lujuria, que tienen sólo un cuerno, porque ordinariamente sólo perjudican al pecador, ocupan sus cuatro ángulos.

vi sentada en el carro a una impúdica prostituta paseando sus
miradas en torno suyo. Y como para impedir que se la qui-
taran, vi un gigante colocado en pie junto a ella, y ambos se
besaban de vez en cuando; mas habiendo ella vuelto hacia
mí sus ojos codiciosos y errantes, el feroz guardián la azotó
desde la cabeza a los pies. Después, lleno de suspicacia y de
cruel ira, desató el monstruoso carro y lo arrastró tan lejos
por la selva, que tras de ella se ocultaron a mi vista la prostituta y la nueva fiera (1428).

(1428) La prostituta sentada sobre el carro significa, en términos
generales, la corte romana, que en aquellos tiempos venía prostituyéndose con los reyes (*Infierno*, canto XIX); y en particular bajo los
pontífices Bonifacio VIII, Clemente V y Juan XXII. El gigante representa la Casa Real de Francia, y especialmente Felipe *el Hermoso*.

CANTO XXXIII

Beatriz anuncia a Dante que pronto vendrá el que ha de librar a la Iglesia y a Italia de la opresión de los malvados, y le manda escribir lo que ha visto. Después hace que, guiado por Matilde, beba las dulces aguas de Euneo. — Purificado ya, puede subir a las estrellas.

LAS mujeres comenzaron, llorosas, una dulce salmodia, cantando alternativamente, ya las tres, ya las cuatro: —*Deus, venerunt gentes* (1429) —. Y Beatriz, suspirando compasiva, las escuchaba tan abatida, que poco más lo estuvo María al pie de la cruz. Pero cuando las otras vírgenes le dieron ocasión de hablar, poniéndose en pie, respondió, encendida como el fuego: —*Modicum, et non videbitis me; et interum,* mis queridas hermanas, *modicum, et vis videbitis me* (1430). Después reunió ante sí a todas siete y con sólo un ademán nos hizo marchar tras ella a mí, a la Dama y al Sabio que quedó en nuestra compañía.

Así se alejaba, y no creo que hubiese dado diez pasos, cuando hirió mis ojos con sus ojos y con aspecto tranquilo me dijo: —Ven más de prisa, para que si te hablo puedas escucharme —. Y cuando, obedeciéndola, estuve a su lado, me preguntó: —Hermano, ¿por qué, viniendo conmigo, no te atreves a interrogarme? —. Me sucedió entonces lo que a aquellos que, por excesiva reverencia al hablar con sus supe-

(1429) Las Virtudes teologales y las cardinales cantan, alternando, los versículos del salmo LXXVIII, en el que David lamenta los males que habían de caer sobre Jerusalén y las abominaciones del templo, e invoca al brazo de Dios contra los autores de tanto daño.
(1430) «Dentro de poco no me veréis, pero dentro de otro poco me veréis.» Palabras de Jesús, en el Evangelio de san Juan, prediciendo su próxima muerte y su resurrección. Alegóricamente, Beatriz pronostica que la Santa Sede, trasladada a Francia, en breve volvería a Roma, y entonces la ciencia divina reanimaría los ánimos batidos.

riores, no pueden hacer salir con viveza las palabras de entre
sus dientes, y contesté balbuceando: —Señora, vos conocéis
mis necesidades y lo que les conviene—. Y ella me contestó: —Quiero que en adelante te despojes de ese temor
y esa vergüenza para que no hables como hombre que sueña.
Sabe que el vaso que rompió la serpiente fué y no es (1431);
pero sepa el culpable que la venganza de Dios no se vence
con sortilegios (1432). El águila que dejó sus plumas en el
carro, convirtiéndolo en un monstruo y después en una presa,
no estará siempre sin herederos; pues veo ciertamente, y por
eso lo refiero, algunas estrellas ya cercanas a un tiempo seguro de todo obstáculo y de todo impedimento, en el cual un
quinientos, diez y cinco, enviado por Dios, destruirá a la
ramera y al gigante que con ella delinque (1433). Y quizá
mi predicción obscura, como los oráculos de Themis y de la
Esfinge, no te persuada, porque, como ellos, ofusca el entendimiento; pero en breve los hechos serán las Náyades que
resuelvan este difícil enigma sin temor por los ganados y los
trigos (1434). Anota estas palabras, y tales como salen de

(1431) Frase tomada del Apocalipsis, el cual, hablando de la mujer sentada sobre el monstruo de siete cabezas, dice: «bestia quam
vidisti fuit et non est».
(1432) *Che vendetta di Dio non teme zuppe.* Según una antigua
creencia supersticiosa, el que, habiendo dado muerte a uno, conse-
guía comer una sopa sobre su sepulcro en el término de nueve días,
no debía ya temer la venganza de los parientes del muerto.
(1433) Este párrafo debe entenderse del modo siguiente: «Sabe
que la Sede pontificia, rota por la serpiente, habiendo perdido sus
virtudes fundamentales, y sido por último trasladada a Aviñón,
fué y ya no es tal como Dios la estableció; pero crean los que
tienen de ello la culpa, esto es, Clemente V y Felipe *el Hermoso,* que
no escaparán a la justa venganza de Dios; pues no siempre permanecerá sin herederos la familia imperial que con sus donativos causó
tantos daños a la Santa Sede y la hizo presa de los franceses; porque veo con certeza, y por eso lo refiero, que el Cielo nos ha concedido un tiempo libre de todo obstáculo y próximo, en el cual un
quinientos diez y cinco, esto es, DXV (letras que transportadas
equivalen a DVX) un Capitán abatirá a la curia romana, que es origen de estos males, y a Felipe *el Hermoso* que delinque con ellas.»
O en otros términos: «Destruirá la potencia güelfa y el predominio
de la Casa Real de Francia.» El Poeta no dijo nunca quién fuese
aquel Jefe o Capitán enviado por Dios, aunque algunos creen que
alude a Uguccione de la Faggiola, en quien cifraba sus esperanzas.
Un quinientos diez y cinco: en el Apocalipsis se lee: «Numerus ejus
sexaginta sex» (666), a cuya cifra dan varios sentidos los intérpretes.
(1434) Es decir: sin que le sobrevenga el daño que sufrieron
los tebanos, a quienes la diosa Temis envió una fiera que devoró
sus ganados y devastó sus campos.
El Poeta tomó esta idea de las *Metamorfosis* de Ovidio, tal como
se lee en los textos antiguos: «Carmina Najades non intellecta prio-
rum Solvunty ingeniis». Pero esta lección es evidentemente equivo-
cada, debiendo decir:

mis labios enséñaselas a los que viven con aquella vida que
no es más que una rápida carrera hacia la muerte; acuérdate,
además, cuando las escribas, de no ocultar cómo has visto la
planta que ha sido robada dos veces (1435). Quien la despoja o la rompe ofende con una blasfemia de hecho a Dios,
que la hizo santa, sólo para su uso (1436). Por haber mordido su fruto la primera alma aguardó en el dolor y en el
deseo durante cinco mil años y más al que en sí mismo castigó aquel bocado (1437). Tu espíritu está adormecido, si no
comprende que sólo por una causa singular es aquel árbol tan
alto y tan anchurosa su copa, y si los vanos pensamientos no
hubiesen sido alrededor de tu mente como las aguas del
Elsa (1438) y el placer que te causaron no la hubiera manchado como Píramo manchó la mora, sólo por tantas circunstancias reconocerías moralmente la justicia de Dios en la
prohibición de tocar aquel árbol (1439). Mas como veo tu
inteligencia petrificada y tan obscurecida por el pecado, que
te deslumbra el brillo de mis palabras, quiero que te las lleves, si no escritas, al menos estampadas en tu espíritu, por
aquel motivo que el peregrino lleva el bordón rodeado de
palmas (1440).

Y yo entonces le contesté: —Así como la cera conserva
inalterable la imagen que en ella imprime el sello, del mismo
modo la vuestra ha quedado grabada en mi cerebro. Pero,
¿por qué vuestra deseada palabra se eleva tanto sobre mi entendimiento, que cuanto más procura comprenderla menos lo
consigue?

> «Carmina Lajades non intellecto priorum
> Solverat ingeniis...»

Por consiguiente, *Layades*, el hijo de Layo, o sea Edipo, fué quien
explicó los oráculos de Temis, resolviendo el famoso enigma de la
Esfinge, y no las ninfas Náyades, como dice Dante.

(1435) Esto es, la planta, o sea la Monarquía imperial y especialmente su capital, que es Roma, ha sido robada dos veces: la una
cuando Focio separó la Iglesia griega de la latina, y la otra cuando
Felipe *el Hermoso* trasladó a Francia la Sede pontificia.

(1436) Quiere decir que Dios santificó la ciudad de Roma para
asiento de su Iglesia y de la autoridad imperial; y que le ofende quien
quita a dicha ciudad alguna de estas dos cosas.

(1437) Jesucristo, que se sacrificó por el pecado de Adán.

(1438) Río de Toscana que cubre de una espesa capa de légamo
los objetos sumergidos en él. Quiere decir que los vanos pensamientos han petrificado su inteligencia.

(1439) Según el sentido moral: «Conocerías la justicia de Dios
en haber prohibido al hombre tocar a este árbol, en cuya prohibición se simboliza la obediencia a la verdad revelada y al Imperio.»

(1440) Como prueba de lo que has visto, según hacen los peregrinos que vuelven de visitar los Santos Lugares, que llevan el bordón
rodeado de hojas de palma en señal de haber estado en aquella
región abundante de palmeras.

—Para que conozcas, dijo, aquella escuela que has seguido y cómo ha de poder su doctrina seguir a mis palabras, y veas que vuestro camino se separa tanto del divino, cuanto de la tierra dista el cielo que gira más velozmente a la mayor altura.

Entonces le respondí: —No recuerdo haberme alejado jamás de vos, ni me remuerde por ello la conciencia. —Es que tú no puedes recordarlo, me dijo sonriéndose; acuérdate de que has bebido las aguas del Leteo, y si del humo se deduce el fuego, de ese olvido se infiere claramente que tu voluntad, ocupada en otras cosas, era culpable. Pero en adelante serán mis palabras tan desnudas cuanto es preciso descubrirlas a tu rudo entendimiento.

El Sol, más resplandeciente y con pasos más lentos, atravesaba el círculo del Meridiano, que cambia de posición, según de donde se mira, cuando al extremo de una opaca umbría, semejante a las que se ven bajo las verdes hojas y las negruzcas ramas donde llevan los Alpes sus fríos riachuelos, se detuvieron las siete mujeres, como se detiene la tropa que va de avanzada si encuentra novedad en su camino. Ante ellas me pareció ver salir el Tigris y el Eufrates de un mismo manantial y como amigos separarse lentamente.

—¡Oh, luz! ¡Oh, gloria de la rama humana! (1441). ¿Qué agua es ésta que mana de una misma fuente, y dividida se aleja una de otra? — A tal pregunta se me contestó: —Ruega a Matilde (1442) que te lo descubra—. Y la hermosa Dama respondió como aquel que se disculpa: —Ésta y otras cosas le he explicado, y el agua del Leteo no ha podido hacérselas olvidar.

Beatriz añadió: —Quizá un interés mayor, de esos que muchas veces quitan la memoria, ha obscurecido su mente con respecto a los demás objetos. Pero mira el Eunoe, que por allí se desliza; condúcele hacia él, y según acostumbras, reanima su amortecida virtud (1443).

Como un alma gentil que de nada se excusa, sino que adapta su voluntad a la de los otros en cuanto se la dan a conocer por medio de alguna seña, de igual suerte se puso en

(1441) Según el sentido moral: «¡Oh, Teología, ciencia celestial y gloria de la raza humana!»

(1442) Por primera vez se la nombra. Recuérdese que Matilde simboliza la afección a la Iglesia, y aparece aquí como una persona enteramente consagrada a su servicio.

(1443) Esto es, sumergiéndole en las aguas de dicho río, que tiene la virtud de recordar las cosas buenas.

marcha la bella Dama en cuanto estuve a su lado, y dijo a
Stacio con su gracia femenil: —Ven con él.

Lector, si dispusiera de mayor espacio para escribir, cantaría en parte la dulzura de las aguas de que no me habría
saciado nunca; pero están ya llenos todos los papeles dispuestos para este segundo cántico; la exigencia del arte no
me deja pasar este límite.

Volví de aquellas sacrosantas ondas tan reanimado como
las plantas nuevas, renovadas con nuevas hojas (1444), purificado y dispuesto para subir a las estrellas (1445).

(1444)   *Riffato si, come piante novelle,*
                Rinnovellate di novella fronda.
(1445) El cántico del *Purgatorio* está compuesto de 4.754 versos.

RESUMEN DEL PARAÍSO, TERCERA PARTE
DEL POEMA

E L Paraíso está dividido también en nueve partes, más una, la décima, o sea, *il Cielo quieto* (Empíreo). Estas nueve partes son los nueve cielos móviles que, siguiendo las teorías de Tolomeo, giran alrededor de la Tierra en órbitas circulares y concéntricas, y sucesivamente más anchas y veloces. Estos cielos son los de la Luna, de Mercurio, de Venus, del Sol, de Marte, de Júpiter y de Saturno. Transportado por la fuerza misma que impele a los cielos y por la luz, cada vez mayor, de los ojos de Beatriz, que le acompaña, Dante va subiendo sucesivamente de uno a otro planeta. En cada uno de ellos surge una aparición de espíritus celestiales, para manifestar a Dante los diversos grados de beatitud que hay en el Empíreo y la virtud del respectivo cielo que obra en ellos como una segunda causa de las acciones de su vida. Una vez transpuestos los siete cielos de los planetas, llega el Poeta al octavo, que es el Cielo Estrellado, siendo recibido en el signo de Géminis. Desde allí contempla los planetas inferiores y la Tierra, y *ve este mundo tal, que le causa risa su miserable aspecto* (1446). En éste y en el noveno cielo, denominado Cristalino, se le manifiestan, bajo la apariencia de simples esplendores, el triunfo de Cristo y la corte celestial, la cual ve toda reunida en el Empíreo, en forma de *cándida rosa*, cuyas hojas son la morada de los justos. En la parte superior está Dios, punto sencillo y refulgente, circundado por nueve círculos de las tres jerarquías angélicas. Éstas giran en torno de Él, con tanto mayor velocidad cuanto más próximas a Él están; y cada uno se mueve con diversa virtud, demostrativa del cielo a que corresponde, de suerte tal, que

los círculos angélicos menos veloces o menos próximos a
Dios mueven los cielos más tardíamente y más hacia la Tierra. Finalmente, todos y cada uno de los cielos guardan alguna semejanza con alguna ciencia; y debajo del cielo de la
Luna están los cuatro elementos, según el orden señalado por
los antiguos: fuego, aire, agua y tierra.

EL PARAÍSO

CANTO I

*Dante, después de invocar al genio de la Poesía que le ha eleva-
do gradualmente hasta la contemplación de las cosas celestiales,
refiere cómo, guiado por Beatriz, o la Teología, ha podido
subir al Cielo desde el Paraíso terrenal.*

L A gloria de Aquel que todo lo mueve se difunde por el
Universo y resplandece en unas partes más y en otras
menos. Yo estuve en el cielo que recibe mayor suma
de su luz (1447) y vi tales cosas, que ni sabe ni puede refe-

(1447) La gloria de Dios, por quien y hacia quien se mueven
todas las cosas, penetra en el Universo, y resplandece en ellas *más
o menos*, según su naturaleza superior o inferior, corruptible o in-
corruptible. El cielo empíreo es el que participa más de aquella gloria, como asiento de los bienaventurados. Acerca del sistema cósmico
seguido por Dante, recuérdese lo dicho en *Infierno*, Canto IX. A dicho sistema, el Poeta hacía corresponder otro alegórico científico, según
el cual las ciencias del *Trivio* y del *Quadrivio* (filosóficas y teo-
lógicas) aparecen figuradas en los diez cielos que componen el Paraíso. Este, en el concepto alegórico de Dante, es el contentamiento
de la inteligencia en Dios, al que se llega sirviendo de escalones
las Ciencias y de guía la Teología, si el alma se rodea de las virtudes activas y contemplativas, y es purgada de la corrupción de
la materia. He aquí cuál era en esta parte el sistema alegórico del
Poeta:

SISTEMA CÓSMICO SEGÚN LAS DOCTRINAS DE LOS ESCOLÁSTICOS		SEGÚN DANTE *(Convivio)* SISTEMA CIENTÍFICO ALEGÓRICO	
Tierra.			
Agua.	Los	La Gramática	Ciencias
Esfera del aire.	cuatro	La Dialéctica	del
Esfera del fuego, o	ele-	La Retórica	Trivio
Eter.	mentos		
1.er Cielo. Luna		La Aritmética	Ciencias
2.° . . . Mercurio		La Música	del
3.er . . . . Venus	Los	La Geometría	Quadri-
4.° . . . . . Sol	siete	La Astrología	vio
5.° . . . . Marte	plane-	La Física y la Metafísica	
6.° . . . . Júpiter	tas	La Moral	
7.° . . . Saturno		La Teología	
8.° Cielo estrellado			
9.° Cielo cristalino, o primer mó-			
vil.			
10. Empíreo, Firmamento, Cielo			
tranquilo.			

rirlas el que desciende de allá arriba; porque nuestra inteligencia, al acercarse al fin de sus deseos, profundiza tanto, que la memoria no puede volver atrás (1448).

Sin embargo, todo cuanto mi mente haya podido atesorar de lo concerniente al reino santo, será en lo sucesivo objeto de mi cántico.

¡Oh, gran Apolo! Haz de mí para este último trabajo un vaso lleno de tu valor (1449), tal como lo exiges para conceder tu laurel amado; pues si hasta aquí tuve bastante con una cima del Parnaso, ahora necesito las dos para entrar en el resto de mi carrera (1450).

Entra en mi seno e inspírame el aliento de que estabas poseído cuando sacaste los miembros de Marsias fuera de su piel (1451).

¡Oh, divina virtud! Si te prestas a mí, de modo que yo pueda poner de manifiesto la sombra del reino bienaventurado estampada en mi mente, me verás acudir a tu árbol querido (1452) y coronarme entonces de aquellas hojas; pues el asunto de mi canto y tu favor me harán digno de ello.

Tan pocas veces, ¡oh, Padre! se recoge el lauro del triunfo, ya como César, ya como poeta (1453) (por culpa y vergüenza de la humana voluntad), que cuando alguno arde en deseos de alcanzarlo, el follaje peneico debería difundir la alegría en la feliz deidad délfica. A una pequeña chispa si-

---

(1448) «Quoniam raptus est in paradisum, et audivit arcana verba quæ non licet homini loqui.» (CORINT., XII.) La memoria se alimenta de recuerdos, los cuales son vestigios de las sensaciones. Como éstas en el Poeta no procedían de los sentidos, sino de una intuición o visión puramente intelectual, la memoria no podía recordarlas, porque eran muy débiles las imágenes de las cosas que aquél había visto.

(1449) Infunde en mi mente mayor caudal de inspiración poética.

(1450) Es decir: hasta aquí me bastó con el favor de las Musas, habitantes de una cumbre del Parnaso; hoy necesito además el de Apolo, que habita en la otra cumbre.

(1451) Marsias, sátiro que se atrevió a desafiar a Apolo para ver quién tocaba mejor, y siendo vencido, fué desollado en castigo de su presunción.

(1452) Esto es, el laurel en que fué transformada Dafne, hija de Peneo, debería de causar alegría a Apolo, llamado délfico por el templo que tuvo consagrado en Delfos.

(1453) Danielo, uno de los comentadores de Dante, cita a este respecto a Stacio, el cual ha dicho :

«Cui geminæ florent vatumque decumque
Certatim laurus.»

Y Petrarca ha dicho también :

Arbor vittoriosa e trionfale, onor d'imperatori e di pocti.

gue una gran llama; quizá después de mí habrá quien ruegue con mejor voz para que responda Cirra (1454).

La lámpara del mundo se presenta a los mortales por diferentes aberturas; pero cuando se deja ver por aquella en que se unen cuatro círculos formando tres cruces, entonces sale con mejor curso y con mejor estrella (1455), y modela y sella más a su modo la cera de nuestro mundo.

Por aquella abertura se había hecho allí de día, y aquí de noche; casi todo aquel hemisferio estaba ya blanco y la otra parte negra (1456), cuando vi a Beatriz vuelta hacia el lado izquierdo, mirando al Sol (1457); y jamás águila alguna lo ha mirado con tanta fijeza. Y así como un segundo rayo sale del primero y se remonta a lo alto, semejante al peregrino que está de regreso (1458), así la acción de Beatriz, penetrando por mis ojos en mi imaginación, originó la mía y fijé los ojos en el Sol contra nuestra costumbre.

Muchas cosas son allí permitidas a nuestras facultades, que no lo son aquí, por ser aquel lugar creado para residencia propia de la especie humana.

Me fué imposible mirar por mucho tiempo al Sol; pero no tan poco que no le viera centellear en torno suyo, como el hierro que sale candente del fuego; y de pronto me pareció que un nuevo día se unía al día, como si Aquel que puede hubiese adornado el cielo con otro sol.

Beatriz miraba fijamente las eternas esferas y yo fijé mis

(1454). Así llama a aquel Dios por la ciudad de este nombre que le estaba dedicada.

(1455) La lámpara del mundo, el Sol («Phœbeæ lampadis». Virg. Eneida, III), sale por diferentes puntos, según las diversas estaciones; pero cuando aparece por aquel en que se juntan cuatro círculos formando tres cruces, entonces sale con mejor curso (porque son iguales los días a las noches), y con mejor estrella (por el signo de Aries en que está, el cual produce influencias benignas); y la cera del mundo se amolda con su calor, porque entra la Primavera. Los cuatro círculos que forman tres cruces son: el Horizonte, que se cruza con el Zodíaco: éste y el Ecuador, que se cruzan igualmente, y el Coluro equinoccial, que corta al mismo Ecuador.

(1456) En el monte del Purgatorio amanecía; en el hemisferio opuesto era ya de noche, como queda explicado en otros pasajes. Dice que aquel hemisferio estaba casi todo blanco, para significar cómo se ilumina el cielo gradualmente cuando amanece.

(1457) Beatriz se vuelve hacia la izquierda para ver el Sol, por la razón de que se halla en un hemisferio opuesto al nuestro.

(1458) No es muy fácil de comprender este pasaje. Quiere decir el poeta que un rayo de luz que parte del Sol y es reflejado por la Tierra, y vuelve hacia lo alto, por haber sido refractado por la Tierra, se asemeja a un peregrino que acaba de terminar su largo viaje. Del mismo modo la acción de Beatriz, que miraba al Sol, repercutió en los ojos de Dante por medio de la imaginación de éste, y experimentó la necesidad de mirar al Sol de frente, contra el poder de los hombres.

ojos en ella, desviándolos de lo alto; contemplándola, me
transformé interiormente, como Glauco, al gustar la hierba
que le hizo en el mar compañero de los otros dioses (1459).
No es posible significar con palabras el acto de pasar a un
grado superior la naturaleza humana (1460); pero baste el
citado ejemplo a quien la gracia divina reserve tal experiencia.

¡Oh, Amor, que gobiernas el Cielo! Tú, que me elevaste
con tu luz, sabes si yo era entonces solamente aquella parte
de mí que primero creaste (1461). Cuando la rotación de
los cielos que eternizas por el deseo que éstos tienen de poseerte (1462), atrajo mi atención con su armonía, ordenada
y distribuída por ti, me pareció que entonces se encendía con
la llama del Sol tanto espacio del Cielo, que ni las lluvias ni
los ríos han ocasionado jamás tan extenso lago (1463). La
novedad de los sonidos y tan gran resplandor me abrasaron
de tal modo en el deseo de conocer su causa, que jamás he
sentido tan punzante aguijón.

Por esto, Ella, que veía mi interior como yo mismo, abrió
sus labios para calmar mi ánimo excitado, antes que yo los
abriese para preguntarle, y empezó a decir:

—Tú mismo te alucinas con tus falsas ideas, de tal modo
que no ves lo que verías si las hubieras desechado. No estás
ya en la Tierra, según te figuras; el rayo, huyendo de la región donde se forma, no corre tan velozmente como tú asciendes hacia este lugar.

Si vi desvanecida mi primera duda, gracias a sus palabras sonrientes y breves, me vi, en cambio, más envuelto en
otra nueva, y dije:

(1459) Según la Fábula, el pescador Glauco, viendo un día que algunos que pescaban extendidos en la hierba se reanimaban y saltaban al
mar, probó aquella hierba y se convirtió en un dios marino. Aquí quiere
significar Dante que, al contemplar a Beatriz, se sintió convertido en
un ser divino.

(1460) *Trasumanar, significar por verba non si porria*, dice Dante.
La palabra *trasumanar* es intraducible, y ha sido preciso emplear
un giro para expresar la idea del tránsito de la naturaleza humana a
la divina, que el poeta dice no se puede explicar más que con el ejemplo de Glauco.

(1461) Es decir: sólo Dios sabe si yo era entonces únicamente espíritu. El Poeta imita aquí a san Pablo, que en la segunda Epístola a los
Corintios dice: «Conozco a un hombre que fué arrebatado hasta el tercer cielo; no sé si en cuerpo, o fuera del cuerpo: Dios lo sabe.»

(1462) Dice Dante en el *Convivio* que Dios reside en el inmóvil cielo
Empíreo, bajo el cual se halla el cielo llamado Primer móvil que, por
el ferviente deseo que cada una de sus partes tiene de unirse con las
del Empíreo, gira continuamente.

(1463) Este lago de luz era la Luna, a la cual se acercaba Dante;
otros creen que fuese el resplandor de la esfera del fuego.

—Ya me contemplo con placer libre de mi primitiva admiración; mas ahora me asombra cómo es que puedo atravesar por entre estos cuerpos leves (1464).

Por lo cual Beatriz, lanzando un piadoso suspiro, dirigió hacia mí sus ojos con aquel aspecto de que se reviste la madre al oír un desvarío de su hijo, y repuso:

—Todas las cosas guardan un orden entre sí, y este orden es la forma que hace al Universo semejante a Dios (1465). Aquí ven las altas criaturas el signo de la eterna sabiduría, que es el fin para que se ha creado el orden antedicho. En el de que hablo, todas las naturalezas propenden y según su diversa estancia se aproximan más o menos a su principio (1466). Así es que se dirigen a diferentes puestos por el gran mar de la existencia (1467) y cada una con el instinto que se le concedió para que la lleve al suyo.

Este instinto es el que conduce al fuego hacia la Luna; el que promueve los primeros movimientos del corazón de los mortales y el que concentra y hace compacta a la Tierra. Y este arco (1468) se dispara, no tan sólo contra las criaturas desprovistas de inteligencia, sino contra las que tienen inteligencia y amor. La Providencia, que todo lo ordena, hace con su luz que esté tranquilo el Cielo en el que gira aquel que tiene mayor velocidad (1469); allí es donde ahora, como a sitio designado, nos lleva la virtud de la cuerda de aquel arco que dirige todo cuanto despide hacia un objeto agradable. Bien es verdad que, así como la forma no guarda muchas veces armonía con las intenciones del arte, porque la materia es sorda para contestar, así de esta dirección se desvía tal vez la criatura, que tiene el poder de inclinarse hacia otro lado, por más que esté impulsada de aquel modo, y cae (como se puede ver caer el fuego desde una nube), si su primer

(1464) Es decir: ahora me admiro de que, siendo yo cuerpo grave, me eleve sobre las esferas del aire y del fuego, que son cuerpos ligeros.

(1465) Este orden es la forma que, por la unidad y la belleza del Universo, ordenadísimo y hermosísimo, lo hace asemejarse a Dios. Beatriz se propone demostrar a Dante cómo, siendo él cuerpo grave, puede ascender rápidamente, y le dice que todas las cosas creadas tienen un fin hacia el cual propenden; este fin, en el hombre, es el Cielo, y, por lo tanto, es natural que, suelto o libre de todo impedimento que le sujete a las cosas materiales, se eleve como el fuego.

(1466) A Dios, su creador.

(1467) Se dirigen a diferentes fines por la inmensidad de las cosas que existen.

(1468) Esta tendencia natural que los mueve.

(1469) Tranquiliza el cielo Empíreo, bajo el cual gira el primer móvil con mayor celeridad que los otros cielos que bajo él cubren la tierra.

impulso la tuerce hacia la Tierra por un falso deleite. No debes, pues, a lo que pienso, admirarte más de tu ascensión (1470) que de ver a un río descender desde lo alto de una montaña hasta su base. Lo maravilloso en ti sería que, libre de todo obstáculo, te hubiera sentado abajo, como lo sería el que la viva llama permaneciese quieta y apegada a la Tierra.

Dicho esto, elevó sus ojos al Cielo.

(1470) Puesto que toda alma humana tiende, por su naturaleza, a subir al Cielo.

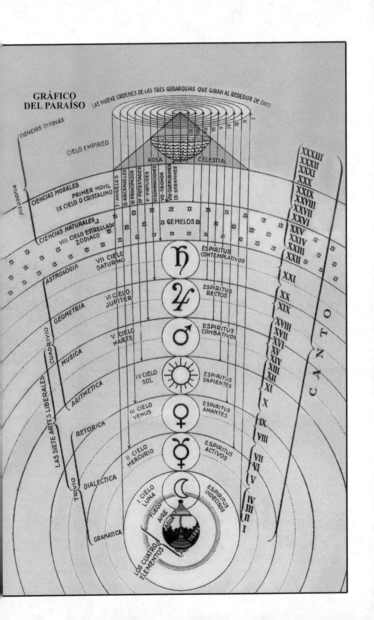

GRÁFICO DEL PARAÍSO

LAS NUEVE ORDENES DE LAS TRES GERARQUIAS QUE GIRAN AL REDEDOR DE DIOS

CIENCIAS DIVINAS

CIELO EMPIREO

ROSA CELESTIAL

CIENCIAS MORALES · PRIMER MOVIL IX CIELO O CRISTALINO

I-ANGELES
II-ARCANGELES
III-PRINCIPADOS
IV-POTESTADES
V-VIRTUDES
VI-DOMINACIONES
VII-TRONOS
VIII-QUERUBINES
IX-SERAPHINES

CIENCIAS NATURALES · VIII CIELO ESTRELLADO · ZODIACO

GEMELOS

ASTROLOGIA — VII CIELO SATURNO — ESPIRITUS CONTEMPLATIVOS

GEOMETRIA — VI CIELO JUPITER — ESPIRITUS RECTOS

MUSICA — V CIELO MARTE — ESPIRITUS COMBATIVOS

ARITMETICA — IV CIELO SOL — ESPIRITUS SAPIENTES

RETORICA — III CIELO VENUS — ESPIRITUS AMANTES

DIALECTICA — II CIELO MERCURIO — ESPIRITUS ACTIVOS

GRAMATICA — I CIELO LUNA — ESPIRITUS INDECISOS

LOS CUATRO ELEMENTOS — FUEGO · AIRE · AGUA · TIERRA

FILOSOFIA

CUADRIVIO

LAS SIETE ARTES LIBERALES

TRIVIO

CANTO

I II III IV V VI VII VIII IX X XI XII XIII XIV XV XVI XVII XVIII XIX XX XXI XXII XXIII XXIV XXV XXVI XXVII XXVIII XXIX XXX XXXI XXXII XXXIII

CANTO II

Dante llega con Beatriz al primer cielo, que es el de la Luna.
— Acción de gracias a Dios. — Beatriz explica al Poeta la
causa de las manchas de la Luna.

OH, vosotros, que deseosos de escucharme habéis seguido en una pequeña barca tras de mi bajel que navega cantando, virad para ver de nuevo vuestras playas!
No os internéis en el piélago, porque quizá, perdiéndome yo, quedaríais también perdidos. El agua por donde sigo no fué jamás recorrida (1471); Minerva sopla mi vela, Apolo me conduce y las nueve Musas me enseñan las Osas (1472).

Y vosotros los que, en corto número, levantasteis ha tiempo las miradas hacia el pan de los ángeles (1473), del cual se vive aquí, pero sin que nadie quede nunca saciado, bien podéis dirigir vuestra nave por el alta mar, siguiendo mi estela sobre el agua que se cierra al punto detrás.

Aquellos gloriosos héroes que pasaron a Colcos no se admiraron cuando vieron a Jasón convertido en boyero, como os admiraréis ahora vosotros (1474).

(1471) La materia de que trato no fué tratada jamás por otro poeta.
(1472) En este apóstrofe se dirige Dante desdeñosamente a los lectores de su poema, que le siguen sin más preparación que la de las ciencias humanas; por eso les dice que no se internen con él en el piélago de las cosas divinas de que va a tratar, no sea que se pierdan, si él se pierde, a pesar de que dirigen su rumbo todas las ciencias, Apolo y las nueve Musas.
(1473) Ahora invita para que le sigan a los pocos que han elevado su entendimiento a la contemplación de la Suma Verdad, que es el pan de los ángeles. Dice santo Tomás que es concedido a pocos el conocimiento profundo de las cosas divinas; y san Juan: «Yo soy el pan de la vida.»
(1474) Maravilláronse, en efecto, los Argonautas al ver a Jasón domando a los toros que arrojaban fuego por las narices, con los cuales se puso a arar la tierra, para sembrar los dientes del dragón que mató Cadmo, de los cuales nacieron hombres armados.

La innata y perpetua sed del Divino Reino (1475) nos
hacía ir casi tan veloces como veloz veis al mismo Cielo. Beatriz miraba hacia arriba y yo la miraba a ella, y quizá en
menos tiempo del en que se coloca un dardo y se despide
del arco y vuela, me vi llegado a un punto donde una cosa
admirable atrajo mis miradas; por lo cual, Aquella para
quien no podían estar ocultos mis sentimientos, vuelta hacia
mí tan agradable como bella, me dijo:

—Eleva tu agradecida mente hacia Dios, que nos ha transportado a la primera estrella (1476).

Parecíame que se extendiese sobre nosotros una nube
lúcida, densa, sólida y bruñida, como un diamante herido
por los rayos del Sol. La eterna margarita nos recibió dentro
de sí, como el agua que, permaneciendo unida, recibe un
rayo de luz. Si yo era cuerpo y si en la Tierra no se concibe
cómo una dimensión pueda admitir a otra, debería abrasarme
mucho más el deseo de contemplar aquella esencia en que se
ve cómo Dios y nuestra naturaleza se unieron (1477).

Allí (1478) se verá esto que creemos por la fe; pero sin
demostración alguna, pues será conocido por sí mismo como
la primera verdad en que el hombre cree.

Yo respondí:

—Señora, con tanto reconocimiento como cabe en mí,
doy gracias a Aquel que me ha alejado del mundo mortal.
Pero decidme: ¿Qué son las obscuras señales de este cuerpo,
que allá abajo en la Tierra dan ocasión a algunos para inventar patrañas sobre Caín? (1479).

Sonrióse dulcemente y dijo: —Si la opinión de los mortales se extravía donde la llave de los sentidos no puede abrir,
no deberían en verdad punzarte desde ahora las flechas de la
admiración; pues ves que, si la razón sigue a los sentidos,
debe tener muy cortas las alas; pero dime qué es lo que
piensas con respecto a esto.

(1475) El innato deseo del reino de los bienaventurados, del cual
Dios es como el constitutivo y la forma.

(1476) A la Luna, que es el planeta más próximo a la Tierra.

(1477) Es decir: si en la Tierra no se concibe que un cuerpo penetre en otro, y sin embargo, yo que era cuerpo y espíritu penetraba
en la esencia de la Luna, este fenómeno maravilloso debería encender en
nosotros mucho más que el deseo de llegar a conocer aquella divina
esencia que se unió a la naturaleza humana, esto es, Jesucristo.

(1478) Allí, en aquella esencia divina, veremos un día lo que hoy
creemos por la fe; y lo veremos no por demostración, sino intuitiva-
mente, como conoce el hombre las verdades primarias que no necesitan demostración.

(1479) Las manchas de la Luna que, según el vulgo, representaban
a Caín con un haz de leña.

Y yo le contesté: —Lo que aquí arriba aparece ante mí de diferente forma, debe ser, sin duda, producido por cuerpos enrarecidos y por cuerpos densos (1480).

Ella repuso: —Verás de un modo cierto que tu creencia está basada en una idea falsa, si escuchas bien el argumento que voy a oponerte. La octava esfera (1481) os muestra muchas luces, las cuales puede verse que representan aspectos diferentes así en calidad como en cantidad. Si esto fuera efecto solamente del enrarecimiento y la densidad, en todas ellas habría una sola e idéntica virtud, aunque distribuída en más o menos abundancia y proporcionalmente a sus respectivas masas (1482). Siendo diversas las virtudes, necesariamente han de ser fruto de principios formales; y éstos, menos uno, quedarían destruídos por tu raciocinio (1483). Además, si el enrarecimiento fuese la causa de esas manchas acerca de las cuales me preguntas, entonces o el planeta estaría en algunos puntos privado de su materia de parte a parte, o bien del modo que un cuerpo alternan lo graso y lo magro, así el volumen de éste se compondría de hojas diferentes (1484). Si fuese cierto lo primero, se manifestaría en los eclipses de Sol, porque la luz de éste pasaría a través de la Luna, como atraviesa por cualquier cuerpo enrarecido. Esto no es así; por lo tanto, hemos de examinar el otro supuesto; y si llego también a anularlo, verás demostrado lo falso de tu opinión. Si

(1480) Dante había creído que estas manchas eran efecto del enrarecimiento del cuerpo de la Luna en algunos puntos, en los cuales los rayos del Sol no podían reflejarse como en las demás partes. Así lo dice en el *Convivio;* pero no satisfecho de esta hipótesis, la repite aquí para refutarla por boca de Beatriz.

(1481) El cielo de las estrellas. Excusado es decir que las explicaciones que da Beatriz aquí cerca de las manchas lunares no son más que una ficción poética, muy bella, pero distante de la verdad tanto o más que la otra explicación del Poeta.

(1482) Quiere decir que si la diferencia de luz o sombra proviniese solamente de la mayor o menor densidad de los astros, no habría en ellos diversa virtud o influencia, sino una misma en todos, aunque en mayor o menor cantidad.

(1483) Dando por sentado que los influjos de los astros son diversos, necesariamente han de proceder de diversos principios formales e intrínsecos; y admitiendo tu raciocinio, todos esos principios quedarían destruídos, menos la densidad y el enrarecimiento de los cuerpos. Según queda dicho en otro lugar, los aristotélicos admitían una materia prima común a todos los cuerpos, y una forma substancial que constituía sus varias especies y virtudes: a esta forma la llamaban también *principio formal.*

(1484) Juega aquí el autor con el doble significado de la palabra *volumen,* y viene a decir que si las manchas procediesen del enrarecimiento, la Luna tendría claros que la atravesasen de parte a parte, o bien sería formada de estratificaciones densas y raras, a semejanza de un libro compuesto de hojas blancas y hojas obscuras.

ese cuerpo enrarecido no pasa de un lado a otro de la Luna,
es preciso que termine en algún punto donde su contrario (1485) no deje pasar la luz y que el otro rayo (1486) reverbere desde allí, como el color se refleja en un cristal
forrado de estaño. Pero tú dirás que el rayo aparece aquí más
obscuro que en otras partes, porque se refracta desde mayor
profundidad. De esta réplica puede librarte la experiencia, si
haces uso de ella alguna vez, por ser la fuente de donde
manan los arroyos de vuestras artes. Toma tres espejos: coloca dos de ellos delante de ti a igual distancia, y el otro poco
más lejos; después fija tus ojos entre los dos primeros. Vuelto
así hacia ellos, dispón que a tu espalda se eleve una luz que
ilumine los tres espejos, y vuelva a ti reflejada por todos;
entonces, aun cuando la luz reflejada sea menos intensa en
el más distante, verás que resplandece igualmente en los tres.
Desvanecido ya el primer error de tu entendimiento, como
a impulso de los cálidos rayos se desvanecen el calor y el
frío primitivos de la nieve, quiero demostrarte ahora una
luz tan viva, que apenas aparezca sentirás destellos. Dentro
del cielo de la divina paz se mueve un cuerpo en cuya
virtud reside el ser de todo cuanto contiene (1487). El
cielo siguiente, que tiene tantas estrellas, distribuye aquel ser
entre diversas esencias distintas de él y que en él están contenidas (1488). Los demás cielos, por varios y diferentes modos,
disponen para sus fines aquellas cosas distintas que hay en
cada uno y sus influencias (1489). Estos órganos del mundo
van así descendiendo de grado en grado, como ahora ves,
de suerte que adquieren del superior la virtud que comunica
al inferior. Repara bien cómo voy por este camino hacia la
verdad que deseas, a fin de que después sepas por ti sólo
vencer toda dificultad. El movimiento y la virtud de las

(1485) El cuerpo denso.
(1486) El rayo del Sol debería reflejarse allí, como en un espejo la
imagen de un objeto.
(1487) *Dentro*, esto es, bajo el Cielo Empíreo, gira y se mueve el
cielo cristalino, en cuya virtud, comunicada por el primero, se funda
la esencia, *el ser*, de todas las cosas contenidas dentro de su inmensa
órbita; es decir, que del primer móvil desciende esa virtud sobre
todo lo que se halla contenido en los Cielos y en la Tierra.
(1488) El cielo estrellado, que sigue inmediatamente al primer
móvil, distribuye aquella virtud entre las estrellas fijas, que son distintas entre sí y diferentes de él, y la transmite a los demás cielos
inferiores.
(1489) Los siete cielos restantes, hasta el de la Luna, disponen de
la misma virtud de diferentes modos, según la que cada uno tiene
en sí mismo, y destinan su propia influencia a los fines para que
ha sido ordenada.

sagradas esferas deben proceder de los bienaventurados motores, como del artífice procede la obra del martillo (1490). Aquel cielo, al que tantas luces hermosean, recibe forma y virtud de la alta inteligencia que lo mueve, y se transforma en su sello (1491). Y así como el alma dentro de vuestro polvo se extiende a los diferentes miembros, aptos para distintas facultades, así la inteligencia despliega por las estrellas su bondad multiplicada, girando sobre su unidad. Cada virtud se une de distinto modo con el precioso cuerpo a quien vivifica y en el cual se infunde como en vosotros la vida. Por la plácida naturaleza de donde se deriva, esa virtud mezclada a los cuerpos celestes brilla en ellos como la alegría en una pupila ardiente. De ella procede la diferencia que se observa de luz y no de los cuerpos densos y enrarecidos; ella es el principio formal que produce lo obscuro y lo claro, según su bondad (1492).

(1490) Condensando aquí la doctrina expuesta dice que el movimiento y las respectivas virtudes de las esferas celestiales proceden de superior a inferior, y deben ser obra de motores bienaventurados, esto es, ángeles, de igual modo que es obra de artífice lo que ejecuta el martillo. En el *Infierno*, Canto II, dice: *Fece li cieli è die lor chi conduce.* Y en el *Convivio*: «Los motores de los cielos son substancias separadas de la materia, esto es, inteligencias, que el vulgo llama ángeles.»

(1491) El cielo estrellado recibe la virtud del ángel que lo mueve, y la transmite a los otros como si fuese un sello que se estampa en la cera.

(1492) La virtud angélica, como si fuese el alma del mundo, se difunde y comparte en los varios órganos de la máquina celeste, y esa virtud, mezclada e infundida en los astros, es la que resplandece en ellos de diferentes modos según su diversa naturaleza; y esa misma inteligencia motriz es la causa intrínseca de la mayor o menor claridad, según cómo se distribuye su virtud.

CANTO III

El Poeta encuentra en la Luna las almas de los que no cumplieron enteramente los votos hechos a Dios; por lo cual gozan de menor grado de gloria que los demás bienaventurados. Entre aquellas almas ve a Piccarda Donati, la cual contesta a algunas de sus preguntas, y le da noticias de la emperatriz Constanza.

AQUEL sol que fué el primero que abrasó de amor mi corazón (1493), me había descubierto, con sus pruebas y refutaciones, el dulce aspecto de una hermosa verdad, y yo, para confesarme desengañado y persuadido, levanté la cabeza, a fin de declararlo sin ambages. Pero en aquel instante apareció una visión, la cual haciéndose perceptible me atrajo de tal modo hacia sí, que ya no me acordé de mi confesión.

Así como a través de cristales tersos y transparentes o de aguas nítidas y tranquilas, aunque no tan profundas que se obscurezca el fondo, llegan a nuestra vista las imágenes tan debilitadas que una perla en una frente blanca no la distinguirían más débilmente nuestros ojos, así vi yo gran número de rostros prontos a hablarme; por lo cual caí en el error contrario a aquel que inflamó el amor entre un hombre y una fuente (1494).

En cuanto las distinguí, creyendo que fuesen imágenes reflejadas en un espejo, volví los ojos para ver los cuerpos a que correspondían; y como nada vi, los dirigí de nuevo hacia

---

(1493) Beatriz, que fué en el mundo mi primer amor. No olvidemos que es el símbolo de la Teología.

(1494) Alude a la fábula de Narciso, y manifiesta que, así como aquél creyó que la imagen reflejada en la fuente era una persona, él creía, por el contrario, que las personas que allí estaban eran imágenes.

delante, fijándolos en mi dulce Guía, que sonriéndose despedía vívidos destellos de sus santos ojos.

—No te asombres que me sonría de tu pueril pensamiento, me dijo; pues no se apoya todavía tu pie sobre la verdad, y como de costumbre te inclina a las ilusiones. Ésas que ves son verdaderas substancias, relegadas aquí por haber faltado a sus votos. Por consiguiente, habla con ellas y oye y cree lo que te digan; pues la verdadera luz que las regocija no permite que se tuerzan sus pasos.

Y yo me dirigí a la sombra que parecía más dispuesta a hablar y empecé a decirle, como hombre a quien su mismo deseo le quita el valor:

—¡Oh, espíritu bien creado, que bajo los rayos de la vida eterna sientes la dulzura que no se comprende nunca si no se ha gustado! Me será muy grato que te dignes decirme tu nombre y cuál es vuestra suerte.

A lo que contestó pronta y con risueños ojos:

—Nuestra caridad nunca cierra sus puertas a un deseo justo, siendo como aquella que quiere que se le asemeje toda su corte. Yo fuí en el mundo una virgen religiosa (1495), y si tu mente me contempla bien no me ocultará a tus recuerdos el ser hoy más bella, sino que reconocerás que yo soy Piccarda; colocada aquí con estos otros bienaventurados, soy como ellos bienaventurada en la esfera más lenta (1496). Nuestros afectos, a quienes sólo inflama el Espíritu Santo, se regocijan en el orden designado por él y nos ha cabido en suerte este sitio que parece tan bajo, porque descuidamos nuestros votos y en parte no fueron observados.

A lo que le contesté: —En vuestros admirables rostros resplandece no sé qué de divino que cambia el primer aspecto que de vosotras se ha conservado. Por eso no fuí más presto en recordar; pero ahora viene en mi ayuda lo que tú me dices, de suerte que me es más fácil reconocerte. Mas, dime, vosotras que sois aquí tan dichosas, ¿deseáis estar en otro lugar más elevado para mejor satisfacer vuestra vista y vuestros afectos? (1497).

Sonrióse un poco mirando a las otras sombras, y en se-

(1495) Vergine Sorelle se llamaban las monjas de Santa Clara.
(1496) En la esfera lunar, que siendo más pequeña que las otras se mueve más lentamente. Pero esto es sólo una figura que emplea Piccarda para significar que es bienaventurada en el grado más inferior, como se verá en el canto siguiente.
(1497) Para gozar mayormente de la vista de Dios o para haceros querer más por Él.

guida me respondió tan placentera, que parecía arder en el primer fuego del amor.

—Hermano, la virtud de la caridad calma nuestra voluntad, y esa virtud nos hace querer solamente lo que tenemos, y no apetecer nada más. Si deseáramos estar más elevadas, nuestro anhelo estaría en desacuerdo con la voluntad de Aquel que nos reúne aquí; desacuerdo que no admiten las esferas celestiales, como verás si consideras bien que aquí es condición necesaria estar unidas a Dios por medio de la caridad, y la naturaleza de esta misma caridad.

También es esencial a nuestra existencia bienaventurada uniformar la propia voluntad a la de Dios, de modo que nuestras mismas voluntades se refundan en una. Así es que el estar como estamos distribuídas de grado en grado por este reino, place a todo el reino porque place al Rey cuya voluntad forma la nuestra. En su voluntad está nuestra paz; ella es el mar adonde va a parar todo lo que ha creado, o lo que hace la Naturaleza.

Entonces comprendí claramente por qué en el Cielo todo es Paraíso, por más que la gracia del Supremo Bien no llueva en todas partes por igual. Pero así como suele suceder que un manjar nos sacie y que sintamos aún apetito por otro, de suerte que pedimos éste y rechazamos aquél, así hice yo con el gesto y la palabra para saber por ella cuál fué la causa de que abandonara la santa vida en que había principiado a vivir (1498).

—Una virtud perfecta, un mérito eminente colocan en un cielo más alto a una mujer (1499), me dijo, según cuya regla se lleva abajo en vuestro mundo el hábito y el velo monacal, a fin de que hasta la muerte se viva noche y día con aquel Esposo a quien es grato todo voto que la caridad hace conforme a su deseo. Por seguirla huí del mundo jovencita aún, y me encerré en su hábito, y prometí observar la regla de su orden.

Después de ello, algunos hombres (1500), más habituados al mal que al bien, me arrebataron de la dulce clausura. ¡Dios sabe cuál fué después mi vida!... Lo que digo de mí,

(1498) *Per aprender da lei qual fu la tela onde non trasse iusino al co la spola.* Esto es: «cual fué el tejido cuya lanzadera no continuó manejando hasta el fin.»

(1499) Santa Clara, a cuya orden pertenecía Piccarda.

(1500) Corso Donati, airado contra Piccarda, su hermana, fué al convento de Santa Clara, en compañía de cierto Farinata y de otros doce hombres de mala vida, y escalando los muros del monasterio robó a la virgen y la obligó a casarse.

entiende que lo digo asimismo de esta otra alma esplendente que se te muestra a mi derecha, y en quien brilla toda la luz de nuestra esfera: monja fué, y también le arrebataron de la cabeza la sombra de las sagradas tocas; pero cuando volvió al mundo, contra su gusto y contra ley, no se despojó jamás del velo de su corazón. Esa es la luz de la gran Constanza (1501), que del segundo príncipe poderoso de la casa de Suabia engendró al tercero, última potencia de esta raza.

Así me habló y empezó después a cantar *Ave María*, y cantando desapareció, como un cuerpo pesado a través del agua profunda. Mi vista, que la siguió tanto cuanto le fué posible, después que la perdió, se volvió hacia el objeto de su mayor deseo, y se fijó entera en Beatriz; pero ella lanzó tal resplandor en mi mirada, que me dejó de pronto deslumbrado, por cuya causa tardé más en preguntarle.

(1501) Constanza, hija de Rugiero, rey de Pulla y de Sicilia, de quien dijeron los antiguos historiadores que habiéndose hecho religiosa en Palermo, fué sacada a la fuerza del monasterio y dada en matrimonio al emperador Enrique V de la casa de Suabia, hijo de Federico Barbarroja. Esto no es exacto: Constanza no fué sacada del monasterio para casarla, sino del palacio real, donde llevaba una vida retirada y religiosa, lo cual hizo correr la voz de que se había hecho monja. Dante dice: «Que del segundo *vento* de Suabia engendró al tercero». La palabra *vento* ha sido objeto de muchas interpretaciones, pudiendo entenderse por príncipe famoso, rayo de la guerra, etc.

CANTO IV

*Dante continúa en el mismo planeta. — Allí, Beatriz le revela
dos verdades: la primera, dónde está la mansión de los bienaventurados; la segunda, referente a la diferencia entre la voluntad mixta y la voluntad absoluta.*

UN hombre libre de elegir entre dos manjares igualmente distantes de él y que exciten del mismo modo su
apetito, moriría de hambre antes de llevarse a la boca
uno de ambos (1502). De igual suerte permanecería inmóvil
un cordero entre dos hambrientos lobos, temiéndoles igualmente, o un perro entre dos gamos.

Por esta razón no me culpo ni me alabo de haber callado, teniéndome en suspenso igualmente dos dudas, pues mi
silencio era necesario. Yo callaba; pero tenía pintado en el
rostro mi deseo, y en él aparecía más clara mi pregunta que
si la hubiera expresado con palabras.

Beatriz hizo lo que Daniel al librar a Nabucodonosor
de aquella cólera que le había hecho cruel injustamen-
te (1503), y me dijo:

—Bien veo cómo te atraen uno y otro deseo, de modo que
tu curiosidad se liga a sí misma y no llega a expresarse con
palabras. Tú raciocinas así: si la buena voluntad persevera,
¿por qué razón la violencia ajena ha de disminuir la medida
de mi mérito? También te ofrece motivo de duda el que las

(1502) Para que nuestra voluntad se decida a elegir entre dos cosas,
es necesario que prepondere una de ellas; no siendo así, la voluntad
queda indecisa.

(1503) Según la Historia Sagrada, tuvo Nabucodonosor un sueño
que olvidó al despertar, pero que dejó su ánimo asombrado. Llamó a
todos los magos y sabios de su reino para que lo adivinasen, e irritado porque no lo conseguían, hizo dar muerte a muchos de ellos,
amenazando a los restantes con igual suerte, cuando se presentó el
profeta Daniel que, refiriendo al rey dicho suceso, calmó su irritación
y libró del suplicio a aquéllos. Es el sueño de la estatua de que se
habla en el *Infierno,* canto XIV.

almas al parecer vuelvan a las estrellas, según la sentencia de
Platón (1504). Tales son las cuestiones que pesan igualmente sobre tu voluntad; pero antes me ocuparé en la más
grave (1505). El serafín que más goce de Dios, Moisés, Sa-
muel, cualquiera de los dos Juanes que quieras escoger, María
misma, no tienen su asiento en un cielo distinto de aquel donde moran esos espíritus que aquí te han aparecido, ni su estado de beatitud tiene fijada más ni menos duración, sino que
todos embellecen el primer círculo, y gozan de una vida diferentemente feliz, según que sientan más o menos el Espíritu
eterno. Aquí se te parecieron, no porque les haya tocado en
suerte esta esfera, sino para significar que ocupan en la celestial la parte menos elevada (1506). Así es preciso hablar a
vuestro espíritu, porque sólo comprende por medio de los
sentidos lo que hace después digno de la inteligencia (1507).
Por eso la Escritura. atemperándose a vuestras facultades, atribuye a Dios pies y manos, mientras que ella lo ve de otro
modo; y la Santa Iglesia os representa bajo formas humanas
a Gabriel y a Miguel y al que sanó a Tobías (1508). Lo
que Timeo (1509) dice acerca de las almas no es figurado,
como aquí se ve, pues parece que siente lo que afirma. Dice
que el alma vuelve a su estrella, creyendo que se desprendió
de ella cuando la Naturaleza lo unió a su forma. Tal vez su
opinión sea diferente de lo que expresan sus palabras, y es
posible que la intención de éstas no merezca en manera alguna despreciarse. Si quiere decir que la influencia operada por
las estrellas se convierte en honor o en vituperio de las mismas, quizá haya dado su flecha en el blanco de una verdad.
Este principio. más comprendido, extravió a casi todo el
mundo, haciendo que corriese a invocar a Júpiter, a Mercurio
y a Marte. La otra duda que te agita es menos peligrosa,

(1504) *La sentencia de Platón.* En ella se dice que las almas habitan las estrellas antes de formar los cuerpos mortales, y desprendidas
de ellos después de la muerte vuelven a las estrellas a recibir el premio por determinado tiempo, según sus méritos. (Véase el *Timeo,* de
Platón.)
(1505) Que contiene más falsa doctrina.
(1506) «Aquí se te aparecieron Constanza y Piccarda, no porque les
haya tocado en suerte en la esfera de la Luna, sino para significar que así
como ésta es la esfera celestial menos elevada, la menos próxima a
Dios, así estas mujeres disfrutan menor grado de gloria entre las almas
bienaventuradas.»
(1507) Todas las ideas llegan al alma por medio de los objetos sen-
sibles, de los sentidos. Doctrina de Aristóteles y de santo Tomás.
(1508) El arcángel Rafael. (Véase *Tob.,* caps. V y VIII.)
(1509) Lo que dice Platón en su *Timeo* (uno de sus diálogos). La
sentencia de Platón dice así: «Anima est semen deorum stellas mo-
ventium».

porque su malignidad no te podría alejar de mí (1510).
Que nuestra justicia parezca injusta a los ojos de los mortales
es un argumento de fe y no de herética malicia; pero como
puede vuestro discernimiento penetrar bien esta verdad, te
dejaré satisfecho según deseas. Si hay verdadera violencia
cuando el que la sufre no se adhiere en nada a aquel que la
comete, aquellas almas no pueden servirse de ella como excusa; porque la voluntad, si no quiere, no se aquieta, sino que
hace lo que naturalmente hace el fuego, aunque lo tuerza
mil veces con violencia (1511). Por lo cual, si la voluntad
se doblega poco o mucho, sigue a la fuerza; y así hicieron
aquéllas, pues pudieron haber vuelto al sagrado lugar. Si su
voluntad hubiera sido firme, como lo fué la de Lorenzo sobre
las parrillas (1512), y como la de Mucio al ser tan severo
con su mano (1513), ella misma las habría vuelto al camino de donde las habían separado, en cuanto se vieron libres;
pero una voluntad tan sólida es muy rara. Por estas palabras,
si es que las has recogido como debes, queda destruído el argumento (1514) que te hubiera importunado aún muchas
veces. Pero se atraviesa otra dificultad ante tus ojos, y tal que
por ti mismo no sabrías salir de ella; antes bien te rendirías
fatigado. Te he dado la certeza de que el alma bienaventurada no podía mentir, porque está siempre próxima a la primera Verdad; y luego habrás podido oír por Piccarda, que
Constanza había guardado su inclinación al velo, de manera
que parece contradecirme. Muchas veces, hermano, sucede que,
por huir de un peligro, se hace con repugnancia aquello que
no debería hacerse; como Alcmeón, que, a instancias de su
padre, mató a su propia madre, y por no faltar a la piedad,
se hizo despiadado (1515). Con respecto a este punto quiero
que sepas que, si la fuerza y la voluntad obran de acuerdo,
resulta que no pueden excusarse las faltas. La voluntad en absoluto no consiente el daño; pero lo consiente en cuanto
teme caer en mayor pena oponiéndose a él. Cuando Piccarda,
pues, se expresa como lo ha hecho, entiende que habla de

(1510) De la Teología.
(1511) Es decir: como la llama, que si violentamente se la tuerce
mil veces hacia abajo, otras tantas se vuelve hacia arriba.
(1512) San Lorenzo fué martirizado en 255.
(1513) Mucio Scevola, joven romano, penetró en la tienda de Por-
sena, rey de los Etruscos, que sitiaba a Roma, con intento de matarlo,
pero hirió equivocadamente a su secretario. Queriendo castigar el error
de su mano, la puso en un brasero y la dejó quemar.
(1514) El argumento que hacía contra la Justicia divina.
(1515) Alcmeón, hijo de Amfiarao, mató a su propia madre por mandato de su padre.

la voluntad absoluta, y yo de la otra; de suerte que ambas decíamos verdad (1516).

Tales fueron las ondulaciones del santo arroyo que salía de la fuente de donde fluye toda la verdad (1517), y que aquietaron todos mis deseos.

—¡Oh, amada del primer Amante! (1518) ¡oh, divina, dije en seguida, cuyas palabras me inundan comunicándome tal calor que me reaniman cada vez más! No es tan profunda mi afección que baste a devolveros gracia por gracia; pero que responda por mí Aquel que todo lo ve y todo lo puede. Bien veo que nuestra inteligencia no queda nunca satisfecha, si no la ilumina aquella Verdad, fuera de la cual no se difunde ninguna. En cuanto ha podido alcanzarla, descansa en ella como la fiera en su cubil; y puede indudablemente conseguirla; de lo contrario, todos nuestros deseos serían vanos (1519). De este deseo de saber nace, como un retoño, la duda al pie de la verdad; siendo esto un impulso de la Naturaleza, que guía de grado en grado nuestra inteligencia al conocimiento de Dios. Esto mismo me invita, esto mismo me anima, Señora, a pediros reverentemente que me aclaréis otra verdad que encuentro obscura. Quiero saber si el hombre puede satisfaceros, con respecto a los votos quebrantados por medio de otras buenas obras que, pesadas en vuestra balanza, no sean fútiles (1520).

Beatriz me miró con los ojos llenos de amorosos destellos, y tan divinos, que sintiendo mi fuerza vencida me volví y quedé como anonadado con la vista en el suelo.

(1516) Picerda se refiere a la voluntad absoluta que retiene la inclinación al voto monástico, y yo me refiero a la voluntad condicional que se muestra más deseosa de esquivar las penas con que se amenaza, que de observar el voto.

(1517) Modo figurado que equivale a decir: Tal fué el razonamiento de Beatriz, esto es, la enseñanza de la Teología, la cual es como río que de Dios, fuente de verdad, desciende hasta nosotros.

(1518) Beatriz, amada de Dios.

(1519) Contra la opinión de los estoicos, que decían que ninguna verdad podía saberse por el hombre.

(1520) Esto es: «quiero saber si a vosotros, habitantes del Cielo, que uniformáis vuestros deseos a los de Dios, puede satisfaceros el hombre, con respecto a los votos no cumplidos, con otras buenas obras que según vuestra estimación no sean pequeñas.»

CANTO V

Beatriz, queriendo desvanecer la duda manifestada por Dante, le indica de qué manera pueden satisfacerse los votos que han sido rotos. — Suben en seguida al segundo cielo, el del planeta Mercurio. Un gran número de almas bienaventuradas se dirige hacia el Poeta, y una de ellas le promete responder a todas sus preguntas.

S I te parezco más radiante en el fuego de este amor de lo que suele verse en la Tierra, hasta el punto de superar la fuerza de tus ojos, no debes asombrarte, porque esto procede de una vista perfecta, que, distinguiendo bien los objetos, se dirige con más rapidez hacia el bien (1521). Veo claramente cómo resplandece ya en tu inteligencia la eterna luz, que contemplada una sola vez enciende un perpetuo amor. Y si otra cosa seduce el vuestro, sólo es un vestigio mal conocido del resplandor que aquí brilla. Tú quieres saber si con otras buenas acciones puede satisfacerse el voto no cumplido, de modo que el alma esté segura de todo debate con la Justicia divina.

Así empezó Beatriz este canto, y como hombre que no interrumpe su razonamiento, continuó de este modo su santa enseñanza.

—El mayor don que Dios, en su liberalidad, nos hizo al crearnos, como más conforme a su bondad, y el que más aprecia, fué el del libre albedrío de que estuvieron y están dotadas únicamente las criaturas inteligentes. Ahora conocerás, si raciocinas según este principio, el alto valor del voto, si éste es tal que Dios consienta cuanto tú consientes; porque al cerrarse el pacto entre Dios y el hombre, se le sacrifica este

---

(1521) Es decir : «No te asombres si la Teología brilla más en el Cielo que en la Tierra ; porque aquí comprende con más perfección el bien, y a medida que lo comprende, progresa en él.»

tesoro de que hablo, y se le sacrifica por su propio
acto (1522). Así, pues, ¿qué se podrá dar en cambio de esto?
Si crees que puedes hacer buen uso de lo que ya has ofrecido
es como si quisieras hacer una buena obra con una cosa mal
adquirida. Ya conoces, pues, la importancia del punto principal; pero como la Santa Iglesia da sobre esto sus dispensas,
lo cual parece contrario a la verdad que te he descubierto,
es preciso que continúes sentado un poco a la mesa, porque
el pesado alimento que has tomado requiere alguna ayuda
para ser digerido (1523). Abre el espíritu a lo que te presento y enciérralo en ti mismo, pues no proporciona ciencia
alguna el oír sin retener. Dos cosas son necesarias a la esencia de este sacrificio: una es la materia del voto, y otra el
pacto que se forma con Dios. Este último no se borra jamás,
si no es observado, y acerca de ello te he hablado antes en
términos precisos. Por esta causa fué necesario que los hebreos
continuasen ofreciendo, aunque alguna de sus ofrendas fuese
permutada, como debes saber (1524).

Respecto a la que te he dado a conocer como materia del
voto, puede ser tal que no se cometa yerro alguno al cam-
biarla en otra materia; pero que ninguno por su propia autoridad mude el fardo de su espalda, sin la vuelta de la llave
blanca y de la llave amarilla (1525); crea que todo cambio
es insensato, si la cosa abandonada no se contiene en la ele-
gida, como el cuatro está contenido en el seis. Todo lo que
pese tanto por su valor que incline hacia su lado la balanza,
no puede reemplazarse con otra cosa.

Que los mortales no tomen a broma el voto. Sed fieles,
y al comprometeros no seáis ciegos como lo fué Jephté en su
primera ofrenda (1526), porque más le valiera haber dicho:
«Hice mal», que hacer otra cosa peor al cumplir su voto; tan
insensato como a él puedes suponer al gran jefe de los griegos (1527), quien obligó a Ifigenia a llorar su hermoso ros-

(1522) La voluntad se sacrifica por un acto de la voluntad misma.
(1523) «Es preciso que continúes prestándome atención para oír las
difíciles doctrinas que te manifestaré, pues lo que te he indicado hasta
ahora necesita más aclaraciones.»
(1524) Véase el *Levítico*, caps. I y III.
(1525) «Que nadie cambie la materia del voto sin que la Iglesia,
que tiene las llaves de oro y de plata, conceda la dispensa.»
(1526) Jephté, uno de los jueces de Israel, ofreció a Dios que, si
lograba vencer a los ammonitas, le ofrecería en holocausto a la primera
persona que de su casa le saliera al encuentro al regresar victorioso.
La primera persona que salió a recibirle fué su hija, y cumplió su
oferta sacrificándola.
(1527) Se refiere a Agamenón, que se vió obligado a sacrificar a su

tro, e hizo llorar por ella a sabios e ignorantes cuando oyeron hablar de tal sacrificio.

Cristianos, sed más pausados en vuestras acciones; no seáis como la pluma a todo viento, ni creáis que toda el agua puede lavaros (1528). Tenéis el Antiguo y el Nuevo Testamento, y el Pastor de la Iglesia que os guía; baste esto para vuestra salvación. Si os dice otra cosa el espíritu del mal, sed hombres y no locas ovejas, de suerte que el judío que anda entre vosotros no se ría de vuestra locura (1529). No hagáis como el cordero, que deja la leche de su madre, y descuidado y alegre, por buscar su placer, labra su ruina.

Así me habló Beatriz, según lo escribo; después se volvió anhelante hacia aquella parte donde el mundo es más vivo (1530). Su silencio y la mudanza de su semblante impusieron silencio a mi ávido espíritu, que tenía ya preparadas nuevas preguntas. Y como la saeta que da en el blanco antes de que haya quedado en reposo la cuerda, así corríamos hacia el segundo reino (1531).

Allí vi yo tan feliz a mi Dama cuando penetró en la luz de aquel cielo, que el planeta se volvió más resplandeciente (1532). Y si la estrella se transformó y rió, ¿cuánto más alegre estaría yo, que por mi naturaleza soy en todos sentidos transmutable? Así como en un vivero, que está tranquilo y puro, acuden solícitos los peces al objeto procedente del exterior, por creerlo su pasto, así vi yo millares de almas resplandecientes acudir hacia nosotros, y a cada cual de ellas se oía exclamar: —¡He ahí quien acrecentará nuestros amores!

Y a medida que se acercaban a nosotros, se veía su dicha en el claro fulgor que de ellas emanaba (1533).

Imagina cuál sería, lector, tu impaciente anhelo de saber, si lo que aquí empieza no siguiese adelante, y por ti com-

---

hija Ifigenia para que los dioses concediesen a la armada griega un viento propicio.

(1528) Ni creáis que todas vuestras promesas sean igualmente gratas a Dios.

(1529) Mostraos hombres, y no seáis como las ovejas, que se arrojan neciamente por un precipicio, a fin de que los judíos que viven entre vosotros no se rían de vuestra conducta.

(1530) Hacia la parte donde estaba el Sol; esto es, hacia el Ecuador, para subir al planeta Mercurio.

(1531) Al cielo de Mercurio.

(1532) Quiere decir que la Teología adquiere tanta más claridad y más brilla cuanto más se aproxima a Dios.

(1533) En esta esfera se aparecen a Dante los espíritus de los que fueron elocuentes y activos para el bien, por ser considerado Mercurio en la Mitología como el dios de la elocuencia y de la industria.

prenderás cuánto sería mi deseo de conocer la condición de
aquellas almas, cuando se presentaron a mi vista.

—¡Oh, bien nacido, a quien está concedida la gracia de
ver los tronos del trunfo eterno, antes de haber abandonado
la milicia de los vivos! (1534). Nosotros nos abrasamos en
el fuego que se extiende por todo el cielo; así, pues, si deseas
que te ilumine acerca de nuestra suerte, puedes saciarte según
tu deseo.

Así me dijo uno de aquellos espíritus piadosos, y Beatriz
añadió: —Di, di con toda confianza, y créeles como si te
hablara Dios.

—Bien veo que vives como en un nido, en tu propia luz
y que la despides por tus ojos, para que resplandezcan cuando
ríes; pero no sé quién eres, ni por qué ocupas, ¡oh, alma
digna!, el grado de la esfera que se oculta a los mortales con
los rayos de otra esfera mayor (1535).

Esto dije dirigiéndome al alma resplandeciente que me
había hablado, y ella, al oírme, se volvió más luminosa de lo
que antes era (1536). Lo mismo que el Sol, que a sí mismo
se oculta por su excesiva luz, cuando el calor ha destruído
los densos vapores que la amortiguaban, así aquella santa
figura se ocultó a causa de su alegría en su mismo fulgor, y
encerrada de aquel modo me contestó como se verá en el
canto siguiente.

(1534) Las palabras triunfo y milicia dan la idea de las Iglesias
triunfante y militante.
(1535) La esfera de Mercurio, que estando más próxima al Sol, está
más velada por sus rayos que otra cualquiera. Dice Dante en el *Con-vivio:* «¿Y qué es la risa, sino un resplandor causado por el deleite
del alma: esto es, una luz que aparece por de fuera según está
dentro?»
(1536) Las almas del Cielo, según la imaginación del Poeta, demuestran su alegría y otros afectos reavivando su luz. Aquí el espíritu
interrogado se manifiesta más contento por la ocasión que se le presenta de satisfacer el deseo de Dante, y de ejercitar así su viva caridad.

24

CANTO VI

El espíritu que había ofrecido a Dante que respondería a sus preguntas declara que es el emperador Justiniano, y narra en seguida todas las glorias del Águila romana, manifestándose de qué diversos modos atentan contra ella los gibelinos y los güelfos. Después le habla del virtuoso Romeo, ministro de Raimundo Berenguer, conde de Provenza.

DESPUÉS que Constantino volvió el águila contra el curso del cielo, el águila que antes siguiera tras el antiguo esposo de Lavinia (1537), cien y cien años y más permaneció el ave de Dios en el extremo de Europa (1538), próxima a los montes de que primitivamente había salido (1539); y bajo la sombra de las sagradas plumas gobernó allí el mundo pasando de mano en mano, hasta que en estos cambios llegó a las mías (1540). César fuí; soy Justiniano, que por la voluntad del primer Amor, de que ahora disfruto en el cielo, suprimí de las leyes lo superfluo y lo inútil; antes de haberme dedicado a esta obra, creí que había en Cristo una sola naturaleza y no más, y con tal creencia sentía satisfecha mi alma; pero el bienaventurado Agapito (1541), que fué Sumo Pastor, me encaminó con sus palabras a la verdadera fe; yo le creí, y ahora veo claramente cuanto él me decía, así como tú ves en toda contradicción una parte falsa y otra verdadera. En cuanto caminé

(1537) Es decir: después que Constantino trasladó de Occidente a Oriente el águila romana que antes había ido de Oriente a Occidente. llevada por Eneas, que se casó con Lavinia.

(1538) 203 años, desde el 324, en que trasladó Constantino el Imperio a Bizancio, hasta 527, en que reinó Justiniano.

(1539) Del país de Troya.

(1540) Expresión tomada del *Salmo* XVI.

(1541) San Agapito, papa, apartó al emperador Justiniano de la herejía de los eutiquianos, que sostenían que en Jesucristo no había más que una naturaleza que era la divina, la cual había absorbido a la humana.

al par de la Iglesia, plugo a Dios por su gracia inspirarme la grande obra (1542), y me dediqué completamente a ella; confié las armas a mi Belisario (1543), a quien se unió de tal modo la diestra del cielo, que ésta fué para mí una señal de que iba a descansar en él. Aquí termina, pues, mi respuesta a tu primera pregunta; pero su condición me obliga a añadir algunas explicaciones. Para que veas con cuán poca razón se levantan contra la sacrosanta enseña los que se la apropian y los que se le oponen (1544), considera cuántas virtudes la han hecho digna de reverencia desde el día en que Palante murió para darle el Imperio (1545). Tú sabes que aquel signo fijó su mansión en Alba por más de trescientos años, hasta el día en que por él combatieron tres contra tres (1546). Sabes lo que hizo bajo siete reyes, desde el robo de las Sabinas hasta el dolor de Lucrecia (1547), conquistando los países circunvecinos. Sabes lo que hizo llevado por los egregios romanos contra Breno (1548), contra Pirro (1549), contra otros príncipes solos y coligados. Por ella Torcuato (1550), y Quintio, que recibió un sobrenombre por su descuidada cabellera (1551), los Decios y los Fabios (1552),

(1542) La reforma de las leyes romanas, que lleva el nombre de dicho emperador.

(1543) General de las tropas de Justiniano.

(1544) Los gibelinos, que se apropian como enseña el águila imperial, y los güelfos, que se oponen a ella.

(1545) Estas virtudes empezaron el día en que Palante, enviado por su padre Evandro en socorro de Eneas contra Turno, rey de los Rútulos, murió a manos de éste, salvando a Eneas, y con él al futuro pueblo romano de que fué origen.

(1546) Alude al combate de los Horacios y los Curiacios, en que éstos fueron vencidos por aquéllos, quedando Alba deshonrada por el rey Tarquino, el cual fué destronado por esta causa principalmente.

(1547) Matrona romana, que se suicidó por haber sido sujeta al dominio romano.

(1548) Jefe de los galos, que estuvo próximo a apoderarse del Capitolio de Roma.

(1549) Rey de Epiro, implacable enemigo de los romanos.

(1550) Tito Manlio Torcuato, heroico jefe romano, tan fiel observador de la disciplina, que habiendo prohibido a su hijo que atacara a los latinos, le impuso la pena de muerte por haberle desobedecido, a pesar de que alcanzó la victoria.

(1551) Quintio, llamado *Cincinato* a causa de su desordenada cabellera. Fué un romano virtuoso y pobre, que vivía cultivando la tierra. Hallándose la patria en peligro, fué nombrado dictador, triunfó de los enemigos y renunció la dictadura a los dieciséis días de haberla obtenido.

(1552) Los Decios fueron tres, y todos ellos se ofrecieron en holocausto a los dioses infernales para conseguir la victoria en pro de las armas romanas. Los Fabios fueron varios, y todos ellos prestaron señalados servicios a su patria, en especial Q. Fabio Máximo, que salvó la República próxima a caer en poder de Aníbal.

conquistaron un renombre que no puedo menos de admirar. Él abatió el orgullo de los árabes que tras de Aníbal pasaron las rocas alpestres de donde tú, Po, te desprendes.

A su sombra triunfaron, siendo aún muy jóvenes, Escipión y Pompeyo; y su dominio pareció amargo a aquella colina bajo la cual naciste (1553). Después, cerca del tiempo en que todo el cielo quiso reducir el mundo al estado sereno de que es modelo (1554), César tomó aquel signo por la voluntad del pueblo romano; y lo que hizo desde el Var hasta el Rin, lo vieron el Isère y el Eure, y lo vió el Sena, y todos los ríos que afluyen al Ródano. Lo que hizo cuando César salió de Ravena y pasó el Rubicón fué con tan levantado vuelo, que no lo podrían seguir la lengua ni la pluma. Hacia la España dirigió sus tropas; después hacia Durazzo (1555), y en Farsalia hirió de tal modo, que hasta en las cálidas orillas del Nilo se sintió el dolor (1556). Volvió a ver Antandro y al Somois (1557), de donde había salido, y el sitio donde reposa Héctor; después se alejó de nuevo, con detrimento de Tolomeo. Desde allí cayó como un rayo sobre Juba (1558), y luego se dirigió hacia vuestro Occidente, donde oía la trompa pompeyana. Lo que aquel siglo hizo en manos del que lo llevó en seguida (1559) lo ladran Bruto y Casio en el Infierno (1560); y de ello se lamentan aún Módena y Perusa (1561). También llora la triste Cleopatra (1562) que, huyendo ante él, recibió de un áspid una muerte súbita y terrible. Con él corrió en seguida al mar Rojo; con él esta-

(1553) Alude a la destrucción de Fiesole, ocasionada por haber dado asilo esta ciudad a Catilina. En su lugar fué edificada Florencia, donde nació Dante.

(1554) Es decir : cerca de aquel tiempo en que nació el Redentor del mundo, época en que los cielos quisieron reducirlo al estado de paz, de que ellos son el modelo.

(1555) Ciudad de Macedonia, donde Julio César fué sitiado por las tropas de Pompeyo.

(1556) Alusión a la batalla de Farsalia, perdida por Pompeyo, el cual fué a morir en Egipto, donde corre el Nilo, asesinado por la traición del rey Tolomeo.

(1557) Ciudad de Frigia y río de Troya, de cuyo país procedía Eneas.

(1558) Rey de Mauritania, derrotado por los romanos.

(1559) Octavio Augusto.

(1560) Bruto y Casio, puestos por Dante en el último recinto del Infierno por haber dado muerte a Julio César. Después que Augusto los derrotó, se suicidaron desesperados y aquél dió el último golpe a la República y afirmó el Imperio.

(1561) Ciudades que sufrieron mucho durante la guerra entre Augusto y Marco Antonio.

(1562) Reina de Egipto, que se dió la muerte con un áspid, por no caer en manos del emperador Augusto.

bleció en el mundo paz tan grande que se cerró el templo de
Jano (1563). Pero lo que el signo de que hablo había hecho antes, y lo que debía hacer después por el reino mortal
que le está sometido, es en la apariencia poco y obscuro, si con
mirada clara y con afecto puro se le considera después en manos del tercer César; porque la viva justicia que me inspira
le concedió, puesto en manos de aquel a quien me refiero, la
gloria de vengar la cólera divina (1564). Admírate, pues,
ante lo que voy a repetirte. Con Tito corrió en seguida a
tomar venganza de la venganza del pecado antiguo (1565).
Cuando el diente del lombardo mordió a la Santa Iglesia, venciendo Carlomagno bajo sus alas, acudió a socorrerla (1566).
En adelante puedes juzgar a los que he acusado más arriba, y
de sus faltas, que son la causa de todos nuestros males. El uno
opone a la enseña común las amarillas lises (1567), y el
otro se la apropia, no pensando más que en su partido (1568),
de suerte que es difícil comprender cuál comete mayor falta.
Lleven los gibelinos, lleven a cabo sus empresas bajo otra
enseña; que mal sigue ésta a los que ponen obstáculos entre
ella y la justicia; y que este nuevo Carlos no la abata con sus
güelfos, pues debe temer las garras que a más fiero león arrancaron las crines. Muchas veces han tenido que llorar los
hijos las faltas de los padres; y no se crea que Dios cambie
sus armas por las lises. Esta pequeña estrella (1569) está po-
blada de nobles espíritus que fueron activos en la Tierra, para
dejar en ella memoria de su honor y su fama; y cuando los
deseos se elevan hacia tales objetos desviándose del cielo, es
preciso que los rayos del verdadero amor se eleven también
con menos viveza; pero nuestra beatitud consiste en la justa
correspondencia de nuestra recompensa con nuestros méritos,
porque no lavemos mayor ni menor que éstos. La viva justicia endulza, pues, de tal modo en nosotros el deseo, que nunca

(1563) Templo de Roma que estaba abierto durante la guerra y cerrado en tiempo de paz.
(1564) El emperador Tiberio, bajo cuyo reinado se cumplió el gran
acto de la Redención.
(1565) La muerte de Cristo fué la venganza que Dios tomó de la
falta de Adán, y Tito vengó la cólera divina castigando a los ejecu-
tores de aquella venganza y destruyendo a Jerusalén.
(1566) Cuando los lombardos, apoderándose de Italia, causaron tantos males a la Iglesia, Carlomagno la socorrió, llevando como enseña
el águila romana.
(1567) El güelfo opone las lises amarillas, esto es, las armas de
Carlos II, rey de Pulla, a la enseña romana.
(1568) El gibelino se atribuye la enseña romana como propia a sus
intereses particulares.
(1569) El planeta Mercurio.

24 *

puede dirigirse éste a ninguna malicia. Diversas voces despiden dulce armonía; así también los diversos grados de gloria de nuestra vida producen una dulce armonía entre estas esferas. Dentro de la presente Margarita (1570) fulgura la luz de Romeo (1571), cuya hermosa y grande obra fué tan mal agradecida. Pero los provenzales, que se declararon en contra suya, no se han reído por mucho tiempo; porque mal camina quien convierte en desgracia propia los beneficios que ha recibido. Raimundo Berenguer tuvo cuatro hijas; todas fueron reinas, y esto lo hizo Romeo, persona humilde y errante peregrino; pero palabras de envidiosos movieron luego a aquél a pedir cuentas a éste justo, que le dió siete y cinco por diez, por lo cual partió pobre y anciano; y si el mundo hubiera sabido cuál era su corazón al mendigar pedazo a pedazo su vida, lo ensalzaría más de lo que ahora le ensalza.

(1570) De esta estrella.
(1571) Se trata de Romeo de Villeneuve, barón de Venee, que administró la hacienda de Raimundo Berenguer, conde de Provenza, al regresar de una peregrinación a Santiago de Galicia. El conde Raimundo tenía cuatro hijas, y era propósito suyo que las cuatro fuesen reinas. La primera fué concedida a san Luis, rey de Francia, en 1234; la segunda a Eduardo, rey de Inglaterra; la tercera a Ricardo, hermano de Eduardo, que fué elegido rey de los romanos, y la cuarta a Carlos I, rey de Nápoles y de Sicilia, hermano de san Luis. Los provenzales, enviando la gloria de Romeo, le calumniaron y el conde de Provenza tuvo la debilidad de prestar crédito a tales calumnias y desterrarlo. Quiso llamarlo de nuevo a su corte, pero el noble ministro no consintió en ello. Romeo de Villeneuve murió en Provenza el año 1250.

CANTO VII

Justiniano desaparece con los demás espíritus. — Beatriz desvanece algunas dudas que las palabras del Emperador habían originado en el alma de Dante, referente a la redención, a la inmortalidad del alma y a la resurrección de los cuerpos.

Hosanna Sanctus Deus Sabaoth,
   Superilustrans claritate tua
   Felices ignes horum Malaboth! (1572).

Así oí que cantaba, volviéndose hacia su esfera, aquella substancia, sobre la cual resplandecía un doble fulgor (1573). Ella y las otras emprendieron su danza, y cual centellas velocísimas se ocultaron a mi vista (1574). Dudaba yo, y decía entre mí: «Dile... dile a mi Dama que calme mi sed con sus dulces razones.» Pero aquel respeto que embarga todo mi ser tan sólo al oír Be o Ice (1575), me hacía inclinar la cabeza como un hombre que dormita.

No quiso Beatriz que permaneciera así mucho tiempo; e irradiando sobre mí una sonrisa que haría feliz a un hombre en el fuego, empezó a decirme: —Según mi parecer infalible, estás pensando cómo fué justamente castigada la justa venganza (1576); pero yo despejaré en breve tu espíritu: escucha,

---

(1572) «Gloria a ti, Santo Dios de los ejércitos, que esparces tu claridad sobre los felices fuegos» (sobre las almas dichosas de este reino).

(1573) Justiniano, en quien brilla el doble esplendor de las leyes y de las armas.

(1574) Empezaron de nuevo a girar alejándose juntamente con el planeta en que estaban.

(1575) *Bice*, diminutivo de *Beatriz*. Significa que la reverencia que le causaba sólo el oír pronunciar una sílaba de aquel nombre le tenía con la cabeza baja y sin atreverse a hablar.

(1576) Alude a las palabras dichas por Justiniano en el canto anterior.

pues, que mis palabras te ofrecerán el don de una gran verdad.

Por no haber soportado un útil freno a su voluntad aquel hombre que no nació (1577), al condenarse, condenó a toda su descendencia; por lo cual la especie humana yació enferma por muchos siglos en medio de un grande error, hasta que el Verbo de Dios se dignó descender adonde, por un solo acto de su eterno amor, unió a sí en persona la naturaleza, que se había alejado de su Hacedor. Ahora atiende bien a lo que digo: Esta naturaleza unida a su Hacedor, tal cual fué creada, era sincera y buena; pero por sí misma fué desterrada del Paraíso, porque se salió del camino de la verdad y de su vida (1578). La pena, pues, que la Cruz hizo sufrir a la naturaleza humana de Jesucristo, si se mide por esa misma naturaleza, fué más justa que otra cualquiera; pero tampoco hubo otra tan justa, si se atiende a la Persona divina que la sufrió, y a la que estaba unida aquella naturaleza. Por lo tanto, aquel hecho produjo efectos diferentes; porque la misma muerte fué grata a Dios y a los judíos; por ella tembló la Tierra y por ella se abrió el Cielo (1579). No te debe ya parecer tan incomprensible cuando te digan que un tribunal justo ha castigado una justa venganza. Mas ahora veo tu mente comprimida, de idea en idea, en un nudo, del que espera con ansia verse libre. Tú dices: «Comprendo bien lo que oigo; pero no veo bien por qué Dios quisiera valerse de este medio para nuestra redención.» Este decreto, hermano, está velado a los ojos de todo aquel cuyo espíritu no haya crecido en la llama de la caridad. Y, en efecto, como se examina mucho este punto, y se le comprende poco, te diré por qué fué elegido aquel medio como el más digno. La divina bondad (1580), que rechaza de sí todo rencor, ardiendo en mí misma despide tan vivo fulgor que hace brotar las bellezas eternas. Lo que procede inmediatamente de ella sin otra cooperación no tiene fin, porque una vez impreso su sello nada lo puede ya borrar. Lo que sin cooperación procede de ella es completamente libre, porque no está sujeto a la influencia de las cosas secundarias; y cuanto más se le aconseja, más le place, pues el amor divino que irradia sobre todo se manifiesta con mayor

(1577) **Adán.**

(1578) «Ego sum via, veritas et vita.» (JOAN, XIV.)

(1579) La muerte de Jesucristo fué grata a Dios como satisfacción de la ofensa que le infiriera Adán; lo fué a los judíos, porque satisficieron su odio; por ella dió la Tierra evidentes señales de dolor, y por ella se abrió de nuevo el Cielo a la redimida humanidad.

(1580) Imitación de Boecio, lib. III (*De Consol. philos.*).

brillo en lo que se le parece más. La criatura humana disfruta
la ventaja de todos estos dones; pero si le falta uno solo, es
preciso que decaiga su nobleza. Sólo el pecado es el que le
arrebata su libertad y su semejanza con el Sumo Bien, por lo
cual refleja muy poco su luz, y no vuelve a adquirir su dignidad, si no llena de nuevo el vacío que dejó la culpa, expiando
sus malos placeres por medio de justas penas. Cuando vuestra
naturaleza entera pecó en su germen, se vió despojada de estas
dignidades y lanzada del Paraíso, y no hubiera podido recobrar-
las (si lo examinas sutilmente) por ningún camino, sin pasar
por uno de estos vados: o porque Dios, en su bondad, perdo-
nara el pecado, o porque el hombre por sí mismo redimiera su
falta. Fija ahora tus miradas en el abismo del Consejo eterno,
y está tan atento como puedas a mis palabras. El hombre no
podía jamás, en sus límites naturales, dar satisfacción, por no
poder después humillarse con su obediencia, y ésta es la causa
por que el hombre fué exceptuado de poder dar satisfacción por
sí mismo. Era preciso, pues, que Dios condujera al hombre a
la vida sempiterna por sus propias vías, bien por una o bien
por ambas (1581). Pero como la obra es tanto más grata al
obrero cuanto más representa la bondad del corazón de donde ha salido, la Divina Bondad, que imprime al mundo su
imagen, se regocijó de proceder por todas sus vías para elevar-
los hasta ella. Entre el primer día y la última noche (1582)
no hubo ni habrá jamás un procedimiento tan sublime y mag-
nífico, de cualquier modo que se considere; porque al entregarse Dios a sí mismo, haciendo al hombre apto para levantarse de su caída, fué más liberal que si le hubiese perdonado
por su clemencia, y todos los demás medios eran insuficientes
ante la justicia si el Hijo de Dios no se hubiera humillado
hasta encarnarse. Ahora, para colmar bien todos tus deseos,
vuelvo atrás, a fin de aclararte algún punto de modo que lo
veas como yo. Tú dices: «Yo veo el aire, el fuego, el agua,
la tierra y todas sus mezclas llegar a corromperse y durar
poco; y estas cosas, sin embargo, fueron creadas (1583);
ahora bien, si lo que has dicho es cierto, deberían estar al
abrigo de la corrupción. Los ángeles, hermano, y el país libre
y puro en que estás, pueden decirse creados tales como son,

(1581) La misericordia y la justicia.
(1582) Por todo el curso de los siglos, o sea desde el principio
de la Creación hasta el fin del mundo.
(1583) Es decir, todas estas cosas fueron también creadas por Dios.
Si, pues, todo lo que de él procede es infinito, no perece, según me
has dicho antes, ¿cómo es que se corrompen y mueren?

en su entero ser; pero los elementos que has nombrado, y aquellas cosas que de ellos se componen, tienen su forma de una potencia creada. Creada fué la materia de que están hechos; creada fué la virtud generatriz de las formas en estas estrellas que giran en torno suyo. El rayo y el movimiento de las santas luces sacan de la complexión potencial el alma de todos los brutos y plantas (1584); pero nuestra vida aspira directamente la Divina Bondad, la cual enamora de sí, de modo que siempre la desea. De aquí puedes inferir aún vuestra resurrección, si reflexionas cómo fué creada la carne humana, cuando fueron creados los primeros padres (1585).

(1584) El alma de los brutos y de las plantas (alma sensitiva y vegetativa) son mortales, porque proceden del influjo y movimiento de los astros en su *complexión potencial*, o lo que es lo mismo, en su materia elemental; y no directamente de Dios, como el alma humana.

(1585) De los principios establecidos puedes deducir la resurrección de la carne; pues habiendo Dios criado de un modo inmediato a nuestros primeros padres, nuestra carne conserva el principio de la incorruptibilidad, que se manifestará en cuanto Dios lo mande.

CANTO VIII

Dante y Beatriz suben a la esfera de Venus, donde encuentran
las almas de los que fueron inclinados al amor. — Carlos
Martel, rey de Hungría, manifiesta al Poeta cómo puede nacer
de un padre virtuoso un hijo vicioso.

SOLÍA creer el mundo en su peligro (1586), que de los
rayos de la bella Ciprina, que gira en el tercer epiciclo (1587), emanaba el loco amor. Por esto las naciones
antiguas, en su antiguo error, no solamente la honraban por
medio de sacrificios y de ruegos votivos, sino que también
honraban a Dione (1588) y a Cupido, a aquélla como madre
y a éste como a hijo suyo, de quien decían que estuvo sentado
en el regazo de Dido (1589). Y de ésta que he citado al empezar mi canto, dieron nombre a la estrella que el Sol mira placentero, ya contemplando sus pestañas, ya su cabellera (1590).

Yo no me di cuenta de mi ascensión a ella; pero me cer-
cioré de que estaba en su interior cuando vi a mi Dama
revestirse aún de mayor hermosura (1591). Y así como se ve
la chispa en la llama, y se distinguen dos voces entre sí, cuando la una sostiene una nota y la otra ejecuta varias modulacio-

(1586) En el tiempo en que vivía en el error del paganismo con
peligro de las almas.
(1587) Según el sistema de Tolomeo, los epiciclos son aquellos pequeños círculos en los que cada planeta gira con el movimiento que
le es propio de Occidente a Oriente. Se llama tercero al de Venus,
porque está situado en el tercer cielo, según dicho sistema. Ciprina
es Venus, llamada así de Chipre, donde era principalmente adorada.
(1588) Hija de Océano y de Tetis, y madre de Venus.
(1589) En el primer libro de la *Eneida* finge Virgilio que Amor
se reviste de la semejanza del joven Ascanio, hijo de Eneas, y se
sienta en el regazo de la reina Dido para abrasarla con su fuego.
(1590) Ya cuando va tras de él y se llama *Espero*, ya cuando va
delante y se llama *Lucífero*, de cuya palabra hemos hecho los españoles *lucero*.
(1591) A medida que Beatriz va ascendiendo de esfera en esfera,
va despidiendo un destello mayor.

nes, del mismo modo vi en aquella luz otros resplandores que
se movían en círculo, más o menos ágiles, con arreglo, según
creo, a felices visiones eternas.

De fría nube no salieron jamás, visibles o invisibles,
vientos tan veloces, que no parecieran entorpecidos y lentos a
quien hubiese visto llegar hasta nosotros aquellos divinos fulgores, dejando la órbita comenzada antes en el cielo de los
serafines (1592). Y dentro de los que se nos aparecieron delante resonaba *Hosanna,* tan dulcemente que nunca me ha
abandonado el deseo de volverlo a oír. Entonces se acercó uno
de ellos a nosotros, y empezó a decir solo:

—Todos estamos prontos en tu obsequio, para que te rego-
cijes en nosotros. Todos giramos con los príncipes celestiales (1593) dentro de la misma órbita, con el mismo movimiento circular y con idéntico deseo (1594) que aquella de
quienes has dicho ya en el mundo: *Vosotros que movéis el
tercer cielo con vuestra inteligencia* (1595); y estamos tan
llenos de amor que, por complacerte, no nos será menos dulce
un momento de reposo.

Después que mis ojos se fijaron reverentes en mi Dama, y
que ella les dió la seguridad de su contentamiento, los volví
hacia la resplandeciente alma que con tan dulces palabras se
me había ofrecido, y: —Di, ¿quién fuiste? —, fué mi respuesta impregnada del mayor efecto.

¡Oh, cuánto más brillante y bella se volvió cuando le
hablé, a causa del nuevo gozo que acrecentó sus alegrías! Em-
bellecida de este modo, me dijo:

—Poco tiempo me tuvo allá abajo el mundo (1596); si
yo hubiera permanecido más en él, no habrían sucedido mu-

(1592) Esto es: dejando la órbita de Venus, que recibe su impulso del altísimo cielo llamado el Primer móvil, al que presiden los
Serafines.
(1593) Es decir: giramos con el tercer orden angélico, llamado los
Principados. Según la opinión de Tolomeo, los cielos son nueve; nueve
también son, según Dante, los coros celestiales que presiden en los
cielos por el orden siguiente: en el Primer móvil presiden los Serafines; en el cielo de las estrellas fijas, los Querubines; en Saturno,
los Tronos; en Júpiter, las Dominaciones; en Marte, las Virtudes;
en el Sol, las Potestades; en Venus, los Principados; en Mercurio,
los Arcángeles, y en la Luna, los Ángeles.
(1594) El de vivir en Dios.
(1595) Principio de un canto del *Convivio* de Dante.
(1596) Esta es el alma de Carlos Martel, hijo de Carlos II rey
de Pulla, y heredero de la corona de Hungría por su madre María,
hija de Esteban V. Falleció en 1205, a la edad de veintitrés años, por
lo cual, muerto su padre, le sucedió en el reino de Pulla, Roberto,
que, siendo güelfo, perjudicó mucho, según Dante, a los intereses de
Italia.

chos males que allí lloran. La alegría que despide en torno
mío estos fulgores, me cubre como el gusano su capullo y me
oculta a tus ojos. Tú me has amado mucho, y tuviste motivo
para ello; porque si yo hubiera estado allá abajo más tiempo,
te habría dado en prueba de mi amor algo más que las
hojas (1597).

La región (1598) que baña el Ródano en su izquierda
después de haberse unido con el Sorgues, me esperaba, andando
el tiempo, para recibirme por su señor; así como también
aquella punta de la Ausonia (1599) que comprende los pueblos de Bari, Gaeta y Crotona, desde donde el Tronto y el
Verde desembocan en el mar. Brillaba ya en mi frente la corona de aquella tierra que riega el Danubio después de abandonar las riberas tudescas (1600). Y la bella Trinacria (1601),
que entre los promontorios de Pachino y Peloro, sobre el golfo
que el Euro azota con más violencia, se cubre de humo cali-
ginoso, no a causa de Tifeo (1602), sino por el azufre que se
exhala de su suelo, habría esperado aún sus reyes nacidos por
mí de Carlos y de Rodolfo (1603), si el mal gobierno que
rebela siempre a los pueblos sumisos no hubiese excitado a
Palermo a gritar: «¡Muera! ¡muera!» (1604). Y si mi hermano hubiera previsto esto, huiría ya la avara pobreza de Ca-
taluña (1605) para no ofender a aquellos pueblos. Necesita,

(1597) Es decir: le habría demostrado su afecto con algo más que
buenas palabras. Dante había conocido a Carlos en Florencia, siendo
éste muy joven.

(1598) La Provenza, o parte de ella, que pertenecía al rey de
Nápoles.

(1599) Esto es: aquella parte de Italia *(Ausonia)* que comprende
los países de Bari, en la Pulla sobre el Adriático; de Gaeta, en la
Tierra de Labor, sobre el Mediterráneo, y de Crotona, en las Cala-
brias, sobre el Estrecho; comenzando en aquellos puntos donde desembocan el Tronto y el Verde en uno y otro mar. El Verde es el
Garellano.

(1600) Hungría, de la cual fué coronado rey Carlos Martel, viviendo
su padre, en 1290.

(1601) Sicilia, que los griegos llamaron *Trinacria* por sus tres promontorios Pachino, Peloro y Lilibeo. *El golfo que el Euro azota,* etc.
El golfo de Catania, combatido con más frecuencia por los vientos
de Levante.

(1602) Uno de los Titanes que la Fábula supone sepultado bajo
el Etna.

(1603) Entiéndase: La Sicilia no se hubiera rebelado contra nuestra casa, entregándose a Pedro de Aragón, sino que hubiera esperado
como a sus legítimos reyes a los descendientes de Carlos, mi primer
abuelo, y de Rodolfo de Austria, cuya hija Clemencia fué mi consorte.

(1604) Alude a las Vísperas sicilianas.

(1605) Es decir: si Roberto hubiera previsto que el mal gobierno
rebela a los pueblos sumisos, habría abandonado aquellos avariciosos
catalanes, vendedores de la justicia, elevados por él a los principales
empleos de Italia, a fin de que no ofendieran más a los pueblos.

en verdad, proveer por sí mismo o por otros, a fin de que su
barca no tenga más carga de la que pueda soportar. Su índole (1606), que de liberal se ha hecho avara, necesitaría ministros que no se cuidasen sólo de llenar sus arcas.

—El gran contento que me infunden tus palabras, ¡oh,
señor mío!, me es mucho más grato al considerar que aquí,
donde está el principio y el fin de todo bien, lo ves como yo
lo veo; y también gozo pensando que en presencia de Dios
conoces mi felicidad. Ya que me has dado esta alegría, aclá-
rame (pues hablando me has hecho dudar) cómo de una semilla dulce puede salir un fruto amargo (1607).

Esto le dije, y él me contestó: —Si puedo demostrarte una
verdad, volverás el rostro hacia el objeto de tu pregunta como
ahora le vuelves la espalda (1608). El Bien que da movimiento y alegría a todo el reino por donde asciendes, hace que su
providencia sea virtud influyente de estos grandes cuerpos;
y en la Mente perfecta por sí misma, no sólo se ha provisto
a la naturaleza de cada cosa, sino también a la conservación y
estabilidad de todas juntas; por lo cual, todo cuanto desciende
disparado de este arco, va dispuesto hacia un fin determinado,
como la flecha se dirige al blanco (1609). Si esto no fuese
así, el cielo sobre que caminas produciría sus efectos de tal
modo, que no serían arte, sino ruinas; y eso no puede ser,
a no admitir que son defectuosas las inteligencias que mueven
estos astros, y defectuoso también el Ser primero, que no las
hizo perfectas. ¿Quieres que te aclare más esta verdad?

—No es menester, contesté; pues considero imposible que
la Naturaleza llegue a faltar en aquello que es necesario.

El Alma continuó: —Dime, pues: ¿sería peor la existencia del hombre en la Tierra si no viviera en sociedad?

—Sí, repuse; y no pregunto la razón de eso.

—¿Y puede ser tal cosa, si allá abajo no vive cada cual
de diferente modo por la diversidad de oficios? No puede
ser si vuestro maestro escribió la verdad (1610)—. Así, pro-

(1606) La de su hermano Roberto, que fué avaro, al contrario de
su padre.
(1607) Como de un rey liberal puede salir un hijo avaro.
(1608) Verás claramente lo que ahora no comprendes.
(1609) Entiéndase. El Sumo Bien, Dios, hace que el influjo de los
astros obre según los fines de su providencia; y en la mente divina,
esta providencia no sólo atiende a la naturaleza de cada cosa, sino
también a las relaciones de todas ellas entre sí; de modo que todos
los influjos que parten de estas esferas llevan un fin determinado.
(1610) Aristóteles enseña esta doctrina verdadera como expresión
de una de las leyes de la Naturaleza: que el hombre no puede vivir

cediendo de una a otra deducción, llegó a ésta; y después concluyó:

—Luego es preciso que sean diversas las raíces de vuestras aptitudes; por lo cual uno nace Solón y otro Jerjes, uno Melquisidec y otro aquel que perdió a su hijo al volar éste por el aire (1611). La influencia de los círculos celestes, que imprime un sello a la cera mortal, hace a la perfección su oficio; pero no distingue una morada de otra. De aquí proviene que Esaú se aparte de Jacob desde el vientre materno, y que Quirino descienda de un padre tan vil que se atribuye su origen a Marte (1612). La naturaleza engendrada sería siempre semejante a la naturaleza que engendra, si la Providencia divina no predominase. Ahora tienes ya delante lo que antes detrás; más para que sepas que me complazco en instruirte, quiero proveerte aún de un corolario. La naturaleza es siempre estéril, si la fortuna le es contraria, como toda simiente esparcida fuera del clima que le conviene. Y si el mundo allá abajo se apoyara en los cimientos que pone la Naturaleza, habría por cierto mejores habitantes en él; pero vosotros destináis para el templo al que nació para ceñir la espada, y hacéis rey al que debía ser predicador; así es que vuestros pasos se separan siempre del camino recto.

fuera de la sociedad, ni ésta puede existir sin la variedad de oficios y profesiones. (Véase la *Política*, de Aristóteles.)

(1611) Uno nace, como Solón, a propósito para dar leyes a los pueblos; otro como Jerjes, para regir imperios; otro como Melquisídec, para el sacerdocio, y otro como Dédalo, para la industria. Estas diferentes aptitudes con que nacen los hombres las infunden los influjos celestes, según el poeta, pero sin distinguir de clases ni de jerarquías.

(1612) Por esto, de un padre como Jacob nace un Esaú que parece degenerado; y, por el contrario, Rómulo (Quirino) nace de un padre tan obscuro y desconocido, que hubo de suponérsele hijo de Marte. La última alusión se refiere a Dédalo. (Véase *Tito Livio*, lib. I, capítulo IV.)

CANTO IX

El Poeta halla en el planeta Venus a Cunizza, hermana de Eze-
lino de Romano, la cual le predice los males de la Marca
del Treviso. — Habla en seguida con el trovador Foulques,
de Marsella.

CUANDO tu Carlos, hermosa Clemencia (1613), hubo
aclarado mis dudas, me refirió los fraudes de que había de ser víctima su descendencia (1614), pero añadió: —Calla, y deja transcurrir los años—. Así es que yo
no puedo decir más, sino que tras de vuestros daños vendrá
el llanto originado por un justo castigo.

La santa y viva luz (1615) se había vuelto ya hacia el
Sol que la inundaba (1616), como hacia el bien que a todo
alcanza. ¡Oh, almas engañadas, locas e impías, que apartáis
vuestros corazones de semejante bien, dirigiendo hacia la vanidad vuestros pensamientos!

He aquí que otro de aquellos resplandores se dirigió hacia mí, expresando, con la claridad que esparcía, su deseo de
complacerme. Los ojos de Beatriz, que estaban fijos en mí,
como antes, me aseguraron del dulce sentimiento que daba
a mi deseo.

—¡Oh, espíritu bienaventurado!, dije, satisface cuanto
antes mi anhelo, y pruébame que lo que pienso puede reflejarse en ti.

(1613) Esta Clemencia, a quien se dirige aquí Dante, no es la
hermana ni la hija de Carlos Martel, como han creído algunos comentadores, sino su esposa, llamada también *Clemencia,* hija del emperador Rodolfo de Alemania.
(1614) Alude a la ocupación del reino de Pulla por Roberto, en
perjuicio de Carlos Umberto, hijo de Carlos Martel y de dicha Clemencia.
(1615) Carlos Martel.
(1616) Es decir: aquel espíritu resplandeciente se volvió hacia Dios,
que le colmaba de beatitud.

Entonces la luz, a quien aún no conocía, desde su interior, donde antes cantaba, respondió a mis palabras como hallando gusto en complacerme.

—En aquella parte de la depravada tierra de Italia (1617), que está situada entre Rialto (1618) y las fuentes del Brenta y del Piave, se eleva una colina no muy alta, de donde descendió un fuego (1619) que causó enorme estrago en toda la comarca. Ella y yo (1620) salimos de la misma raíz (1621); Cunizza fuí llamada, y aquí brillo porque me venció la luz de esta estrella (1622); pero con alegría me perdono a mí misma la causa de mi suerte y no me pesa, lo cual quizá parecerá difícil de comprender a vuestro vulgo (1623).

Esta alma próxima a mí (1624), que es una espléndida y preciosa joya de nuestro cielo, dejó en la Tierra una gran fama; y antes que su gloria se pierda, este centésimo año se quintuplicará (1625). Ya ves si el hombre debe hacerse ilustre, a fin de que después de su primera vida se labre otra vida inmortal (1626). No piensa así la turba que al presente habita entre el Tagliamento y el Adigio, sin que le sirvan de escarmiento los males de que es víctima. Pero pronto sucederá que Padua y sus habitantes, por obstinarse contra el deber, enrojecerán el agua de la laguna que baña a Vicenza (1627), y allí donde el Sile y el Cagnano se unen,

(1617) Describe el territorio comprendido en los límites de la Marca Trevisana, que se encuentra entre Venecia y las fuentes de los ríos Brenta y Piave.

(1618) Rialto equivale aquí a Venecia.

(1619) El tirano Ezzellino III, conde de Basano. Estando su madre encinta de él, soñó que una llama salía de su cuerpo.

(1620) Cunizza, hija de Ezzellino II y hermana de Ezzellino III.

(1621) Del mismo padre de Ezzellino, denominado el Monje.

(1622) Esto es: me venció el influjo del planeta Venus, haciéndome asequible al amor.

(1623) Me perdono a mí misma los amores mundanos, que fueron la causa de que yo no goce de mayor gloria, y estoy contenta con la suerte que me ha cabido; cosas ambas que difícilmente comprenderá el vulgo, porque no concibe cómo en el Cielo, ni la menor gloria ni el recuerdo de nuestras faltas pueden turbar nuestra felicidad.

(1624) Foulques o Folco, poeta de Marsella; fué hijo de un Alfonso, rico comerciante de Génova.

(1625) Entiéndase: y antes de que se pierda, la fama de esta alma, el presente año 1300, que es el centésimo y último del siglo XIII, se quintuplicará, pasarán otros cinco siglos.

(1626) Imitación de Virgilio:

«Et dubitamus adhuc virtutem extendere factis.»
(*Eneida*, VI, 801.)

(1627) Tres veces fueron derrotados los paduanos cerca de Vicenza por los gibelinos: la primera en 1311; ;la segunda en 1314, cuando fué

hay quien domina y va con la cabeza erguida (1628) cuando ya se componen las redes que han de cogerle. También llorará Feltro la felonía de su impío pastor (1629), que será tal, que ninguno por otra semejante ha sido encerrado en Malta (1630). Muy ancha medida se necesitaría para recoger la sangre ferraresa, y cansado quedaría el que pretendiera pesar onza a onza la que derramará aquel manso sacerdote para congraciarse con su partido, aunque tales dones son por otra parte los que corresponden al país. Allá arriba hay unos espejos que vosotros llamáis Tronos (1631), de donde se reflejan hasta vosotros los juicios de Dios, por lo cual tenemos por buenas y verídicas vuestras palabras.

Al llegar aquí el alma guardó silencio, y habiéndose vuelto a colocar en la órbita como estaba anteriormente, me dió a conocer que no pensaba ya en mí. La otra alma dichosa, a quien ya conocía (1632), se me presentó tan resplandeciente como una piedra preciosa herida por los rayos del Sol. Allá arriba la alegría produce un vivo esplendor, como entre nosotros produce la risa; pero en el Infierno, la sombra de los condenados se obscurece cada vez más, a medida que se entristece su espíritu.

—Dios lo ve todo, y tu vista se identifica en él, exclamé, ¡oh, feliz espíritu!, de suerte que ningún deseo puede ocultarse a ti (1633). Así, pues, ¿por qué tu voz, que deleita siempre al Cielo con el canto de aquellas llamas piadosas (1634) que se forman una ancha vestidura con sus seis alas (1635), no satisface mis deseos? No esperaría yo por cierto tus preguntas si viera en tu interior como tú ves en el mío.

hecho prisionero Jacobo de Carrara, y la tercera en 1318, siendo jefe de la liga gibelina Can Grande de la Scala.

(1628) Ricardo de Camino, que fué muerto por instigación de Altiniero dei Calzoni.

(1629) Habiéndose refugiado en Feltro muchos ferrareses para salvarse de las iras del Papa, con el que estaban en guerra, fueron recibidos con falso afecto por el arzobispo Gorza, y después reducidos a prisión y entregados al gobernador de Ferrara, que les hizo morir cruelmente.

(1630) La torre de *Malta* o *Marta*, a la orilla del lago de Bolsena, donde se encerraba a los malos clérigos.

(1631) El coro celestial de los ángeles llamados Tronos.

(1632) Foulques, de Marsella.

(1633) *Si che nuca voglia di sé à te puote esser fuia.* Muchos comentadores equivocan el sentido de estas palabras, entendiendo que no puede ocultarse a esta alma ninguna voluntad o deseo de Dios, lo cual es absurdo.

(1634) De aquellos Serafines ardientes de amor.

(1635) Dice el profeta Isaías (cap. VI) que los Serafines tienen seis alas. San Juan, en el *Apocalipsis*, habla también de cuatro animales cada uno de los cuales tenía seis alas. (*Apocal.*, II, 8.).

Entonces contestó con estas palabras: —El mayor valle (1636) en que se vierten las aguas, después de aquel mar que circunda la tierra, se aleja tanto contra el curso del Sol entre las desacordes playas (1637), que aquel círculo que antes era su horizonte se convierte en meridiano (1638). Yo fuí uno de los ribereños de aquel valle, entre el Ebro y el Macra (1639), que por un corto trecho separa al genovés del toscano. Casí a la misma distancia a Oriente y Occidente se asienta Bugia (1640) y la tierra de donde fuí, en cuyo puerto se vertió un día la sangre de sus habitantes (1641). Folco me llamó aquella gente que conocía mi nombre, y este cielo recibe mi luz como recibí yo su influjo amoroso (1642), pues en tanto que me lo permitió la edad, no ardieron cual yo en aquel fuego la hija de Belo, causando enojos a Siqueo y a Creusa (1643), ni aquella Rodopea que fué abandonada por Demofón (1644), ni Alcides cuando tuvo a Iole encerrada en su pecho (1645).

Aquí, empero, no hay arrepentimiento, sino regocijo; no de las culpas, que jamás vuelven a la memoria, sino de la sabiduría que ordenó este cielo y provee sus influjos. Aquí se contempla el arte que adorna y embellece tantas cosas creadas, y se descubre el bien por el cual el mundo de arriba obra directamente sobre el de abajo (1646). Mas a fin de

(1636) Es decir: el Mediterráneo, el mayor de los mares, después del Océano que rodea toda la tierra, y el cual se extiende de Occidente a Oriente, desde el estrecho de Gibraltar a las costas de la Palestina. El poeta emplea esta circunlocución para decir que Folco fué habitante de Marsella.
(1637) Las costas de Europa y la de África, desacordes en costumbres, leyes y religión.
(1638) Esto debe entenderse según la errónea opinión de aquellos tiempos, en que se suponen 99° de extensión al Mediterráneo.
(1639) De Marsella, ciudad situada entre el Ebro y el Macra, pequeño río de Italia, que separaba el Genovesado de la Toscana.
(1640) Ciudad de Argelia, colocada en el mismo meridiano que Marsella.
(1641) Se refiere al sitio de Marsella por Julio César.
(1642) Dícese que Folco anduvo muy enamorado de Adalagia, mujer de Baral, de Marsella, que en su honor escribió muchas rimas y que, a su muerte, se hizo monje y llegó a ser obispo de Marsella.
(1643) Dido, reina de Cartago, se enamoró apasionadamente de Eneas, por lo cual supone el poeta que debieron enojarse las sombras de Siqueo, marido de la primera, ya muerto, y las de Creusa, mujer del segundo, también muerta.
(1644) Filis, hija del rey Sithón, habitante cerca del monte Rodope, y amada de Demofón, hijo de Teseo, se arrojó al mar desesperada de que su amante no volviese como se lo había prometido.
(1645) Hércules, nieto de Alceo, cuando estuvo enamorado de Iole, hija de Eurito, rey de Etolia.
(1646) Esto es: aquí se contempla en la sabiduría divina la influencia de la estrella de Venus, por lo cual se inflama de amor el corazón

que queden satisfechos todos los deseos que te han nacido en
esta esfera, es preciso que prolongue un poco más mi discurso.
Tú quieres saber quién está en esa luz que centellea cerca de
mí, como un rayo de sol en el agua pura y cristalina. Sabes,
pues, que en su interior vive feliz Rahab (1647), y unida a
nuestro coro, brilla en el prado más sublime de este centro.
Ascendió a este cielo, en el que termina la sombra que proyecta vuestro mundo (1648), antes que ninguna otra alma
se viese libre por el triunfo de Cristo. Era justo dejarla en
algún cielo como trofeo de la alta victoria que Él alcanzó
con ambas palmas (1649); porque aquella mujer favoreció
las primeras hazañas de Josué en la Tierra Santa, que tan poco
excita la memoria del Papa.

Tu ciudad, que debió su origen a aquel que fué el primero en volver las espaldas a su Hacedor (1650) y cuya envidia ocasionó tantas lágrimas, produce y esparce las malditas
flores (1651) que han descarriado a las ovejas y los corderos,
porque han convertido en lobo al pastor. Por eso están aban-
donados el Evangelio y los grandes doctores, y tan sólo se
estudian las Decretales, como sus márgenes lo prueban. A eso
se dedican el Papa y los cardenales; sus pensamientos no llegan a Nazareth (1652), allí donde Gabriel abrió las alas;
pero el Vaticano y (1653) los demás lugares sagrados de

de los mortales, y se conserva el mundo, de cuyos efectos se descubre
el buen fin.
(1647) Meretriz de Jericó, la cual, habiendo salvado en su casa
algunos exploradores de Josué, fué preservada por él del saqueo de la
ciudad, por lo que ella adoró a Dios.
(1648) Según Tolomeo, la sombra cónica de la tierra termina en la
órbita de Venus.
(1649) Que se alcanzó en el leño de la cruz, con las palmas de las
manos enclavadas en él.
(1650) El Demonio. En el canto XIII del *Infierno,* dice que Marte
fué el numen tutelar de Florencia; y según los cristianos, todos los
falsos dioses son demonios.
(1651) Los florines, monedas de oro, que engendraron la avaricia
en el corazón de los hombres. Se empezaron a acuñar en 1252.
(1652) No piensan en reconquistar la Tierra Santa.
(1653) Landino opina que Dante quiso predecir la muerte del papa
Bonifacio VIII, la cual acaeció en 1303. Vellutello, a su vez, pretende
que el Poeta tenía la intención de indicar las felices mudanzas que
se producirían al advenimiento del emperador Enrique VII, que quería
ser mediador entre los diferentes pueblos de Italia. Lombardi, por su
parte, rechaza todas estas opiniones y cree que Dante debió de escribir
este canto en 1314, no obstante que en diversos pasajes del poema se
obstine en declarar que escribió toda la *Divina Comedia* en 1300. Recuerda también Lombardi que Bonifacio VIII no fué el solo papa que
desagradó al Poeta y que Enrique VII murió en 1313. Cree, por lo
tanto, que se trata de la traslación de la Santa Sede de Roma a Francia. hecho que se produjo en 1305, bajo el pontificado de Clemente V,
que se estableció definitivamente en Avignon en 1309.

Roma, que han sido el cementerio de la milicia que siguió a Pedro (1654), pronto se verán libres del adulterio (1655).

(1654) De los gloriosos mártires, que imitando a san Pedro, dieron al mundo ejemplos de humildad, pobreza y caridad.
(1655) Del consorcio vituperable que ha hecho el Papa con las riquezas, descuidando por ellas a su esposa, la Iglesia.

CANTO X

*Exposición del orden con el que Dios creó el Universo. — Bea-
triz, más luminosa cuanto más se eleva, conduce a Dante al
cuarto cielo, o al Sol. — Entre una muchedumbre de almas
que forman una corona y dan vueltas cantando, reconoce el
Poeta a la de santo Tomás de Aquino.*

EL inefable Poder primero (1656), juntamente con su
Hijo y con el Amor que de uno y otro eternamente
procede, hizo con tanto orden todo cuanto concibe la
inteligencia y ven los ojos, que no es posible a nadie contemplarlo sin gustar de sus bellezas (1657).

Eleva, pues, lector, conmigo tus ojos hacia las altas esferas, por aquella parte en que un movimiento se encuentra
con otro (1658), y empieza a recrearte en la obra de aquel
Maestro, que la ama tanto en su interior, que jamás separa
de ella sus miradas. Observa cómo desde allí se desvía el
círculo oblicuo (1659), conductor de los planetas, para satisfacer al mundo que le llama (1660). Y si el camino de
aquéllos no fuese inclinado, más de una influencia en el cielo sería vana (1661), y como muerta aquí abajo toda potencia. Y si al girar se alejaran más o menos de la línea rec-

(1656) El Padre.
(1657) Entiéndase : la Santísima Trinidad creó tan ordenadamente
todas las cosas visibles e invisibles, que nadie puede contemplar ese
orden sin gustar o sentir su bondad y su belleza.
(1658) Donde el Ecuador se cruza con el Zodíaco, y donde las estrellas fijas, siendo al parecer un movimiento paralelo al Ecuador,
se cruzan con los planetas.
(1659) El Zodíaco.
(1660) Para satisfacer al mundo, que desea participar de su influjo.
(1661) Si la órbita de los planetas no fuese oblicua, no se aproxi-
maría ya a una, ya a otra parte de la Tierra ; y entonces, en vez de
influir directamente sobre cada una de esas partes, influiría sobre una
sola, por lo cual sería superflua mucha virtud del cielo.

ta (1662), arriba y abajo quedaría destruído el orden del
mundo.

Ahora, lector, permanece tranquilo en tu asiento, meditando acerca de estas cosas que aquí sólo se bosquejan, si
quieres que te causen deleite antes que tedio. Te he puesto
delante el alimento; tómalo ya por ti mismo, porque el asunto de que escribo reclama para sí todos mis cuidados.

El mayor ministro de la Naturaleza (1663), que imprime en el mundo la virtud del Cielo y mide el tiempo con
su luz, giraba, juntamente con aquella parte de que te he
hablado antes, por las espirales (1664) en que cada día se
nos presenta más temprano. Yo estaba en él (1665), sin
haber notado mi ascensión, sino como nota el hombre una
idea después que ha acudido a su mente. ¡Oh, Beatriz!
¡Cuán esplendorosa no debía de estar por sí misma, ella que
de tal modo me hacía pasar de bien a mejor tan súbitamente
que su acción no se sujetaba al transcurso del tiempo!

Lo que por dentro era el Sol, donde yo entraba, y lo que
aparecía, no por medio de colores, sino de luz, jamás pudiera imaginarse, aun cuando para explicarlo llamase en mi auxilio el ingenio, el arte y todos sus recursos; pero puede creér-
seme, y debe desearse verlo. Y si nuestra fantasía no alcanza
a tanta altura, no es maravilla, pues nadie ha visto un resplandor que supere al del Sol.

Tal era la cuarta familia (1666) del Padre Supremo, que
siempre sacia sus deseos, mostrándole cómo engendra al Hijo, y cómo procede el Espíritu. Y Beatriz exclamó:

—Da gracias, da gracias al Sol de los ángeles, que por su
bondad te ha elevado a este Sol sensible (1667).

Jamás ha habido un corazón humano tan dispuesto a la
devoción y a entregarse a Dios tan vivamente con todo su
agradecimiento, como el mío al oír aquellas palabras, y puse
en Él de tal modo mi amor, que Beatriz se eclipsó en

(1662) De la línea del Ecuador.
(1663) El Sol.
(1664) Giraba juntamente con aquella parte del Zodíaco, donde está
el signo de Aries, por las líneas espirales que (según el sistema de
Tolomeo) forma, cuando en nuestra zona se alargan los días, pasando
el Sol desde el Ecuador al trópico de Cáncer.
(1665) Yo había llegado al Sol sin advertirlo, como no se advierte
una idea hasta después que ocurre al pensamiento; es decir, con
velocidad instantánea.
(1666) Brillantes como el Sol eran los bienaventurados que allí estaban. Los llama *cuarta familia* porque se le aparecen en el cuarto cielo.
Éstos son las almas de los Doctores de la Iglesia.
(1667) Sol material, por contraposición al *Sol de los ángeles*, o Dios.

el olvido. No le desagradó; antes por el contrario, se sonrió, y el esplendor de sus ojos sonrientes dividió en muchos
mi pensamiento absorto en uno solo.

Vi cohortes de espíritus vivos y triunfantes, más gratos aún
por su voz que relucientes a la vista, los cuales, tomándonos
por centro, giraron a nuestro alrededor en forma de corona.
No de otro modo vemos a veces a la hija de Letona (1668)
rodeada de un cerco, cuando el aire impregnado de vapores
retiene las substancias de que aquél se compone.

En la Corte del Cielo, de donde regreso, se encuentran
muchas joyas, tan raras y bellas, que no es posible hallarlas
fuera de aquel reino (1669), y una de estas joyas era el
canto de aquellos fulgores; el que no se provea de alas para
volar hasta allí, espere tener noticias de aquel canto como si
las preguntase a un mudo.

Después que, cantando de esta suerte, dieron los ardientes soles tres vueltas en derredor nuestro, como las estrellas
próximas a los fijos polos, me parecieron semejantes a mujeres, que sin dejar la danza, se detienen escuchando con
atención, hasta que han conocido cuáles son las nuevas notas (1670). Yo oí que del interior de una de aquellas luces
salían estas palabras:

—Ya aquel rayo de la gracia, en que se enciende el verdadero amor, y que después crece amando, resplandece en ti
tan multiplicado, que te conduce por aquella escalera por
la que nadie desciende sin volver a subir de nuevo (1671);
el que negase a tu sed el vino de su redoma, se vería en el
mismo estado de violencia en que está el agua impedida de correr hacia el mar. Tú quieres saber de qué flores se compone
esta guirnalda, que tan suavemente ciñe y contempla a la
hermosa Dama que te da ánimo para subir al Cielo. Yo fuí
uno de los corderos del santo rebaño que condujo Domingo
por el camino en que el alma se fortifica si no se extravía.
Éste, que está el más próximo a mi derecha, fué mi maestro
y mi hermano; es Alberto de Colonia (1672), y yo Tomás

<hr>

(1668) La luna.
(1669) Metáfora tomada de las leyes que en algunos países prohiben
la exportación de productos preciosos.
(1670) Alude a la canción que se cantaba bailando, y a las mujeres
que permanecían paradas escuchando las nuevas notas, que una vez
oídas las animaban de nuevo a la danza.
(1671) Alusión a la escalera de Jacob.
(1672) Alberto Magno, que aunque nació en Lavingen (Suabia), se
le llamó de Colonia, porque en esta ciudad vivió y murió el año 1282.

de Aquino (1673). Si quieres saber quiénes son los demás, sigue mis palabras con tus miradas, dando la vuelta a la bienaventurada corona. Aquel otro esplendor brota de la sonrisa de Graciano (1674), tan útil por sus escritos a uno y otro fuero, que mereció el Paraíso. El otro que le sigue fué Pedro (1675) que, como la pobre viuda, ofreció su tesoro a la Santa Iglesia. La quinta luz (1676), que es la más bella entre nosotros, se abrasa en tal amor, que todo el mundo tiene abajo sed de sus noticias. Dentro de ella está el alto espíritu, donde se albergó tan profunda sabiduría, que si la verdad es verdad, ningún otro ascendió a tanto saber. Después contempla la luz de aquel cirio, que ha sido el que en vida vió mejor la naturaleza y el ministerio de los ángeles (1677). En aquella diminuta luz sonríe el abogado de los tiempos cristianos, cuya doctrina aprovechó Agustín (1678). Si diriges ahora la mirada de tu entendimiento de luz en luz, siguiendo mis elogios, debes ya tener sed de conocer la octava. Dentro de ella se recrea en la vista del Soberano Bien el alma santa que pone de manifiesto las falacias del mundo a quien atentamente escucha sus doctrinas. El cuerpo de donde fué separada yace en Cieldauro (1679), y desde el martirio y el destierro ha venido a disfrutar de esta paz celestial. Ves más allá fulgurar el ardiente espíritu de Isidoro, el de Beda y el de Ricardo (1680), que en sus contemplaciones fué más que hombre. Ésa, de quien se separa tu mirada para fijarse en mí, es la luz de un espíritu que, considerando tranquilamente la vanidad del mundo, deseó morir. Es la luz eterna de Sigie-

(1673) Tomás de Aquino nació en Aquino, pequeña ciudad de la Campania, en 1227, de una familia ilustre. Murió en 1274. Según un comentador de Dante, santo Tomás fué para la Teología lo que Descartes para la Filosofía. Se le denomina comúnmente Doctor Angélico.
(1674) Monje benedictino de Toscana, compiló una colección de cánones eclesiásticos que tituló *Decreto*. Floreció en el siglo XII.
(1675) Pedro Lombardo, llamado el *Maestro de las sentencias*. En el proemio de su obra dice modestamente que con ella hacía un pequeño don a la Iglesia, como la viuda de que habla san Lucas, cap. XXI.
(1676) El rey Salomón, respecto a cuya salvación hay grandes dudas entre los teólogos.
(1677) San Dionisio Areopagita, autor de un libro titulado: *De cœlesti hierarchia*.
(1678) Paulo Orosio, que escribió contra los idólatras siete libros de historia, y los dedicó a san Agustín.
(1679) Boecio, autor de la obra *De Consolatione Philosophiæ*, a quien hizo morir Teodorico, rey de los godos, y que está sepultado en la iglesia de San Pedro, llamada Cielo de Oro, en Pavía.
(1680) San Isidoro, arzobispo de Sevilla. Beda, llamado el Venerable, sacerdote inglés. Ricardo, canónigo regular de San Víctor, escocés.

ri (1681), que ejerciendo el profesorado en la calle de la Paja, excitó la envidia por sus verdaderos silogismos.

En seguida, como el reloj que nos llama a la hora en que la esposa de Dios (1682) se levanta para cantar maitines a su Esposo, a fin de que la ame, y cuyas ruedas mueven unas a otras, y apresuran a la que va delante hasta que se oye *tin tin* con notas tan dulces, que el espíritu felizmente dispuesto se inflama de amor; así vi yo en la gloriosa esfera moverse y responder las voces a las voces con una armonía tan llena de dulzura, que sólo puede conocerse allá donde la dicha se eterniza.

CANTO XI

Santo Tomás desvanece algunas dudas que ha observado en el espíritu del Poeta. — Refiere después la vida seráfica de san Francisco de Asís.

OH, insensatos afanes de los mortales! (1683), ¡cuán débiles son las razones que os inducen a bajar el vuelo y a rozar la tierra con vuestras alas! Mientras unos se dedicaban al foro y otros se entregaban a los aforismos de la medicina (1684), y éstos seguían el sacerdocio, y aquéllos se esforzaban en reinar por la fuerza de las armas, haciendo creer en su derecho por medio de sofismas; y algunos robaban, y otros se consagraban a los negocios civiles; y muchos se enervaban en los placeres de la carne, y bastantes, por fin, se daban a la ociosidad, yo, libre de todas estas cosas, me estaba con Beatriz en el Cielo, donde tan gloriosamente fuí acogido.

Después que cada uno de aquellos espíritus hubo vuelto al punto del círculo en que antes estaba, tan inmóvil como la bujía en un candelero, la luz (1685) que me había hablado anteriormente se hizo más esplendorosa y risueña, y dentro de ella oí una voz que comenzó a decir de esta manera:

—Así como yo me enciendo a los rayos de la luz eterna, del mismo modo, mirándola, conozco la causa de donde proceden tus pensamientos. Tú dudas, y anhelas que mi voz use de palabras tan claras que pongan al alcance de tu inteligen-

---

(1683) Verturi ve aquí una imitación de Lucrecio :

> «O miseras hominum, o pectora saeca
> Qualibus in tenebris?»
> (Lib. II, vers. 14 y sigs.)

(1684) Los aforismos de Hipócrates.
(1685) Santo Tomás de Aquino.

cia las que pronuncié antes cuando dije: *Camino en que el alma se fortifica* y las otras: *Ningún otro ascendió* (1686). En cuanto a éstas, es preciso hacer una distinción (1687). La Providencia, que gobierna al mundo con la ciencia que confunde la humana mirada que intenta penetrar en su fondo, a fin de que la esposa de Aquél que con su bendita sangre se unió a ella en altas voces (1688), corriese hacia su Amado más segura de sí misma y siéndole más fiel, envió en su ayuda dos príncipes, que para entrambos objetos le sirvieran de guías (1689). El uno fué todo seráfico en su ardor (1690); el otro, por su sabiduría, resplandeció en la Tierra con la luz de los querubines (1691). Hablaré de uno solo, pues elogiando a cualquiera de ellos indistintamente, se habla de los dos, porque sus obras tendieron a un mismo fin. Entre el Tupino (1692) y el agua que desciende del collado elegido por el beato Ubaldo (1693), baja un fértil declive de un alto monte, del cual Perusa siente venir el calor y el frío por la parte de Porta Sole (1694) y tras de cuyo monte lloran oprimidas Nocera y Gualdo (1695). En el sitio donde aquella pendiente es menos rápida, vino al mundo un sol, resplandeciendo como resplandece a veces el Sol cuando asoma sobre las márgenes del Ganges. Quien hable de ese lugar, no le llame Asís, pues diría muy poco; si quiere hablar con propiedad, llámele Oriente. Aun no distaba mucho de su nacimiento, cuando aquel Sol comenzó a hacer que la Tierra sintiese algún consuelo con su gran virtud; pues siendo todavía muy joven, incurrió en la cólera de su padre por inclinarse a una dama (1696), a quien, como a la muerte, nadie acoge con

(1686) Es lo que ha dicho en el canto anterior hablando de la Orden de santo Domingo y de Salomón.

(1687) La segunda duda se resuelve en el canto XIII.

(1688) A fin de que la Iglesia, esposa de Jesucristo, que se desposó con ella en la cruz con grandes gritos (*clamans voce magna*, San Mat. 27) corriese, etc.

(1689) Envió dos grandes jefes para que la guiasen; el uno hacia la caridad por el espíritu de pobreza; el otro a la mayor fidelidad por medio de la predicación.

(1690) San Francisco de Asís, modelo de amor seráfico.

(1691) Sa::to Domingo, dotado de esplendor querúbico, por su sabiduría.

(1692) Riachuelo cerca de Asís.

(1693) El riachuelo Chiassi, que desciende de un collado elegido por san Ubaldo para su eremítico retiro.

(1694) Nombre de una puerta de Perusa.

(1695) Perusa es fría en invierno por las nieves que caen en el monte cercano a ella, de que habla el Poeta, y calurosa en verano por el reflejo de los rayos solares en el mismo monte. Nocera y Gualdo eran oprimidas por el gobierno del rey Roberto.

(1696) La pobreza. Léese en la vida de san Francisco que, siendo

gusto; y ante la Corte espiritual (1697) *et coram patre* se
unió a ella, amándola después más y más cada día. Ella, privada de su primer esposo (1698), permaneció despreciada y
obscura mil cien años y más, sin que nadie la solicitase hasta
que vino éste. De nada le valió que se oyera decir cómo aquél
que se hizo temer a todo el mundo la encontró alegre con
Amiclates, cuando llamó a su puerta (1699); ni le valió
tampoco haber sido constante y animosa hasta el punto de ser
crucificada con Cristo, mientras María lloraba al pie de la
Cruz (1700). Mas para no continuar en un estilo demasiado
obscuro, reconoce en mis difusas palabras que estos dos
amantes son Francisco y la Pobreza. Su concordia y sus placenteros semblantes, su amor maravilloso y sus dulces miradas inspiraban santos pensamientos a otros, de tal modo, que
el venerable Bernardo (1701) fué el primero que se descalzó
para correr en pos de tanta paz, y aun corriendo le parecía
llegar tarde. ¡Oh, riqueza ignorada! ¡Oh, verdadero bien!
Egidio se descalza, se descalza también Silvestre (1702) por
seguir al Esposo, por el ardor con que amaban a la esposa.
Desde allí partió aquel padre y maestro con su Dama y con
aquella familia, ceñida ya del humilde cordón, y sin que una
vil cobardía le hiciese bajar la frente por ser hijo de Pedro
Bernardone (1703), ni por su aspecto tan manifiestamente
despreciable, con gran dignidad ofreció su austera regla a Inocencio (1704), de quien recibió la primera aprobación de su
orden. Luego que fué aumentando en torno suyo la pobre
gente, cuya admirable vida se cantaría mejor entre las glorias del Cielo, el Eterno Espíritu, valiéndose de Honorio,
coronó de nuevo el santo propósito de aquel archimandri-
ta (1705); y cuando, sediento del martirio, predicó el santo

aún niño, fué agriamente reprendido por su padre por haber tirado
el dinero.
    (1697) Ante el tribunal eclesiástico y ante su padre renunció a los
bienes terrenales y se unió a la pobreza.
    (1698) Jesucristo. Dice *mil cien años* y más, porque san Francisco
nació en 1182.
    (1699) No le valió que se oyese decir que Julio César (el que causó
terror al mundo) encontrase a la pobreza contenta en la cabaña del
pescador Amiclates cuando llamó a la puerta de éste para que le
trasladase desde Durazzo a Italia.
    (1700) Porque Jesucristo murió desnudo en la cruz.
    (1701) Bernardo de Quintevalle, primer discípulo de san Francisco.
    (1702) Otros dos de los primeros discípulos de dicho santo.
    (1703) San Francisco fué hijo de un tratante en lanas.
    (1704) El Papa Inocencio III, a quien se presentó san Francisco
en 1214.
    (1705) El papa Honorio III, de quien se cuenta que vió en sueños,

en presencia del soberbio Soldán la doctrina de Cristo y de los que le siguieron, encontrando a aquella gente poco dispuesta a la conversión, para no permanecer inactivo, volvió a recoger el fruto de las plantas de Italia. Sobre un áspero monte (1706), entre el Tíber y el Arno, recibió de Cristo el último sello, que sus miembros llevaron durante dos años (1707). Cuando plugo a Aquel que le había elegido para tan gran tarea elevarle a la recompensa que mereció por haberse humillado, recomendó a sus hermanos, como a herederos legítimos, el cuidado de su más querida esposa, y que la amaran con fe, y en el seno de ella quiso el alma preclara desprenderse para volver a su reino, sin permitir que a su cuerpo se le diese otra sepultura (1708). Piensa ahora quien fué el digno colega de Francisco, encargado de mantener la barca de Pedro en alta mar y dirigirla hacia su objeto; ese fué, pues, nuestro patriarca (1709); por lo cual, el que le sigue, según él manda, puede decir que adquiere buena mercancía (1710). Pero su rebaño se ha vuelto tan codicioso de nuevo alimento que no puede menos de esparcirse por distintos prados; y cuanto más lejos de él van sus vagabundas ovejas, más exhaustas de leche (1711) vuelven al redil. Algunas de ellas, temiendo el peligro, se agrupan junto al pastor; pero son tan pocas, que no se necesita mucho paño para sus capas (1712). Así, pues, si mis palabras no son obscuras, si me has escuchado con atención y si tu mente recuerda lo que te he dicho, tu deseo debe estar en parte satisfecho; porque habrás visto la causa de que la planta se desgaje (1713), y comprenderás la distinción que hice al decir: *Donde el alma se fortifica, si no se extravía* (1714).

por inspiración divina, los destinos de la nueva Orden, y la confirmó en 1223.

(1706)   El Monte de Alvernia.
(1707)   Alude a la impresión de las llagas.
(1708)   El Santo quiso morir abrazado a la pobreza, sobre una estera, y dispuso que su cuerpo fuese enterrado pobremente.
(1709)   Santo Domingo.
(1710)   Que atesora buenas obras para alcanzar la vida eterna.
(1711)   De alimento espiritual.
(1712)   No necesitan mucho paño para sus hábitos monacales.
(1713)   La causa de que se pierda la religión dominicana.
(1714)   La distinción que hizo en el canto X, referente a la Orden de santo Domingo.

CANTO XII

Alrededor de la primera corona de los doce espíritus resplande-
cientes se forma otra de igual número de ellos. — Uno de
éstos, san Buenaventura, refiere al Poeta la vida de santo Do-
mingo, y le cita las almas que habitan el Sol. — Todo este
canto está consagrado a la glorificación de la vida religiosa.

E N cuanto la bendita llama hubo dicho su última palabra,
empezó a girar la santa rueda (1715), y aún no había
dado una vuelta entera cuando otra la encerró en un
círculo, uniendo movimiento a movimiento y canto a canto;
y eran éstos tales que, articulados por los dulces órganos de
aquellos espíritus, sobrepujaban a los de nuestras Musas y
nuestra Sirenas, tanto como la luz directa supera a sus re-
flejos.

Cual se ve a dos arcos paralelos y del mismo color encorvarse sobre una ligera nube, cuando Juno envía a su mensajera (1716) (haciendo el de fuera del de dentro, al modo
de la voz de aquella ninfa (1717) a quien consumió el amor,
como el Sol consume· los vapores), y cuyos arcos son un presagio para los hombres, a causa del pacto que Dios hizo
con Noé, de que el mundo no volverá a sufrir otro diluvio,
de igual suerte aquellas dos guirnaldas de sempiternas rosas
daban vueltas en torno de nosotros, correspondiendo en todo
la guirnalda exterior a la interior.

Cuando cesaron simultánea y unánimemente las danzas y
los fulgurantes y mutuos destellos de aquellas luces gozosas

(1715) El círculo formado por los resplandecientes espíritus.
(1716) Iris, cuando forma dos arcos concéntricos.
(1717) La ninfa Eco, que, enamorada de Narciso, se consumió, quedando únicamente su voz. Entiéndase: naciendo el arco exterior de
la reflexión de los rayos del arco menor concéntrico, lo mismo que el
eco nace de la reflexión de la voz.

y placenteras, semejantes a los ojos que se abren y se cierran
al mismo tiempo, dóciles a la voluntad del que los mueve,
del seno de una de las nuevas luces salió una voz (1718), la
cual hizo que me volviese hacia adonde estaba, como la aguja
hacia el Polo; y la voz empezó a decir:

—El amor que me embellece me obliga a tratar del otro
jefe por quien se habla tan bien del mío (1719). Es justo
que donde se hace mención del uno, se haga también del
otro; pues habiendo militado ambos por una misma causa,
debe brillar su gloria juntamente. El ejército de Cristo, al
que tan caro costó armar de nuevo (1720), según su enseña lento, receloso y escaso, cuando el Emperador que siempre reina acudió en ayuda de su milicia, que se hallaba en
peligro, no porque ésta fuera digna de ello, sino por un efecto de su gracia; y según se ha dicho, socorrió a su Esposa
con dos campeones, ante cuyas obras y palabras se reunió el
descarriado pueblo.

En aquella parte donde el dulce céfiro acude a hacer germinar las nuevas plantas de que se reviste Europa (1721),
no muy lejos de los embates de las olas, tras de las cuales,
por su larga extensión, el Sol se oculta a veces a todos
los hombres (1722), se asienta la afortunada Callaro-
ga (1723), bajo la protección del grande escudo en que el
león está subyugado y subyuga a su vez (1724). En ella nació
el apasionado amante de la fe cristiana, el santo atleta, benigno para los suyos e implacable para sus enemigos. Apenas fué
creada, su alma se llenó de virtud tan viva, que en el seno mismo de su madre inspiró a ésta el don de profecía (1725).
Cuando se celebraron los esponsales entre él y la fe en la

(1718) San Buenaventura.
(1719) Me obliga a ocuparme de santo Domingo, porque santo
Tomás habló tan bien de mi jefe san Francisco.
(1720) Que a costa de la sangre de los mártires se armó de nuevo
para combatir en pro de la fe, después de haberse visto dispersado
por las persecuciones.
(1721) En España. El poeta describe aquí la patria de santo Domingo.
(1722) No lejos del Océano, tras del cual *a veces* se oculta el Sol a
todos los hombres. En tiempo de Dante no eran conocidos nuestros
antípodas, y se creía que cuando el Sol pasaba del Ecuador al trópico
de Capricornio, al ponerse en nuestro hemisferio, dejaba de alumbrar
todo el mundo habitado.
(1723) Calahorra, donde nació santo Domingo en 1170.
(1724) Alude a las armas de Castilla, que en un lado tienen un
castillo sobre un león y viceversa en el otro.
(1725) La madre de santo Domingo soñó que pariría un perro
blanco y negro con una antorcha encendida en la boca.

sagrada pila, donde se dotaron de mutua salud (1726), la
mujer que dió por él su asentimiento (1727), vió en sueños
el admirable fruto que debía salir de él y de sus herederos;
y para que fuese más visible lo que ya era, descendió del Cielo
un espíritu, y le dió el nombre de Aquel que lo poseía por
completo (1728). Domingo se llamó; y habló de él como
labrador que Cristo escogió para que le ayudase a cultivar su
huerto (1729). Pareció, en efecto, enviado y familiar de Cristo; porque el primer deseo que se manifestó en él fué el de
seguir el primer consejo del Maestro (1730). Muchas veces
su nodriza lo encontró despierto y arrodillado en el suelo, como
diciendo: «He venido para esto.» (1731). ¡Oh, padre verdaderamente Feliz! (1732). ¡Oh, madre verdaderamente Juana! (1733), si la interpretación de sus nombres es la que se
les da. Llegó en poco tiempo a alcanzar mucha sabiduría, no
por esa vanidad mundana, por la que se afanan hoy todos tras
del Ostiénse y de Tadeo (1734), sino por amor hacia el verdadero maná (1735); entonces se puso a custodiar la
viña (1736) que pierde en breve su verdura, si no la cuida el
viñador; y habiendo acudido a la Sede, que en otro tiempo
fué más benigna de lo que es ahora para los pobres justos, no
por culpa suya, sino del que en ella se sienta y la manci-
lla (1737), no pidió la facultad de dispensar dos o tres por
seis; no pidió el primer beneficio vacante; *non decimas, quœ*

(1726) Santo Domingo prometió a la Fe defenderla, y la Fe a él la
vida eterna.
(1727) La madrina de santo Domingo vió a éste en sueños con una
estrella en la frente y otra en la nuca, iluminándose así el Oriente
y el Occidente.
(1728) Le dió el nombre del Señor, que en latín es *Dominus,* y del
que se deriva *Dominicus.*
(1729) De su Iglesia, llamada huerto y viña en varios pasajes de
las Sagradas Escrituras.
(1730) El de abandonar las riquezas. Siendo estudiante, santo Domingo vendió sus libros en tiempo de hambre, y dió el dinero a los
pobres.
(1731) Para dar ejemplo de humildad y pobreza.
(1732) El padre de santo Domingo se llamó Félix (de Guzmán).
(1733) La madre del santo se llamó Juana (de Aza), que en hebreo
significa *graciosa.*
(1734) Por metonimia dice el *Ostiense* y *Tadeo* para significar el
derecho canónico y el civil. El cardenal Enrique de Susa, obispo de
Ostia, llamado el Ostiense, comentó las *Decretales* en el siglo XIII.
Tadeo de Pepoli enseñó leyes en Bolonia en tiempo de Dante. Casi
todos los comentadores entienden que aquí se trata de otro Tadeo, famoso médico florentino; pero esto no es admisible. ¿Qué tenía que
ver santo Domingo con la Medicina?
(1735) Hacia la verdad saludable del Evangelio.
(1736) La Iglesia.
(1737) No por culpa de la misma Sede apostólica, sino de algunos
papas.

pauperum Dei (1738), sino que pidió licencia para combatir
los errores del mundo, y en defensa de la semilla de que nacieron las veinticuatro plantas que te rodean (1739). Después,
con su doctrina y su voluntad juntamente, corrió a desempeñar su misión apostólica, cual torrente que se desprende de una
elevada cumbre; y su ímpetu atacó con más vigor los retoños
de la herejía allí donde era mayor la resistencia. De él salieron
en breve varios arroyos (1740), con los que se regó el jardín
católico de modo que sus arbustos adquirieron más vida. Si
tal fué una de las ruedas del carro en que se defendió la Santa
Iglesia, venciendo en el campo las discordias civiles (1741),
bastante debes conocer ya la excelencia de la otra rueda (1742)
de que te ha hablado Tomás con tantos elogios antes de mi
llegada. Pero el carril trazado por la parte superior de la circunferencia de esta última rueda está abandonado (1743), de
suerte que ahora se halla el mal donde antes el bien. La familia que seguía fielmente las huellas de Francisco (1744) ha
cambiado tanto su marcha, que pone la punta del pie donde él
ponía los talones; pero pronto verá la cosecha que ha producido tan mal cultivo, cuando la cizaña se queje de que no se la
lleve al granero (1745). Convengo en que, quien examinase
hoja por hoja nuestro libro, aun encontraría una página en que
leería: «Yo soy el de siempre» (1746); pero no procederá
de Casale ni Acquasperta, de donde vienen algunos que, o hu-
yen el rigor de la regla o aumentan desmesuradamente su
austeridad (1747). Yo soy el alma de Buenaventura de Bagno-
reggio, que en mis grandes cargos pospuse siempre los cuida-

(1738) Las décimas, que son de los pobres de Dios.
(1739) La fe, de la cual son fruto estas veinticuatro almas bienaventuradas, que forman aquí dos círculos.
(1740) Varios religiosos dominicos.
(1741) Las discordias introducidas por los herejes entre los cristianos.
(1742) San Francisco.
(1743) Equivale a decir que todos los religiosos franciscanos no
siguen las huellas de su fundador.
(1744) Los frailes de su Orden.
(1745) Es decir: cuando el extraviado franciscano se lamente de
verse privado del Paraíso. Alude a la parábola del trigo y la cizaña.
(San Mateo, XIII, 30.)
(1746) Es decir: quien examinase a cada religioso franciscano,
como se examina un libro hoja por hoja, encontraría alguno que, siguiendo la antigua costumbre, dijera: *Yo soy el de siempre.*
(1747) Mateo de Acquasperta, duodécimo General de los franciscanos, introdujo por demasiada condescendencia bastante relajación en la
regla. Fr. Ubertino de Casale, por exceso de celo, se hizo jefe de
una fracción que se llamó de *espirituales* y produjo una especie de
cisma.

dos temporales a los espirituales (1748). Iluminato y Agustín (1749) están aquí; fueron ellos los primeros pobres descalzos que, ceñidos del cordón, siguieron el amor de Dios. Con ellos están Hugo de San Víctor (1750), y Pedro Mangiadore (1751), y Pedro Hispano (1752), el cual brilló allá abajo por sus doce libros; el profeta Nathán, y el metropolitano Crisóstomo, y Anselmo (1753), y aquel Donato (1754) que se dignó poner su mano en la primera de las artes. Aquí está también Rabano (1755), y a mi lado brilla Joaquín, abad de Calabria, que estuvo dotado de espíritu profético. He debido alabar a aquel gran paladín de la Iglesia, por moverme a ello la ardiente simpatía y las discretas palabras de fray Tomás, que, a la par que a mí, han conmovido a todas estas almas.

(1748) San Buenaventura fué cardenal, doctor de la Iglesia y General de las Órdenes menores por espacio de diechiocho años.

(1749) Dos de los primeros religiosos de san Francisco.

(1750) Ilustre teólogo, canónigo regular de la Orden de san Agustín.

(1751) Historiador eclesiástico de Lombardía, llamado *Comestor,* por el afán con que devoraba libros.

(1752) Español, filósofo famoso por doce libros de Lógica que escribió; fué lector en Bolonia.

(1753) San Juan *Crisóstomo,* esto es, *Boca de oro* por su elocuencia. San Anselmo, arzobispo de Cantorbery.

(1754) Gramático, muy docto, maestro de san Jerónimo. Llama a la gramática la primera de las artes por ser la primera de las tres *Artes del Trivio.*

(1755) Renombrado escritor del siglo IX; fué abad de Fulda, y arzobispo de Maguncia.

CANTO XIII

El Poeta hace una nueva descripción de las coronas, de sus danzas y sus conciertos. Después santo Tomás de Aquino explica cómo debe entenderse lo dicho por él acerca de la sabiduría sin igual de Salomón.

QUIEN deseare conocer bien lo que yo vi ahora, imagínese (y, mientras hablo, retenga la imagen como si esculpida la viese en sólida roca) las quince estrellas (1756), que en diversas regiones iluminan el cielo con tanta viveza que vencen plenamente la densidad del aire; imagínese el Carro (1757), al cual le basta el espacio de nuestro cielo para girar de noche y día, sin desaparecer nunca por más vueltas que dé su danza; imagínese la boca de aquella bocina (1758), que comienza en la punta del eje en torno del cual se mueve la primera esfera; y piense que estas estrellas forman juntas en el cielo dos signos semejantes al que formó la hija de Minos cuando sintió el frío de la muerte (1759); figúrese uno de ellos despidiendo sus resplandores dentro del otro y ambos a dos girando de manera que vayan en sentido inverso, y así tendrá como una sombra de la verdadera constelación (1760) y de la doble danza que circulaba en el sitio donde yo me encontraba, pues lo que vi es tan superior a lo que acostumbramos a ver, como el lento curso del

(1756) Las quince estrellas de primera magnitud.
(1757) Las siete estrellas de la Osa Mayor.
(1758) Las dos estrellas de la Osa Menor más distantes del Polo, que forman como la boca de una bocina, cuyo otro extremo es la estrella del Norte, por donde se supone que pasa el eje sobre que gira el Primer móvil.
(1759) Imagina que estas veinticuatro estrellas forman en el cielo dos constelaciones dispuestas en círculo, como aquella corona que con al morir Ariadna, hija de Minos, hizo que se convirtiera la guirnalda de flores que adornaba su cabeza.
(1760) Una idea pálida del esplendor y la forma en que estaban aquellos espíritu bienaventurados.

Chiana (1761) es inferior al movimiento del más alto y veloz de los cielos.

Allí se cantaba, no a Baco ni a Pean (1762), sino a tres personas en una naturaleza divina, y ésta y la humana en una sola persona. Tan luego como en las danzas y los cantos invirtieron el debido tiempo, se fijaron las santas luces felicitándose de pasar de uno a otro cuidado (1763). Después la luz (1764) que me había referido la admitable vida del Pobre de Dios, rompió el silencio de los espíritus acordes y dijo:

—Estando ya trillada una parte del trigo (1765) y guardado el grano, el dulce amor que te profeso me invita a trillar la otra parte. Tú crees que en el pecho (1766) de donde fué sacada la costilla para formar la hermosa boca cuyo paladar costó caro a todo el mundo, y en Aquel otro que, atravesado de una lanzada (1767), satisfizo tanto, que venció el peso de toda culpa cometida antes y después, el gran poder creador de uno y otro infundió cuanta ciencia es asequible a la naturaleza humana; por esto te admiras de lo que dije antes, al manifestar que el bienaventurado que está contenido en la quinta de luz (1768) fué sin segundo. Abre, pues, los ojos de la inteligencia a lo que voy a responderte, y verás cómo tu creencia y mis palabras (1769) son con respecto a la verdad como el centro es respecto de todos los puntos del círculo. Lo que no muere y lo que puede morir no es más que un destello de la idea que nuestro Señor engendra, por efecto de su bondad; porque aquella viva luz (1770) que sale del radiante Padre y no se separa de él ni del Amor (1771) que se interpone entre ambos, por un efecto de su bondad, comunica su irradiación a nueve cielos, como transmitida de espejo en espejo, pero permaneciendo una eternamente. De allí desciende hasta las

(1761) Río de Toscana, que corre muy lentamente.
(1762) Himno en honor de Apolo.
(1763) Del cuidado de cantar y danzar al de satisfacer los deseos del Poeta.
(1764) Santo Tomás, que refirió la vida de san Francisco.
(1765) Puesto que está aclarada tu primera duda. Continúa explicándole las palabras dichas en el canto X.
(1766) En el pecho de Adán.
(1767) En el pecho de Jesucristo.
(1768) El rey Salomón.
(1769) Esto es: tu creencia de que en Adán y en Jesucristo se reunió toda la ciencia que el hombre puede recibir, y mis palabras, las que dije con respecto a Salomón al manifestar que no tuvo igual, pueden concertarse.
(1770) El Verbo Divino.
(1771) El Espíritu Santo.

últimas potencias (1772), disminuyendo de tal modo su fuerza por grados, que últimamente sólo produce breves contingencias. Por estas contingencias entiendo las cosas engendradas,
que el Cielo en su movimiento produce con germen o sin
él (1773). La materia de éstas y la mano que le da forma no
causan siempre los mismos efectos; por lo cual dichas cosas,
que llevan el sello de la idea divina, aparecen más o menos
perfectas. De aquí se sigue que una misma especie de árboles dé frutos buenos o malos y que vosotros nazcáis con diferente ingenio. Si la materia fuese enteramente perfecta y el
Cielo estuviese también en su virtud suprema (1774), la luz
de la idea divina se mostraría en todo su esplendor. Pero la
Naturaleza da siempre una forma imperfecta (1775), semejante en sus obras al artista que domina prácticamente su
arte y cuya mano tiembla. Si, pues, el ferviente amor dispone
la materia e imprime en ella la clara luz del ideal divino, entonces las cosas contingentes alcanzan la perfección. Así es
cómo fué hecha la Tierra digna de toda perfección animal (1776), y así es cómo concibió la Virgen. Por lo tanto,
apruebo tu opinión, porque la humana naturaleza no fué ni
será jamás lo que ha sido en esas dos personas (1777). Pero
si yo no siguiese ahora adelante, empezarías por exclamar:
«¿Cómo es, pues, que aquél (1778) no tuvo igual?» Para
que aparezca bien lo que ahora no aparece, piensa quién era
y la razón que tuvo para pedir cuando se le dijo: «Pide.» No
he hablado de modo que no hayas podido comprender que
aquél fué un rey, que pidió la sabiduría, a fin de ser un verdadero rey, y no por saber cuál es el número de los motores
celestiales, o si lo preciso con lo contingente produce lo necesario, o bien si *est dare primum matum esse* (1779), ni si en

(1772) Hasta las cosas que existen debajo de los cielos, hasta los
elementos, y hasta aquellas criaturas que pueden ser y no son como
todas las cosas corruptibles y caducas.
(1773) Era opinión común en tiempo de Dante la de que los gusanos no salían del huevo, sino de la podredumbre, y que del mismo
modo nacían sin germen los hongos, los corales y otros semejantes.
(1774) Y no descendiese por grados hasta las cosas efímeras.
(1775) Porque Dios es el único que hace las cosas perfectas obrando
directamente sobre ellas.
(1776) Así es cómo, por la virtud divina, la tierra de que se formó
el cuerpo de Adán fué hecha digna de toda la perfección conveniente
a la naturaleza animal.
(1777) Adán y Jesucristo.
(1778) Salomón.
(1779) Si debe admitirse un primer movimiento que no sea efecto
de otro. En todo esto quiere decir que Salomón no pidió la sabiduría
para saber astrología, dialéctica, metafísica y geometría, sino a fin
de poseer la ciencia y la prudencia para gobernar.

un semicírculo puede colocarse un triángulo que no tenga un
ángulo recto; así, pues, si has comprendido bien lo que he
dicho y lo digo, conocerás que la sabiduría real era la
ciencia sin par en que se clavaba la flecha de mi intención. Si
claramente miras, verás que la palabra *Ascendió* sólo hacía referencia a los reyes, que son muchos, pero pocos los buenos.
Acoge mis palabras con esta distinción; y así podrás conservar tu creencia sobre el primer padre y nuestro Amado (1780).
Esto debe hacerte andar siempre con pies de plomo para que,
cual hombre cansado, los muevas lentamente hacia el sí y el
no que no distingues con claridad, pues · necio es entre los
necios el que sin distinción afirma o niega, ya en uno ya en
otro caso, porque acontece a menudo que una opinión preci-
pitada se extravía, y después el amor propio ofusca nuestro
entendimiento. El que va en busca de la verdad sin conocer
el arte de encontrarla, hace el viaje peor que en vano, porque no vuelve tal como fué (1781), de lo cual son en el
mundo pruebas ostensibles Parménides, Meliso, Briso (1782)
y otros muchos que marchaban y no sabían adónde. Así hicieron Sabelio y Arrio (1783), y aquellos necios que fueron
como espadas para las Escrituras, torciendo el recto sentido
de sus palabras. Los hombres no deben aventurarse a juzgar,
como hace el que aprecia las mieses en el campo sin estar
granadas; porque he visto primero el zarzal áspero y punzante durante todo el invierno y luego cubrirse de rosas en su
cima, y he visto a la nave surcar el mar recta y veloz durante
su viaje, y perecer a la entrada del puerto. No crean doña
Berta y señor Martino (1784), por haber visto a uno roban-
do y a otro haciendo ofrendas, verlos del mismo modo en
la mente de Dios, porque aquél puede elevarse y éste caer.

(1780) Sobre Adán y Jesucristo.
(1781) Porque sin saber más que antes, vuelve lleno de errores.
(1782) Parménides, filósofo de Elea. Meliso, discípulo del anterior,
hombre de Estado y general distinguido; como filósofo profesaba el
idealismo y sostenía que el Universo era un ser único e indivisible, que
las formas eran sólo meras apariencias, etc. Briso, otro filósofo griego
más antiguo, que buscaba la cuadratura del círculo.
(1783) Sabelio, heresiarca del siglo III, que negaba en Dios la trinidad de las personas. Ario, otro heresiarca, condenado en el Concilio
de Nicea el año 325.
(1784) Nombres usados antiguamente para significar gentes de poco
cacumen.

CANTO XIV

El rey Salomón revela a Dante una verdad. — El Poeta sube con Beatriz al quinto cielo, al de Marte. En él encuentran las almas de los que han combatido por la fe.

EL agua contenida en un vaso redondo se mueve del centro a la circunferencia o de ésta al centro, según que la agiten por dentro o por fuera. Ocurrióseme de pronto esto que digo en cuanto calló el alma gloriosa de santo Tomás, por la semejanza que nacía de sus palabras y de las de Beatriz (1785), a quien plugo decir, después de aquél:

—Necesita éste, aunque no os lo indique ni con la voz ni con el pensamiento, llegar a la raíz de otra verdad. Decidle si la luz con que se adorna vuestra substancia permanecerá con vosotros eternamente tal como es ahora; y si así es, decidle cómo podrá suceder que no os ofenda la vista cuando os rehagáis visiblemente (1786).

Así como, en un arranque de alegría, los que dan vueltas danzando elevan la voz y manifiestan en sus gestos su regocijo, del mismo modo, ante aquel ruego piadoso y expresivo, los santos círculos demostraron nuevo gozo en su danza y en su admirable canto. El que se lamenta de que haya de morir aquí abajo para vivir después en el cielo, no ha visto el placer que la lluvia eterna de la sacrosanta luz produce en los bienaventurados.

Aquel uno y dos y tres que vive siempre, y siempre reina en tres y dos y uno (1787), no circunscrito y circuns-

(1785) Ocurrióse le el efecto del agua por la semejanza que nacía de las palabras de santo Tomás, las cuales llegaban desde el círculo formado por las almas bienaventuradas hasta Beatriz, que estaba junto a él en el centro de dicho círculo, con las que procedían de ella, y que del centro llegaban al expresado círculo.

(1786) Después de la Resurrección.

(1787) La Santísima Trinidad. El canto era tal vez: *Gloria Patri et Filio et Spiritui Sancto.*

cribiéndolo todo, era cantado tres veces por cada uno de los espíritus con tal melodía, que oírlos sería justa recompensa para todo mérito. Yo oí en la luz más resplandeciente del menor círculo una voz modesta (1788), quizá como la del Ángel al dirigirse a María, que respondió:

—Mientras dure la fiesta del Paraíso, otro tanto tiempo irradiará nuestro amor en torno a nuestro ropaje. Su claridad corresponde al ardor que nos inflama; el ardor a nuestras celestiales visiones, y éstas son tanto más claras, cuanto la Divina Gracia acrecienta su natural virtud. Cuando nos revistamos de la carne gloriosa y santa, nuestra persona será mucho más grata a Dios y a nosotros, porque nada le faltará; entonces se aumentará lo que de su gratuita luz nos da el Sumo Bien, luz que nos permite contemplarle; y entonces deberán aumentarse también nuestra santa visión, el ardor que ésta produce y el rayo que del ardor desciende; pero así como el carbón que origina la llama la sobrepuja en deslumbrante blancura, de tal modo que aparece en medio de ella, de igual suerte este fulgor que ya nos rodea será vencido en apariencia por la carne, que todavía yace bajo tierra; y un resplandor tan grande no podrá ofendernos, porque los órganos del cuerpo estarán hechos para soportar cuanto puede labrar nuestra dicha.

Uno y otro coro me parecieron tan prontos y unánimes en decir *Amén* (1789) que manifestaron bien claramente el deseo de revestir sus cuerpos mortales; no por ellos quizá, sino por sus madres, por sus padres y por los demás seres que les fueron queridos antes de convertirse en sempiternas llamas. Y he aquí que en derredor de tales claridades nació una nueva luz sobre la que allí había, semejante a un horizonte luminoso; y así como al anochecer empiezan a entreverse en el Cielo nuevas apariciones, que parecen ser y no ser (1790), así me pareció empezar a ver allí nuevas substancias formando un círculo en torno a las otras dos circunferencias.

¡Oh, verdadero resplandor del Espíritu Santo! (1791).

(1788) La voz de Salomón, modesta como lo es la verdadera sabiduría. Landino es de opinión que se trata de Pedro Lombardo, pero Venturi, Lombardi y Portirelli, y en general todos los comentadores, están de acuerdo en que se trata de Salomón.
(1789) *Amén*, así sea, como deseando reunirse con sus cuerpos.
(1790) Se refiere a la luz dudosa de las estrellas, que aparecen cuando va anocheciendo.
(1791) Dice esto, porque toda luz de santidad que resplandece en el cielo es inspirada por el espíritu de Dios.

¡Cuán brillante se presentó de improviso a mis ojos que, vencidos, no pudieron soportarlo!

Pero se me mostró Beatriz tan bella y sonriente, que a su aspecto hubo de quedar esta visión entre las demás que no he podido retener en la memoria; entonces mis ojos recobraron fuerzas para alzarse de nuevo y me vi transportado a mayor gloria solo con mi Dama (1792).

Por el ígneo fulgor de la estrella, que me parecía más rojo que de costumbre, me di cuenta de haber subido a un punto más elevado, y con el lenguaje que es común a todos (1793), de todo corazón ofrecí a Dios el holocausto debido por esta nueva gracia. No se había extinguido aún en mi pecho el ardor del sacrificio, cuando conocí que había sido elogiado benévolamente, pues se me aparecieron tan claros y encendidos resplandores dentro de dos rayos luminosos, que exclamé: —¡Oh, Helios (1794), cuánto los embelleces!

Salpicados de grandes y pequeños luminares lo mismo que Galaxia (1795), cuya blancura extendida entre los polos del mundo hace dudar a los más sabios, aquellos rayos formaban en el fondo de Marte el venerable signo que produce la intersección de los cuadrantes en un círculo (1796).

Aquí el ingenio es inferior a mi memoria; pues en aquella cruz resplandecía Cristo, y sería en vano que buscase una digna comparación; pero el que toma su cruz y sigue a Cristo me perdonará una vez más lo que omito, cuando vea un día centellear a Cristo en aquel albor (1797).

(1792) Dante pasa del Sol al quinto cielo, el de Marte, y se da cuenta de ello sólo por el cambio de luz.

(1793) Con los sentimientos que a todos nos son comunes, aun a las gentes que hablan de distinto modo que nosotros.

(1794) ¡Oh, excelso Dios! *Helios* es voz que en hebreo significa *excelso* y en griego *sol*.

(1795) La Vía Láctea, llamada *galaxia* en griego, que hizo dudar a los sabios acerca de la verdadera causa de su blancura. Dante alude aquí a Aristóteles, Avicena y Tolomeo, los cuales opinaron que fuese efecto de la mayor densidad del cielo en aquel punto. Según el mismo Dante (*Convivio*, tratado II, cap. 15), aquella luz blanquecina proviene «de multitud de estrellas fijas, tan pequeñas, que no podemos distinguirlas aquí abajo».

(1796) Dos diámetros que se cortan perpendicularmente, figuran una cruz. Supone a Marte cóncavo, y en su fondo la cruz formada de dos fajas luminosas que cruzan todo el planeta.

(1797) Alusión a un pasaje de san Mateo (cap. XVI). Nótese que Dante repite por tres veces la palabra Cristo. En el original italiano el verso central de uno de los tercetos rima con el verso primero del terceto siguiente, y éste, a su vez, con el último del mismo terceto, las tres veces con la misma palabra : Cristo. Los comentadores explican esta singularidad como una muestra de reverencia por parte del Poeta.

De uno a otro extremo de los brazos de la cruz y de arriba abajo se agitaban luces, que lanzaban vívidos destellos cada vez que se unían o pasaban más allá, tal como se ven en la Tierra los átomos agitándose en línea recta o curva, ágiles o lentos, cambiando sin cesar de aspecto, en el rayo de luz que corta la sombra que el hombre, por medio de su inteligencia y de su arte, se procura contra el Sol; y así como el laúd o el arpa forman con sus numerosas cuerdas una dulce armonía, aun para el que no distingue cada nota, del mismo modo aquellas luces que allí se me aparecieron produjeron alrededor de la cruz una melodía que me arrebataba a pesar de no comprender el himno.

Bien conocí que encerraba altas alabanzas, porque llegaron hasta mí estas palabras: *Resucita y vence,* pero como al que oye sin entender. Y aquella melodía me arrobaba tanto, que hasta entonces no hubo cosa alguna que me ligara con tan dulces vínculos.

Acaso parezcan mis palabras demasiado atrevidas, y se diga que pospongo a otras delicias el placer de los hermosos ojos, en cuya contemplación se calman todos mis deseos (1798); pero quien sepa que las vivas marcas de toda belleza (1799) la imprimen mayor a medida que están más elevadas, y considere que allí no me había vuelto aún hacia ellos, podrá excusarme de lo que me acuso para excusarme (1800), y conocerá que digo la verdad, pues el santo placer de aquella mirada no está excluído aquí, supuesto que se hace más puro a medida que nos elevamos (1801).

(1798) Los ojos de Beatriz.
(1799) Los cielos que, a modo de sellos, imprimen la belleza a todas las cosas.
(1800)   *Escusar puommi di quel ch'io m'accuso*
                    Per iscusarmi..
(1801) Es decir: la divina belleza de Beatriz no está excluída de mis palabras, cuando he dicho que hasta entonces ninguna cosa me había ligado con tan dulces vínculos' como el canto de aquellos espíritus; porque siendo sabido que los cielos imprimen mayor belleza cuanto más cerca están del Empíreo, debe darse por supuesto que la de Beatriz se ha hecho más pura y esplendente al subir al cielo de Marte; pero no habiéndome vuelto a mirarla allí todavía, era excusado nombrarla, sin que esto sea exclusión u omisión, sino hablar con mayor verdad y exactitud.

CANTO XV

En el quinto cielo resplandecen los bienaventurados, dispuestos en forma de cruz, como símbolo de martirio y de victoria. — Del brazo derecho se desprende el espíritu de Cacciaguida, tatarabuelo del Poeta, que le habla de la genealogía de los Alighieri, de las antiguas costumbres de Florencia, y le refiere su muerte, combatiendo contra los turcos, en defensa de la fe de Jesucristo.

L A benigna voluntad, en la que se manifiesta siempre el amor cuyas aspiraciones son rectas (1802), como la codicia se manifiesta en la voluntad inicial, impuso silencio a aquella dulce armonía e hizo reposar las santas cuerdas que por la diestra de Dios están templadas.

¿Cómo se habían de hacer sordas a súplicas justas aquellas substancias que, para infundirme el deseo de dirigirles alguna pregunta, estuvieron acordes en callarse? Justo es que se lamente sin tregua el que, por amor a cosas que no pueden durar eternamente, se desprende de aquel amor.

Como en noche serena discurre acá o allá por el cielo tranquilo y puro un repentino fuego, atrayendo las miradas antes indiferentes, y parecería estrella que cambie de lugar, si en aquel de donde sale se advirtiese su falta y no fuese tan breve su duración, así desde el extremo del brazo derecho al pie de la cruz se corrió un astro de la constelación que allí resplandece (1803); pero el diamante no se separó de su ángulo, sino que siguió la faja luminosa, asemejándose a una luz que pasa por detrás del alabastro.

No menos afectuosa que aquel espíritu se mostró la som-

(1802) El sentimiento de la caridad.
(1803) El alma de Cacciaguida, tatarabuelo del Poeta, se desprende como una exhalación de entre las demás que allí resplandecen como estrellas.

bra de Anquises cuando reconoció a su hijo en los Campos
Elíseos, si hemos de dar crédito a nuestro mayor Poeta (1804).

>—*O sanguis meus! o super infusa*
>*Gratia Dei! sicut tibi, cui*
>*Bis unquam Cœli janua reclusa* (1805)?

Así dijo aquella luz; por lo cual fijé en ella toda mi atención; después volví el rostro hacia mi Dama, y por una y
otra parte quedé asombrado, pues en sus ojos brillaba tal sonrisa que creí llegar con los míos al fondo de mi gracia y de
mi Paraíso (1806). Luego aquel espíritu, al que era tan grato
ver y oír, añadió a sus primeras palabras cosas que no comprendí; tan profundos fueron sus conceptos, no porque fuese
su intento el ocultármelos, sino por necesidad a causa de ser
éstos superiores a la inteligencia de los mortales. Cuando el
arco de su ardiente afecto estuvo menos tirante para que sus
palabras descendiesen hasta el límite concedido a nuestra inteligencia, la primera cosa que oí fué: —Bendito seas Tú,
trino y uno, que tan propicio eres a mi descendencia —. Y
continuó diciendo:
—Hijo mío: gracias a esa que te ha revestido de plumas
para emprender tan alto vuelo (1807), has satisfecho dentro
de esta luz en que te hablo un plácido y largo deseo de verte,
originado en mí de haber leído tu venida en el gran libro
donde no se cambia jamás lo blanco en negro ni lo negro en
blanco (1808). Tú crees que tu pensamiento ha llegado hasta
mí por medio de aquel que es el primero (1809), así como
de la unidad, de todos conocida, se forman el cinco y el seis,
y por eso ni me preguntas quién soy, ni por qué te parezco
más gozoso que otro alguno de esta alegre cohorte. Crees la
verdad; porque en esta vida, los espíritus que disfrutan, así

(1804) Virgilio, que describe en la *Eneida*, VI, cómo Anquises salió
al encuentro de Eneas cuando le vió en el Elíseo.
(1805) «¡Oh sangre mía!, ¡oh superabundante gracia de Dios!,
¿quién, como tú, ha visto abiertas dos veces ante sí las puertas del
Cielo?»
(1806) Creí haber llegado al colmo de la gracia divina y de la
bienaventuranza.
(1807) Gracias a Beatriz, que te ha dado la virtud de subir al Cielo,
has satisfecho mi deseo de verte.
(1808) Deseo que hace mucho tiempo yo tenía, por haber leído que
vendrías en el libro de la presciencia divina, cuyas páginas son inmutables y eternamente verdaderas. Parece aludir aquí a los sofistas que,
en sus escritos, hacen aparecer lo blanco negro, y viceversa.
(1809) Por medio de la mente de Dios, que me es manifiesta.

de mayor como de menor gloria, miran en el espejo en que
aparece el pensamiento antes de nacer (1810). Pero a fin de
que el sagrado amor que observo con perpetua atención y que
excita en mí un dulce deseo, se satisfaga mejor (1811), manifiesta con voz segura, franca y placentera cuál es tu voluntad, cuál tu deseo, pues mi respuesta está ya preparada.

Yo me volví hacia Beatriz, y ella, que me había oído antes
de que yo hablara se sonrió de modo que hizo crecer las alas
de mi deseo. Después empecé a hablar así:

—Desde que se os patentizó la Igualdad primera, el afecto
y la inteligencia tienen un peso igual en cada uno de vosotros;
porque en ese Sol, que os ilumina y abrasa con su luz y su
calor, son tan iguales ambas virtudes, que toda semejanza es
poca (1812). Pero el entendimiento y la voluntad de los
mortales, por la razón que os es ya manifiesta, vuelan con
diferentes alas. Así es que yo, que soy mortal, me veo en
esta desigualdad, y únicamente puedo dar gracias con el corazón a tan paternal acogida. Te suplico, pues, encarecida-
mente, ¡oh, vivo topacio que enriqueces esa preciosa joya!
(1813), que me hagas sabedor de tu nombre.

—¡Oh, vástago mío, en quien me complacía mientras te
esperaba! Yo fuí tu raíz—. De esta suerte dió principio a
su respuesta. Después añadió:

—Aquel de quien ha tomado su nombre tu prosapia, y
que por espacio de ciento y más años ha estado girando por
el primer círculo del monte (1814), fué mi hijo y tu bis-
abuelo; bien necesita que con tus obras disminuyas su prolongada fatiga (1815). Florencia, dentro del antiguo recinto
donde oye sonar aún tercia y nona (1816), estaba en paz,

(1810) Contemplan la mente divina, en la cual, por la presciencia
que tiene de las cosas futuras, los espíritus que en ella observan ven
tus pensamientos antes de que nazcan.

(1811) Pero a fin de que aquella ardiente caridad, por la que siempre velo mirando a Dios, y que me inunda de un dulce deseo con
respecto a ti, etc.

(1812) Desde que, subiendo al Cielo, visteis a Dios, que es la suma
igualdad, el afecto y el entendimiento tienen igual fuerza en vosotros;
porque el Sol Divino os comunica la sabiduría y la caridad tan por
iguales partes, que ningún símil bastaría para demostrarlo.

(1813) La cruz.

(1814) El primer círculo del Purgatorio, donde están los soberbios.
Este hijo de Cacciaguida se llamó Aldighiero, y fué padre de Bel-
lincione, de quien nació Aldighiero II, padre de Dante. La familia
de éste, que antes se llamaba Elisei, cambió su apellido por el de
Aldighieri, que dulcificado después, quedó en Alighieri.

(1815) La de ir cargado con aquel peso que hace ir encorvados a
los orgullosos.

(1816) Se tocaban las horas, según unos, en la Abadía; según

sobria y púdica. No tenía gargantillas, ni coronas, ni mujeres ostentosamente calzadas, ni cinturones más llamativos a la vista que la persona que los lleva. Al nacer, no causaba miedo la hija al padre, porque la época del matrimonio y el dote no habían salido aún de los límites regulares. No estaban entonces las casas vacías de moradores (1817); no había llegado aún Sardanápalo a enseñar lo que se puede hacer en una cámara. Montemalo (1818) no era aún vencido por Uccellatoio, el cual, así como le excede en la subida, le excederá en la bajada. Yo he visto a Bellinción Berti (1819) con cinturón de cuero y hebilla de hueso, y a su mujer separarse del espejo sin colorete en el rostro; he visto a los de Nerli y a los del Vecchio contentarse con ir cubiertos de una simple piel, y a sus mujeres dedicadas a la rueca y al huso. ¡Oh, afortunadas!, cada una de ellas conocía el lugar donde había de ser sepultada (1820), y ninguna se había visto abandonada en el lecho por causa de Francia (1821). La una velaba su cuna, y para consolar a su hijo usaba el idioma que constituye la primera alegría de los padres y de las madres; la otra, tirando de la blanca cabellera de su rueca, charlaba con su familia de los troyanos, y de Fiésole y de Roma (1822). En aquellos tiempos se habría mirado como una maravilla a una Cianghella (1823) y a un Lapo Salte-

otros, en el Palacio público, edificios ambos situados dentro del recinto de las antiguas murallas de Florencia, que se construyeron cuando Carlomagno fué a Italia.

(1817) No estaban las casas sin habitantes por los destierros a que dieron lugar los partidos; o bien, no había palacios con habitaciones superfluas.

(1818) Montemalo por Montemario; montaña cerca de Roma. Uccellatoio, montaña cerca de Florencia. Quiere decir que entonces Roma no había sido vencida en esplendor por Florencia. Es probable que Florencia superase a Roma en la riqueza de los edificios en 1300; porque los palacios que hoy se admiran en Roma no tienen mayor antigüedad de tres siglos; y según Villani, por aquel tiempo había en seis millas a la redonda de Florencia más casas ricas y de recreo de las necesarias para formar otras dos ciudades.

(1819) Noble florentino, padre de la famosa Gualdrata, citada en el *Infierno*, canto XVI.

(1820) Estaban seguras de no morir en el destierro.

(1821) Ninguna se veía abandonada por su marido para ir a comerciar a Francia.

(1822) Algún comentador ve en este pasaje una imitación del siguiente, de Juvenal:

«Præstabat casta humilis fortuna Latinas
Quondam, nec vitiis contigi parva sinebant
Tecta, labor, somnique brevese.»
(Lib. II, Sat. VI, vers. 287 y sigs.)

(1823) Mujer disoluta de la familia de los de Tosinghi.

rello (1824), como hoy causarían asombro un Cincinato y
una Cornelia. En medio de tanta calma, y de tan hermosa
vida por parte de todos y entre tan fieles conciudadanos, me
hizo nacer la Virgen María, llamada a grandes gritos (1825),
y en vuestro antiguo Baptisterio fuí a un tiempo cristiano y
Cacciaguida, Moronto y Eliseo fueron mis hermanos; mi
esposa procedía del valle del Po, y de ella viene tu apellido (1826). Después seguí al emperador Conrado (1827),
que me concedió el título de caballero en recompensa de
mis buenas acciones. Tras él fuí contra la maldad de aquella
ley, cuyo pueblo usurpa vuestro dominio, por culpa del Pastor (1828). Allí aquella torpe raza me libró del mundo fa-
laz, cuyo amor envilece tantas almas, y desde el martirio llegué a esta paz.

(1824) Jurisconsulto florentino, muy litigante y maldiciente; gran
derrochador, que al fin se rebeló contra su patria.
(1825) Invocada por su madre en medio de los dolores del parto.
(1826) El apellido Alighieri. Ella procedía de Ferrara.
(1827) Siguió al emperador Conrado III, de la casa de Hohenstauffen,
a la segunda cruzada, predicada por san Bernardo, en 1148.
(1828) Es decir: contra la pésima ley de Mahoma, cuyo pueblo,
por culpa del Pontífice romano, nos usurpa los lugares de la Tierra
Santa, que en justicia son de los cristianos.

CANTO XVI

Refiere Cacciaguida quiénes fueron sus antepasados, la época de su nacimiento, la población de Florencia en su tiempo y las familias más notables de la misma.

AUNQUE tan poco representas, ¡oh, nobleza de la sangre!, nunca me admiraré de que hagas vanagloriarse de ti a la gente aquí abajo, donde nuestros afectos languidecen; pues yo mismo, allá donde el apetito no se tuerce, quiero decir en el cielo, me vanaglorié de poseerte. A la verdad, eres como un manto que se acorta en breve, de modo que si cada día no se le añade algún pedazo, el tiempo lo va recortando alrededor con sus tijeras (1829).

Con el *vos,* al que Roma fué la primera en someterse, y en cuyo empleo no han perseverado tanto sus descendientes (1830), empezaron esta vez mis palabras; por lo cual, Beatriz, que estaba algún tanto apartada, sonrióse, semejante en ello a la que tosió cuando Ginebra cometió la primera falta de que habla la crónica (1831).

Yo empecé a decir: —Vos sois mi padre; vos me infundís aliento para hablar; vos me enaltecéis de modo que soy

(1829) Si la nobleza no se aumenta de generación en generación con nuevas virtudes, viene a menos, como el manto, etc.

(1830) Empecé a hablar de *vos* a Cacciaguida, siguiendo la costumbre introducida por el Papa, que en vez de decir *mío* y *yo,* dice *nuestro* y *nos.* Así lo interpretan algunos; pero otros, con más acierto, explican la idea de Dante de este modo: Empecé a hablarle de *vos,* y no de *tú,* como había hecho antes, pareciéndome más respetuoso aquel tratamiento, que los antiguos romanos dieron por primera vez a Julio César (según entonces se creía); y en cuyo tratamiento de *vos* perseveraron los romanos menos que otros pueblos. En efecto, aquéllos hablaban en tiempo de Dante, y hablan todavía hoy, de *tú* a todo el mundo, a no ser que traten de *excelencia* a cualquiera.

(1831) Beatriz se sonrió, como burlándose de que usase en el cielo un estilo tan ceremonioso; del modo que, según cuenta la Crónica de la *Tabla redonda,* la camarera de la reina Ginebra tosió al notar el primer mal paso dado por su señora, llevada del amor a Lancelote.

más que yo mismo. Por tantos arroyos se inunda de alegría
mi mente que se goza en sí misma al considerar que puede
contener tanta sin que la abrume. Decidme, pues, ¡oh, mi
querido antepasado!, quiénes fueron vuestros *predecesores,
y cuáles los años en que comenzó vuestra infancia. Decidme
lo que era entonces el rebaño de San Juan (1832) y cuáles
las personas más dignas de elevados puestos.

Como se aviva la llama del carbón al soplo del viento,
así vi yo resplandecer aquella luz ante mis respetuosas palabras; y así pareció más bella a mis ojos, más dulce y suave
fué también su acento cuando me dijo, aunque no en nuestro moderno lenguaje:

—Desde el día en que se dijo *Ave* (1833), hasta el parto
en que mi madre, que hoy es santa, se libró de mi peso,
este Planeta fué a inflamarse quinientas cincuenta y tres
veces a los pies del León (1834). Mis antepasados y yo naci-
mos en aquel sitio donde primero encuentra el último distrito (1835) el que corre en vuestros juegos anuales. Bástete
saber esto con respecto a mis mayores; lo que fueron o de
donde vinieron, es más cuerdo callarlo que decirlo (1836).
Todos los que se encontraban entonces en estado de llevar
las armas entre la estatua de Marte (1837) y el Baptisterio,

(1832) Decidme cuánta era entonces la población de la ciudad de
Florencia, que tiene por patrón a san Juan.
(1833) Desde el día en que la Encarnación del Verbo Divino, en que el
Ángel saludó a María. Contábanse entonces los años de la era cristiana
desde la Encarnación.
(1834) Este planeta, Marte, dió 533 vueltas por la Eclíptica, viniendo otras tantas veces a inflamarse a los pies de la constelación del
León. Quiere decir que Cacciaguida nació en 1106. Algunos han alterado aquí el texto, diciendo: *quinientas cincuenta y treinta* (580) veces; y se fundan en que Marte efectúa su revolución en 686 días,
22 horas y 29 minutos; multiplicando estas cifras por 580, encuentran
que Cacciaguida debió de nacer hacia el año 1090. Pero este cálculo no
debe hacerse con los datos que hoy poseemos, sino con los que tenía
Dante, quien dice en el *Convivio*, trat. II, cap. 15, que la revolución
de Marte se efectúa *casi en dos años*. Así, pues, doblando el 553, resulta el año 1106; y es más probable que en él naciese Cacciaguida,
que no en 1090; pues así tendría 42 años cuando siguió a Conrado III
a la Cruzada, edad muy propia para llevar las armas.
(1835) Florencia se extiende de E. a O. a la orilla del Arno, y estaba dividida antiguamente en distritos llamados *sestieri*, que iban
enumerados en dirección a la corriente del río. Con esta corriente
solían correrse los caballos indómitos en la fiesta de San Juan; de
modo que Cacciaguida quiere decir que sus antepasados y él nacieron en el último cuartel o distrito adonde llega el caballo que más
velozmente corre en dicha fiesta, cuyo cuartel era el de San Pedro.
(1836) La modestia exige y sobre todo en el Cielo, no hablar con
vanidad de los ilustres ascendientes.
(1837) En aquel tiempo, la antigua Florencia se extendía sólo entre
el *Ponte Vecchio,* donde estaba la estatua de Marte, hasta el templo

formaban la quinta parte de los que ahora viven allí; pero
la población, que es al presente una mezcla de gente de
Champi, de Certaldo y de Figghine (1838), se veía pura hasta
en el último artesano. ¡Oh! ¡Cuánto mejor fuera tener por
vecinas a aquellas gentes y vuestras fronteras en Galluzzo y
Trespiano (1839), que tenerlas dentro de vuestros muros
y soportar la fetidez del villano de Aguglión y del de Signa (1840), que con tanta avidez se aprestan ya para traficar!
Si la gente que está más degenerada en el mundo no hubiera
sido una madrastra para César, sino benigna como una madre
para con su hijo, más de uno que se ha hecho florentino y
cambia y trafica se habría vuelto a Semifonti (1841), donde
andaba su abuelo pordioseando; los Conti estaban aún en
Montemurlo (1842); los Cerchi en la jurisdicción de Ancona y quizá aún en Valdigrieve los Buondelmonti. La confusión de las personas fué siempre el principio de las desgracias de las ciudades, como la mezcolanza de los alimentos
lo es de las del cuerpo; pues un toro ciego cae más pronto
que un cordero ciego; y muchas veces corta más y mejor
una espada que cinco (1843). Si consideras cómo han desaparecido Luni y Urbisaglia y cómo siguen sus huellas Chiusi
y Sinigaglia, no te parecerá difícil de creer el oír cómo se
deshacen las familias, puesto que las ciudades mismas tienen
un término. Todas vuestras cosas mueren como vosotros;
pero se os oculta la muerte de algunas que duran mucho,
porque vuestra vida es muy corta; y así como los giros del
cielo de la Luna cubren y descubren sin tregua las orillas del
mar (1844), lo mismo hace con Florencia la fortuna; por
lo cual no debe asombrarte lo que voy a decir con respecto
a los primeros florentinos, cuya fama está envuelta en la

de San Juan, no pasando al otro lado del Arno; y dice que su población era la quinta parte de lo que fué en 1300. Parece que en este
año ascendía a 70.000 almas; por consiguiente, en tiempo de Cacciaguida era sólo de 14.000.
(1838) Lugares del condado de Florencia.
(1839) Otros lugares del mismo condado.
(1840) Alusión a Baldo d'Aguglione y Bonifacio de Signa, personajes notables por sus fraudes y por el tráfico que hacían de los negocios
de la República.
(1841) Castillo de Toscana.
(1842) Si la Curia romana, centro del güelfismo, no hubiese combatido a la autoridad imperial, no habría en Florencia advenedizos, que
se han enriquecido a su costa; los condes Guidi no hubieran vendido
su castillo de Montemurlo por temor a los de Pistoya, etc.
(1843) Con estas comparaciones quiere significar que la fuerza de
un pueblo no siempre consiste en el número, y sí en la calidad.
(1844) Alude al flujo y reflujo del mar.

obscuridad de los tiempos. He visto ya en decadencia los
Ughi, los Castellini, Filippi, Greci, Ormanni y Alberichi,
todos ilustres caballeros; he visto también con los de la
Sanella a los del Arca y a los Soldanieri, los Ardinghi y los
Bostichi, tan grandes como antiguos. Sobre la puerta (1845),
cargada al presente con una felonía de tan gran peso que en
breve hará zozobrar vuestra barca, estaban los Ravignani, de
quienes desciende el conde Guido, y los que han tomado
después el nombre del gran Bellinción. El primogénito de la
familia de la Presa conocía el arte de gobernar con rectitud,
y en casa de Galigajo se veían ya los distintivos de la nobleza, que consistían en usar dorados la guarnición y el pomo
de la espada. Grande era ya la columna de la Comadreja
(1846), e ilustres los Sacchetti, Giuochi, Fifanti, Barucci y
Galli, y los que se avergüenzan al recuerdo de la medida (1847). El tronco de que nacieron los Calfucci era ya
grande y ya habían sido promovidos a las sillas curules los
Sizii y los Arrigucci. ¡Oh! ¿cuán fuertes he visto a aquéllos
que han sido destruídos por su soberbia! y, sin embargo,
las bolas de oro (1848) con sus altos hechos hacían florecer
a Florencia; así como también los padres de aquéllos, que
cada vez que queda vacante vuestra iglesia engordan concu-
rriendo al consistorio (1849). La presuntuosa familia (1850)
que persigue como un dragón al que huye, y se humilla como
un cordero ante el que le enseña los dientes o la bolsa, venía
ya engrandeciéndose; pero su origen era bajo: por esto no
agradó a Ubertino Donato que su suegro le hiciera empáren-
tar con ella (1851). Los Caponsacco habían descendido ya
de Fiésole, y habitaban en el Mercado (1852) y ya Giuda
e Infangato eran excelentes ciudadanos. Voy a decirte una
cosa increíble y verdadera: en el pequeño círculo que for-

(1845) Sobre la puerta de San Pedro, cerca de la cual habitan hoy
los Cerchi del partido Negro, cuya felonía es tanta que causara la
perdición de la República, habitaba ya la familia de los Ravignani.

(1846) La familia de Billi tenía por armas en campo rojo una columna a listas del color de la piel de la comadreja.

(1847) Los Chiaramontesi, que habían alterado las medidas, según se
ha dicho en el Canto XIII del *Purgatorio*.

(1848) Los Umberti y los Lamberti, que en sus armas tenían bolas
de oro.

(1849) Los Visdomini, Tosinghi y Cortigiani, que administraban el
obispado de Florencia siempre que estaba vacante.

(1850) Los Adimari, uno de los cuales perjudicó mucho a Dante.

(1851) Ubertino Donati, casado con una hija de Bellinción Berti,
llevó a mal que éste diese otra de sus hijas a un Adimari.

(1852) Un punto de Florencia, llamado el Mercado Viejo. La madre
de Beatriz era de esta familia.

maba la ciudad, se entraba por una puerta que debía su nombre a la familia de la Pera (1853). Todos los que llevan las bellas insignias del gran Barón (1854) cuyo nombre y cuya gloria se renuevan en la fiesta de santo Tomás, recibieron de él sus títulos de caballero y sus privilegios; si bien hoy se ha colocado en el partido del pueblo aquel que rodea sus insignias de un círculo de oro (1855). Ya los Gualterotti y los Importuni vivían tranquilos en el Borgo, y más lo habrían estado sin nuevos vecinos. La casa de que ha nacido vuestro llanto (1856), por el justo rencor que os ha destruído y ha dado fin a vuestra agradable vida, era honrada con todos los suyos. ¡Oh, Buondelmonte! ¡cuán mal hiciste en no aliarte con ella por medio del matrimonio para consuelo de los demás! Muchos de los que hoy están tristes, estarían alegres, si Dios te hubiese entregado al Ema (1857) la primera vez que viniste a la ciudad. Pero era preciso que ante aquella piedra rota que guarda el puente, sacrificara Florencia una víctima en sus últimos días de paz (1858). Con tales familias y con otras muchas, he visto a Florencia en medio de un espléndido reposo, y sin causa alguna para llorar. Con estas familias he visto a su pueblo tan glorioso y justo, que jamás el lirio fué llevado al revés en la lanza (1859) ni se había vuelto aún rojo a causa de las discordias (1860).

(1853) Tanta era la sencillez de aquellos tiempos, que una de las puertas de la antigua muralla (a Levante) llevaba el nombre de los Peruzzi, que habitaban allí cerca.

(1854) Hugo de Brandeburgo, vicario de Otón III en Toscana, de quien recibieron títulos de nobleza varias familias de Florencia. Murió en 1006; y habiendo dotado con grandes bienes a la Abadía de Florencia, los monjes dedicaban a su memoria un aniversario el día de santo Tomás.

(1855) Giano de la Bella, que usando las insignias de Hugo las rodeó de un círculo de oro.

(1856) La casa de los Amidei, que, a causa de no haber querido Buondelmonte casarse con una doncella de su familia, originó las discordias civiles de Florencia.

(1857) El Ema, pequeño río de Toscana.

(1858) Alude al asesinato de Buondelmonte por los Amidei junto a la derruída estatua de Marte que estaba en el Puente Viejo.

(1859) Esto es: vi al pueblo florentino tan pujante, que el lirio, su enseña, no habiendo caído nunca en manos de los enemigos, no se había puesto tampoco al revés en la lanza. Así se acostumbraba hacer con las enseñas conquistadas en la guerra.

(1860) El lirio en las antiguas armas de Florencia era blanco: después de la división civil, los güelfos pusieron el rojo en campo blanco.

CANTO XVII

Cacciaguida recuerda a Dante las desgracias que le fueron predichas en el Infierno y en el Purgatorio. — A su vez, predice al Poeta su destierro de Florencia. — Por último, le exhorta a escribir todo lo que ha visto durante su viaje.

Estaba yo afanoso como aquel cuyo ejemplo hace que los padres sean aún poco condescendientes con sus hijos, cuando acudió a Climene para cerciorarse de lo que acerca de él había oído (1861); y bien lo conocían Beatriz y aquella luz que por mí había cambiado antes de sitio; por lo cual me dijo mi Dama:

—Exhala el ardor de tu deseo, de tal modo que salga expresado con la fuerza que lo sientes; no para que nosotros lo conozcamos mejor por tus palabras, sino para que te atrevas a manifestar tu sed, a fin de que otros puedan satisfacerte.

—¡Oh mi querida planta (1862), que te elevas tanto, que mirando al punto a quien todos los tiempos son presentes, ves las cosas contingentes antes de que sean en sí, como ven las inteligencias terrestres que dos ángulos obtusos no pueden caber en un triángulo! Mientras acompañado de Virgilio subí por el monte donde se purifican las almas, y cuando bajaba por el mundo de los muertos, se me dijeron palabras graves acerca de mi vida futura (1863); y aunque me con-

---

(1861) Como Faetón, cuyo mal ejemplo hace que los padres sean más cautos en sus condescendencias para con sus hijos, cuando acudió a su madre Climene, para cerciorarse de si era verdaderamente hijo de Apolo, según se decía, tan ansioso estaba yo, etc. (Véase Ovidio, *Metam.*, lib. I, 20.)

(1862) Mi querido progenitor, que te elevas hasta ver a Dios.

(1863) Las palabras que le dijeron Farinata, Brunetto Latini, Conrado Malaspina y Oderisi de Gubbio, en el *Infierno*, cantos X y XV; y en el *Purgatorio*, cantos VIII y XI.

sidere inquebrantable (1864) ante los golpes de la desgracia, quisiera saber cuál es la suerte que me está reservada; pues el dardo previsto hiere con menos fuerza (1865).

Así dije a la misma luz que me había hablado antes, manifestando mi deseo como lo quiso Beatriz. Aquel amoroso progenitor mío, encerrado y patente a un mismo tiempo en su esplendor risueño, me contestó, no en los términos ambiguos con que eran engañados los necios gentiles (1866) antes que fuese inmolado el Cordero de Dios que redimió los pecados, sino con palabras claras y en latín correcto (1867):

—Las contingencias, a cuyo conocimiento no alcanzan los límites de vuestra materia, están todas presentes a la vista de Dios (1868). De aquí no se infiere, sin embargo, su necesidad, sino como es preciso que se pinte en los ojos de quien la mira la nave que desciende por una corriente (1869). Desde la mente divina llega a mi vista, como a los oídos la dulce armonía del órgano, el tiempo que para ti se prepara. Del mismo modo que Hipólito partió de Atenas por la crueldad y perfidia de su madrastra (1870), tendrás que salir de Florencia. Esto es lo que se quiere, y lo que se busca, y pronto será hecho por los que lo meditan allá donde diariamente se vende a Cristo (1871). Las culpas caerán sobre los vencidos, como es costumbre; pero el castigo dará testimonio de la verdad, que lo envía al que lo merece. Tú abandonarás todas las cosas que más entrañablemente amas, que es este el primer dardo que lanza el arco del destierro. Tú probarás cuán amargo es el pan ajeno, y cuán duro camino el

(1864) *Ben tetragono ai colpi,* etc. Expresión enérgica tomada de Aristóteles. (*Etica,* I.) El tetrágono es un cuerpo geométrico que, de cualquier modo que se vuelva, siempre queda en pie.

(1865) «Nam prævisa minus lædere tela silent.» (Ovidio.)

(1866) Se refiere a los oráculos de la Sibila.

(1867) Véase *Eneid.,* lib. VI, vers. 98 y sigs.

(1868) Los acontecimientos casuales, que pueden ser o no ser, y que como futuros, no podéis conocer, están todos presentes en la mente de Dios, etc.

(1869) Es decir: es de necesidad que Dios las vea porque han de suceder; pero no que sucedan porque Dios las vea; como la nave que baja por un río, no corre porque los ojos la ven correr, sino que los ojos la ven correr porque corre. Los Escolásticos usaron mucho este argumento, reducido a que de la presencia que Dios tiene de nuestras cosas no se deriva su necesidad.

(1870) Hipólito, hijo de Teseo y de Antíope. Habiendo rechazado los halagos culpables de su madrastra Fedra, fué acusado por ella de haber querido seducirla.

(1871) Esto es: tu destierro se prepara ya en Roma, donde diariamente se trafica con las cosas espirituales por adquirir bienes temporales.

que conduce a subir y bajar la escalera extraña. Y lo que más duramente gravará tus espaldas, será la compañía estúpida y malvada con la cual caerás en este valle; porque ingrata, loca e impía, se revolverá contra ti; si bien, poco después, ella y no tú tendrá que avergonzarse (1872). Su conducta probará su bestialidad, de suerte que para ti será más laudable haberte separado completamente de ella. Tu primer refugio y tu primer albergue serán la cortesía del Gran Lombardo, que sobre la escala lleva el ave santa (1873), el cual te acogerá tan benignamente, que entre ambos el dar precederá al pedir, al contrario de lo que sucede entre los demás. Sí, verás a aquel (1874) que al nacer fué tan inspirado por esta clara estrella, que sus hechos serán siempre admirados. Los pueblos no han reparado en él aún a causa de su corta edad (1875), pues sólo hace nueve años que giran en derredor suyo estas esferas. Pero antes de que el Gascón engañe al gran Enrique (1876), brillarán los destellos de su virtud en su desprecio al dinero y a las fatigas. Sus magnificencias serán tan conocidas, que ni aun sus mismos enemigos podrán dejar de referirlas. Espera en él y en sus beneficios; por él muchos hombres serán transformados, y los ricos y los pobres cambiarán de condición. Lleva grabado en tu mente cuanto te predigo acerca de él; pero no lo manifiestes a nadie.

Y me refirió después cosas que parecerán increíbles aun a aquellos que las presencien. Por último añadió:

—Hijo mío, tales son las interpretaciones de lo que se te ha dicho (1877); tales las asechanzas que se te ocultarán por pocos años. No quiero, sin embargo, que odies a tus conciudadanos; pues tu vida se prolongará más aún de lo que tarde el castigo de su perfidia (1878).

(1872) Otros, *avrá rotta la tempra,* en lugar de *avrá rossa.*

(1873) Can el grande, señor de Verona, que siendo imperial, llevaba un águila sobre la escala de oro en campo rojo, armas de su familia. Creen algunos que aquí alude el poeta a Bartolomé, hermano de Can; pero no puede ser, porque Dante no estuvo nunca en la corte de aquél. Además, el epíteto de *Gran Lombardo* conviene sólo a Can.

(1874) Sí, repite, verás a aquel gran Can Escalígero, tan favorecido al nacer por el influjo de este planeta Marte, etc.

(1875) Muratori asegura que Can *el Grande* nació en 1291 y Dante escribía esto en 1300.

(1876) Antes de que el papa Clemente V de Gascuña engañe al emperador Enrique VII. Este pontífice, después de haber promovido a Enrique al Imperio, favoreció a sus enemigos.

(1877) En el Infierno y en el Purgatorio.

(1878) Dante no logró ver castigada la perfidia de sus enemigos. La predicción que aquí se hace no se cumplió.

Cuando, por su silencio, demostró el alma santa que había concluído de poner la trama en la tela que le presenté urdida, empecé a decir, como el que en sus dudas desea el consejo de una persona entendida, recta y amante:

—Bien veo, padre mío, cómo corre el tiempo hacia mí para descargar sobre mí uno de esos golpes, tanto más dolorosos cuanto más desprevenido se vive; bueno será, pues, que me arme de previsión, a fin de que, si se me priva del lugar que más quiero, no pierda los demás por causa de mis versos. Allá abajo, en el mundo eternamente amargo, y en el monte desde cuya hermosa cumbre me elevaron los ojos de mi Dama, y después en el cielo, de luz en luz, he oído cosas, que si las repitiera serían para muchos de un amargo sabor, y si muestro flaqueza ante la verdad, temo perder la fama entre los que llamarán a este tiempo antiguo (1879).

La luz en que sonreía el tesoro que yo había encontrado allí, empezó por brillar como un espejo de oro a los rayos del Sol, y después respondió:

—Sólo una conciencia manchada por su propia vergüenza o por la ajena encontrará aspereza en tus palabras; no obstante esto, aparta de ti toda mentira, manifiesta por completo tu visión, y deja que se rasque el que tenga sarna; pues si tu voz es desagradable al gustarla por primera vez, dejará después un alimento vivificante a los que la oigan. Tu grito hará lo que el viento, que azota más las más elevadas cumbres, lo cual no será una pequeña prueba de honor. Por eso tan sólo se te han mostrado en estas esferas, en el monte y en el doloroso valle las almas que han gozado de cierto renombre; porque el ánimo del que escucha no fija su atención ni presta fe a ejemplos sacados de una raíz oculta y desconocida ni a otras cosas que no se manifiesten claramente.

(1879) Si repito lo que he oído en el Infierno, en el Purgatorio y en el Cielo, desagradaré a muchos; y si no digo la verdad con valentía, temo perder mi fama ante la posteridad.

CANTO XVIII

*Cacciaguida designa al Poeta muchos de los espíritus que com-
ponen la cruz del planeta Marte. — Dante, guiado por Beatriz, sube al planeta Júpiter, o al sexto cielo, donde se encuentran los que han administrado rectamente la justicia.*

S E recreaba ya en sus reflexiones aquel espíritu bienaventurado, y yo saboreaba las mías, atemperando lo amargo
con lo dulce, cuando la Dama que me conducía hasta
Dios, me dijo:

—Cambia de ideas; piensa que estoy al lado de Aquel
que alivia todas las contrariedades (1880).

Yo me volví hacia la voz amorosa de mi Consuelo, y desis-
to de expresar cuál fué el amor que vi entonces en sus santos
ojos; no sólo porque desconfíe de mis palabras, sino porque
la mente no puede repetir lo que es superior a ella, si otro poder no le ayuda. Sólo puedo decir con respecto a este punto
que, contemplándola, mi afecto se vió libre de todo otro deseo;
pues el placer eterno, que irradiaba directamente sobre Beatriz, me hacía dichoso al verlo reflejado en su hermoso rostro. Pero ella, desviándome de esta contemplación con la luz
de una sonrisa, me dijo:

—Vuélvete y escucha; que no está solamente en mis ojos
el Paraíso.

Tal como en el semblante se refleja la pasión, cuando su
vehemencia somete a ella toda el alma, del mismo modo en
los destellos del fulgor santo (1881), hacia el cual me volví,
conocí el deseo de continuar nuestra plática. Y en efecto, empezó diciendo:

—En esta quinta rama del árbol que recibe la vida por la

(1880) Dios.
(1881) De la luz en que estaba el alma de Cacciaguida.

copa y fructifica siempre y nunca pierde sus hojas (1882) gozan de bienaventuranza los espíritus que allá abajo, antes de
venir al cielo, alcanzaron tan gran renombre, que toda musa
se enriquecería con sus acciones: mira los brazos de la cruz,
y los que te iré nombrando harán en ellos los que el relámpago en la nube.

Apenas nombró a Josué (1883), vi pasar un fulgor por la
cruz, y el oír pronunciar aquel nombre y ver deslizarse su
resplandor fué todo uno.

Al nombre del Gran Macabeo (1884), vi moverse otra
luz dando vueltas a causa de su alegría. Del mismo modo, a
los nombres de Carlomagno y de Orlando, mi atenta mirada
siguió a dos luces, como sigue la vista el vuelo del halcón.

Después pasaron ante mis ojos por aquella cruz Guillermo y Rinoardo (1885), el duque Godofredo y Roberto Guiscardo (1886). En seguida, el alma que me había hablado se
movió del mismo modo y se reunió a las anteriores, de-
mostrándome cuán grande artista era entre los cantores del
Cielo (1887).

Volvíme hacia la derecha para conocer en Beatriz lo que
debía hacer, bien por sus palabras, bien por sus ademanes; y vi
sus ojos tan serenos, tan gozosos, que su semblante sobrepujaba en hermosura a todos los otros, y hasta a su aspecto
anterior. Y así como el hombre que obra bien, por el mayor
placer que siente, se da cuenta de día en día del aumento
de su virtud, así yo, viendo más resplandeciente aquel milagro de belleza, vi que se había hecho más extenso el círculo de mi rotación juntamente con el cielo (1888); y en
el breve espacio de tiempo que muda de color el rostro de
una doncella, cuando depone el peso de la vergüenza, presen-
tóse a mis ojos, al volverme, una transmutación semejante,

(1882) Parangona el sistema de los cielos a un árbol que se ensancha por grados, recibiendo su vida del Empíreo, etc. La quinta
rama es la esfera de Marte.
(1883) Sucesor de Moisés y jefe del pueblo judío.
(1884) Judas Macabeo, hijo de Matatías.
(1885) Los anotadores de Dante dicen que este Guillermo es un
conde de *Oringa*, o de Auvernia, o de Orange. Nos parece que el
Poeta quiso aludir a san Guillermo, primer duque de Aquitania, gran
guerrero cristiano, y después monje y fundador de un monasterio.
Rinoardo, pariente del anterior.
(1886) Codofredo de Bouillon. Roberto Guiscardo, duque de Normandía, conquistador de Sicilia.
(1887) Porque empezó de nuevo a cantar.
(1888) Conocí que me había transportado a otro cielo más elevado,
al de Júpiter.

por efecto de la blancura de la sexta y templada estrella, que me había recibido en su interior (1889).

Vi en aquella antorcha de Jove los destellos del amor que en ella existía, representando a mis ojos nuestro alfabeto; y así como las aves que se elevan sobre un río, regocijándose al llegar al sitio donde encuentran su alimento, forman a veces una hilera circular, y otras veces la prolongan, de igual suerte revoloteaban cantando las santas criaturas dentro de aquellas luces, y describiendo un D, una I, o una L con sus movimientos (1890). Primeramente ajustaban su danza al canto; después, representando uno de aquellos caracteres, se detenían un momento y guardaban silencio.

¡Oh divina Pegásea (1891), que glorificas y prolongas la vida de los ingenios, haciendo que perpetúen la memoria de las ciudades y de los reinos! Ilumíname a fin de que describa sus figuras tales cuales los vi, y de que resplandezca tu virtud en estos cortos versos.

Las luces formaron, pues, cinco veces siete vocales y consonantes, y observé aquellas figuras conforme me fueron apareciendo. *Diligite Justitiam* fué el primer verbo y el primer nombre que representaron; *qui judicatis terram* (1892) fueron las últimas palabras. Después, en la M. del quinto vocablo se quedaron formadas de modo que la estrella de Júpiter en aquel punto parecía de plata moteada de oro. Entonces vi descender otras luces sobre la parte superior de la M, y detenerse allí cantando, según creo, el bien que hacia sí las atraía.

Y así como del choque de dos tizones ardientes salen innumerables chispas, de donde los necios deducen augurios, parecióme después que se elevaban más de mil luces remontándose unas más y otras menos, según las distribuye el sol que las enciende; y cuando cada cual quedó fija en su puesto, vi que aquellas luces formaban distintamente la cabeza y el cuello de un águila.

<hr>

(1889) Con esta imagen quiere expresar el Poeta la rapidez con que había pasado de un cielo a otro; de la luz roja de Marte a la blanca de Júpiter.

(1890) Son las tres primeras letras de la palabra *Diligite* de la frase: «Diligite justitiam qui judicatis terram», de la sentencia de Salomón que se lee en la Sagrada Escritura.

(1891) Calíope, a quien ya invocó en el primer canto del Purgatorio. Imitación de Virgilio.

«Vos, o Calliope, precor, aspirate canent.»

(1892) «Amad la justicia los que juzgáis en la Tierra.» Así se completa la sentencia de Salomón.

Aquel (1893) que pinta esto no tiene quién le guíe, antes bien él guía todas las cosas, y de él procede esa virtud que mueve a los animales a dar una forma apropiada a sus nidos. Los demás bienaventurados, que anteriormente parecían contentarse con formar sobre la M una corona de lises, por medio de un pequeño movimiento concluyeron la figura del águila.

¡Oh dulce estrella! ¡cuántas y qué resplandecientes almas me demostraron allí que nuestra justicia es un efecto del cielo que tú adornas! (1894). Por eso suplico a la Mente, principio de tu movimiento y de tu fuerza, que repare de dónde sale el humo (1895) que obscurece tus rayos, a fin de que se irrite otra vez contra los compradores y vendedores del templo que se fortificó con los milagros y la sangre de los mártires (1896).

¡Oh milicia celestial a quien contemplo! ruega por los que existen en la Tierra extraviados por el mal ejemplo.

Era ya antigua costumbre hacer la guerra con la espada; hoy se hace arrebatando por doquiera el pan que a nadie niega nuestro piadoso Padre (1897). Pero tú (1898), que escribes solamente para borrar, piensa que aún están vivos Pedro y Pablo, los cuales murieron por la viña que de tal modo echas a perder (1899). Con razón puedes decir: «Tengo tan fijos mis deseos en Aquel que quiso vivir solo (1900), y que a consecuencia de una danza (1901) fué arrastrado al martirio, que no conozco al Pescador ni a Pablo».

(1893) Dios.
(1894) Fué opinión de los antiguos que el planeta Júpiter infundía la justicia en la Tierra.
(1895) Por este humo entiende el Poeta la avaricia, que ofusca todas las virtudes y especialmente la justicia.
(1896) Esto es: a fin de que Jesucristo, que azotó a los que traficaban en el templo, se irrite de nuevo contra los que renuevan tales tráficos en su Iglesia, fortificada con los milagros y la sangre de los mártires.
(1897) El pan eucarístico.
(1898) Según unos, Bonifacio VIII; según otros, Clemente V.
(1899) Pero tú, ¡oh papa Bonifacio!, que lanzas entredichos, no por corregir y castigar, sino para vender sus revocaciones, piensa en que aún viven en el cielo san Pedro y san Pablo, que murieron por la Santa Iglesia que profanas, y vengarán tus obras.
(1900) Tengo tan fijos mis deseos en los florines de oro que llevan impresa la imagen de san Juan Bautista, que vivió en el desierto, etc.
(1901) Por la danza de Herodías, a quien fué sacrificado el Santo Precursor.

CANTO XIX

Dante interroga a las almas que forman el Águila celestial, y les pregunta si es posible salvarse sin haber conocido y practicado la fe cristiana. — Sátira contra las injusticias y los crímenes de muchos príncipes cristianos.

ANTE mí aparecía, con las alas abiertas, la bella imagen (1902) que en su dulce fruición hacía dichosas a las almas reunidas. Cada una de éstas parecía un pequeño rubí, en el que brillaba tan encendido un rayo solar, que reflejaba a mis ojos la imagen del mismo Sol. Y lo que necesito escribir ahora no lo anunció la voz jamás, ni lo escribió la tinta, ni lo concibió la imaginación.

Porque vi, y aun oí hablar, al pico del águila y decir con su voz *Yo* y *Mío*, cuando su intención era decir: *Nos* y *Nuestro* (1903). Y empezó así:

—Por haber sido justo y piadoso estoy aquí exaltado hasta esta gloria, que no se deja vencer por el deseo; y en la Tierra dejé tal memoria de mí, que los hombres más perversos la recomiendan, aunque no sigan su ejemplo.

Así como de muchas brasas sale un solo color, así también de aquella imagen, formada por muchos amores, salía una sola voz. Entonces respondí:

—¡Oh perpetuas flores de la dicha eterna que, como un solo perfume, me hacéis sentir todos vuestros aromas!, poned fin con vuestras palabras al gran ayuno que me ha tenido hambriento durante tantos años (1904), por no encontrar en la tierra alimento alguno. Bien sé que, si la Justicia Divi-

(1902) La imagen del águila, formada por la disposición de las almas.
(1903) Hablaba en singular, como si fuera una sola persona, mientras que las palabras eran pronunciadas acordemente por todos los espíritus.
(1904) Es decir, poned fin con vuestras palabras a mi gran deseo de saber, que me ha tenido anhelante por tantos años.

na se refleja en otras esferas como en un espejo, en la vuestra no se ve a través de un velo. Sabéis cuán atento me preparo a escucharos; sabéis también cuál es aquella duda que para mí se convierte en tan antiguo ayuno.

Así como el halcón, a quien quitan la caperuza, mueve la cabeza y bate las alas en señal de contento, demostrando sus deseos e irguiéndose con gallardía, lo mismo vi hacer al águila que estaba formada de alabanzas de la Divina Gracia, las cuales cantaban como sabe cantar el que se deleita allá arriba. Después comenzó de esta suerte:

—Aquel que abarcó con su compás hasta las extremidades del mundo (1905), y encerró en el espacio tantas cosas ocultas y manifiestas, no pudo dejar sobre todo el Universo una huella tan profunda de su poder, que su entendimiento no fuese infinitamente superior al de todos los entendimientos creados, como lo prueba el que el primer soberbio, que era la criatura más excelente, por no esperar la luz de la Gracia Divina, cayó del cielo antes de ser confirmado en ella. De aquí resulta que las criaturas menos perfectas que aquélla son pequeños receptáculos para contener aquel bien sin fin (1906), único que puede medirse a sí mismo. Aun nuestra vista, que es casi un rayo de la mente divina de que están llenas todas las cosas, no puede, por su naturaleza, ser tan penetrante que discierna su principio sino bajo una apariencia muy lejana de la verdad (1907). La vista que recibe vuestro mundo sólo penetra en la justicia sempiterna (1908) como el ojo se interna en el mar; que aunque vea el fondo cerca de la orilla, no lo ve en el inmenso piélago; y, sin embargo, el fondo existe, aunque oculto por su profundidad. Fuera de la mente divina no existe luz que no se turbe jamás; fuera de ella no hay más que tinieblas, o sombras de la carne o su veneno. Bastante he descorrido el velo que te ocultaba la viva justicia, sobre la que hacías tan frecuentes preguntas, pues tú decías: «Un hombre nace en la orilla del Indo, y allí no hay quien hable de Cristo, ni quien lea o escriba con respecto a Él; todas sus acciones y deseos son buenos, y en cuanto puede ver la razón humana, no ha pecado ni en obras ni en palabras: si muere sin bautismo y sin fe, ¿dónde está la jus-

(1905)   Dios, a quien llama en otro lugar Sublime Arquitecto.
(1906)   No son capaces de comprender a Dios, que es el único que puede comprenderse a sí mismo.
(1907)   Nuestra perspicacia es por su naturaleza tan limitada que no puede penetrar en un principio (en la inteligencia divina) sino de un modo distante de la realidad.
(1908)   En Dios.

ticia que le condena? ¿dónde su falta, si no cree?». Ahora
bien: ¿quién eres tú, que quieres tomar asiento en el tribunal para juzgar a mil millas de distancia cuando tu vista apenas alcanza a un palmo de ti? (1909). En verdad que quien
así sutiliza conmigo podría muy bien caer en la duda, si no
estuviesen sobre vosotros las Escrituras. ¡Oh animales terrestres! ¡oh inteligencias embrutecidas! La primera voluntad,
que es buena por sí misma, que es el sumo bien, no se ha separado de sí misma jamás. Solamente es justo lo que a ella
se conforma; ningún bien creado la atrae; pero ella produce
este bien con sus rayos.

Cual cigüeña que se revuelve sobre el nido, después de
haber alimentado a sus hijos, y así como uno de éstos, ya alimentado, la mira, del mismo modo empezó la bella imagen
a agitarse sobre mí, e igualmente elevé mis ojos hacia ella,
que movía sus alas impelidas por tantos espíritus. Al dar
vueltas, cantaba y decía: —Mis acordes son tan incompren-
sibles para ti, como el juicio eterno para vosotros los mortales.

Luego que aquellos refulgentes ardores del Espíritu Santo se detuvieron sin dejar de formar el signo que hizo a los
romanos temibles en el mundo (1910), el mismo signo continuó diciendo:

—A este reino no ha subido jamás quien no creyó en
Cristo, ni antes ni después de que Este fuera enclavado en el
santo leño; pero mira: muchos que exclaman «¡Cristo, Cristo!», estarán menos próximos a él en el día del Juicio que algunos de los que no le han conocido (1911); y a tales cristianos causará vergüenza el Etíope, cuando se dividan los dos
colegios (1912), uno eternamente rico y miserable el otro.
¿Qué no podrán decir los persas (1913) a vuestros reyes, cuando vean abierto el libro en el que escriben todos sus desprecios? Allí se verá, entre las obras de Alberto, la que en breve
agitará la pluma, y por la cual quedará desierto el reino de

(1909) El águila supone que Dante quiere conocer la suerte de un
hombre nacido a orillas del Indo, en un país en el que no son conocidas las Sagradas Escrituras, donde la gente muere sin recibir el
bautismo.
(1910) El águila, enseña de los romanos. (Véase *Paraíso*, canto VI.)
(1911) «Non omnis qui dicit Domine. Domine intrabit in regnum
cœlorum.» (Mat., VII.)
(1912) Cuando los justos se separen de los culpables. Los dos colegios son el Infierno y el Paraíso.
(1913) Esto es: ¿qué vituperios no podrán lanzar los reyes persas,
que no conocieron el Evangelio, a vuestros católicos reyes, cuando
vean abierto el libro en que están escritas sus maldades, por las
cuales incurren en el desprecio de Dios y de los hombres?

Praga (1914). Allí se verá el daño que ocasiona junto al Sena, falsificando la moneda, el que morirá herido por un jabalí (1915). Allí se verá la insaciable soberbia que enloquece de tal modo al escocés y al inglés (1916), que no pueden sufrir el verse contenidos en los límites de sus Estados. Se verá la lujuria y la molicie del de España y del de Bohemia, que jamás conoció ni quiso conocer el valor (1917). Allí se verá también marcada con una I la bondad del Cojo de Jerusalén (1918), mientras que lo contrario a ella tendrá por marca una M. Se verá la avaricia y la vileza de aquel que guarda la isla del fuego (1919), donde terminaron los prolongados días de Anquises; y para demostrar su mezquindad, se emplearán muchas abreviaturas en su escrito (1920), a fin de que en poco espacio se contengan muchas palabras. Y a la vista de todos aparecerán las vergonzosas obras del tío y del hermano (1921), que han envilecido tan egregia estirpe y dos coronas. Allí serán conocidos el de Portugal y el de Noruega (1922), y el Rascia, que alteró los cuños de Venecia (1923). ¡Oh dichosa Navarra, si se defendiese con el monte que la rodea! (1924). Todos deben creer que ya, en presagio de esto, Nicosia y Famagusta se lamenta y claman contra su bestia, que no discrepa de las otras (1925).

(1914) Entre las obras del emperador austríaco Alberto, se verá la que tiende a destruir el reino de Praga, y que ya se dispone a anotar la pluma de la justicia divina.

(1915) El daño que causará en París Felipe *el Hermoso* (que murió en la caza, de las heridas que le causó un jabalí) haciendo acuñar moneda falsa.

(1916) Los reyes Roberto de Escocia y Eduardo I de Inglaterra.

(1917) Alfonso, rey de España. Wenceslao, rey de Bohemia.

(1918) La bondad de Carlos *el Cojo*, rey de Pulla y Jerusalén, estará marcada con una I (uno) : es decir, que será igual a uno, mientras que sus maldades llevarán por marca una M (mil), serán iguales a mil.

(1919) Fadrique, hijo de Pedro de Aragón, que gobierna la isla de Sicilia, donde está el fuego del Etna. Dice *la vileza*, porque Fadrique, después de la muerte de Enrique VII, abandonó vilmente la causa de los gibelinos.

(1920) En el citado volumen, donde aparecerán escritas sus obras.

(1921) Jaime, rey de Mallorca y Menorca, y Jaime de Aragón, tío aquél y hermano éste de dicho Fadrique.

(1922) Dionisio *el Agrícola*, rey de Portugal. La Noruega, en tiempo de Dante, tenía su rey propio.

(1923) Rascia, Raugia, Ragusa, ciudad y territorio de la antigua Dalmacia, sobre el Adriático, cuyo rey falsificó los ducados de Venecia.

(1924) ¡Oh feliz Navarra, si con el Pirineo que la circunda se defendiese de la Francia que la avasalla!

(1925) En el año 1300 reinaba en la isla de Chipre, cuyas principales ciudades son Nicosia y Famagusta, Enrique II, rey malvado. Por eso el Poeta hace decir al Águila : «Debe creerse que, como presagio del inminente mal gobierno de Navarra, la isla de Chipre se lamenta del hombre bestial que la gobierna e imita la bestialidad de los reyes mencionados». O en otros términos : «Sea indicio para la Navarra de lo que la espera el mal gobierno que hay en Chipre, etc.»

CANTO XX

El Poeta ve en el Águila celestial las almas de diferentes reyes que practicaron la justicia y la virtud. — Admirándose Dante de encontrar en el cielo dos personajes que no habían vivido en la fe cristiana, el Águila le explica cómo pudieron salvarse.

CUANDO aquel que ilumina el mundo entero desciende de nuestro hemisferio, de tal modo que el día se extingue en todas partes, el cielo, encendido antes por él solo, aparece súbitamente sembrado de luces, en las cuales se refleja una sola (1926). Y aquel estado del cielo me vino a la imaginación cuando la enseña del mundo y de sus jefes cerró su bendito pico (1927); porque brillando mucho más todos aquellos vivos resplandores, entonaron suavísimos cantos, que han desaparecido de mi memoria.

¡Oh dulce amor (1928), que bajo aquella riente luz te ocultas! ¡cuán ardiente me parecías en medio de aquellos efluvios sonoros, que sólo respiran santos pensamientos!

Después que las preciosas y brillantes joyas de que vi adornada la sexta estrella (1929) cesaron en sus cantos angélicos, me pareció oír el murmullo de un río que límpido desciende de roca en roca, mostrando la fecundidad de su elevado manantial. Y así como el sonido adquiere su forma en el cuello de la cítara, y en los orificios de la zampoña el soplo del que la toca, así también subió de improviso aquel murmullo por el cuello del águila, como si éste estuviese per-

---

(1926) Del Sol. En tiempo de Dante se creía que también las estrellas fijas eran iluminadas por el Sol.

(1927) Llaman al Águila enseña del mundo y de sus jefes, porque, según se ha dicho ya, Dante opinaba que debía ser uno el imperio universal del mundo.

(1928) ¡Oh dulce amor de Dios!, etc.

(1929) El sexto planeta.

forado. Prodújose allí una voz, que salió por su pico en forma de palabras, según las esperaba mi corazón, donde las escribí:

—Debes ahora mirar fijamente, empezó a decir, aquella parte de mí misma que en las águilas mortales contempla y soporta la luz del Sol; porque entre los fuegos que componen mi figura, los que hacen centellear el ojo en mi cabeza tienen un grado de luz mayor que todos los demás. Aquel que haciendo las veces de pupila, luce en medio, fué el cantor del Espíritu Santo (1930), que transportó el Arca de ciudad en ciudad; ahora conoce el mérito de su canto en la parte que fué obra de su propio consejo, por la remuneración que proporcionalmente ha recibido. De los cinco que forman el arco de mi ceja, el que está más próximo al pico, consoló a la viuda de la pérdida de su hijo (1931); ahora conoce cuán caro cuesta no seguir a Cristo, por la experiencia que tiene de esta dulce vida y de la opuesta (1932). El que le sigue en la parte superior de la circunferencia de que hablo, dilató su muerte para hacer verdadera penitencia (1933); ahora conoce que los eternos juicios de Dios son invariables, aunque una ferviente oración consiga allá abajo que suceda mañana lo que debería suceder hoy. El otro que sigue se hizo griego conmigo y con las leyes para ceder su puesto al Pastor, guiado por una santa intención que produjo malos frutos (1934); ahora conoce que el mal resultado de su buena acción no le es nocivo, por más que haya sido causa de la destrucción del mundo (1935). Aquel que ves en el declive del arco fué Guillermo, a quien llora la tierra que se lamenta de Carlos y Federico vivos (1936); ahora conoce el amor

(1930) El rey David, que cantó los Salmos, inspirado por el Espíritu Santo. Habla el poeta de un solo ojo del Águila, quizá porque supone que ésta se vea de perfil como en las armas imperiales. (Véase Reyes, II, cap. VI.)

(1931) El emperador Trajano, de quien se ha hablado en el canto X del *Purgatorio*.

(1932) Por la experiencia que ahora adquiere gozando de la beatitud, y por la que adquirió en el Infierno, antes que le sacaran de él las oraciones de san Gregorio.

(1933) Ezequías, rey de Judá, a quien Dios, escuchando sus ruegos, concedió quince años más de vida para arrepentirse de sus culpas.

(1934) El emperador Constantino, que se hizo griego, esto es, trasladó de Roma a Bizancio la capital del Imperio romano, con las leyes romanas y con el águila imperial, por ceder al Papa la Ciudad Eterna, o por otros motivos; pues lo de la donación de Roma al Papa es discutible.

(1935) Por más que haya originado las discordias civiles de Italia, que han sido causa de la destrucción del imperio del mundo.

(1936) Guillermo II, llamado *el Bueno*, de cuya pérdida se lamen-

del cielo hacia un rey justo, y así lo manifiesta por el resplandor de que está rodeado. ¿Quién creería, en el mundo lleno de errores, que el troyano Rifeo (1937) fuera en este arco la quinta de las luces santas? Aunque su vista no penetre hasta el fondo de la Divina Gracia, demasiado conoce ahora (1938) lo que en ella no puede ver el mundo.

Como la alondra que en el aire se cierne cantando, y después calla, contenta de su última melodía, que la satisface, tal me pareció la imagen, satisfecha del eterno placer (1939), por cuya voluntad todas las cosas son lo que son; y aun cuando yo hiciese allí visibles mis dudas como el vidrio manifiesta por su transparencia el color de que se ha revestido su superficie, esas mismas dudas no me permitieron esperar la respuesta callando, sino que con su fuerza hicieron brotar de mi boca estas palabras: —¿Qué cosas son ésas? (1940) —. Y al punto conocí, en los nuevos destellos que despedían aquellas almas dichosas, la alegría que les causaba responder a mis preguntas.

Después, con el ojo más inflamado, me respondió el bendito signo, para no tenerme por más tiempo entregado a mi asombro.

—Veo que crees estas cosas, porque yo las digo; pero no comprendes cómo pueden ser; de suerte que, aunque creídas, no por eso están menos ocultas. Tú haces como aquel que aprende a conocer las cosas por su nombre, pero que no puede ver su esencia si otro no se la manifiesta. *Regnum cœlorum* cede a la violencia del ardiente deseo y de la viva esperanza, cuyos afectos vencen a la Divina Voluntad (1941); pero no a la manera que el hombre prevalece sobre el hombre, sino que la vencen porque quiere ser vencida; y vencida, vence con su benignidad (1942). Te causan asombro la

ta Sicilia, así como de ver vivos a Carlos *el Cojo* y Fadrique de Aragón.

(1937) Rifeo fué, según Virgilio, hombre de gran virtud, que murió por su patria.

(1938) Con motivo de los seis espíritus que el Poeta presenta aquí, por seis veces, al principio de seis tercetos, se repite la frase: «ahora conoce».

(1939) De Dios.

(1940) ¿Qué cosas son éstas que oigo y veo?

(1941) «Regnum cœlorum vim patitur.» (San Mat.)

(1942)   *Ma vince lei, perchè vuol esser vinta;*
          E vinta vince con sua beninanza.

Esto es: no con la violencia, sino con la fe ardiente y la esperanza vence el hombre a la voluntad divina, porque ella se complace en ser vencida; y vencida es vencedora por su benignidad, pues la salvación del pecador es para ella una victoria.

primera y la quinta almas que forman el arco de la ceja, porque ves adornada con ellas la región de los Ángeles. No salieron paganas de sus cuerpos, como crees, sino cristianas, teniendo fe viva, una (1943) en los pies que debían ser crucificados, y la otra (1944) en lo que ya lo habían sido. Una de ellas, saliendo del Infierno donde nadie se convierte a Dios con buen deseo, volvió a habitar su cuerpo en recompensa de una viva esperanza (1945); de una viva esperanza que rogó fervientemente a Dios para resucitarla, a fin de que su voluntad pudiera ser movida (1946). El alma gloriosa de que se habla, vuelta a su carne en que permaneció poco tiempo, creyó en Aquel que podía ayudarla, y al crecer, se abrasó de tal modo en el fuego de un verdadero amor, que después de su segunda muerte (1947) fué digna de venir a participar de estos goces. La otra, merced a una gracia que mana de una fuente tan profunda que no ha habido criatura cuya mirada pudiera penetrar hasta su manantial, cifró allá abajo (1948) todo su amor en la justicia; por lo cual, de gracia en gracia, Dios abrió sus ojos a nuestra redención futura, y creyendo en ella, no soportó por más tiempo la fetidez del paganismo, reprendiendo por su causa a las gentes pervertidas. Aquellas tres mujeres (1949) que viste junto a la rueda derecha del carro, le bautizaron más de mil años antes de que se instituyera el bautismo. ¡Oh predestinación! ¡cuán remota está tu raíz de la vista de aquellos que no ven toda la causa primera! Y vosotros, mortales, sed circunspectos en vuestros juicios; pues nosotros, que vemos a Dios, no conocemos aún a todos sus elegidos (1950); y, sin embargo, nos es grata semejante ignorancia, porque nuestra beatitud se perfecciona con este bien, y queremos lo que Dios quiere.

Tal fué el suave remedio que me dió aquella imagen divina para aclarar mi vista. Y así como un buen toca-

(1943) Rifeo, que vivió mucho antes de la venida de Jesucristo.
(1944) Trajano.
(1945) En recompensa de la esperanza del papa san Gregorio, que rogó a Dios por el alma de Trajano.
(1946) La voluntad de Trajano, que no podía ser movida a creer en la fe cristiana, mientras su alma no se uniese al cuerpo. Venturi opina que Dante no debió poner a Trajano en el Infierno.
(1947) Dante supone que Trajano ha recobrado temporalmente su forma corpórea y que de ella ha salido el alma.
(1948) En la Tierra.
(1949) Las tres virtudes teologales; poseyéndolas, le sirvieron de bautismo.
(1950) Según Venturi, Dante ha imitado aquí el siguiente paisaje de la Iglesia: «Deus cui soli cognitus est numerus electorum in suprema felicitates locandus.»

dor de cítara hace acompañamiento a un buen cantor con la vibración de las cuerdas, adquiriendo de este modo mayor atractivo el canto, así, mientras hablaba, recuerdo que vi a los benditos resplandores agitar sus llamas al compás de las palabras (1951), como los párpados que se mueven acordes y al unísono.

(1951) Estos resplandores son Rifeo y Trajano.

CANTO XXI

*Asciende Dante del cielo de Júpiter al de Saturno, donde forman
una inmensa escalera los que se dedicaron a la vida contemplativa. — San Pedro Damián responde a las preguntas del
Poeta. — Sátira contra la molicie y el lujo del clero de su
siglo.*

MIS ojos se habían fijado de nuevo en el rostro de mi
dama, y el ánimo con ellos se había separado de todo
otro objeto. Ella no sonreía: —Pero si yo riese, empezó a decirme, te quedarías como Semele cuando fué reducida a cenizas (1952); pues mi belleza, que, según has visto,
brilla más cuanto más asciende por las gradas del eterno palacio, si no se moderase, resplandecería tanto, que tu fuerza
mortal perecería ante su fulgor como la rama destrozada por
el rayo. Nos hemos elevado al séptimo esplendor (1953)
que, colocado bajo el pecho del ardiente León (1954), difunde ahora sobre la Tierra sus rayos mezclados con el fuerte
influjo de aquél. Fija la mente en pos de tus miradas, y haz
de tus ojos un espejo para la imagen que se te aparecerá en
este espejo.

Quien supiese cuán dulcemente se recreaba mi vista en
el semblante de Beatriz, cuando invitado por ella la dirigí
hacia otro objeto, conocería lo grato que me sería obedecer
a mi Guía celestial, considerando que el placer de obedecerla
contrabalanceaba al que experimentaba contemplándola.

Dentro del cristal (1955) que, rodeando al mundo, lleva
el nombre de su querido señor, bajo cuyo imperio permane-

(1952) Semele, amada de Júpiter, instigada por la celosa Juno, pidió
a aquél que se le manifestase en toda su majestad. Obtuvo esta
gracia, y quedó abrasada por los fulgores del dios.
(1953) Al cielo de Saturno, en el que Dante pone a los contemplativos.
(1954) Colocado bajo la constelación del León.
(1955) Dentro del planeta Saturno (al que antes ha llamado espejo),
que girando alrededor del mundo, lleva el nombre de aquel dios,

ció muerto todo mal, vi una escalera del color del oro en que se refleja un rayo de sol, y tan elevada, que mis ojos no podían seguirla. Vi, además, bajar por sus gradas tantos resplandores, que pensé que todas las luces que brillaban en el cielo estaban esparcidas allí. Y así como por una costumbre natural, las cornejas (1956) se agitan reunidas al romper el día para dar calor a sus ateridas alas, y mientras se alejan algunas sin volver, otras regresan al punto de donde se remontaron, y otras revolotean sobre él, lo mismo me pareció que hacían aquellos fulgores que habían ido descendiendo, hasta que se detuvieron en el lugar que en la escalera les correspondía.

El que se quedó más cerca de nosotros, empezó a resplandecer tanto, que yo decía entre mí: «Conozco el amor que me anuncias.» (1957). Pero aquella de quien esperaba la orden para hablar o callar, permaneció inmóvil; así es que, callando a pesar mío, no preguntando nada, hice lo que debía hacer. Por lo cual, ella, que leía en la vista de Aquel que lo ve todo, el deseo que yo ocultaba, me dijo: —Puedes manifestar tu ardiente anhelo.

Y yo empecé entonces de esta suerte: —Mis méritos no me hacen digno de tu respuesta; pero en nombre de aquella que me permite interrogarte, alma bienaventurada, que te ocultas en tu alegría, dame a conocer la causa que tanto te aproxima a mí, y dime por qué no se oye en esta esfera la dulce sinfonía del Paraíso, que tan devotamente resuena en las de abajo.

—Tu oído es tan débil como tu vista, me contestó; aquí no se canta por la misma razón que Beatriz no sonríe. He descendido tanto por las gradas de la escala santa, sólo para recrearte con mis palabras y con la luz de que estoy revestida. No es un mayor afecto lo que me ha hecho más solícita; pues en toda esta escalera hay un amor tan ferviente y más que el mío, según te lo manifiestan los destellos de esas almas; pero la alta calidad (1958), que nos convierte en siervas atentas a la Voluntad que rige al mundo, nos designa el sitio en que, según puedes ver, estamos colocadas.

bajo cuyo imperio el mundo vivió feliz, llamándose a su edad la Edad de Oro, vi, etc.
(1956) Nueva alusión del Poeta a las aves, a las que tan aficionado se muestra a través de su obra.
(1957) Conozco por tu resplandor el deseo que tienes de responder a mis preguntas.
(1958) El amor divino.

—Bien veo, dije yo, ¡oh sagrada lámpara!, que un amor libre basta en esta corte para hacer lo que quiere la eterna Providencia; mas lo que me parece sumamente difícil de comprender, es por qué fuiste tú entre todas tus compañeras la destinada a este cargo.

Aún no había pronunciado la última palabra, cuando la luz, haciendo un eje de su centro, giró con la rapidez de una rueda. Después me respondió la amorosa alma que estaba dentro de ella:

—La luz divina se fija en mí penetrando en la que me envuelve, y su virtud, unida a mi vista, me eleva tanto sobre mí misma, que veo la suma esencia que de aquélla emana. De aquí proviene la alegría con que brillo; porque a la claridad de mi visión junto la de la luz que me rodea. Pero el alma que más brilla en el cielo, el serafín que tiene más fijos los ojos en Dios, no podrá satisfacer tus preguntas; porque lo que deseas saber penetra tan profundamente en el abismo del decreto eterno, que está muy apartado de toda vista creada; y cuando vuelvas al mundo mortal, refiere lo que te digo, a fin de que nadie presuma llegar al fondo de tal arcano. La mente, que aquí es luz, en la tierra es sombra; considera, pues, cómo podrá comprender allá abajo lo que aquí no comprende por más que el cielo la enaltezca.

Sus palabras me contuvieron de tal modo, que abandoné la cuestión, y me limité a rogarle humildemente que me dijese quién era.

—Entre las dos costas de Italia (1959) y no muy lejos de tu patria se elevan unos peñascos (1960), tanto que los truenos retumban a mucha menos altura. Aquellos peñascos forman una eminencia que se llama Catria (1961), al pie de la cual hay un yermo consagrado únicamente al culto del verdadero Dios (1962).

Así empezó a hablar por tercera vez; y continuando luego, añadió:

—De tal modo me dediqué allí al servicio de Dios, que sólo con legumbres y zumo de olivas pasaba fácilmente fríos y calores, satisfecho con mis ideas contemplativas. Aquel

(1959) Las de los mares Tirreno y Adriático.
(1960) Los Apeninos. Dice que se elevan tanto, que pasan de la segunda región del aire, donde, según Aristóteles, se engendra el rayo.
(1961) En el ducado de Urbino, entre Gubbio y la Pérgola.
(1962) *Yermo*, monasterio solitario. Es el convento de Santa Cruz de Fuente Avellana, de la orden camaldulense, en la cual permaneció el Poeta algún tiempo.

claustro producía fértilmente para esta parte de los cielos (1963), y ahora está tan vacío, que será preciso que en breve lo sepa el mundo. En aquel sitio estuve yo, Pedro Damián; y Pedro el Pecador estaba en la casa de Nuestra Señora, a orillas del Adriático (1964). Escasa era ya mi vida mortal, cuando fuí llamado y obligado a recibir aquel capelo que sólo se transmite de malo a peor (1965). Vinieron en otro tiempo Cefas (1966) y el Vaso de elección (1967) del Espíritu Santo, flacos y descalzos, aceptando su alimento de cualquier mano. Ahora los modernos pastores quieren que de uno y otro lado les sostengan, ¡tan pesados son!, y que les lleven en litera, y que vaya detrás quien les tenga la cola (1968). Cubren con sus mantos sus cabalgaduras, de suerte que van dos bestias bajo una sola piel (1969). ¡Oh, paciencia de Dios, que tanto soportas!

Al sonido de estas palabras, vi gran número de llamas que bajaban girando de grada en grada, y las cuales se hacían más hermosas a cada vuelta. Vinieron a detenerse alrededor de aquella luz (1970), y prorrumpieron en un clamor tan alto, que nada en el mundo puede asemejársele; su estruendo me ensordeció de tal modo, que no comprendí lo que dijeron.

(1963) De aquel claustro salían muchas almas para el Cielo.
(1964) San Pedro Degli Onesti, llamado el *Pecador,* que fundó el monasterio de Santa María del Porto, cerca de Ravena; distinto de san Pedro Damián, también llamado el *Pecador,* por lo cual muchos confundían al uno con el otro; y Dante se propuso aquí desvanecer este error.
(1965) Dante, que no ha mostrado gran respeto hacia los papas, censura aquí igualmente a los cardenales.
(1966) San Pedro.
(1967) San Pablo.
(1968) El Poeta censura el fausto de los prelados romanos de su tiempo, tan distante de la pobreza y sencillez de los Apóstoles.
(1969) Con sus anchos mantos cubren los caballos o mulas sobre que cabalgan. En aquel tiempo solían los cardenales cabalgar en mulas. «Dos bestias bajo una piel»; expresión vulgar, pero muy mordaz.
(1970) De san Pedro Damiano.

CANTO XXII

*En la esfera de Saturno rodean a Dante otros espíritus. San Be-
nito le designa algunos de sus santos compañeros, y luego se
lamenta de la corrupción de los monjes de aquel tiempo. El
Poeta sube al cielo estrellado, desde donde dirige la vista a
los planetas y a la Tierra.*

MUDO de estupor me volví hacia mi Guía, como un
niño que se acoge siempre a quien le inspira más
confianza; y aquélla, como la madre que socorre
prontamente al hijo azorado y pálido con su voz consola-
dora, me dijo:

—¿No sabes que estás en el Cielo? ¿No sabes que todo
el Cielo es santo, y que lo que en él se hace procede de un
buen celo? Si el grito que acabas de oír te ha conmovido
tanto, ahora puedes pensar cómo te habría perturbado aquel
suave cántico unido a mi sonrisa (1971). Y si hubieras comprendido lo que se rogó al exhalar ese grito, conocerías la
venganza que verás antes de tu muerte (1972). La espada de
aquí arriba no hiere nunca demasiado pronto, ni demasiado
tarde, como suele parecerles a los que la esperan con temor
o con deseo (1973). Pero ahora vuélvete hacia otro lado, y
si diriges tus miradas según te indico, verás allí muchos espíritus ilustres.

Volví los ojos como ella quiso y vi cien pequeñas esferas
que se embellecían unas a otras con sus mutuos rayos. Yo estaba como aquel que reprime en sí el agudo estímulo del deseo

(1971) Alude a lo dicho en el canto anterior.
(1972) Esto es: si hubieras comprendido lo que se rogó en ese
grito, conocerías la venganza que Dios tomará de aquellos pastores
rebeldes que anteponen el fausto mundano a la humildad que enseñó
Jesucristo.
(1973) Esto es: el castigo de Dios no llega tan tarde como se
figuran los que lo desean, ni tan pronto como les parece a los que lo
temen.

y no se aventura a preguntar, temiendo excederse, cuando la
mayor y más brillante de aquellas perlas se adelantó para satisfacer mi curiosidad, y, desde su interior, oí una voz que
decía:

—Si vieses como yo la caridad que arde entre nosotros,
habrías expresado ya tus deseos; pero a fin de que por demasiado esperar no tardes en llegar al alto de tu viaje, contestaré al pensamiento que no te atreves a formular. La cumbre de aquel monte en cuya falda está Casino (1974) fué
frecuentada en otro tiempo por gentes engañadas y mal dispuestas (1975). Yo soy el que llevó allí el nombre de Aquel
que enseñó en la Tierra la verdad que tanto nos enalte-
ce (1976), y lució sobre mí tanta gracia, que aparté a las
ciudades circunvecinas del impío culto que sedujo al mundo.
Esos otros fuegos fueron todos hombres contemplativos, abrasados en aquel ardor que hace nacer las flores y los frutos
santos. Aquí están Macario y Romualdo (1977); aquí están
mis hermanos, que se encerraron en el claustro y conserva-
ron un corazón perseverante.

Entonces yo le contesté: —El afecto que demuestras
hablando conmigo y la benevolencia que veo y observo en
todas vuestras luces, me inspiran la misma confianza que inspira el Sol a la rosa cuando se abre plenamente para recibirle. Por eso te ruego, padre, que si soy digno de tal merced,
me concedas la gracia de ver tu imagen descubierta.

—Hermano, me respondió, tu elevado deseo se realizará
en la última esfera, donde se realizan todos los otros y los
míos, y donde todos son perfectos, maduros y enteros; en
aquella sola esfera, todas sus partes permanecen inmóviles,
porque no está en su sitio ni gira entre dos polos. Nuestra
escalera llega hasta ella, y ésta es la causa de que la pierdas
de vista. El patriarca Jacob la vió prolongarse hasta arriba,
cuando se le apareció toda llena de ángeles (1978); pero
ahora no retira nadie sus pies de la tierra para subirla y mi
regla sólo sirve abajo para gastar papel. Los muros que eran

(1974) Castillo en la *Terra di Lavoro*.
(1975) Aquel sitio, donde había un templo dedicado a Apolo y a
Diana, fué frecuentado por idólatras engañados por lo tocante a su
inteligencia y mal dispuestos con referencia a su corazón.
(1976) San Benito abad, que dió a conocer allí la religión de Jesucristo, y fué fundador de la célebre orden de los Benedictinos.
(1977) San Macario, eremita, y san Romualdo, fundador de la
orden de los camaldulenses.
(1978) *Génesis*, XXVIII.

una abadía se han convertido en cavernas (1979), y las
cogullas en sacos de mala harina. La más sórdida usura no
es tan contraria a la voluntad de Dios, como lo es el fruto
de estas riquezas que tanto enloquecen el corazón de los monjes; porque todo lo que la Iglesia guarda pertenece a aquellos que piden por Dios y no a los parientes o a otros más
indignos (1980). La carne de los mortales es tan flaca, que
las buenas obras no duran el tiempo que transcurre desde el
nacimiento de la encina hasta la formación de la bellota.
Pedro empezó su fecunda tarea sin oro ni plata (1981), yo
con oraciones y con ayunos; Francisco basó su Orden en la
humildad, y si atienden al principio de cada Orden y consideras después adonde han llegado, verás lo blanco cambiado en negro. Más admiración causó en verdad ver al Jordán
retrocediendo y al mar huir cuando Dios quiso, que la causará ver remediados estos males (1982).

Así me dijo, y después se reunió a sus demás compañeros, que a su vez se reconcentraron y como un torbellino se
elevaron a lo alto.

La dulce Dama, con un solo ademán, me impulsó a subir
tras ellos por la escalera; tanto fué lo que su virtud venció
mi grave naturaleza, y jamás aquí abajo, donde se sube y desciende naturalmente, hubo movimiento tan rápido que pudiera
igualar a mi vuelo.

Así pueda volver ¡oh, lector! a aquel piadoso reino triunfante, por el que lloro con frecuencia mis pecados golpeán-
dome el pecho, como es cierto que vi el signo que sigue al
Tauro (1983) y me encontré en él en menos tiempo del que
necesitarías para sacar tu dedo del fuego.

¡Oh, gloriosas estrellas! ¡oh, luz llena de virtud, en
la que reconozco todo mi ingenio, cualquiera que éste

(1979) «Fecisti illam speluncam latronum.» (Mat., XXII.)
(1980) Todo lo que sobra a la Iglesia, después de mantener el culto
y sus ministros, pertenece a los pobres, y no a los parientes del clero,
u otras personas menos dignas, como queridas, hijos bastardos, etc.
San Bernardo dice: «Facultates ecclesiarum patrimonio sunt pauperum;
et sacrilegamente eis surripitur quidquid sibi ministri et dispensato-
res ultra victum et vestitum suscipiunt.»
(1981) «Argentum et aurum non est mihi.» (Act., 3.)
(1982) Entiéndase: en verdad que fué más admirable ver retroceder al Jordán y retirarse el mar Rojo cuando se abrieron sus aguas
a ruegos de Moisés, de lo que será ver remediados los males que
causan a la Iglesia los extraviados religiosos. Esto es: Dios, que hizo
aquellos grandes prodigios, hará éste mucho más menor.
(1983) La constelación de Géminis. Entra el Poeta en el octavo
cielo, el de las estrellas fijas.

sea! (1984). Con vosotras nacía, y se ocultaba con vosotras
Aquel que es padre de toda vida mortal (1985), cuando sentí
por vez primera el aire toscano, y cuando más tarde se me
concedió la gracia de entrar en la alta rueda que os hace girar, me fué también permitido pasar por la región en donde
está vuestra morada.

A vosotras dirige ahora devotamente mi alma sus suspiros, para alcanzar la virtud necesaria en la difícil empresa que
la atrae (1986).

—Estás tan cerca de la última salvación (1987), empezó
a decirme Beatriz, que debes tener los ojos claros y penetrantes; así, pues, antes de que llegues a ella, mira hacia abajo
y contempla cuántos mundos he puesto bajo tus pies (1988),
a fin de que tu corazón se presente tan gozoso como pueda
ante la triunfante multitud que alegre acude por esta bóveda
etérea.

Recorrí con la vista todas las siete esferas y vi a nuestro
Globo tan pequeño, que me reí de su vil aspecto; tal es, en
efecto, que aprueba como el mejor el parecer de aquel que
le tiene en poca estima, pudiendo llamarse verdaderamente
probo el que sólo piensa en el otro mundo.

Vi a la hija de Latona (1989) inflamada, sin aquella sombra que fué causa de que yo la creyera enrarecida y densa.
Allí, ¡oh, Hiperión! (1990), pudieron soportar mis ojos la
luz de tu hijo y vi cómo se mueven próximas a él y en derredor suyo Maya y Dione (1991). Allí me apareció Júpiter
atemperando a su padre y a su hijo (1992); allí distinguí
con claridad sus frecuentes cambios de lugar, y los siete

(1984) Dice esto el Poeta, porque nació en la estación en que el
Sol está en Géminis : en mayo de 1265, y se atribuía a este signo la
virtud de infundir ingenio.
(1985) El Sol. Aristóteles dice que el Sol y el hombre engendran
al hombre.
(1986) En la empresa de describir el Cielo empíreo y de hablar
de la Trinidad y de la unión de la naturaleza divina con la humana.
(1987) Del Empíreo, el último y más elevado lugar de salvación.
(1988) Tasso, en el canto XIV, estrofas 9 y 10, de la *Jerusalén Libertada,* ha parafraseado este pasaje de Dante, con elegancia y nobleza. Pero Dante tomó la idea de Cicerón, el cual dice : «Jam vero
ipsa terra mihi visa est, ut me imperii nostri quo quasi ejus punctum
attingimus poeniteret.»
(1989) La Luna.
(1990) Hiperión, padre del Sol.
(1991) Maya, hija de Atlante y madre de Mercurio, tomada aquí
en vez del planeta ; Dione, madre de Venus, está también tomada por
la misma Venus.
(1992) Esto es : está entre los planetas Saturno y Marte. Atribuye
a los planetas las cualidades de los dioses de quienes toman su
nombre.

planetas me manifestaron su magnitud, su velocidad y la distancia a que respectivamente se encuentran colocados. Aquel pequeño punto que nos hace tan orgullosos se me apareció por completo desde las montañas a los mares, mientras que yo giraba con los eternos Gemelos (1993). Después fijé mis ojos en los hermosos ojos (1994).

(1993) Veía la Tierra por completo, debiendo estar colocado, por consiguiente, sobre el centro del hemisferio entonces conocido; es decir, sobre el meridiano de Jerusalén. En cuanto a la hora, estando el Sol en Aries, y Dante en Géminis, debían ser aproximadamente las cuatro de la tarde en Jerusalén y mediodía en España.
(1994) De Beatriz.

CANTO XXIII

Jesucristo y la Virgen María descienden de lo alto, rodeados de innumerables ángeles y santos. — Dante, fortalecido por la vista de la Corte celestial, puede ya contemplar la sonrisa de Beatriz. El arcángel Gabriel desciende en forma de llama y corona a María, la cual, después de Jesucristo, vuelve a subir al Empíreo.

COMO el ave que, habiendo reposado entre la predilecta enramada junto al nido de sus dulces hijuelos, durante la noche ocultadora de las cosas, y deseando ver tan caros objetos y hallar el sustento para nutrirlos, cuyo penoso trabajo soporta placentera, se adelanta al día y antes de rayar el alba sube a la cima del abierto follaje y fijamente mira, esperando con ardoroso anhelo la salida del Sol, así estaba mi Dama, en pie y atenta, vuelto el rostro hacia la región del cielo bajo la cual se muestra el Sol menos presuroso (1995); y en tanto yo, viéndola suspensa y distraída, permanecí como el que, anhelante de lo que no tiene, se calma, sin embargo, con la esperanza de obtenerlo.

Poco intervalo medió entre ambos momentos, es decir, entre el de mi incertidumbre y el de ver de un instante a otro iluminarse más el cielo. Y Beatriz dijo:

—He ahí la legión del triunfo de Cristo y todo el fruto recogido de la rotación de estas esferas (1996).

(1995) Vuelta hacia aquella parte media del cielo donde parece que el Sol vaya más despacio. Cuando el Sol sale del horizonte terrestre, la sombra de los cuerpos es muy larga; esta longitud disminuye al principio con mucha rapidez, pero poco a poco va siendo menor, hasta que, llegando el Sol al medio del cielo, parece que la sombra no se mueva. Dirígese el Sol hacia Occidente, y entonces la sombra no se prolonga con la misma rapidez con que antes había disminuído. De este fenómeno deduce el vulgo que el Sol va más despacio hacia el mediodía.

(1996) La Virgen María y los bienaventurados, que subieron al Cielo por el triunfo de la muerte de Cristo, y por el benéfico influjo de las esferas celestiales.

Me pareció que ardía todo su semblante, y tenía los ojos tan llenos de alegría, que me veo obligado a pasar sin decirlo.

Cual en los plenilunios serenos Trivia ríe entre las ninfas eternas (1997), que ilumina el cielo por todas partes, así vi yo sobre millares de luces un sol que las encendía todas, como hace el nuestro con las que vemos, sobre nosotros (1998), y a través de su viva luz aparecía tan clara a mis ojos la divina substancia (1999), que no podían soportarla.

—¡Oh, Beatriz, exclamé, guía dulce y querida! — Y ella me dijo a mí: —Lo que te abisma es una virtud a la que nada resiste. Allí están la Sabiduría y el Poder que abrieron entre el Cielo y la Tierra las vías por tanto tiempo deseadas.

Así como el fuego de la nube, dilatándose de modo que ésta no puede contenerlo, se escapa de ella, y, contra su naturaleza (2000), se precipita hacia abajo, de igual suerte mi mente, engrandeciéndose más entre aquellas delicias, salió de sí misma y no sabe recordar lo que fué de ella.

—Abre los ojos y mírame cual soy; has visto cosas que te han dado fuerza suficiente para sostener mi sonrisa.

Yo estaba como aquel que conserva cierta reminiscencia de una visión olvidada y que se esfuerza en vano por renovarla en su imaginación, cuando oí proferir estas palabras tan dignas de gratitud, que no se borrarán jamás del libro donde se consigna lo pasado (2001).

Si ahora resonasen todas aquellas lenguas que Polimnia y sus hermanas hicieron más pingües con su dulcísima leche (2002), para venir en mi ayuda, no expresarían la milésima parte de la verdad al pretender cantar tan santa sonrisa y el resplandor que a su santa faz comunicaba; por esta causa, al describir yo el Paraíso, es forzoso que mi sagrado poema (2003) salte como un hombre que encuentra cortado su camino.

Quien considere el peso del asunto y el hombro mortal

(1997) La Luna ríe entre las estrellas.
(1998) Según el falso sistema de Tolomeo, el Sol enciende las estrellas, como queda dicho en otro lugar.
(1999) La humanidad de Jesucristo.
(2000) Contra su naturaleza, que es la de subir, según creían los antiguos, desconociendo la gravedad del aire.
(2001) La memoria.
(2002) Aunque cantasen en verso todos los poetas favorecidos por las musas, etc.
(2003) Es preciso que desista de cantar aquel santo rostro, y pase a otra cosa.

29

que soporta la carga, no censurará el que éste tiemble bajo
su gravedad. El mar que va hendiendo mi atrevida proa no
es a propósito para pequeña embarcación, ni para el nauta
que quiera ahorrarse la fatiga.

—¿Por qué te enamora mi faz de tal suerte que no te
vuelves hacia el hermoso jardín que florece bajo los rayos
de Cristo? Allí está la rosa (2004) en que el Verbo divino
encarnó, y allí están los lirios (2005) por cuyo aroma se
descubre el buen camino.

Así dijo Beatriz, y siempre pronto a seguir sus consejos,
me lancé nuevamente a la batalla de mis débiles párpados
(2006). Y así como mis ojos, al abrigo de la sombra
han visto alguna vez un prado de flores iluminado por un
rayo de sol que atravesaba por entre desgarrada nube, del
mismo modo distinguí entonces una multitud de esplendores,
iluminados desde arriba por ardientes rayos, sin ver el origen
de donde tales fulgores procedían.

¡Oh, benigna virtud (2007) que así los iluminas! Sin
duda te elevaste por dejar campo libre a mis ojos, que eran
demasiado débiles para contemplarte. El nombre de la hermosa
flor que invoco siempre (2008), por la mañana y por
la tarde, concentró todo su espíritu en la contemplación del
mayor fuego (2009), y cuando mis dos ojos me representaron
la belleza y la extensión de la fulgente estrella que
vence arriba, como venció abajo, desde el interior del cielo
descendió una llamarada que tenía la forma de un círculo
(2010) y rodeando a la estrella como una corona, giró y
rodeó a la estrella girando en torno suyo.

La melodía que más dulcemente se deje oír en la Tierra
y que más atraiga el ánimo, parecería el ronco trueno de una
nube comparada con el sonido de aquella lira (2011) de
que estaba coronado el bello zafiro con que se engalana el
más claro cielo.

—Yo soy el amor angélico, que giro difundiendo la su-

(2004) La Virgen María, llamada por la Iglesia *rosa mística*.
(2005) Los bienaventurados. Otros creen que se trata de los Apóstoles.
(2006) Volví a fatigar mi débil vista mirando la fuerte luz que emanaba de aquellos esplendores.
(2007) Se sobrentiende de Jesucristo.
(2008) El nombre de María, que percibí sin oírle pronunciar.
(2009) El esplendor de María, que era el mayor que allí había quedado después de haberse alejado el de Jesucristo.
(2010) El arcángel san Gabriel.
(2011) El mismo arcángel, que formaba una corona a la Virgen.

blime dicha, nacida del vientre que fué morada de nuestro deseo, y giraré, Señora del Cielo, mientras acompañes a tu Hijo y hagas resplandeciente la suprema esfera en donde habitas.

Así se dejaba oír la circular melodía (2012) y todas las demás luces hacían resonar el nombre de María. El manto real (2013) de todas las esferas del mundo, que más se inflama y anima bajo el hálito y las perfecciones de Dios, tenía sobre nosotros tan distante la faz interna, que no me era posible distinguir su aspecto desde el sitio en que me encontraba; por lo cual no tuvieron mis ojos la fuerza necesaria para seguir a la llama coronada, que se elevó en pos de su divina primogenitura. Y semejantes al niño que tiende los brazos hacia su madre después de haberse alimentado con su leche, movido del efecto que aun exteriormente se inflama, cada uno de aquellos fulgores se prolongó hacia arriba, patentizándome así el amor que profesaba a María.

Después permanecieron ante mi vista cantando *Regina cœli* tan dulcemente, que el placer que me causaron no se ha borrado ya nunca de mi alma.

¡Oh, cuánta es la abundancia que se encierra en aquellas arcas riquísimas (2014), por haber esparcido en la Tierra buenas semillas! Allí viven y gozan del eterno tesoro que conquistaron en el destierro de Babilonia, donde hicieron dejación del oro (2015). Allí triunfa de su victoria bajo el soberano Hijo de Dios y de María y juntamente con el antiguo y el nuevo concilio, el que tiene las llaves de tal gloria (2016).

(2012) Aquella melodía que salía de la llama que daba vueltas.

(2013) El primer móvil o cielo cristalino que, según el sistema tolemaico, envuelve a todos los demás.

(2014) Que se cierra en aquellas almas que alcanzaron la bienaventuranza, porque sembraron en la Tierra las virtudes cristianas.

(2015) Allí las almas viven y gozan del tesoro de la beatitud celestial, que conquistaron llorando en esta vida, que es como un destierro, como fué Babilonia para el pueblo hebreo, y dejando como él las riquezas mundanas.

(2016) Allí san Pedro triunfa de la victoria conseguida sobre el mundo, bajo el Hijo de Dios, y en compañía de los santos del Antiguo y del Nuevo Testamento.

CANTO XXIV

*En este canto, san Pedro hace algunas preguntas a Dante con
respecto a la fe, y habiendo éste respondido sinceramente
cuanto creía, el Apóstol aprueba su creencia.*

OH, compañía escogida (2017) para la gran Cena del Cordero bendito (2018), el cual os alimenta de tal modo, que vuestro apetito está siempre satisfecho! Ya que por la gracia de Dios éste (2019) prueba prematuramente lo que cae de vuestra mesa, antes de que la muerte ponga fin a sus días, no os olvidéis de su deseo inmenso y aplacadlo algún tanto (2020); ya que bebéis siempre en la fuente de donde procede lo que él piensa.

Esto dijo Beatriz, y aquellas almas gozosas se convirtieron en esferas sobre polos fijos, y, cual cometas, resplandecieron con viva luz. Y así como en el mecanismo de un reloj se mueven las ruedas de tal suerte que a quien las observa le parece que la primera está quieta y la última vuela, así también aquellos glóbulos, danzando diferentemente, me hacían estimar su velocidad o lentitud por el grado de sus resplandores.

De aquel conjunto de bellas luces vi salir un fulgor tan alegre y esplendente, que superaba a todos los demás. Tres veces giró en torno de Beatriz, cantando de un modo tan divino, que mi fantasía no ha podido retener su encanto; mi pluma pasa adelante, por lo tanto, sin describirlo, pues para pintar tales matices carece de vigor, no ya la lengua, sino la misma imaginación.

—¡Oh, mi santa hermana, que tan devotamente ruegas,

(2017) Metáfora tomada de san Marcos (cap. VII) y san Mateo (cap. XV).
(2018) Para la gloria del Paraíso.
(2019) Dante.
(2020) Confortadlo e iluminad su entendimiento.

movida de tu ardiente afecto, que me separas de aquella hermosa esfera! (2021).

De este modo, luego que se detuvo aquel fuego bendito, dirigió su aliento hacia mi Dama y le habló como he dicho. Y ella contestó:

—¡Oh, luz eterna del gran varón a quien nuestro Señor dejó las llaves llevadas por Él allá abajo desde esta inmensa alegría (2022). Examina a éste como te plazca con respecto a los puntos fáciles y difíciles de la Fe, que te hizo andar sobre el mar. A ti no se te oculta si él ama bien y espera bien y cree; porque tienes la vista fija donde todo está patente (2023); pero ya que este reino ha conseguido ciudadanos por medio de la Fe veraz, es bueno que para glorificarla le toque a él hablar de ella.

Así como el bachiller se prepara y no habla hasta que el maestro propone la cuestión que debe aprobar, pero no resolver, del mismo modo preparaba yo todas mis razones mientras ella hablaba, a fin de poder salir airoso ante tal examinador y tan grande asunto (2024).

—Di, buen cristiano, explícate: ¿qué es la Fe?

Al oír esto, alcé la frente hacia aquella luz de donde salían tales palabras; después me volví hacia Beatriz y ella me hizo un rápido ademán para que dejara brotar el agua de mi fuente interior.

—La Gracia Divina que me permite confesarme con tan alto primipilo (2025), exclamé, haga claros y expresivos mis conceptos —. Después continué: —Según lo ha escrito, padre, la verídica pluma de tu querido hermano (2026), que contigo hizo entrar a Roma por el buen camino, la Fe es la substancia de las cosas que se esperan y el argumento de las que no aparecen a nuestra mente (2027); tal me parece su esencia.

Entonces oí: —Piensas rectamente, si comprendes bien

(2021) Es san Pedro el que habla, y dice a Beatriz: Movida por el afecto a Dante, me ruegas tan devotamente, que no puedo menos de dejar la compañía de los demás bienaventurados.
(2022) Desde el Paraíso.
(2023) En Dios.
(2024) Para contestar a san Pedro, y hacer la profesión de fe.
(2025) Primipilo, jefe de la primera centuria, entre los romanos. Aquí está tomado como primer jefe de la Iglesia.
(2026) San Pablo.
(2027) Es argumento, demostración y luz, que obliga al entendimiento a creer en las cosas que con sus fuerzas naturales no puede comprender. — «Est fides sperandarum substantia rerum, argumentum non aparentium.» (San Pablo.)

por qué la colocó primero entre las substancias y luego entre los argumentos (2028).

A lo cual contesté: —Las profundas cosas que aquí se me manifiestan claras y patentes están tan ocultas a los ojos del mundo, que sólo existen en la creencia sobre que se funda la alta esperanza; por eso toma el nombre de substancia. Con respecto a esta creencia, es preciso argumentar sin otra luz; por eso toma el nombre de argumento.

Entonces oí: —Si todo lo que en la Tierra se aprende por vía de enseñanza se entendiera de ese modo, la sutileza del sofisma sería vana.

Tales fueron las palabras que exhaló aquel ardiente amor; y después añadió: —Ha salido bien la prueba de la liga y el peso de esta moneda; pero dime si la tienes en tu bolsa (2029).

Le respondí: —Sí, la tengo tan brillante y tan redonda que no cabe duda sobre su cuño.

En seguida salieron estas palabras de la profunda luz que allí resplandecía: —Esa querida joya, en la que se funda otra otra virtud, ¿de dónde te proviene?

—La abundante lluvia (2030) del Espíritu Santo, le contesté, que está esparcida sobre las antiguas y las nuevas páginas (2031), es el silogismo que me la ha demostrado tan sutilmente, que comparada con ella me parece obtusa toda otra demostración.

Después oí: —¿Por qué tienes por palabra divina a la antigua y la nueva proposición (2032), que así te han convencido?

Respondí: —La prueba que me descubre la verdad consiste en las obras subsiguientes, para las cuales la Naturaleza no puso nunca el hierro al fuego ni dió golpes en el yunque (2033).

Se me contestó: —Di, ¿quién te asegura que aquellas obras hayan existido? ¿Acaso te lo asegura aquello mismo

(2028) Por qué la colocó san Pablo, etc.
(2029) Entiéndase: La demostración de la fe ha sido pesada y examinada con el cuidado con que se pesa y examina la moneda; pero dime si tienes esa fe en el corazón, como en los labios.
(2030) La Gracia Divina.
(2031) Sobre las páginas del Antiguo y del Nuevo Testamento.
(2032) El Antiguo y el Nuevo Testamento.
(2033) Esto es: consiste en los milagros, en las obras superiores a las fuerzas de la Naturaleza, que para hacerlas *no puso nunca el hierro al fuego,* esto es, no las produjo nunca.

que se quiere probar con ellas? ¿No tienes otro testimonio? (2034).

—Si el mundo se convirtió al cristianismo sin necesidad de milagros, dije yo, esto solo es un milagro tan grande, que los otros no son la centésima parte de él; porque tú entraste pobre y hambriento en el campo a sembrar la buena planta (2035), que en otro tiempo fué vid y ahora se ha convertido en zarza.

Terminadas estas palabras, resonó en las esferas de la sublime y elevada corte un *Alabemos a Dios* con la melodía que se canta allá arriba (2036). Y el varón santo (2037) que examinándome así me había llevado de rama en rama hasta acercarnos a las últimas hojas (2038), volvió a empezar de esta manera: —La gracia que enamora a tu mente hate abierto la boca hasta este punto, como abrirse debía; por tanto apruebo cuanto ha salido de ella; mas ahora es preciso que expliques lo que crees y el origen de tu creencia.

—¡Oh, Santo Padre! ¡Oh, Espíritu, que ves lo que creíste con tal firmeza, que dirigiéndote hacia el sepulcro venciste a pies más jóvenes! (2039), le dije yo: Quieres que te manifieste el orden de las cosas en que creo, y además me preguntas el motivo de mi creencia. Pues bien, yo te respondo: Creo en un solo y eterno Dios, que sin ser movido mueve todo el Cielo con amor y con deseo; y en apoyo de tal creencia, no sólo tengo pruebas físicas y metafísicas, sino que también me las suministra la verdad que de aquí llueve (2040) por medio de Moisés, por los Profetas, por los Salmos, por el Evangelio y por lo que vosotros escribisteis después de haberos iluminado el ardiente Espíritu. Creo en tres Personas eternas, y las creo una esencia tan trina y una, que admiten

(2034) ¿Quién te asegura la existencia de los milagros? ¿Acaso la autoridad de los Testamentos, que necesita ser probada con aquéllos? Entonces caes en una petición de principio, y no pruebas nada. ¿No tienes otra prueba?

(2035) Emplea el argumento de san Agustín. (*De Civ. Dei*, Lib. XXIV.) O el mundo se ha convertido al cristianismo con milagros, o sin milagros. Si se ha convertido sin ellos, esto solo es el mayor de todos. Y lo refuerza recordando la pobreza y humildad de san Pedro y demás discípulos de Jesucristo, que hicieron triunfar su doctrina.

(2036) Empezaron a cantar el himno *Te Deum laudamus*.

(2037) *E quel barone*, así llama a san Pedro, según la costumbre de aquel tiempo de dar títulos de nobles a los santos.

(2038) A la última cuestión.

(2039) Que dirigiéndote al sepulcro de Jesucristo, llegaste a él antes que san Juan que era más joven, por tener fe completa en su resurrección.

(2040) La verdad, que desde el Cielo se manifiesta en la Tierra por los escritos de Moisés, etc.

a la vez *son* y *es* (2041). La profunda naturaleza divina de
que ahora trato se ha grabado en mi mente muchas veces
por la doctrina evangélica. Tal es el principio, tal la chispa
que se dilata hasta convertirse en viva llama, y que brilla
en mi interior como estrella en el cielo.

Cual señor que oye de su siervo una grata noticia, y
apenas calla éste, le abraza satisfecho, de igual suerte, el
apostólico resplandor que me había mandado hablar me ben-
dijo cantando y giró tres veces en derredor de mi frente, por
la alegría que habían despertado en él mis palabras.

(2041) Entiéndase: a la Santísima Trinidad se adapta el plural
son en cuanto a las personas, y el singular *es* en cuanto a la unidad
de Dios.

CANTO XXV

El apóstol Santiago examina al Poeta sobre la Esperanza, y le propone tres cuestiones, una de las cuales es resuelta por Beatriz. — En seguida san Juan Evangelista le manifiesta que sus restos mortales quedaron en la Tierra.

S I alguna vez sucede que el Poema sagrado (2042) en que han puesto sus manos el Cielo y la Tierra y que me ha hecho enflaquecer por espacio de muchos años, triunfe de la crueldad que me tiene alejado del bello redil (2043), donde dormí corderillo enemigo de los lobos que le hacen la guerra; entonces volveré como Poeta, con otra voz y otros cabellos (2044) y tomaré la corona de laurel sobre mis fuentes bautismales, porque allí entre en la fe que hace las almas familiares a Dios, y por ella me ciñó Pedro de aquel modo la frente.

Después se adelantó hacia nosotros un resplandor desde aquella legión de que salió el primero de los vicarios que Cristo dejó en la Tierra, y mi Dama, llena de alegría, me dijo:

—¡Mira, mira, he ahí el Santo varón (2045) por quien allá abajo visitan a Galicia!

Cual dos palomas que, al reunirse, se demuestran su amor dando vueltas y arrullándose, así vi yo aquellos gran-

---

(2042) Así llamaba a la *Divina comedia,* a la que han dado la mano, Dios con su gracia, la Tierra con su ciencia, ayudando al ingenio del Poeta.

(2043) Florencia. Esperaba Dante que este poema (que ya empezaba a ser famoso) ablandaría la dureza de sus conciudadanos, haciendo que le llamaran a su patria de un modo honorífico. «Pero, dice Fraticelli, si bien los reyes suelen perdonar algunas veces, los facciosos no perdonan jamás.»

(2044) *Con altra voce omai, con altro vello.* Esto es, volverá ya envejecido, con la voz débil y el cabello cano. Otros entienden: con más gloriosa fama y más nobles vestiduras.

(2045) El apóstol Santiago.

des y gloriosos príncipes (2046) acogerse mutuamente, alabando el alimento de que allá arriba se nutren (2047). Mas, cuando hubieron dado fin a sus gratulaciones, ambos se detuvieron silenciosos *coram me* (2048), tan encendidos que humillaban mi rostro.

Beatriz dijo entonces, riendo: —¡Oh, alma ilustre, que has escrito acerca de la liberalidad de nuestra basílica! (2049). Haz resonar la Esperanza en estas alturas (2050). Tú sabes que las has simbolizado tantas veces cuantas Jesucristo se os manifestó a los tres en todo su esplendor (2051).

—Levanta la cabeza y tranquilízate; porque es preciso que lo que llega aquí arriba desde el mundo mortal se madure a nuestros rayos.

Tan consoladoras palabras me fueron dirigidas por el segundo resplandor; entonces elevé los ojos hacia aquellos montes (2052), que antes los habían inclinado con su excesivo peso.

—Ya que nuestro Emperador (2053) te dispensa la merced de que te encuentres, antes de tu muerte, en la estancia más secreta de su palacio con los ilustres personajes que le rodean (2054), a fin de que habiendo visto la verdad de esta Corte os anime por eso a ti y a los otros la Esperanza, que tanto enamora allá abajo, dime en qué consiste ésta; dime cómo florece en tu mente y de dónde te proviene.

Así habló el segundo resplandor. Y aquella piadosa Dama que guió las plumas de mis alas hacia tan elevado vuelo, respondió antes que yo de esta suerte:

(2046) Santiago y san Pedro.

(2047) Alabando a Dios, cuya contemplación es el alimento de que se nutren los bienaventurados.

(2048) Delante de mí.

(2049) La liberalidad del Cielo. Alude a la epístola de Santiago, llamada católica, en la que se leen estas palabras: «Si quis autem vestrum indiget sapientia, postulet a Deo, qui dat omnibus afluenter.» Esta epístola, según algunos, es de Santiago *el Menor*, y no del *Mayor*, a quien se refiere aquí el Poeta.

(2050) Haz que se oiga el nombre de la Esperanza, haciendo algunas preguntas sobre ella a Dante.

(2051) Tú sabes que en el texto evangélico has simbolizado muchas veces la Esperanza, siempre que Jesucristo se ha manifestado en toda su divinidad a sus tres discípulos. Jesucristo quiso siempre por testigos de sus milagros a san Pedro como símbolo de la Fe, a Santiago, de la Esperanza, y a san Juan, de la caridad.

(2052) San Pedro y Santiago: «Lavari oculos meos in montes unde veniet auxilium mihi.» (Salmo 120.)

(2053) Milton, en el *Paraíso Perdido*, imita en esta imagen a Dante, pues dice (Lib. IX, vers. 61): «Emperatriz de este bello mundo, Eva resplandeciente.» Dante, en el canto XXXIV del *Infierno*, llama a Lucifer *Imperator del doloroso regno*.

(2054) Con los principales personajes de la corte celestial.

La Iglesia militante no tiene entre sus hijos otro más provisto de esperanza, como está escrito en el Sol que irradia sobre nuestra multitud (2055); por eso se le ha concedido que desde Egipto venga a ver a Jerusalén, antes de terminar sus combates (2056). Los otros dos puntos sobre que han versado tus preguntas, no por deseo de saber, sino para que él refiera lo grata que te es esta virtud, los dejo a su cargo; que no le serán de difícil resolución ni le servirán de jactancia; responda, pues, y que la gracia de Dios se lo conceda.

Cual discípulo que responde a su maestro con gusto y prontitud en aquello en que es experto, a fin de revelar su mérito, así respondí yo:

—La Esperanza es una espera cierta en la vida futura, producida por la Gracia Divina y los méritos anteriores (2057). Muchas son las estrellas que me han comunicado esta luz (2058); pero quien primero la derramó en mi corazón fué el supremo Cantor (2059) del Supremo Señor. «Que esperen en ti los que conocen tu nombre», dice en sus sublimes cánticos; y ¿quién no lo conoce teniendo mi fe? Tú me has inundado después con su oleada en tu Epístola; de modo que ya estoy lleno y derramo sobre otros vuestra lluvia.

Mientras yo hablaba, en el seno de aquel incendio (2060) fulguraba una llama rápida y frecuente como un relámpago, que, una vez hube callado, me dijo:

—El amor en que me abraso todavía por la virtud que me siguió hasta el martirio y hasta mi salida del campo (2061) quiere que te hable, a ti que con ella te deleitas, siéndome por lo mismo grato que me digas lo que la Esperanza te promete.

Yo le contesté: —Las nuevas y las antiguas Escrituras prefijan el término a que deben aspirar las almas a quienes Dios ha concedido su amistad, y ese término lo veo ahora

(2055) Conforme a lo que aparece en Dios, que como el Sol a todos nos ilumina.

(2056) Esto es: que desde la esclavitud del mundo llegue a la Jerusalén celeste antes de haber puesto término a sus combates en esta vida mortal, que es un estado de guerra.

(2057) «Est spes certa expectatio futuræ beatitudinis veniens ex Dei gratia et meritis præcedentibus.» Pedro Lombardo (lib. III, dist. 26).

(2058) Muchos son los escritores sagrados que han iluminado mi entendimiento sobre este punto.

(2059) David: «Sperent in te qui noverunt nomen tuum.» (Salmo 9.)

(2060) En medio de aquel fuego donde estaba el alma de Santiago apóstol.

(2061) Me siguió hasta el martirio, y hasta mi salida del campo de batalla del mundo a la vida eterna.

tal cual es (2062). Isaías dice que cada una de ellas vestirá
en su patria un doble ropaje (2063) y su patria es toda dulce
vida. Y tu hermano (2064) nos manifiesta más claramente
esta revelación, allí donde trata de las blancas vestiduras.

Acabadas de pronunciar estas palabras, se oyó primeramente sobre nosotros: *Sperent in te* (2065), a lo cual respondieron todos los círculos de almas. Luego resplandeció entre ellas una luz tan viva, que si Cáncer tuviera semejante
claridad, el invierno tendría un mes de un solo día (2056).
Y como la doncella placentera, que se levanta y va y toma
parte en la danza, sólo por festejar a la recién venida y no
por vanidad u otra flaqueza, así vi al esclarecido esplendor
acercarse a los otros dos (2067), que seguían dando vueltas
según su ardiente amor lo necesitaba. Púsose a cantar con
ellos las mismas palabras con la misma melodía, y mi Dama
fijó en él sus miradas como esposa inmóvil y silenciosa.

—Ése es aquel que descansó sobre el pecho de nuestro
Pelícano (2068); es el que fué elegido desde la Cruz para
el gran cargo (2069).

Así dijo mi Dama, y sus miradas no dejaron de estar más
atentas después que antes de pronunciar estas palabras.

Como quien fija los ojos en el Sol esperando verlo eclip-
sarse un poco, que a fuerza de mirar concluye por no ver,
así me sucedió con aquel último fuego, hasta que me fué
dicho:

—¿Por qué fatigas tus ojos para ver una cosa que aquí
no existe? (2070). Mi cuerpo es tierra en la Tierra y allí

(2062) El Paraíso celestial.
(2063) El doble ropaje de la beatitud del alma y la glorificación
del cuerpo.
(2064) San Juan en el Apocalipsis lo declara, etc.
(2065) Palabras del Salmo IX.
(2056) Es decir: que si Cáncer tuviese tal lucidez, el mes del invierno en que el Sol está en Capricornio no tendría noches, porque
estaría iluminado ya por el Sol, ya por aquél: esto es, todo el mes
sería un prolongado día. Debería ser así, porque, cuando el Sol está
en Capricornio, el signo opuesto de Cáncer sale al anochecer y se pone
al alba; la noche sería, así, clara como el día durante un mes.
(2067) A san Pedro y Santiago.
(2068) «Iste est Joannes evangelista qui in cœna Domini, supra pec-
tus Jesus Christi recubit qui Christus in cruce pendens, Matrem suam
virginem commendavit.» (Joan., XIII.)
(2069) Fué elegido por Jesucristo, estando en la cruz, para reem-
plazarle como hijo de María.
(2070) Según las palabras de Jesucristo respecto a san Juan («Sic
eum volo manere donec veniant.»), podía sospechar Dante, como en su
tiempo se creía, que el santo Apóstol estuviese en el cielo en cuerpo
y alma; y por esto se esforzaba mirando su resplandor, a fin de cer-

permanecerá con los otros cuerpos hasta tanto que nuestro número se iguale con el eterno propósito (2071). Las dos luces que se elevaron antes son las únicas que existen en este bienaventurado claustro con sus dos vestiduras (2072); y así lo debes repetir en tu mundo.

Dichas estas palabras, cesó el girar del círculo inflamado juntamente con el dulce concierto que formaba la armonía del triple canto: así como, para descansar o huir de un peligro, se detienen al son de un silbato los remos que venían azotando el agua.

¡Ah! ¡Cuánta fué la turbación de mi mente cuando me volví para ver a Beatriz y no pude lograrlo, a pesar de encontrarme cerca de ella y en el mundo de las bienaventuranzas! (2073).

ciorarse. Tal es la razón de que el Santo le diga: «No te empeñes en ver lo que aquí no existe».

(2071) Hasta que el número de los bienaventurados sea el que Dios ha dispuesto: ésto es, hasta el Juicio final.

(2072) Jesucristo y la Virgen María son los únicos que aquí existen con las dos glorificaciones, la del alma y la del cuerpo.

(2073) Mirando a san Juan pierde Dante la vista de modo que no puede ver a Beatriz. El sentido es la declaración de las verdades reveladas.

CANTO XXVI

San Juan examina a Dante acerca de la Caridad, mientras él
permanece deslumbrado, y a sus respuestas aplaude toda la
Corte celestial, gritando tres veces: "¡Santo!" El Poeta recobra
entonces la vista, y ve al padre Adán, que satisface a sus pre-
guntas.

MIENTRAS yo permanecía indeciso a causa de mi deslumbrada vista, salió de la fúlgida llama que la deslumbró una voz que llamó mi atención diciendo: —En tanto que recobras la vista que has perdido mirándome, bueno es que hablando conmigo compenses su pérdida. Empieza, pues, y dime a dónde se dirige tu alma, y persuádete de que tu vista sólo está ofuscada, pero no destruída; pues la Dama que te conduce por esta región luminosa tiene en su mirada la virtud que tuvo la mano de Ananías (2074).

Yo dije: —Venga tarde o temprano, según su voluntad, el remedio a mis ojos que fueron las puertas por donde ella entró con el fuego en que me abraso. El bien que esparce la alegría en esta Corte es el *alfa* y el *omega* de cuanto el amor escribe en mí, ya sea leve o fuertemente (2075).

Y la misma voz que había desvanecido el miedo causado por mi súbito deslumbramiento, excitó nuevamente en mí el deseo de hablar, diciendo:

—Es preciso que te purifiques en una criba más fina (2076); es preciso que digas quién dirigió tu arco hacia tal blanco (2077).

(2074) Ananías volvió a san Pablo la vista, cuando cayó ciego y desvanecido por la luz del cielo. (Act. IX.)
(2075) Entiéndase Dios, que hace dichosas a las almas del cielo, es el principio y el fin de cuanto amor escribe en mí, esto es, de cuantos impulsos leves o fuertes me comunica.
(2076) Es decir: Es preciso que tus pensamientos salgan de tu mente tan depurados como sale la harina cernida en un cedazo tupido.
(2077) Quién dirigió tu amor hacia Dios.

—Los argumentos filosóficos, contesté, y la autoridad que
desciende de aquí (2078), han debido infundirme tal amor;
porque el bien, por sí mismo, apenas es conocido, enciende
tanto más el amor cuanto mayor bondad encierra. Así, pues,
la mente de todo el que conoce la verdad en que se funda esta
prueba, debe inclinarse a amar, con preferencia a ninguna
otra cosa, aquella esencia (2079), en la cual hay tanta ventaja que los demás bienes existentes fuera de ella no son más
que un reflejo de su luz. Esa verdad la ha declarado a mi inteligencia aquel (2080) que me mostró el primer amor de
todas las substancias eternas (2081). Me la declaran también las palabras del veraz Hacedor, que dijo a Moisés, hablando de sí mismo: «Yo te mostraré reunidas en mí todas
las perfecciones.» (2082). Tú también me la declaras en el
principio de tu sublime anuncio, que publica en la Tierra el
arcano de arriba más altamente que ningún otro (2083).

Y yo oí: —Por cuanto te dice la inteligencia humana,
de acuerdo con la autoridad divina, reserva para Dios el mayor
de tus amores. Pero dime todavía si te sientes atraído hacia
Él por otros lazos (2084), y dime con cuántos dientes te
muerde este amor (2085).

No se me ocultó la santa intención del águila de Cristo;
pues comprendí hasta dónde quería llevar mi confesión; por
eso empecé a decir:

—Todos los estímulos que pueden obligar al corazón a
volverse hacia Dios concurren en mi caridad; porque la
existencia del mundo y mi existencia, la muerte que Él sufrió para que yo viva y lo que espera todo fiel como yo,
juntamente con el conocimiento antedicho, me han sacado

(2078) La razón humana, y la revelación que procede de Dios, etc.
(2079) Dios.
(2080) Según Grangier, alude a san Dionisio el Areopagita, el cual,
en su libro *De Divinis nominibus*, trata de la caridad que Dios otorga
a todas las sustancias sempiternas o criaturas venturosas, tales como
los ángeles y almas elegidas. Según Venturi, se trata de Aristóteles, el
cual también ha tratado esta cuestión. Según Lombardi, en fin, lo que
es más probable, se trata de Platón, el cual en su *Banquete* ha escrito:
«His omnibus perspicuum esse dio amorem Deu rum esse antiquissi-
mum, augustissimumque.»
(2081) Que me mostró el Sumo Bien, que es el primer amor de los
ángeles y de las almas humanas.
(2082) Dixit Moises ad Dominum: Ostende mihi gloriam tuam. Ego
ostendam omni bonum tibi.» Exod., 33.
(2083) El Evangelio de san Juan, que publica el arcano inefable de
la generación del Verbo Divino, de un modo más sublime que los
demás Evangelios.
(2084) Por otras razones.
(2085) Y dime cuántos sean los motivos que a ello te estimulen.

del piélago de los amores tortuosos y me han puesto en la
playa del verdadero amor. Amo las hojas que adornan todo
el huerto del Hortelano eterno, en la misma proporción del
bien que Aquél les comunica (2086).

Apenas guardé silencio, resonó por el Cielo un dulcísimo
canto; y oí a mi Dama que cantaba con los demás: «¡Santo,
Santo, Santo!» (2087). Y así como la aparición de una luz
penetrante desvanece el sueño, excitando el sentido de la vista, el cual acude a la claridad que atraviesa las membranas,
y el despertado la rehuye, aturdido en su repentino desvelo,
mientras no le ayuda la facultad estimativa, de igual suerte
ahuyentó Beatriz todo entorpecimiento de mis ojos con el rayo
de los suyos, que brillaba a más de mil millas; entonces vi
mejor que antes y, casi estupefacto, pregunté quién era un
cuarto resplandor que distinguí con nosotros. Mi Dama me
dijo:

—Dentro de esos rayos contempla amorosa a su Hacedor la primer alma creada por la Virtud primera (2088).

Como el follaje que doblega su copa al paso del viento,
y después se levanta por la propia virtud que la endereza, tal
hice yo, maravillado mientras ella hablaba e irguiéndome después a impulsos del deseo de preguntar que me abrasaba; por
lo que empecé de esta suerte:

—¡Oh, fruto, que fuiste producido ya maduro! ¡Oh, padre antiguo, de quien toda esposa es hija y nuera! Tan devotamente como puedo te suplico que me hables; tú ves mis
deseos, los cuales no te manifiesto por oír más pronto tus
palabras.

Como un animal encerrado en un saco se agita a veces
de manera que por los movimientos del envoltorio se adivina
el ansia que le mueve, del mismo modo, la primera alma me
daba a conocer por la luz de que estaba revestida la alegría
que le causaba complacerme. Después dijo:

—Sin que me lo hayas expresado, conozco tu deseo mejor que tú aquello de que estés más cierto; porque lo veo en
el veraz espejo (2089) cuyo parhelio son las demás cosas, y que
no es parhelio de ninguna (2090). Quieres oír cuánto tiempo

(2086) Es decir: Amo todas las criaturas de que está lleno el mundo,
en proporción de la bondad que Dios ha comunicado a cada una.
(2087) «Sanctus, sanctus, sanctus.» (Apocalipsis, cap. IV.)
(2088) Adán.
(2089) Dios.
(2090) Cuatro interpretaciones dan los italianos a este pasaje, y
dos sentidos a la palabra *pareglio*, que significa igual, o más bien

ha que Dios me colocó en el excelso jardín (2091) en donde
ésa te elevó por tan alta escalera; por cuánto tiempo deleitó
mis ojos; la verdadera causa de la ira de Dios, y el idioma
inventado por mí de que hice uso. Sabe, pues, hijo mío, que
el haber probado la fruta del árbol no fué la causa de tan
largo destierro, sino solamente el haber infringido la orden (2092). En aquel lugar (2093) de donde tu Dama hizo
partir a Virgilio, estuve deseando esta compañía (2094) por
espacio de cuatro mil trescientas dos revoluciones del Sol,
y mientras permanecí en la Tierra le vi volver a todas las
luces de su carrera novecientas treinta veces (2095). La lengua que hablé se extinguió completamente antes que las gentes de Nemrod se dedicaran a la obra interminable (2096);
porque ningún efecto racional fué jamás duradero, a causa de
la voluntad humana que se renueva según la posición y la
influencia de los astros. Cosa muy natural es, en verdad, que
el hombre hable; pero la Naturaleza deja a vuestra discreción que lo hagáis de este o del otro modo. Antes que yo
descendiese a las angustias infernales, se daba en la Tierra el
nombre de I (2097) al Sumo Bien, de quien procede la alegría que me circunda; Eli se le llamó después, y así debía
ser; porque los usos de los mortales son como la hoja de
una rama, que desaparece para ceder su puesto a otra nueva.
En el monte que se eleva más sobre las ondas estuve yo con
vida pura y deshonesta desde la primera hora hasta la que es

parhelio, o sea la imagen del Sol formada por él en las nubes. La interpretación que nos parece mejor es la de Fraticelli, que dice así:
«Porque veo tu deseo en Dios, que hace de sí mismo luz refleja en
todas las cosas, mientras que ninguna cosa le hace a Él el reflejo de su
luz». Así como el Sol imprime en las nubes su imagen, así Dios imprime sus rayos en los seres creados, pero no viceversa.

(2091) En el Paraíso terrenal.

(2092) Por haber desobedecido a Dios.

(2093) El Limbo.

(2094) Estuve deseando subir al cielo 4302 años.

(2095) Vi al Sol recorrer los signos del Zodíaco 930 veces; esto es,
viví 930 años.

(2096) La construcción de la torre de Babel.

(2097) San Isidoro dice en sus *Etimologías* que en un principio los
Hebreos llamaron EL a Dios, y después le llamaron ELI. De aquí tal
vez la alteración hecha en el texto de este poema por algunos editores
antiguos, que pusieron *El* en vez de *I* o *Un*. La enmienda *El* está
hoy desechada, quedando sólo admitido *I* o *Un*, que significan lo
mismo, es decir, el *Uno*, cuya cifra tiene con Dios la semejanza de ser
sencilla, indivisible, representar la unidad y no ser número, sino
pincipio de todos y de todas las cosas. Nótese que I es la primera
letra de *Iehovah*, nombre augusto de Dios, que los hebreos no podían
pronunciar. Una I misteriosa se veía esculpida sobre la puerta del
templo de Apolo en Delfos, según refiere Plutarco. La I es *uno* en
cifras romanas.

segunda después de la hora sexta, cuando el Sol pasa de uno
a otro cuadrante (2098).

(2098) Esto es : En el monte del Purgatorio, sobre cuya cima está
el Paraíso terrenal, permanecí con vida inocente, primero, y después
contaminada por el pecado, desde la primera hora del día en que fuí
creado, hasta la segunda después de sexta, cuando el Sol pasa de un
cuadrante a otro en su círculo cotidiano. Quiere decir que Adán estuvo
sólo siete horas en el Paraíso. Ésta era una antigua opinión, referida
por Pedro Comestor en su *Historia Scholast.*, cap. 24.

CANTO XXVII

Apóstrofes de san Pedro contra los malos pastores de la Iglesia. — Dante sube con Beatriz a la novena esfera, llamada el Primer móvil.

GLORIA al Padre, gloria al Hijo, gloria al Espíritu Santo!», entonó todo el Paraíso, con tan dulce canto, que me embriagaba. Lo que veía me parecía una sonrisa del Universo, pues mi embriaguez penetraba por el oído y por la vista.

—¡Oh, gozo! ¡Oh, inefable alegría! ¡Oh, vida entera de amor y de paz! ¡Oh, riqueza segura y sin deseo!

Ante mis ojos estaban encendidas las cuatro antorchas (2099), y aquella que había venido primero empezó a lanzar más vivos destellos, transformándose su aspecto, cual aparecería el de Júpiter, si éste y Marte fueran aves y trocasen entre sí su plumaje (2100).

La Providencia, que distribuye aquí a su placer los oficios de cada uno, había impuesto silencio a todo el coro de los bienaventurados, cuando oí estas palabras:

—No te admires al ver que mi semblante se demuda; pues verás demudarse el de todos éstos mientras hablo. Aquel que usurpa en la Tierra mi puesto, mi puesto que está vacante a los ojos del Hijo de Dios (2101), ha hecho de mi cementerio (2102) una sentina de sangre y podredumbre, que al perverso caído desde aquí (2103) sirve allá abajo de complacencia.

(2099) San Pedro, Santiago, san Juan y Adán.
(2100) Como si el planeta Júpiter trocase su blancura por lo rojo del planeta Marte, que es lo mismo que decir que la luz de san Pedro se tiñó de rojo.
(2101) Alude al papa Bonifacio VIII, que, según el Poeta, obtuvo el Pontificado por medio de intrigas; y por eso dice que la cátedra de san Pedro estaba vacante a los ojos de Dios.
(2102) De Roma, donde está enterrado san Pedro.
(2103) A Lucifer.

Entonces vi cubrirse todo el cielo de aquel color que comunica el Sol por la mañana y por la tarde a las nubes opues-
tas a él; y cual mujer honesta que, segura de sí misma, se
ruboriza tan sólo al escuchar las faltas ajenas, así vi yo a Beatriz cambiar de aspecto; un eclipse semejante debió de haber
en el Cielo cuando la pasión del Poder supremo.

Después, con la misma alteración en la voz que la que se
advertía en su semblante, continuó en estos términos (2104):

—Mi sangre, así como la de Lino y la de Cleto (2105),
no alimentó a la Esposa de Cristo para acostumbrarla a adquirir oro, sino para que adquiriese aquella vida virtuosa por
la que Sixto y Pío, Calixto y Urbano derramaron su sangre
después de haber vertido muchas lágrimas. No fué nuestra
intención que una parte del pueblo cristiano estuviese sentada a la derecha y otra a la izquierda de nuestro sucesor (2106), ni que las llaves que me fueron concedidas se
convirtieran en una enseña de guerra para combatir contra
los bautizados (2107), ni que estuviese representada mi imagen en un sello para servir a privilegios vendidos y falsos de
que con frecuencia me avergüenzo e irrito. En todos los prados (2108) se ven allá abajo lobos rapaces disfrazados de
pastores. ¡Oh, justicia de Dios! ¿por qué duermes? (2109).
Los de Cahors y los de Gascuña se preparan a beber nuestra
sangre (2110). ¡Oh, buen principio, en qué fin tan vil has
de venir a parar! Pero la alta Providencia, que por medio de
Escipión defendió en Roma la gloria del mundo (2111), no
tardará, a lo que imagino, en socorrerla. Y tú, hijo, que todavía has de volver abajo, llevado por el peso de tu cuerpo
mortal, abre allí los labios y no ocultes lo que yo no oculto.

Así como nuestro aire despide hacia la Tierra copos de

(2104) Fué mayor el cambio de la voz de san Pedro convirtiéndose
de grave en vehemente, que el de su apariencia, que se convirtió de
blanca en roja.
(2105) Papas y mártires, sucesores de san Pedro.
(2106) No fué nuestra intención que una parte del pueblo cristiano
(güelfos) fuese atendida por los papas, y la otra (los gibelinos) fuese
envilecida y perseguida.
(2107) Ni que las llaves pintadas en la bandera papal se convirtieran en un signo de guerra contra los gibelinos, que eran miembros de
la misma Iglesia.
(2108) En todos los obispados. — «Veniunt in vestimentis ovium, in-
trinsecus autem sunt lupi rapaces.» (San Mat., VIII.)
(2109) «Exsurge, quare abdormis, Domine?» (Sal. 43.)
(2110) Juan XXII de Cahors y Clemente V de Cascuña se preparan
a utilizar en provecho propio y de sus compatricios los bienes dados a la
Iglesia por los fieles en memoria de nuestra sangre.
(2111) La monarquía universal. Dante creía, como se ha dicho ya,
que Roma debía reinar sobre toda la Tierra.

helados vapores, cuando el cuerpo de la Cabra (2112) del
Cielo toca al Sol, de igual modo vi elevarse aquel éter puro
y despedir hacia lo alto los vapores triunfantes que allí, con
otros, se habían detenido. Mi vista seguía sus semblantes y los
siguió hasta que la distancia que las separó de mí me impidió
ir más adelante. Entonces mi Dama, reparando que había
cesado de mirar hacia arriba, me dijo: —Baja la vista y advierte cuánto has girado.

Entonces vi que, desde la hora en que miré por primera
vez a la Tierra, había yo recorrido todo el arco formado por
el primer clima desde la mitad hasta el fin (2113), de modo
que veía más allá de Cádiz el insensato paso de Ulises y a
esta parte divisaba cercana la playa donde Europa se convirtió en dulce carga (2114), y aún habría descubierto mayor
espacio de este mísero Globo a no ser porque el Sol giraba
bajo mis pies, distante de mí un signo del Zodíaco y algo
más (2115).

El asombroso espíritu con que adoro siempre a mi Dama
ardía más que nunca en deseos de volver nuevamente hacia
ella los ojos, y las bellezas que la Naturaleza o el arte han
producido para cautivar la vista y atraer los espíritus, ya en
cuerpos humanos, ya en pinturas, todas juntas serían nada en
comparación del placer divino que me iluminó cuando me
volví hacia su faz riente; la fuerza que me infundió su
mirada me apartó del bello nido de Leda (2116) y me transportó al Cielo más veloz (2117).

(2112) A la manera que, cuando el Sol está en Capricornio (diciembre y enero), caen los copos de nieve, así dice que vió en el puro
aire inflamado del cielo moverse las almas en sentido inverso, de
abajo arriba.

(2113) Desde que contemplé por primera vez la Tierra (final del
Canto XII) hasta que volví a mirarla de nuevo, vi que había recorrido
el arco que forma el primer clima desde el meridiano al horizonte
occidental. Dante, según la Geografía de su tiempo, pone el término
de los climas en el término de nuestro hemisferio.

(2114) Así es que, transportado al horizonte occidental, y hallándo-
me perpendicularmente sobre él juntamente con el signo de Géminis,
veía más allá de Cádiz el estrecho de Gibraltar y el Océano por donde
Ulises intentó locamente navegar y naufragó; y hacia la parte oriental veía las playas fenicias, donde Júpiter, transformado en toro, raptó
a Europa.

(2115) No veía claramente las playas fenicias, ni más allá, porque
allí era ya de noche, estando Dante en el signo de Géminis, y el Sol en
los primeros grados del de Aries, de modo que entre él y el Sol mediaba todo el signo de Tauro y algunos grados más. Dice bajo mis
pies, porque se hallaba en el cielo de las estrellas fijas, mucho más
alto que el Sol.

(2116) Del signo de Géminis, o los Gemelos, que, según la Fábula,
son Cástor y Pólux, nacidos de los huevos de Leda.

(2117) Al cielo llamado Primer móvil.

Sus partes vivísimas y excelsas son tan uniformes, que no sabré decir cuál de ellas escogió Beatriz para mi entrada en él. Pero ella, que veía mi deseo (2118), empezó a decirme, sonriéndose tan placentera que parecía regocijarse Dios en su semblante:

—En esta esfera empieza, como en su meta, el movimiento, que, naturalmente, cesa en el centro, mientras todo lo demás gira en torno suyo; y este Cielo no tiene otro punto donde adquirir movimiento más que la mente divina en la cual se enciende el amor que le impulsa (2119) y la influencia que vierte sobre las demás cosas. La luz y el amor le circundan, así como él circunda a los otros cielos inferiores; y ese círculo de luz y de amor lo dirige y lo comprende tan sólo Aquel que rodea con él a este Cielo. Su movimiento no está determinado por otro alguno; pero los demás están medidos por éste, lo mismo que diez por la mitad y el quinto (2120). Ahora puedes comprender cómo el tiempo tiene sus raíces en este tiesto, y en los otros las hojas (2121). ¡Oh, concupiscencia, que de tal modo sumerges en ti a los mortales, que a ninguno le es posible sacar los ojos fuera de tus ondas! Mucho florece la voluntad en los hombres; pero la continua lluvia convierte las verdaderas ciruelas en endrinas (2122). La fe y la inocencia sólo se encuentran en los niños; y después cada una de ellas huye antes de que el vello cubra sus mejillas. Hay quien ayuna balbuciendo todavía, y luego que tiene la lengua suelta, devora cualquier alimento en cualquier época; y también hay quien, balbuciente aún, ama y escucha a su madre, y cuando llega a hablar claramente, desea verla sepultada. No de otro modo la piel de la bella hija del que os trae la mañana y os deja la noche, siendo blanca al principio, se ennegrece después (2123). Y a fin

(2118) Mi deseo de saber las propiedades de aquel cielo.

(2119) Esto es: el ángel motor del Primer móvil, cuyo ángel arde en el amor divino.

(2120) Así como el diez está medido por su mitad, cinco, y por su quinto, dos.

(2121) Ahora puedes comprender cómo el tiempo tiene en el Primer móvil su origen oculto, y en los demás cielos los movimientos que nos son visibles.

(2122) Pero así como la continua lluvia convierte las buenas frutas en malas, así también los muchos estímulos convierten en malas obras los mejores propósitos.

(2123) Los antiguos filósofos atribuían al Sol la virtud de contribuir a la generación de toda vida mortal, según se ha dicho en el canto XXII. Aquí se refiere el Poeta a la naturaleza humana, la bella hija del Sol, y dice: Así como la piel humana, tierna y blanca en la niñez, se ennegrece con el tiempo, así también la conciencia inocente y cándida del niño se endurece y vuelve negra por el pecado.

de que no te maravilles (2124), sabe que en la Tierra no hay quién gobierne; por lo cual va tan descarriada la raza humana. Pero antes de que el mes de enero deje de pertenecer al invierno, a causa del centésimo de que allá abajo no hacen caso (2125), estos círculos superiores rugirán de tal suerte, que la borrasca, por tanto tiempo esperada, volverá las popas donde ahora están las proas, haciendo que la flota navegue directamente y que el verdadero fruto venga en pos de la flor (2126).

(2124) A fin de que no te causen maravilla tantos desórdenes, debes saber que en la Tierra no hay gobierno; lo cual es la causa de esos desórdenes.
(2125) Pero antes que el mes de enero deje de pertenecer al invierno y caiga en primavera. Esto debía suceder necesariamente en el transcurso de los siglos, a causa de la mínima diferencia que existía entre el año solar y el año según el calendario de Julio César; diferencia que formaba un día cada cien años, y por esto Dante la llama *centésima*. Tal residuo de tiempo se tuvo en cuenta en la corrección gregoriana, hecha en 1582.
(2126) Estas frases metafóricas parecen aludir a la revolución que esperaba el Poeta, y que había de poner término a los desórdenes de Italia; pudiendo entenderse que, a consecuencia de ella, los poderes temporal y eclesiástico marcharían acordes y harían reflorecer la virtud y la justicia entre los hombres.

CANTO XXVIII

*El Poeta anuncia que se le ha permitido ver la esencia divina. —
Ve un punto resplandeciente de viva luz, en torno del cual
giran nueve círculos. — Entonces Beatriz le explica que los
nueve círculos del mundo espiritual corresponden a las nueve
esferas del mundo sensible, después le habla de la jerarquía
de los ángeles.*

DESPUÉS que Aquella (2127) que elevó mi alma al Paraíso me manifestó la verdad contrapuesta a la vida actual de los míseros mortales, recuerda mi memoria que, así como el que ve en un espejo la llama de una antorcha encendida detrás de él, antes de haberla visto o pensado en ella, se vuelve para cerciorarse de si el cristal le dice la verdad, y ve que los dos están acordes, como la nota musical con el compás, así hice yo al contemplar los hermosos ojos en donde tejió amor los lazos que me sujetaron; y cuando me volví, y se vieron heridos los míos por lo que aparece en aquel Cielo toda vez que se observa con atención su movimiento, distinguí un punto que despedía tan penetrante luz, que es preciso cerrar los ojos iluminados por ella, pues no puede soportarse su intensidad.

La estrella que más pequeña parece desde la Tierra, colocada a su lado, como una estrella cerca de otra, parecería una Luna (2128). Casi tanto como el círculo de un astro parece distar de la luz que le traza, cuando el vapor que lo forma es más denso (2129), distaba del centro de aquel punto un círculo de fuego, girando tan rápidamente, que hubiera ven-

---

(2127) Beatriz.
(2128) Es decir, que aquel punto luminoso parecía mucho más pequeño que la más pequeña estrella comparada con otra, según aparecen desde la Tierra. Esta pequeñez significa la suma simplicidad e indivisibilidad de Dios, según Venturi.
(2129) Se refiere al cerco que vemos algunas veces en torno de la Luna u otros planetas por la refracción de sus rayos en el aire.

cido en celeridad al movimiento de aquel cielo que más velozmente gira ciñendo al mundo. Este círculo estaba rodeado
por otro, y éste por un tercero, y el tercero por el cuarto, por
el quinto el cuarto, y después por el sexto el quinto; sobre
éstos seguía el séptimo, de tan gran extensión, que aun estando en círculo completo la mensajera de Juno (2130) no
podría abarcarlo. Lo mismo sucedía con el octavo y el noveno (2131), y cada cual de ellos se movía con más lentitud
según su mayor distancia del Uno, teniendo la llama más
clara el que menos distaba de la luz purísima; porque, según creo, participa más de su verdad.

Mi Dama, que me veía presa de una viva curiosidad, me
dijo: —De aquel punto depende el Cielo y toda la Naturaleza. Mira aquel círculo que está más próximo a él, y sabe
que su movimiento es tan rápido a causa del ardiente amor
que le impulsa.

Y le contesté yo: —Si el mundo estuviera dispuesto en
el orden en que veo esos círculos, tu explicación me hubiera
satisfecho; pero en el mundo sensible se pueden ver las cosas
tanto más rápidas cuanto más apartadas están de su centro (2132); así es que, si mi deseo debe tener fin en este
maravilloso y angélico templo, cuyos únicos confines son el
amor y la luz, necesito todavía oír cómo es que el modelo
y la copia (2133) no van del mismo modo; porque yo en
vano reflexiono en ello.

—Que tus dedos no basten para deshacer ese nudo no
es maravilla, pues que su solidez se debe a no haber sido
nunca tocado.

Así empezó a decir mi Dama; y añadió después:
—Medita lo que voy a decirte, si quieres quedar satisfecho, y aguza sobre ello el ingenio. Los círculos corpóreos (2134) son anchos y estrechos, según la mayor o menor
virtud (2135) que se difunde por todas sus partes. Cuanto

(2130) Iris. Viene a significar que aunque el arco iris se convirtiese en círculo no podría abarcarlo.
(2131) Estos nueve círculos luminosos son formados por los nueve
órdenes evangélicos, siendo su movimiento y su esplendor proporciona-
dos a su respectiva distancia del *Uno*; es decir, del punto céntrico,
Dios.
(2132) De la Tierra, que, según el falso sistema de Tolomeo, es el
centro de todos los movimientos celestes.
(2133) Cómo estos círculos, que son el modelo, y las esferas celestes,
que son la copia, giran con velocidades inversas.
(2134) Los cielos, que forman el universo material y sensible.
(2135) La virtud o el impulso que reciben de los ángeles motores,
y en cada uno de ellos se extiende a todas sus partes.

mayor es su bondad, más saludables son los efectos que produce; y el cuerpo mayor contiene mayor bondad, con tal que
sean todas sus partes igualmente perfectas (2136). Ahora
bien, este círculo en que estamos, que arrastra consigo todo el
alto universo, corresponde al que más ama y más sabe (2137);
por lo cual, si te fijas en la virtud y no en la extensión de
las substancias que te aparecen dispuestas en círculos, verás una
relación admirable y gradual entre cada cielo y su inteligencia (2138).

Puro y sereno, como queda el hemisferio del aire cuando
Bórea sopla con el más suave de sus vientos (2139), limpian-
do y disolviendo la niebla que antes lo obscurecía todo, y haciendo que el cielo ostente las bellezas de toda su comiti-
va (2140), quedé yo cuando mi Dama me satisfizo con sus
claras respuestas, viendo entonces la verdad tan brillante como
las estrellas en el cielo.

Cuando hubo terminado sus palabras, empezaron a chis-
pear los círculos, como chispea el hierro candente; y aquel cen-
telleo, semejante a un incendio, era imitado por cada chispa
de por sí, siendo éstas tantas, que su número se multiplicaba
mil veces más que el producido por la multiplicación de las
casillas de un tablero de ajedrez (2141).

(2136) Es decir: El cuerpo que tiene en sí mayor bondad difunde
mayor bien; y el que es más grande, siendo bueno, contiene mayor
suma de bienes. Así son los cielos, cuyos saludables influjos dependen
de su mayor extensión, siempre que todas sus partes sean perfectas.
(2137) Ahora bien, el Primer móvil es el más extenso, como que
comprende todos los demás cielos, y tiene mayor virtud, porque corresponde en velocidad con el más pequeño de los círculos inflamados,
el cual es el que más sabe y más ama, como compuesto de serafines.
(2138) Si consideras la virtud, y no la mole aparente de esos círculos,
verás que al más pequeño, que rodea al punto central, sucede el más
grande, que rodea la Tierra, y así sucesivamente los demás. Por manera que al primer círculo del mundo intelectual corresponde la novena
esfera del mundo sensible, dirigida por serafines; al segundo, la octava,
movida por querubines, etc.
(2139) Literalmente: por aquella de sus mejillas por donde sople
más suavemente. Cada uno de los cuatro vientos principales era representado por una faz humana soplando por tres partes: por la boca y
por las mejillas. Bóreas (el Norte) sopla con la boca el tramontana;
y con la mejilla derecha el maestral, que es el más suave de los tres
vientos.
(2140) Las bellezas del Sol, de la Luna y demás astros.
(2141) Refiere la leyenda que Sissa-Ebn-Dahir, sabio indio, fué el
inventor del juego de ajedrez; encargado este sabio de la educación de
un príncipe persa, compuso dicho juego, en el cual el rey, no obstante y ser la figura de más valor, no puede realmente hacer nada sin
la cooperación incesante de todos sus súbditos o vasallos, esto es, las
restantes piezas del juego. Sigue diciendo la crónica que tanto agradó
el juego al príncipe que, en un rasgo de generosidad, ofreció a su
autor darle lo que le pidiese. Éste, queriendo dar un nueva lección a

Yo oía cantar *Hosanna,* de coro en coro, en alabanza del
punto fijo, que los tiene y siempre los tendrá en el lugar donde
siempre han estado; y aquélla que veía las dudas de mi mente dijo:

—Los primeros círculos te han mostrado los Serafines y los
Querubines. Siguen con tal velocidad su amorosa cadena para
asemejarse al punto cuanto pueden, y pueden tanto más, cuanto más altos están para verle. Aquellos otros amores, que van
en torno de ellos, se llaman Tronos de la Presencia Divina, en
los cuales termina el primer ternario (2142); y debes saber
que es tanto mayor su gozo, cuanto más penetra su vista en la
Verdad en que se calma toda inteligencia (2143). Aquí puede conocerse que la beatitud se funda en el acto de ver y no
en el de amar a Dios, lo cual viene después (2144); y siendo
las obras meritorias engendradas por la gracia y la buena voluntad, la medida de la contemplación procede así de grado en
grado. El otro ternario, que termina en esta primavera eterna
de modo que no le despoja el Aries nocturno (2145), canta
perpetuamente *Hosanna* con tres melodías, que resuenan en
los tres órdenes de alegría de que se compone. En esa jerarquía están las tres diosas (2146): primera, Dominaciones;
segunda, Virtudes, y el tercer orden es el de las Potestades.
Después, en los dos penúltimos círculos giran los Principados
y los Arcángeles; el último se compone todo de angélicos
festejos (2147). Todos estos órdenes tienen sus miradas fijas

su discípulo, le pidió un grano de trigo para la primera casilla del
tablero, dos para la segunda, cuatro para la tercera, ocho para la
cuarta, dieciséis para la quinta, etc., y así sucesivamente, siempre doblando la cantidad anterior, hasta la casilla 64, la última del tablero.
La petición, que a primera vista parecía tan modesta, aunque fué concedida, no pudo ser cumplimentada, pues no hubo en todo el reino
trigo suficiente para satisfacerla. La cantidad de granos que, según la
fórmula 2^{64}, es de: $18^3446,774^2073.709^1551.615$ valen aproximadamente unos
200.000 billones de francos. Para producir tal cantidad de trigo había
que sembrar 77 veces todos los continentes de la Tierra.
(2142) La primera de las tres jerarquías que contiene tres coros
cada una.
(2143) Cuanto más penetra su vista en Dios, que es el último término de nuestros deseos.
(2144) Era cuestión escolástica la de saber en qué consiste la beatitud, si en ver o en amar a Dios; y el Poeta opina, como santo Tomás, que consiste en la contemplación de Dios, siendo el amor consecuencia de la visión y del conocimiento.
(2145) El otoño. Se refiere a la caída de las hojas, que se efectúa
en la Tierra durante el otoño, en cuya estación el signo de Aries,
opuesto al Sol, gira de noche sobre nuestro hemisferio.
(2146) Llama diosas a las jerarquías angélicas, aludiendo a las palabras de san Juan: «Illos dixit deos, ad quos sermo Dei factus est.»
(2147) Son nueve círculos, repartidos en tres jerarquías, y cada
jerarquía en tres órdenes de espíritus. Primer ternario: Serafines,

arriba, y ejercen abajo tal influencia, que así como ellos son
atraídos por Dios, atraen lo que está debajo de ellos. Con tal
ardor se puso Dionisio (2148) a contemplar esos órdenes,
que los nombró y distinguió como yo. Pero Gregorio (2149)
se separó de él después; así es que en cuanto abrió los ojos
en este cielo, se ha reído de sí mismo. Y si un mortal ha revelado en la Tierra una verdad tan secreta, no quiero que te admires; porque el que la vió aquí arriba (2150) se la descubrió, con otras muchas cosas referentes a las verdades de
estos círculos.

Querubines y Tronos; segundo: Dominaciones, Virtudes y Potestades; tercero: Principados, Arcángeles y Angeles, que son los mensajeros de Dios. Según san Isidoro, los tres primeros órdenes miran especialmente en el Padre, los siguientes en el Hijo, y los últimos en el
Espíritu Santo.

(2148) San Dionisio Areopagita, en su libro *De cœlest. hierarch.*

(2149) San Gregorio *el Grande,* que modificó el orden de los ángeles
establecido por san Dionisio.

(2150) San Pablo, que fué transportado al Cielo e instruyó a san
Dionisio.

CANTO XXIX

*Beatriz instruye a Dante sobre la creación de todos los seres. —
En seguida censura a los teólogos y predicadores de aquel
tiempo, que, abandonando el Evangelio, se complacían en
inventar fábulas. — Por último, vuelve a hablar de la substancia de los ángeles.*

SILENCIOSA y con el rostro risueño permaneció Beatriz,
mirando fijamente al punto que me había deslumbrado,
tanto espacio de tiempo como el que media desde el
momento en que el cenit mantiene en equilibrio a los dos
hijos de Latona, cuando éstos, cobijados respectivamente por
Aries y Libra, se forman una misma zona del horizonte, hasta
que uno y otro rompen aquel círculo cambiando de hemisferio (2151). Después empezó así:

—Yo te diré, sin preguntármelo, lo que deseas oír, porque
lo he visto allí donde converge todo *ubi* y todo *quando* (2152).
No con objeto de adquirir para sí ningún bien, cosa imposible, sino a fin de que su esplendor, reflejándose en las criaturas, pudiera decir: «Existo», el Eterno Amor, en su eternidad, antes que el tiempo fuese, y de un modo incomprensible a toda otra inteligencia, se difundió según le plugo,
creando nuevos amores (2153). No es decir que antes per-

(2151) Quiere decir que Beatriz guardó silencio, mirando fijamente
a Dios sólo un instante. Los hijos de Latona son el Sol y la Luna:
cuando ambos se hallan en el mismo horizonte, uno enfrente de otro,
en Aries y Libra, como tenidos en balanza por una mano invisible,
inmediatamente rompen ese equilibrio aparente, ascendiendo el uno
a nuestro hemisferio y pasando el otro al hemisferio opuesto.
(2152) Porque lo he visto en Dios, en el cual está presente todo
lugar y todo tiempo.
(2153) No por obtener algún bien (lo que no puede ser, puesto que
Dios reúne en·sí todos los bienes y perfecciones), sino para que su
esplendor, reflejándose en las cosas creadas, ofrezca a las criaturas
una palpable demostración de que Dios existe, de que es el sostén, el
fundamento y la razón de todas las cosas, se difundió su eterno amor
en nuevos amores, creando los órdenes angélicos y los demás seres.

maneciera ocioso y como inerte; pues el proceder del espíritu de Dios sobre estas aguas no tuvo antes ni después (2154). La forma y la materia pura salieron juntamente con una existencia sin defecto, como salen tres flechas de un arco de tres cuerdas (2155); y así como la luz brilla en el vidrio, en el ámbar o en el cristal, de manera que entre el llegar y el ser toda no media intervalo alguno. (2156), así también aquel triforme efecto irradió a la vez de su Señor, sin distinción entre su principio y su existencia perfecta (2157). Simultáneamente fué también creado y establecido el orden de las substancias; y aquellas en que se produjo el acto puro fueron colocadas en la cima del mundo (2158). A la parte inferior fué destinada la potencia pura (2159), y en el medio unió a la potencia y a la acción un vínculo que nunca se desata (2160). Jerónimo escribió que los ángeles fueron creados muchos siglos antes que el restante mundo; pero esta verdad (2161) está escrita en varios pasajes de los escritores del Espíritu Santo, y la podrás observar si bien la examinas, como que hasta la misma razón la ve en parte; pues no podría comprender que los motores permanecieran tanto tiempo

(2154) El proceder de Dios sobre estas aguas, esto es, el acto de la creación de los seres, verificado cuando el tiempo no era, es decir, en la eternidad, no puede decirse operado ni antes ni después; porque estas palabras expresan dos espacios de tiempo, que no tendrían significado respecto de la eternidad, la cual no puede dividirse, sino que es una y entera.

(2155) La forma pura, la materia pura, y el modo de ser de ambas en las diversas existencias o criaturas, salieron simultáneamente, a un tiempo, de la mente creadora. Recuérdese lo dicho en otros pasajes acerca de la materia prima (común a todos los seres), y la forma o cosa substancial, que unidas constituyen las diversas especies de seres, según la filosofía escolástica.

(2156) Explica que la creación fué simultánea.

(2157) Confirma con una comparación lo dicho anteriormente. Cuando la luz hiere el cristal o el ámbar, no llega por grados, sino que instantáneamente está allí toda. Así los tres efectos, forma, materia y existencia, irradiaron de Dios en un solo acto.

(2158) Y aquellas substancias en las que se produjo la virtud de obrar sobre todos los cielos, son los ángeles, que fueron colocados en la parte más alta.

(2159) En la parte inferior del mundo fueron colocadas las substancias sólo dispuestas a recibir la acción. Tales son los cuerpos sublunares.

(2160) En el medio fueron colocados los cielos y sus inteligencias, que reciben la acción de arriba y la transmiten abajo, guardando un enlace que no se destruye jamás.

(2161) Refuta la opinión de san Jerónimo, y sostiene la de que los ángeles fueron creados al mismo tiempo que el mundo sensible, como se lee en varios pasajes de la Escritura: «Qui vivit æternum creabit omnia simul.» (Eclesias., XVIII, 1.) Esto mismo dice santo Tomás en la *Summa*.

sin su perfección (2162). Ahora sabes ya dónde, cómo y
cuándo fueron creados estos amores; de modo que están ex-
tinguidos tres ardores de tu deseo. No contarías de uno a
veinte con la prontitud con que una parte de los ángeles tur-
bó el mundo de vuestros elementos (2163). La otra parte
quedó aquí, y empezó la obra que contemplas, con tanto placer que nunca cesa de girar. La causa de la caída fué el maldito orgullo de aquel que viste en el centro de la Tierra,
pesando sobre él toda la gravedad del mundo. Ésos que ves
aquí mantuviéronse en humildad, reconociendo la bondad
que los creó para tan altos fines; por lo cual sus inteligencias
fueron de tal modo exaltadas por la gracia que ilumina y por
su mérito, que poseen una plena y firme voluntad. Y no
quiero que dudes, sino que tengas completa certidumbre de
que es meritorio recibir la gracia en proporción del amor con
que se la pide y acoge. En adelante puedes contemplar a tu
placer y sin otra ayuda este consistorio, si has entendido mis
palabras; pero como en la Tierra y en vuestras escuelas se lee
que la naturaleza angélica es tal que entiende, recuerda y quiere, te diré más todavía para que veas en toda su pureza la
verdad que abajo se confunde, equivocando semejante doctrina. Estas substancias, después de haberse recreado en el rostro
de Dios, no separaron su mirada de éste, para quien nada hay
oculto; así es que su vista no está interceptada por ningún
nuevo objeto, y, en consecuencia, no necesitan la memoria
para recordar un concepto separado de su pensamiento. Allá
abajo, pues, se sueña sin dormir, creyendo unos y no creyendo
otros decir la verdad; pero en éstos hay más falta y más
vergüenza (2164). Los que allá abajo os dedicáis a filosofar,
no vais por un mismo sendero (2165); tanto es lo que os
arrastra el afán de parecer sabios e ingeniosos; y aun esto se
tolera aquí con menos rigor que el desprecio a la Sagrada Escritura o su torcida interpretación. No pensáis en la sangre

(2162) Que los ángeles motores de los cielos estuvieran tanto tiempo privados de su acción.
(2163) Se refiere a la caída de los ángeles rebeldes, que según
creencia de algunos PP. acaeció inmediatamente después de su creación.
(2164) Alude el Poeta a dos opiniones que se sustentaban en su
tiempo acerca de la memoria de los ángeles. Algunos creían que estaban dotados de una memoria semejante a la humana; otros que care-
cían completamente de ella. Aquí dice Dante que sueñan despiertos,
tanto los que creen que los ángeles se acuerdan del mismo modo que
los hombres, como los que profesan distinta opinión; pero que algunos sueñan creyendo decir la verdad, y otros creyendo no decirla, y en
estos últimos hay más culpa y vergüenza.
(2165) Por el que conduce a la verdad.

que cuesta sembrarla por el mundo y lo grato que es a Dios el que uniforma humildemente sus ideas a las de aquélla. Sólo por parecer docto, cada cual se ingenia y se esfuerza en invenciones, que sirven de texto a los predicadores, mientras que el Evangelio se calla. Uno dice que la Luna retrocedió cuando la pasión de Cristo, y se interpuso a fin de que la luz del Sol no pudiera bajar a la Tierra; otros que la luz se ocultó por sí misma, razón por la cual este eclipse fué tan sensible para los españoles y los indios como para los judíos. No tiene Florencia tantos Lapi y Bindos (2166) como fábulas se pronuncian durante un año y por todas partes en el púlpito; así es que las ovejas ignorantes vuelven del pasto hartas de viento, sin que les sirva de excusa no haber visto el daño. Cristo no dijo a su primer convento: «Andad y predicad patrañas al mundo», sino que les dió por base la verdad; y ésta sonó en sus bocas de tal modo, que al combatir para encender la Fe, solamente se valieron del Evangelio como de escudo y lanza. Ahora, para predicar, se abusa de las argucias y bufonadas; con tal de excitar la hilaridad, la cogulla se hincha, y no se desea otra cosa. Pero en la punta de esa cogulla anida tal pájaro (2167), que si el vulgo lo viese, no admitiría las indulgencias de aquellos en quienes confía; por las cuales ha crecido tanto la necedad en la Tierra, que sin pedir pruebas de su autenticidad, se agolparía la gente a cualquier promesa de ellas. Con esto engorda el puerco que seguía a san Antonio, y engordan otros muchos que son peores que puercos, pagando en moneda sin cuño (2168). Mas, poniendo fin a esa larga digresión, vuelve ya tus ojos hacia la vía recta, de modo que el camino y el tiempo se abrevien. La naturaleza de los ángeles aumenta tanto su número de grado en grado, que no hay palabra ni inteligencia mortal que pueda llegar a significarlo; y si examinas bien lo que reveló Daniel, verás que en sus millares no se manifiesta ningún número determinado (2169). La primera luz que ilumina toda la naturaleza angélica penetra en ella de tantos modos cuantos son los esplendores a que se une. Así, pues, como el afecto es proporcionado a la intensidad de la visión beatífica, la dulzura del amor es en los án-

(2166) Nombres muy comunes en Florencia: Lapo por Jacobo y Bindo por Aldobrandino.
(2167) El Demonio.
(2168) Pagando con vanas promesas y falsas absoluciones, que son como moneda sin cuño, en cambio de las limosnas de los fieles.
(2169) «Millia millium ministrabant ei, decies millies centena millia assistebant ei.» (Daniel, 7.)

geles diversamente fervorosa o tibia. Contempla en adelante la altura y la extensión del Poder eterno; pues ha formado para sí tantos espejos en los que se multiplica, quedando siempre uno e indivisible como antes de haberlos creado.

CANTO XXX

Dante sube con Beatriz al décimo cielo, el Empíreo. Después de una visión sobrenatural, se le concede al Poeta que vea claramente el triunfo de los ángeles y de las almas bienaventuradas. Su guía le da a conocer el nombre de los elegidos, y le hace contemplar la magnitud de la ciudad de Dios.

A una distancia, aproximadamente, de seis mil millas de nosotros (2170), difunde la hora sexta su calor. y este mundo inclina ya su sombra casi horizontalmente (2171), cuando el centro del cielo que vemos más profundo empieza a ponerse de modo que algunas estrellas van perdiéndose de vista desde la Tierra (2172); y a medida que viene adelantando la clarísima sierva del Sol, el cielo apaga de una en una sus luces hasta la más bella (2173). No de otra suerte desapareció poco a poco a mi vista el triunfo de los coros angélicos, que giran sin cesar en su alegría alrededor de aquel punto que me deslumbró, pareciéndome contenido en lo mismo que Él contiene (2174); por lo cual, mi amor y la falta de objetos me obligaron a volver los ojos hacia Beatriz.

Si todo cuanto hasta aquí se ha dicho acerca de ella estu-

(2170) De Italia.
(2171) El mediodía.
(2172) Describe aquí el Poeta la desaparición de las estrellas cuando amanece, para decir que de igual modo iban desapareciendo a su vista los coros de los ángeles. — La hora sexta es la de mediodía ; creían los antiguos que la circunferencia de la Tierra era aproximadamente de 24.000 millas ; por consiguiente, al amanecer en un punto, era mediodía, o estaba el Sol a seis mil millas de distancia al Oriente, y la sombra de nuestro Globo se proyectaba en línea horizontal hacia Occidente.
(2173) Y a medida que avanza la aurora, desaparecen sucesivamente hasta las estrellas más brillantes.
(2174) La luz de Dios que me deslumbró, y que conteniendo toda cosa creada, parece estar contenido en aquellos coros.

viera reunido en una sola alabanza, sería poco para llenar el
objeto. La belleza que en ella vi no sólo está fuera del alcance
de nuestra inteligencia, sino creo con certeza que su Hacedor
es el único capaz de comprenderla toda. Me confieso vencido en este punto de mi poema, como no se vió jamás autor
ninguno, cómico o trágico, abrumado por el asunto; porque
así como el Sol ofusca la vista más aguda, del mismo modo
el recuerdo de la dulce sonrisa paraliza mi mente. Desde el
primer día que vi su rostro en esta vida (2175), hasta mi
actual contemplación, no se ha interrumpido la continuidad
de mi canto; pero ahora es preciso que mi poema desista de
seguir cantando la belleza de mi Dama, como hace todo artista que llega al último esfuerzo en su arte.

Tal cual la dejo para que la cante más sonora voz que
la mía, próxima a terminar su difícil empresa, Beatriz repuso
con el gesto y la voz de solícito guía:

—Hemos salido fuera del mayor de los cuerpos celestes,
para subir al Cielo que es pura luz (2176); luz intelectual,
llena de amor; amor de verdadero bien, lleno de gozo; gozo
superior a toda dulzura. Aquí verás una y otra milicia del
Paraíso (2177), y una de ellas bajo aquel aspecto con que la
contemplarás en el Juicio Final.

Como súbito relámpago que disipa las potencias visibles,
privando al ojo de la facultad de distinguir los mayores objetos, así me circundó una luz resplandeciente, dejándome velado de tal suerte con su fulgor, que nada descubría.

—El Amor que serena este cielo acoge siempre con semejante saludo al que entra en él, a fin de disponer al cirio
para recibir su llama (2178).

No bien hube oído estas breves palabras, cuando me sentí
elevar de un modo superior a mis fuerzas, y adquirí una nueva vista de tal vigor, que no hay luz alguna tan brillante que
no pudieran soportarla mis ojos. Y vi en forma de río una luz
áurea, que despedía espléndidos fulgores entre dos orillas adornadas de admirable primavera (2179). De este río salían vi-

(2175) Se trata de Beatriz.
(2176) Del Primer móvil al Empíreo.
(2177) Los ángeles que militaron contra los espíritus rebeldes, y los
santos que militaron contra los vicios.
(2178) Dios que infunde aquí una felicidad completa, por lo cual
este cielo está tranquilo, recibe así a las almas para prepararlas a
inflamarse a su vista, como el hombre dispone la vela para encenderla.
(2179) Un río de luz vivísima, entre dos orillas cubiertas de admirables flores. La idea está tomada del Apocalipsis, c. XXII, vers. 1 y 2:
«Me mostró un río límpido de agua de vida, resplandeciente como

vas centellas, que por todas partes se derramaban sobre las
flores, como lluvia de rubíes engastados en oro. Después,
como embriagadas con aquellos aromas, volvían a sumergirse
en el maravilloso raudal; pero si una entraba en él, otra
salía (2180).

—El alto deseo que ahora te inflama y estimula para
comprender lo que estás viendo, me place tanto más cuanto
es más vehemente; pero es preciso que bebas de esa agua
a fin de que sacies toda tu sed —. Así me dijo el Sol de mis
ojos. Luego añadió:

—El río y los topacios, que entran y salen, y la sonrisa
de las hierbas son nada más que sombras y preludios de la
verdad (2181); no porque estas cosas sean en sí de difícil
comprensión, sino porque el defecto está en ti, que no tienes
aún la vista bastante elevada.

Ningún niño se precipita tan presuroso al pecho de su
madre, cuando despierta más tarde de lo acostumbrado, como
yo, para fortalecer los espejos de mis ojos, me incliné sobre la
onda luminosa en cuya corriente reside la virtud que anhe-
laba; y apenas se bañó en ella la extremidad de mis párpados, me pareció que la corriente de larga se había vuelto en
redonda (2182).

Después, así como la gente enmascarada parece otra cosa
muy distinta en cuanto se despoja de la falsa apariencia bajo
la cual se ocultaba, así me pareció que adquirían mayor alegría las flores y las centellas; de modo que vi distintamente
las dos cortes del Cielo.

¡Oh, esplendor de Dios, merced al cual vi el gran triunfo del reino de la verdad! Dame fuerzas para decir cómo
lo vi (2183).

Hay allá arriba una luz, que hace visible el Creador a
toda criatura que sólo funda su dicha en contemplarle; y

cristal, que salía del trono de Dios y del Cordero... y de la una
y otra parte del río estaban los árboles de la vida...»

(2180) Las centellas que salen del río de luz y vuelven a él son
los espíritus angélicos, y las flores, los bienaventurados.

(2181) No son más que preludios vagos, que hacen presentir la realidad de lo que estas cosas son en sí mismas.

(2182) Aquella corriente de luz mana de la Divinidad, para que las
almas templen su vista en ella y se fortalezcan a fin de poder contemplarla; y dice que apenas tocó a ella la extremidad de sus párpados,
aquel río, que antes era largo, le pareció redondo o circular. La longitud del río representa la difusión de la Luz Divina sobre todas las cosas
creadas; la redondez, el retorno de todas esas mismas cosas a Dios,
como a su centro.

(2183) Dante repite aquí tres veces en la rima la palabra vi para
insistir enfáticamente en su admirable visión.

se extiende en forma circular por tanto espacio, que su circunferencia sería para el Sol un cinturón demasiado vasto. Toda su apariencia procede de un rayo reflejado sobre la cumbre del Primer móvil, que de él adquiere movimiento y potencia; y así como una colina se contempla en el agua que baña su base, cual si quisiera mirarse adornada cuando es más rica de verdor y flores, así, suspendidas en torno de la luz, vi reflejarse en más de mil gradas todas las almas que desde nuestro mundo han vuelto allá arriba (2184). Y si la última grada concentra en sí tanta luz, ¡cuál no será el esplendor de esta rosa en sus últimas hojas!

Mi vista no se perdía en la anchura ni en la elevación de esta rosa, sino que abarcaba toda la cantidad y la calidad de aquella alegría. Allí, el estar cerca o lejos, no da ni quita; porque donde Dios gobierna sin interposición de causas secundarias, no ejerce ninguna acción la ley natural (2185). Hacia el centro de la rosa sempiterna, que se dilata, se eleva gradualmente y exhala un perfume de alabanza al Sol que allí produce una eterna primavera, me atrajo Beatriz como el que calla, y manifiesta a la vez querer hablar, y dijo:

—¡Mira cuán grande es la reunión de blancas estolas! (2186). ¡Mira qué gran circuito tiene nuestra ciudad! ¡Mira nuestros escaños tan llenos, que ya son pocos los llamados a ocuparlos! En aquel gran asiento, donde tienes los ojos fijos a causa de la corona que está colocada sobre él, antes que tú cenes en estas bodas (2187) se sentará el alma del gran Enrique, que será augusta en la Tierra (2188), el cual irá a reformar la Italia antes que se halle preparada para ello. La ciega codicia que os enferma, os ha hecho semejantes al niño que muere de hambre y rechaza a su nodriza. Entonces será prefecto en el foro divino (2189) un hombre, que abierta y ocultamente no irá por el mismo ca-

(2184) Cuántas almas mortales han vuelto desde la Tierra al regazo de Dios, de cuyas manos habían salido anteriormente. Este gran círculo de gradas lo figura el Poeta en forma de rosa.
(2185) Donde Dios obra inmediatamente, no existe la ley natural que disminuye y oculta los objetos lejanos al sentido de la vista; pues allí todos son igualmente visibles, cualquiera que sea su distancia y posición.
(2186) En el Apocalipsis, cap. VII, 9, se lee: «Vi una gran multitud, que nadie podría contar, de todas gentes, tribus, pueblos y lenguas, que estaban delante del solio, vestidos con blancas estolas...»
(2187) Antes que vengas a gozar del Paraíso.
(2188) Aquí Dante finge predecir en 1300 la coronación del emperador Enrique VII de Luxemburgo, que tuvo efecto en 1308.
(2189) El papa Clemente V, que se opondrá al emperador Enrique valiéndose de medios ostensibles y ocultos.

mino que aquél; pero poco tiempo le tolerará Dios en su santo cargo; porque será arrojado donde está Simón el mago por sus merecimientos (2190), y hará que el de Agnani se hunda más (2191).

(2190) Será arrojado en la fosa de los simoníacos.
(2191) Y hará que el papa Bonifacio VIII, el de Anagni, se precipite más abajo. (Véase *Infierno*, Canto XIX.)

CANTO XXXI

*Mientras Dante contempla la forma general del Paraíso, Beatriz
sube a ocupar el asiento que le corresponde. — San Bernardo,
último guía del Poeta, le invita a considerar por partes la
rosa celestial, y le muestra la gloria de la Virgen María.*

EN forma, pues, de blanca rosa (2192) se ofrecía a mi
vista la milicia santa de la que Cristo con su sangre
se hizo esposo (2193); pero la otra (2194), que volando ve y canta la gloria de Aquel que la enamora y la
bondad que tan excelsa la ha hecho, como un enjambre de
abejas, que ora se posa sobre las flores, ora vuelve al sitio
donde su trabajo se convierte en dulce miel, descendía a la
inmensa flor adornada de tantas hojas, y desde allí se lanzaba de nuevo hacia el punto donde su Amor permanece perpetuamente.

Todas estas almas tenían el rostro de llama viva, las
alas de oro, y lo restante de tal blancura (2195), que no
hay nieve que pueda comparársela. Cuando descendían por
la flor de grada en grada, comunicaban a las otras almas la
paz y el ardor que ellas adquirían volando; y por más que
la familia alada se interpusiera entre lo alto y la flor, no impedía la vista ni el esplendor (2196), porque la luz divina
penetra en el Universo según que éste es digno de ello, de
manera que nada puede servirle de obstáculo.

Este reino tranquilo y gozoso poblado de gente antigua

(2192) «Apparuit illis in deserto montis Sinai angelus insigne flammæ
rubi.» (Apocal., XX.)
(2193) Las almas humanas redimidas por la sangre de Jesucristo.
(2194) Los ángeles.
(2195) El color de la llama viva denota la caridad; las alas de oro
la sabiduría, y el color blanco la pureza.
(2196) No impedían que la vista de Dante pudiera contemplar a
Dios, ni que el esplendor de Dios llegara hasta los ojos de Dante.

y moderna (2197), tenía todo él la vista y el amor dirigidos hacia un solo punto. ¡Oh, trina luz que, centelleando en una sola estrella, regocijas de tal modo la vista de esos espíritus!, mira cuál es aquí abajo nuestra tormenta.

Si los bárbaros, procedentes de la región que cubre Hélice (2198), diariamente girando con su hijo (2199), a quien mira con amor, se quedaban estupefactos al ver a Roma y sus magníficos monumentos, cuando Letrán superaba a todas las obras salidas de manos de los hombres (2200), yo, que acababa de pasar de lo humano a lo divino, del tiempo limitado a lo eterno, y de Florencia a un pueblo justo y santo, ¿de qué estupor no estaría lleno? Tan lleno estaba de él y de mi gozo, que era mi mayor deleite no oír ni decir nada. Y como él peregrino que se recrea contemplando el templo que había hecho voto de visitar, y espera, al volver a su país, referir cómo estaba construido, así yo, contemplando la viva luz, paseaba mis miradas por todas las gradas, ya hacia arriba, ya hacia bajo, y en derredor, y veía rostros que excitaban la caridad, embellecidos por otras luces y por su sonrisa, y en actitudes adornadas de toda clase de gracia.

Mi vista había abarcado por completo la forma general del Paraíso, pero no se había fijado en parte alguna; entonces, poseído de un nuevo deseo, me volví hacia mi Dama para preguntarle sobre algunos puntos que tenían en suspenso mi mente; pero cuando esperaba una cosa, me sucedió otra: creía ver a Beatriz, y vi un anciano (2201) vestido como la gloriosa familia. En sus ojos y en sus mejillas resplandecía una alegría benigna, y su aspecto era tan dulce como el de un tierno padre.

—Y ella, ¿dónde está?, dije al momento —. A lo cual contestó él: —Beatriz me ha enviado desde mi asiento para poner fin a tu deseo; y si miras el tercer círculo (2202) a

(2197) Los santos del Antiguo y del Nuevo Testamento.
(2198) La Osa Mayor.
(2199) La constelación de Bootes.
(2200) Quiere decir: Si los bárbaros que vinieron del Norte (sobre el cual gira constantemente la Osa Mayor, junto con su hijo Bootes o Arturo), quedaron asombrados viendo a Roma, cuando Letrán (el palacio de los emperadores romanos) y otros monumentos superaban en magnificencia a todas las obras de los hombres, ¿cuál no sería mi asombro al verme en la mansión divina, etc.?
(2201) Beatriz ha cumplido ya su misión, y desaparece del lado de Dante, substituyéndole san Bernardo, símbolo de la contemplación y del amor a María, de quien impetra luego que alcance para el Poeta la gracia de ver a Dios; tal vez porque para esto no basta la ciencia teológica, y se necesita de la Gracia.
(2202) Beatriz ocupa la tercera grada debajo del trono de María.

partir de la grada superior, la verás ocupar el trono en que
la han colocado sus méritos.

Sin responder levanté los ojos, y la vi formándose una
corona de los eternos rayos que de sí reflejaba. El ojo del
que estuviese en lo profundo del mar no distaría tanto de la
región más elevada donde truena, como distaban de Beatriz
los míos; pero nada importaba, porque su imagen descendía hasta mí sin interposición de otro cuerpo.

—¡Oh, mujer, en quien vive mi esperanza, y que con-
sentiste, por mi salvación, en dejar tus huellas en el Infierno (2203). Si he visto tantas cosas, a tu bondad y a tu
poder debo esta gracia y la fuerza que me ha sido necesaria.
Tú me has conducido desde la esclavitud a la libertad por
todas las vías y por todos los medios que para hacerlo han
estado a tu alcance. Consérvame tus magníficos dones, a fin
de que mi alma, que sanaste, se separe de su cuerpo siendo
agradable a tus ojos.

Así oré; y aquella que tan lejana parecía, se sonrió y
me miró, volviéndose después hacia la eterna fuente (2204).
El santo Anciano me dijo:

—A fin de que lleves a feliz término tu viaje, para lo
cual me han movido el ruego y el amor santo, vuela con los
ojos por este jardín; pues mirándolo se avivará más tu
vista para subir hasta el rayo divino. Y la Reina del Cielo,
por quien ardo enteramente en amor, nos concederá todas
las gracias, porque yo soy su fiel Bernardo.

Como aquel que viene quizá de Croacia para ver nuestra
Verónica (2205), y no se cansa de contemplarla a causa de
su antigua fama, antes bien dice para sí mientras se la enseñan: «Señor mío Jesucristo, Dios verdadero, ¿era tal vuestro rostro?», lo mismo estaba yo mirando la viva caridad de
aquel que, entregado a la contemplación, gustó en el mundo
las delicias de que ahora goza.

—Hijo de la gracia, empezó a decirme, no podrás conocer esta existencia dichosa mientras fijes los ojos solamente
aquí abajo. Ve mirando los círculos hasta el más remoto, a
fin de que veas el trono de la Reina a quien está sometido
y consagrado este reino.

(2203) Beatriz había descendido al Infierno para rogar a Virgilio
que sirviese de guía a Dante. (Véase *Infierno,* canto II.)
(2204) Dios, eterna fuente de bien.
(2205) *Verónica:* palabra grecolatina, que significa *vera efigie:* verdadera imagen. Llamóse así la imagen del Redentor impresa en el
santo sudario. La llama *nuestra,* porque se conserva en Roma.

Levanté los ojos; y así como por la mañana la parte oriental del horizonte excede en claridad a aquella por donde el Sol se pone, del mismo modo y dirigiendo la vista como el que va del fondo de un valle a la cumbre de un monte, vi en el más elevado círculo una parte del mismo que sobrepujaba en claridad a todas las otras; y así como allí donde se espera el carro (2206) que tan mal guió Faetón, más se inflama el cielo, y fuera de aquel punto va perdiendo la luz su viveza, de igual suerte aquella pacífica oriflama (2207) brillaba más en su centro, disminuyéndose gradualmente el resplandor en todas las demás partes.

Más de mil ángeles descubrí allí que la festejaban con las alas desplegadas, diferente cada cual en su esplendor y en su actitud. Ante sus juegos y sus cantos vi sonreír una beldad, que infundía el contento en los ojos de los demás santos. Aun cuando tuviera tantos recursos para decir como para imaginar, no me atrevería a expresar la más mínima parte de sus delicias.

Cuando Bernardo vió mis ojos atentos y fijos en el objeto de su ferviente amor, volvió los suyos hacia él con tanto afecto, que infundió en los míos más ardor aún para contemplarlo.

(2206) En el carro del Sol.
(2207) La Virgen María. *Oriflama* (de *auri flamma*); llamábase así una enseña de los antiguos reyes de Francia, que decían haber sido traída por un ángel.

CANTO XXXII

San Bernardo da a conocer al Poeta la disposición de la rosa celestial, y el orden en que están colocados los santos del antiguo y del nuevo Testamento. — Le hace contemplar principalmente la gloria de la Virgen bienaventurada.

EXTASIADO el santo Anciano en el objeto de su contemplación (2208), asumió espontáneamente en sí el cargo de maestro, y empezó por estas santas palabras:

—La herida que María restañó y curó fué abierta y enconada por aquella mujer tan hermosa que está a sus pies (2209). Debajo de ésta, en el orden que forman los terceros puestos, se sientan, como ves, Raquel y Beatriz (2210). A Sara, Rebeca, Judith y a la bisabuela (2211) del Cantor que en medio del dolor producido por su falta dijo *Miserere mei,* puedes verlas sucederse de grado en grado, descendiendo, medida que en la rosa te las voy nombrando de hoja en hoja. Y desde la séptima grada para abajo, como desde la más alta a la misma grada, se suceden las Hebreas, dividiendo todas las hojas de la flor; porque aquéllas son como un recto muro que comparte los sagrados escalones (2212), según como se fijó en Cristo la mirada de la fe. En esa parte,

(2208) San Bernardo.
(2209) Eva, que abrió la enconada herida del pecado, está en el primer puesto a los pies de María, que restañó y curó aquella herida.
(2210) Beatriz es la imagen de la Teología, y Raquel de la vida contemplativa; por eso están colocadas una al lado de la otra, siendo la contemplación propia de los teólogos. Ocupan la tercera grada, y sucesivamente van colocadas las demás que nombra.
(2211) Ruth, bisabuela de David.
(2212) Es decir: desde el trono de María, hasta la última grada de la flor, las mujeres hebreas forman como una línea que divide las gradas de alto abajo, sirviendo de separación, y al mismo tiempo de vínculo entre las almas de los bienaventurados que creyeron en Cristo antes o después de su venida.

en que la flor está provista de todas sus hojas (2213), se sientan los que creyeron en la venida de Jesucristo; y en la otra, en que los semicírculos se ven interrumpidos por algunos huecos, se sientan los que creyeron en Él después de haber venido; y así como en esa parte el glorioso trono de la Señora del Cielo y los otros escaños inferiores forman tan gran separación, así en la opuesta está el trono del gran Juan que, siempre santo, sufrió la soledad y el martirio, y el Infierno después durante dos años (2214); y así también debajo de él, formando a propósito igual separación, está el de Francisco; bajo éste el de Benito; bajo Benito, Agustín y otros varios, descendiendo de igual modo hasta aquí de círculo en círculo. Admira, pues, la elevada Providencia divina; porque uno y otro aspecto de la Fe (2215) llenarán por igual este jardín. Y sabe que desde la grada que corta por mitad ambas filas hasta abajo, nadie se sienta por su propio mérito, sino por el que contrajo otro, y con ciertas condiciones (2216); porque todos ellos son espíritus desprendidos de la Tierra antes que estuviesen dotados de criterio para elegir la verdad. Fácil te será cerciorarte de ello por sus rostros y también por sus voces infantiles, si los miras y los escuchas bien. Ahora dudas, y dudando guardas silencio; pero yo soltaré las fuertes ligaduras con que te estrechan tus sutiles pensamientos. En toda la extensión de este reino no puede tener cabida un asiento dado por casualidad, como tampoco caben la tristeza, la sed ni el hambre; pues todo cuanto ves se halla establecido por eterna ley, de modo que aquí cada cosa viene justa como anillo al dedo (2217). Por lo tanto, estas almas apresuradas a la verdadera vida (2218) no son aquí *sine causa* más o menos excelentes entre

(2213) En la parte de la izquierda de la Virgen, cuyos asientos están todos ocupados por los santos del Antiguo Testamento.
(2214) Enfrente del trono de la Virgen María está el asiento de san Juan Bautista, que, siendo santo desde el seno de su madre, etc., estuvo en el Limbo casi dos años, porque murió antes que Jesucristo. Enfrente de María (la santa entre las mujeres) está Juan (el santo entre los hombres). Y así como debajo de la Virgen forman una línea las madres hebreas, así debajo del Precursor forman otra los padres fundadores de órdenes religiosas en la nueva Ley.
(2215) Las dos divisiones de bienaventurados (los del Antiguo y los del Nuevo Testamento), en que está compartida la rosa, serán llenadas de ellos de un modo igual. Ésta era una opinión de aquel tiempo.
(2216) Están sentados los niños, que no adquirieron la gloria por sus méritos, sino por los de Jesucristo.
(2217) De manera que a todo grado de mérito corresponde igual grado de gloria, como al dedo corresponde un anillo proporcionado.
(2218) Dice *apresuradas*, porque los niños dejaron pronto el mundo por la vida eterna.

sí. El Rey, por quien este reino reposa en tanto amor y deleite que ninguna voluntad se atreve a desear más, creando todas las almas bajo su dichoso aspecto, las dota de más o menos gracias a su sabor; en cuanto a esto, baste conocer el efecto (2219); lo cual se demuestra expresa y claramente por la Sagrada Escritura en aquellos gemelos a quienes agitó la ira en el vientre de su madre (2220). Por lo tanto, es preciso que la altísima luz corone de su gloria a los espíritus según sea el color de los cabellos de tal gracia (2221). Así, pues, sin consideración al mérito de sus obras, se hallan esos colocados en diferentes grados, distinguiéndose tan sólo por su penetración primitiva (2222). En los primeros siglos bastaba ciertamente para salvarse tener, junto con la inocencia, la fe de los padres. Transcurridas las primeras edades, fué menester que los varones todavía inocentes adquiriesen la virtud por medio de la circuncisión (2223); pero cuando llegó el tiempo de la Gracia, toda aquella inocencia debió permanecer en el Limbo, si no había recibido el perfecto bautismo de CRISTO. Contempla ahora la faz que más se asemeja a la de CRISTO (2224), pues sólo su resplandor podrá disponerte a ver a CRISTO (2225).

(2219) Téngase por suficiente conocer el efecto, sin querer investigar los secretos inaccesibles de Dios.
(2220) Esaú y Jacob, rubio el uno y moreno el otro, que riñeron en el vientre de su madre por nacer uno antes que otro.
(2221) Según cómo la gracia infundida por Dios adorna más o menos a un alma, así Dios le comunica mayor o menor grado de gloria. «El color de los cabellos denota la complexión del hombre, y por consiguiente la inclinación de su ánimo.» ÓPTIMO. Esta idea del color de los cabellos, tratándose de la divina gracia, tal vez fué sugerida al Poeta por el hecho de Jacob y Esaú, que los tenían de colores diferentes.
(2222) Por su diferente fuerza visiva apta para mirar a Dios más o menos cerca, que desde el principio les fué comunicada por la gracia.
(2223) Pasadas las dos primeras edades del mundo,

> *Convenne a' maschi alle innocenti penne,*
> *Per circoncidere, acquisar virtute.*

Los comentadores construyen y entienden este pasaje de varios modos. Unos juntan las palabras *virtute alle innocenti penne*, y dicen: «fué menester que los niños adquiriesen fuerza en sus inocentes alas, por medio de la circuncisión». Pero como los niños no tienen alas, otros entienden, «para dar vigor a las alas de sus almas». Todo esto nos parece forzado: la idea de Dante se halla expresada literalmente así: Fué necesario a los varones de inocentes *penes* (a los niños) adquirir la gracia, o la virtud para salvarse, por medio de la circuncisión.
(2224) He aquí nuevamente la reiteración de la palabra Cristo.
(2225) Contempla ahora la faz de la Virgen, la que más semejanza tiene con la divinidad, etc.

Vi llover sobre ella tanta alegría, llevada por los santos espíritus, creados para volar por aquella altura (2226), que todo cuanto antes había visto no me había causado tal admiración ni me había mostrado mayor semejanza con Dios. Y aquel amor (2227) que fué el primero en descender cantando *Ave, María, gratia plena,* extendió sus alas delante de ella. A tan divina cantilena respondió por todas partes la Corte bienaventurada, de tal modo que cada espíritu pareció más radiante.

—¡Oh, Santo Padre, que por mí te dignas estar aquí abajo, dejando el dulce sitio donde te sientas por toda una eternidad! ¿Qué ángel es ese, que con tanto gozo mira los ojos de nuestra Reina, y tan enamorado está que parece de fuego?

Con estas palabras recurrí nuevamente a la enseñanza de aquel que se embellecía con las bellezas de María, como a los rayos del Sol se embellece la estrella matutina. Y él me respondió:

—Toda la confianza y la gracia que pueden caber en un ángel y en un alma se encuentran en él, y así queremos que sea (2228); porque es el que llevó la palma a María, cuando el Hijo de Dios quiso cargar con nuestro peso. Pero sigue ahora con la vista según yo vaya hablando, y fija la atención en los grandes patricios de este Imperio justísimo y piadoso. Aquellos dos que ves sentados allá arriba, más felices por estar más próximos a la Augusta Señora, son casi dos raíces de esta rosa (2229). El que está a la izquierda es el padre, cuyo atrevido paladar fué causa de que la especie humana probara tanta amargura. Contempla a la derecha al anciano padre de la santa Iglesia, a quien Cristo confió las llaves de este encantadora flor; a su lado se sienta aquel que vió, antes de morir, todos los tiempos calamitosos que debía atravesar la hermosa esposa que fué conquistada con la lanza y los clavos (2230); y próximo al otro, aquel jefe (2231) bajo cuyas órdenes vivió de maná la nación in-

(2226) Creados para pasar volando desde el trono de Dios a los escaños de los bienaventurados, y desde éstos a aquél.
(2227) El arcángel san Gabriel.
(2228) Aquí el Poeta consigna la uniformidad de la voluntad de los bienaventurados con la de Dios.
(2229) Adán y san Pedro, cabeza el uno del Antiguo, y el otro del Nuevo Testamento.
(2230) San Juan Evangelista, que, antes de morir, vió en el Apocalipsis las calamidades futuras de la Iglesia, conquistada por Jesucristo por medio de su pasión.
(2231) Moisés, que está cerca de Adán.

grata, voluble y obstinada. Mira sentada a Ana frente a Pedro, contemplando a su hija con tal arrobamiento, que ni aun al cantar *Hosanna* separa de ella los ojos; y frente al mayor Padre de familia (2232) se sienta Lucía, que envió a tu Dama en tu socorro, cuando cerraste los párpados al borde del abismo. Mas, por cuanto huye el tiempo que te adormece (2233), haremos punto aquí, como un buen sastre, que según el paño con que cuenta, así hace el traje, y elevaremos los ojos hacia el primer Amor, de modo que, mirándole, penetres en tu fulgor cuanto te sea posible. Sin embargo, a fin de que al mover tus alas no retrocedas acaso creyendo adelantar, es preciso pedir con ruegos la gracia que necesitas, e impetrarla de aquella que puede ayudarte; sígueme, pues, con el afecto, de modo que tu corazón acompañe a mis palabras.

Y comenzó a decir esta santa oración:

(2232) Adán.
(2233) Por cuanto transcurre el tiempo de tu visión, que es como un sueño que te ha concedido la gracia divina, dejaremos este asunto, etc.

CANTO XXXIII

San Bernardo ruega a la Virgen María que obtenga para el Poeta la gracia de elevarse hasta contemplar la esencia divina. — Después de esto, Dante, habiendo rogado a Dios que le conceda la facultad de poder describir y demostrar alguna parte de su gloria, manifiesta cómo vió unida la Humanidad a la Divinidad.

VIRGEN Madre, hija de tu Hijo, la más humilde al par que la más alta de todas las criaturas, término fijo de la voluntad eterna (2234), tú eres la que de tal suerte has ennoblecido la humana naturaleza, que su Hacedor no se desdeñó de convertirse en hechura suya. En tu seno se inflamó el amor (2235), cuyo calor ha hecho germinar esta flor en la paz eterna (2236). Eres aquí para nosotros Sol de caridad en su mediodía, y abajo para los mortales vivo manantial de esperanza. Eres tan grande, Señora, y tanto vales, que todo el que desea alcanzar alguna gracia y no recurre a ti, quiere que su deseo vuele sin alas (2237). Tu benignidad no sólo socorre al que te implora, sino que muchas veces se anticipa espontáneamente a la súplica. En ti se reúnen la misericordia, la piedad, la magnificencia y todo cuanto bueno existe en las criaturas. Este, pues, que desde la más profunda laguna del Universo (2238) hasta aquí ha visto una a una todas las existencias espirituales (2239), te suplica le concedas la gracia de adquirir tal virtud, que pue-

---

(2234) Escogida por Dios *ab æterno* para ser madre del Verbo Divino, antes de la creación del mundo.

(2235) Por la encarnación del Verbo Divino se encendió el amor de Dios hacia la raza humana, debilitado por la culpa de Adán.

(2236) En el Paraíso, que, como se ha dicho, tiene la forma de una rosa.

(2237) Quiere una cosa imposible, como imposible es volar sin alas.

(2238) Desde el profundo centro del valle infernal.

(2239) Las de los espíritus castigados en el Infierno y en el Purgatorio, y las de los premiados en el Paraíso.

da elevarse con los ojos hasta la salud suprema (2240). Y yo, que nunca he deseado ver más de lo que deseo que él vea, te dirijo todos mis ruegos, y te suplico que no sean vanos, a fin de que disipes con los tuyos todas las nieblas procedentes de su condición mortal, de suerte que pueda contemplar el sumo placer cara a cara (2241). Te suplico además, ¡oh, Reina, que puedes cuanto quieres!, que conserves puros sus afectos después de tanto ver; que tu custodia triunfe de los impulsos de las pasiones humanas; mira a Beatriz cómo junta sus manos con todos los bienaventurados para unir sus plegarias a las mías.

Los ojos que Dios ama y venera (2242), fijos en el que por mí oraba, me demostraron cuán gratos les son los devotos ruegos. Después se elevaron hacia la luz eterna, en la cual no es creíble que la mirada de criatura alguna pueda penetrar tan claramente. Y yo, que me acercaba al fin de todo anhelo, puse término en mí, como debía, al ardor del deseo.

Bernardo, sonriéndose, me indicaba que mirase hacia arriba; pero yo había hecho ya por mí mismo lo que él quería; porque mi vista, adquiriendo más y más pureza y claridad, penetraba gradualmente en la alta luz que tiene en sí misma la verdad de su existencia. Desde aquel instante, lo que vi excede a todo humano lenguaje, que es impotente para expresar tal visión, y la memoria se rinde a tanta grandeza.

Como el que ve soñando, y después del sueño conserva impresa la sensación que ha recibido, sin que le quede otra cosa en la mente, así estoy yo ahora; pues casi ha cesado del todo mi visión, y aun destila en mi pecho la dulzura que nació de ella. Del mismo modo ante el sol pierde su forma la nieve, y así también se dispersaban al viento en las ligeras hojas las sentencias de la Sibila (2243).

¡Oh, Luz suprema, que te elevas tanto sobre los pensamientos de los mortales!, renueva en mi mente algo de lo que allí me manifestaste, y haz que mi lengua sea tan po-

(2240) Hasta Dios.
(2241) Para que pueda ver a Dios, no obstante el impedimento de su naturaleza mortal o corporal. Santo Tomás dice que el alma unida al cuerpo no puede ver a Dios; esta misma idea se encuentra en la *Eneida*.
(2242) Los ojos de la Virgen María.
(2243) Refiere Virgilio que la Sibila de Cumas escribía sus oráculos en hojas, las cuales eran en breve dispersadas por el viento, de modo que no era posible luego reunirlas para conocer y explicar su verdadero sentido. Dante se vale de estas imágenes para expresar la confusión de sus recuerdos, por ser éstos superiores a la facultad de la memoria.

tente que pueda dejar a lo menos un destello de tu gloria a
las generaciones venideras; pues si se muestra por poco que
sea a mi memoria y resuena lo más mínimo en mis versos, se
podrá concebir más tu victoria! (2244).

Por la intensidad del vivo rayo que soporté sin cegar,
creo que me habría perdido si hubiera separado de él mis
ojos (2245); y recuerdo que por esto fuí tan osado para
sostenerlo que uní mi mirada con el Poder infinito. ¡Oh,
gracia abundante, por la cual tuve atrevimiento para fijar
mis ojos en la luz eterna hasta tanto que consumí toda mi
fuerza visiva! En su profundidad vi que se contiene ligado
con vínculos de amor en un volumen todo cuanto hay esparcido por el Universo (2246): substancias, accidentes y sus
cualidades, unido todo de tal manera, que cuanto digo no es
más que un pálido reflejo (2247).

Creo que vi la forma universal de este nudo (2248), porque, recordando estas cosas, me siento poseído de mayor alegría. Un solo punto me causa mayor olvido que el que han
causado veinticinco siglos transcurridos desde la empresa que
hizo a Neptuno admirarse de la sombra de *Argos* (2249).
Así es que mi mente en suspenso miraba fija, inmóvil y atenta, y continuaba mirando con ardor creciente. El efecto de
esta luz es tal, que no es posible consentir jamás en separarse de ella para contemplar otra cosa; porque el bien, que
es objeto de la voluntad, se encierra todo en ella, y fuera de
ella es defectuoso lo que allí perfecto.

Desde este punto, a causa de lo poco que recuerdo, mis
palabras serán menos hábiles que las de un niño cuya lengua

(2244) Se conocerá que tu grandeza es mayor que cuanto he visto
de más admirable en la Tierra y en el Cielo, y que cuanto pueda concebir la inteligencia humana.
(2245) Porque la Luz Divina, distinta de la de los cuerpos materiales,
tiene la virtud de fortalecer la vista del que la mira.
(2246) «Spiritus Dei continet omnia.» Todo cuanto existe esparcido
por el Universo se encuentra unido por vínculos de amor en el volumen de las inmutables y sempiternas ideas divinas.
(2247) Lo que por sí subsiste, y lo que recibe su subsistencia de
otra cosa y que puede ser o no ser, y por último, sus propiedades,
todo está allí unido: y cuanto digo acerca de esto no es más que un
indicio.
(2248) La esencia divina, que en sí contiene y anuda dichas cosas.
(2249) Un punto solo del tiempo transcurrido después de mi visión
me causa, respecto a lo que vi en Dios, mayor olvido que el que han
causado veinticinco siglos, transcurridos desde la empresa de los que
fueron a Colcos en busca del vellocino de oro en la nave *Argos*, que
siendo la primera que proyectó su sombra en la superficie del mar,
causó asombro a Neptuno. Según Petavio, desde la empresa de los
Argonautas hasta Dante (1300) se calculan 1253 años. Otros cuentan
2630, fijando dicha empresa 1330 años antes de Jesucristo.

se baña todavía en la leche materna. No porque hubiese más de un simple aspecto en la viva luz que yo miraba — pues continuaba siendo la misma que era —, sino porque mi vista se avaloraba contemplándola, su apariencia única se me representaba en otra forma según iba alterándose mi aptitud visiva (2250).

En la profunda y clara substancia de la alta luz se me aparecieron tres círculos de tres colores y de una sola dimensión (2251): el uno parecía reflejado por otro como Iris por Iris, y el tercero parecía un fuego procedente de ambos por igual (2252).

¡Ah! ¡cuán escasa y débil es la lengua para decir mi concepto! Y éste lo es tanto, comparado a lo que vi, que la palabra *poco* no basta para expresar su pequeñez.

¡Oh, Luz eterna, que en Ti solamente resides, que sola te comprendes, y que siendo por Ti a la vez inteligente y entendida, te amas y te complaces en Ti misma! (2253). Aquel de tus círculos que parecía proceder de Ti como el rayo reflejado procede del rayo directo, cuando mis ojos lo contemplaron en torno, parecióme que dentro de sí con su propio color representaba nuestra efigie, por lo cual mi vista no se apartaba de Él un momento.

Como el geómetra que se dedica con todo empeño a medir el círculo (2254), y por más que se tortura no encuentra el principio que necesita, lo mismo estaba yo ante aquella nueva imagen. Yo quería ver cómo correspondía la efigie al círculo, y cómo a él estaba unida (2255); pero no alcanzaban a tanto mis propias alas, si no hubiera sido iluminada mi mente por un resplandor, merced al cual fué satisfecho su deseo (2256).

Aquí faltó la fuerza a la elevada fantasía; pero ya eran

(2250) No porque en Dios hubiese variedad de aspecto, siendo Él inmutable, sino por la modificación de mi vista, le veía de diferente modo, etc.

(2251) La Santísima Trinidad.

(2252) El uno, esto es, el Hijo, parecía *reflejado*, procedente del otro, el Padre; y el tercero, el Espíritu Santo, *parecía fuego;* así expresa el atributo del amor divino.

(2253) Aquí expresa teológicamente la idea de la Trinidad. Luz *inteligente,* el Padre; *entendente y entendida,* el Hijo; y el *amor* y la *complacencia* del Padre y del Hijo es el Espíritu Santo.

(2254) A buscar la cuadratura del círculo.

(2255) Quería comprender cómo la naturaleza humana se adaptaba sólo al segundo círculo; esto es, a la segunda persona, siendo las tres un solo Dios; y cómo se hallaban unidas las dos naturalezas en una.

(2256) A no haber iluminado mi mente la Gracia Divina, haciéndome conocer cómo al Verbo Divino se une la naturaleza humana.

movidos mi deseo y mi voluntad, como rueda cuyas partes giran todas igualmente, por el Amor que mueve el Sol y las demás estrellas (2257).

FIN

Pero Dios hacía mover mi deseo y mi voluntad de acuerdo con la suya, de modo que me alegré de que faltaran las fuerzas a mi fantasía, y me calmé ante la voluntad de Dios.

El Cántico del *Paraíso* contiene 4.775 versos; todo el poema, 14.230. El Cántico del *Paraíso*, lo mismo que el del *Purgatorio* y el del *Infierno*, terminan, como se dijo ya, con la palabra «stelle», estrellas.

Concluímos la anotación de la DIVINA COMEDIA insertando algunas reflexiones de Guinguené (*Hist. litt. d'Italie*, T. II, pág. 251), que dicen así: «Dante ha obrado muy cuerdamente al terminar su poema con esta brevedad religiosa y al darnos una lección postrera, al engañar, por decirlo así, la ansiedad que había despertado en nosotros, ansiedad de algo que está fuera de las posibilidades humanas. Un rayo de gracia lo ilumina y le muestra súbitamente el fondo del inexplicable misterio. Este es un beneficio del cual sólo él puede gozar. No le es posible hallar ni en su imaginación ni en su memoria imagen alguna para hacerla sensible: el Ser Eterno no se lo permite y Dante se somete a su voluntad. El Poeta ya no tiene nada más que decirnos.»

ÍNDICE

EL PURGATORIO

EL PARAISO

Págs.

Los siete planetas como regidores de los siete días de la semana; junto a los símbolos de los planetas vemos los de las casas correspondientes (del Shephards Calender de 1579)

*L*a Divina Comedia se terminó de imprimir en octubre de 2004. La edición consta de 1000 ejemplares más sobrantes para reposición. La impresión de forros e interiores se llevo a cabo en el taller de litografía de: Berbera Editores S. A. de C. V. Ubicado en Delibes 96 C o l. Guadalupe Victoria C. P. 07790 México, D. F.

Tel: +(52) (55) 5356-4405,
Fax: +(52) (55) 5356-6599.